U0688840

『十四五』时期国家重点图书出版专项规划

中国考古发掘报告提要

综合卷（上册）

刘庆柱◎总主编
丁晓山◎主　编

中国文史出版社

序

记得是在2013年初夏的一天，首都师范大学丁晓山先生因公事到六里桥中华书局来找我。办完公事后我们就坐在中华书局一楼大厅里聊了会儿天，晓山先生告诉我，他想编《中国考古发掘报告提要》。我深表赞同，但又觉得兹事体大，任务繁重，恐怕会和许多听上去不错的想法一样，最终也只能停留在策划阶段，无疾自终。没有想到时隔不到两年，晓山先生竟抱着十几册书稿来找我写序了。按说考古方面的著述本不该由我来写序的，但我首先是被晓山先生的实干精神所感动，感到没有理由拒绝如此埋头苦干的后辈学者；其次从考古与文献的结合角度，也还确实有些话想说，便欣然答应了下来。

夜深人静，我翻阅着堆满了小半个书桌的书稿，当然最先翻看的是我比较感兴趣的隋唐五代卷。真的是如入宝库，目不暇接。记得曾有学者讲过，考古是坐在前排看戏。的确如此，考古是跟古人直接对话，你会看到古人穿着什么样的盛装出现在社交场合，你会触摸到古人曾经喝过酒的酒盏，你会站立在当年宫女们居住的寝室，你甚至会行走在一千年前古人曾经走过的街道上……借用时下流行的词语讲，真的是让人有“穿越”之感了。这是阅读古代文献很难获得的一种体验。

正是因为考古资料如此无可替代，20世纪20年代王国维先生就提出了“二重证据法”，以考古资料与传世文献相印证，并将此提高到了方法论的高度。20世纪60年代，沈从文先生甚至说过要想做好学问，最好“老老实实去故宫各库房学三五年文物”[①]的话。然而，结果又如何呢？约30年前，张光直先生就指出：“考古学与历史学不能打成两截，那种考古归考古，历史归历史，搞考古的不懂历史，搞历史的不懂考古的现象，是一种不应有的奇怪现象，说明了认识观的落后。”[②]李学勤先

① 沈从文：《花花朵朵坛坛罐罐——沈从文文物与艺术研究文集》，外文出版社，1994年版，第76页。

② 见《中国社会科学》杂志社编《未定稿》，1988年第4期。

生在约20年前讲："我们学术界的习惯，是把历史学和考古学截然分开。""学历史的专搞文献，学考古的专做田野，井水不犯河水，大多不相往来。我看这对历史学、考古学双方都没有好处。"[①]10年前，石兴邦先生还引用张光直先生的话讲："中国古史研究与考古学的发现成果的间距，比海峡两岸的距离还远。"[②]时至今日，这一状况应该说，有所改观，但恐怕还不好说已有了实质性的改观。

那么，怎么才能让历史学、考古学双方都有好处呢？这就需要沟通。而考古发掘报告，恰恰是双方有望沟通的一个很好的现实选择。从考古学来说，考古发掘报告是发现、发掘、整理、研究这一系列考古活动的最后结晶，是考古发掘过程中必不可少的关键一环。从历史学的角度看，考古发掘报告几乎是认识考古发掘的唯一文字凭证，历史学者不可能老是如同考古学者一样坐在前排看戏，他们在绝大多数情况下，只能通过发掘报告，来了解他们关心的考古事实（或许以后还可以通过网播、专题片等视频来了解）。应该说，考古界、史学界双方都很重视考古发掘报告。

然而，考古发掘报告似乎并不是准备给考古圈以外的人看的，专业词汇触目皆是，叙述过程长篇大论。不用说厚度令人生畏的考古详报，就是所谓考古发掘简报，也是动辄几十页，简报不"简"，难以卒读。李学勤先生曾谈到，早在1955年《考古》杂志开第一次编委会时，夏鼐先生就郑重其事地提出办刊的四项任务。头一条任务居然是"普及"[③]。我理解这个"普及"，不仅仅是向群众普及考古知识，提高文物意识，也理应包括向非考古专业的其他学科学者，介绍考古成果，传播相关信息。也早有学者呼吁，考古发掘报告专业性太强，必须加以改进，"使学科内、学科外的读者都可以直接阅读和使用可靠资料"[④]。也曾有学者强调"考古界应该更快地从迷恋于资料信息的占有，转入对资料信息的共享、共商、共研"[⑤]，而《中国考古发掘报告提要》所做的，不正是这样一种"普及"和改进工作吗？不正是这样一种"共享、共商、共研"吗？

说实话，如果说考古学和中国传统的金石学还勉强沾上点边的话，那么考古发掘报告，可就是完完全全、百分之百的舶来品了。中国传统文献里没有这种写法，也难怪国人读起来不太熟悉。而提要，则是我们十分熟悉的写法了，姚名达先生甚至说中国古代目录"优于西洋目录者，仅恃解题一宗"[⑥]。打个比方，如果说考古发

① 李学勤：《走出疑古时代》，辽宁大学出版社，1994年版，第62页。
② 张得水：《"文明探源：考古与历史的整合"学术研讨会综述》，《中原文物》2006年第1期。
③ 《〈考古〉50年笔谈》，《考古》2005年第4期。
④ 谢尧亭：《从〈天马——曲村〉谈考古资料的整理和报告的编写》，《考古》2005年第3期。
⑤ 张忠培：《中国考古学：九十年代的思考》，文物出版社，2005年版，第5页。
⑥ 《中国目录学史》，上海古籍出版社，2002年版，第346页。

掘报告是道洋味扑鼻的“西餐”，而“提要”则有如“西餐中做”。《中国考古发掘报告提要》煌煌十卷本，收录自1928年至2015年80多年间出版和专业刊物上的考古发掘报告13000多种，超过《四库全书总目》收书10000出头的规模了。而每种发掘报告，又力求用最简洁的语言，讲清楚发现、发掘的时间、地点，发现的过程，发掘出什么，属于什么时代或年代，墓主身份，遗址的性质，遗物的价值等。其实非专业学者，也许只需要了解这些基本信息就够了。其写法，又像是《四库全书简明目录》的路数。考古发掘报告这道“西餐”，经过中国传统目录学的改造，终于比较适合国人的胃口，能够满足读者的初步诉求了。

翻阅一过，却又感到《中国考古发掘报告提要》所包含的信息十分丰富。如编者比较注重趣味，一般人感兴趣的信息会予以收录。编者比较注重考证，凡有通过与文献对读并由此得出结论的部分，大多予以保留。编者还比较注重信息，尽可能多地提供了一些相关学术信息。在细节上，有些地方也做得很好。如某篇发掘报告是否有照片（彩照还是黑白照片）、拓片，如出土有墓志等是否转录全文，都一一予以交代。这些都是做得不错的地方，是为本书加分的地方。

说完为本书加分的地方，也应说说为本书减分的地方。主要是工程浩大，书出众手，各人取舍标准有宽严之别，难免会出现漏收、误收现象；对内容的把握有高下之分，也会有该“提”的“要”而未“提”或错“提”的情况。至于录校方面的漏网之鱼、分卷方面的可议之处等等，还在其次。但扪心自问，不论是谁来编纂这样一部大书，上述问题几乎可以说是在所难免。

当然，学术型工具书也如同学术专著一样，最大的“加分”还在创新。如《中国丛书综录》（上海古籍出版社1959年版、1982年版），收录丛书2797种，遗漏错讹甚多，以至有阳海清先生的《中国丛书综录补正》（广陵书社1984年版）问世。日后又扩充成《中国丛书广录》（湖北人民出版社1999年版）上、下两册，声称收录《综录》未收或与《综录》有所不同的丛书3279种。施廷镛先生的《中国丛书知见录》（北京图书馆出版社2005年版）6册，共收丛书近2000种，据称其中700种是《综录》失收的。当然这几部书是“知见”性质，与《综录》是依托图书馆藏书的“目睹”性质有所不同。尽管《中国丛书综录》有着种种不足和缺憾，甚至被人讥笑为“大跃进”的产物。但效果如何呢？公道自在人心。可以说，《中国丛书综录》的问世，极大改变了丛书的利用状况。以往即便是学问大家，都很少利用丛书；而此后哪怕是一篇普普通通的毕业论文，都会用到丛书。因为要用什么丛书，一查便知，十分方便。晓山先生和我讲过一个观点，我很赞同。他说学术积累到一定程度，会促使相关工具书的出现；而一部优秀的学术工具书，反过来又会促进学术的发展。

从书的利用是如此，考古发掘报告呢？我们期待也是如此。

《中国考古发掘报告提要》的创新之处，在我看来，主要就在为中国考古发掘报告算了次总账。台湾“中央研究院”院士周法高先生讲，他研究学问，用的是“结账式的研究方法”。周先生所编《金文诂林》《金文诂林补》和《金文诂林附录》计22册，500万字，就是将容庚《金文编》所收18000多个例字原来的出处一一查出，并登录原出处的句子、器名和器号。这是非常费时劳神的工作，等于是替金文研究贡献了一部“算总账”式的著述，且已成为研究金文不可或缺的工具书。据悉已有数位博士、硕士生以此为题来作学位论文。一部工具书居然有人来写学位论文，可见内涵十分丰富。事实上，各个学科、各个门类都应有这种“算总账”的著述才好。而《中国考古发掘报告提要》，不正是在这一领域的一部“算总账”式的工具书吗？

在开学术会议时，我私下曾请教过考古界的朋友：已发表的考古发掘报告到底有多少？结果说法不一，相差甚远，从几千到上万个都有。而《中国考古发掘报告提要》却首次给出了一个数字，这个答案当然还不能说是标准答案，但至少是向最终答案“逼近”和“靠拢”了一大步。在这一点上，编者是有首创之功的。季羡林先生曾讲过：“专就学术界而言，编纂目录或者索引，就是积累功德。”[①]在我看来，这种花了大力气的“算总账”式的工具书，可真是积了大功德了。

对于这部功惠学界的书应如何利用呢？除了通常的查阅和翻阅外，我想至少还有以下几种读法。

其一，通读。即老老实实、认认真真地一本一本、一篇一篇地把《中国考古发掘报告提要》通读一过，这当然要费上一番功夫，花上一点时间。但这么读下来，对全国从史前到明清的主要考古发掘成果都会大致有个印象，这不也算是前辈学者提到的“遇到问题会冒出来”的底子吗？晓山先生有一比，他说《中国考古发掘报告提要》，就好比是地下的《四库全书总目》提要。我倒是很欣赏这个提法。其实，不要说《四库全书总目》提要，如果能够认认真真地把《四库全书简明目录》通读一过，脑子里不就有了3000多种书的信息吗？如果再把《中国考古发掘报告提要》通读一过，脑子里不就又有了13000多条考古信息了吗？二者相加，差不多是小20000条信息了，“存储量”不可谓不大。遇到什么问题，“数据库”里总会调出几条相关信息。这也应算是一种学术功底吧。

其二，对读。所谓的“对读”，当然是指传世文献与考古材料的对读。但以往似乎是以传世文献为本的成果多一些，王国维先生的大作、陈直先生的《汉书新证》，

① 季羡林：《西文中国学研究图书目录·序》，王树英编。《季羡林序跋集》，新世界出版社，2008年版，第757页。

都是如此。如果把考古材料比作“六经”，把传世文献比作“我”，以往大多是“六经注我”。我们在这里提倡的“对读”，是“我注六经”，即用文献来诠释、印证考古材料。或许还可以借用陈佩斯、朱时茂的小品《主角与配角》来打比方：以往我们一般是以传世文献来充当主角，以考古资料来当配角；而今应该倒过来，让考古资料来当主角，以传世文献来当配角，以传世文献来诠注考古资料。而欲这么做，考古资料总得有个文字凭证才行，而这个文字的凭证，只能是考古发掘报告。

其三，核读。“核”是核校的意思。我们可以拿考古发掘报告原文，甚至用出土遗物原件来核校，我们还可以用其他考古研究成果来核校。攻其过，补其阙。最终也形成如同余嘉锡先生的《四库提要辨证》，胡玉瑨、王大隆先生的《四库全书总目提要补正》那样的成果，使《中国考古发掘报告提要》更趋完善。当然在这个过程中，自己的学术水平也终会得到提高。

其四，译读。现在不少青年学子都很重视英语。眼下考古发掘报告，往往都有英文书名或刊名，甚至还有英文的内容简介。这样我们不妨通过译读，一方面学习考古知识，一方面提高英语水平。即一边读一边将书名、篇名和内容译成英语，再与专家译的进行比较，在比较中看到自己的不足，达到学习考古、英文的双重目的。据说英国考古学家格林·丹尼尔（Glyn Daniel）讲过“未来的世界考古学要看中国”[①]一类的话，中国青年学子要向世界介绍中国考古学成果，当然免不了要谈到考古发掘报告。

其五，解读。《中国考古发掘报告提要》已尽量少用隐晦难懂的专业词汇，但仍然难免有一些词语非专业读者难辨其意。如青铜器名称、墓葬形制等，这就需要解读。可以上网搜一搜图片；还不清楚，有条件的话可以上博物馆看一看实物；如果有点绘画基础的话，可以试着自己画一画复原图、示意图。一个难点一个难点地去克服，一个词语一个词语地去弄懂。学问也会在这个过程中一点一滴地积累起来了。

其六，走读。这个“走读”，不是指改革开放之初“走读大学”那个“走读”，而是指依照《中国考古发掘报告提要》的方位指引，实地去踏察一番。考古仅仅坐在家里是不行的，一定要走出书斋。何况有些事情真的是只可意会无法言传，写得再好的报告，也无从传达。只有去实地看一看，才能更多地理解先民传递给我们的信息。

其七，群读。可以通过兴趣小组、QQ、微信群等方式组织起来，一起来攻读某一类、

---

① 转引自对俞伟超先生的访谈，见《考古与文化续编》，曹兵武编著，中华书局，2012 年版，第 348 页。

某一地甚至某一篇考古发掘报告。这也可以说是一种集体研读。好处是可以互相学习，相互激励。

行文至此，我想到了一个词：落地。考古与文献相结合说得很不少了，历史与文物相对应也喊了很多年了，大方向当然是没有问题的，但为什么一直效果不是那么明显呢？原因之一，恐怕就在于缺少一个“抓手”，而《中国考古发掘报告提要》，不正是这样一个“抓手”吗？它有助于将考古与文献相结合，扎扎实实地落到实处。当然，这还仅是第一步，甚盼日后有《中国考古发掘报告提要补正》《中国考古发掘报告提要·补编》《中国考古发掘报告提要·续编》等陆续推出，如同《四库提要》一样形成一个系列。这就需要众人拾遗补阙，共襄盛举。

最后想到的一个词，在文章开始时已提到过，那就是：感动。这部书的篇幅不小，隐藏在其后的工作量更大。听晓山先生介绍，每篇考古发掘报告，要经过初选、确认、撰写、审定、分卷和汇总共6道程序。一篇报告，要翻来覆去地看好几遍，阅读量之大，可以想见。更难能可贵的是，晓山先生没有申报任何一级课题，而是不等不靠，先干起来再说。近日偶然读到兰州大学历史系赵俪生先生的集子，赵先生说：“我们这些干了一辈子的人的眼睛是比较清楚的，知道谁在搞腐败，谁在规规矩矩地干活计。”[①]的确，我们这些人是知道的。

拉杂写来，暂且就说这些，是以为序。

傅璇琮[②]

2015年1月于北京

① 赵俪生：《赵俪生文集》第一卷，兰州大学出版社，2002年版，第119页。

② 傅璇琮（1933－2016），浙江宁波人，历任中华书局总编辑、国务院古籍整理出版规划小组秘书长、副组长，清华大学古典文献研究中心主任等职，博士生导师。

本书说明

一、编纂《中国考古发掘报告提要》的目的，在于为读者提供了解中国考古成果的简便途径。从这一意义上讲，或可视其为“地下的《四库全书总目》提要”（见本书“序”）。

二、《中国考古发掘报告提要》，收录20世纪20年代至2015年1月在中国大陆正式出版的考古详报和考古专业核心期刊登载的考古简报，共计收书1008部、文12242篇，合计13250种。

三、考古发掘报告，包括以书籍形式出版的考古详报，以文章形式发表的考古简报。仅限中文报告，外文报告不收；仅限中国境内，涉及外国不收；仅限出土文物，征集、捐献等无明确出土地点的不收。

四、每一报告，给出作者、出处（出版社及出版年、刊物名称、期数），述其所在地点、发现经过、发掘时间、主要发现、重大价值等。

五、《中国考古发掘报告提要》共计10卷：

史前卷

夏商西周卷

春秋战国卷

汉代卷

魏晋南北朝卷

隋唐五代卷

宋·西夏卷

辽金元卷

明清卷

综合卷

六、涉及两个或两个以上时代内容的报告，收入“综合卷”。

七、另有《总目》一册，包括目录汇总、参考文献和后记等内容。

八、详情请参阅各卷前的“本卷说明”。

本卷说明

一、此卷为《中国考古发掘报告提要》中的综合卷，共收录以书籍形式出版的考古详报387部，以文章形式发表的考古简报1432篇，二者合计1819种。

二、本卷分为上、下编，上编收录考古详报，下编收录考古简报。

三、上编下依34个省级行政区排列，省级行政区下以出版年为序。同一出版年的，以文物出版社、科学出版社、中国大百科全书出版社及其他出版社的顺序排列。涉及两个或两个以上省市自治区的考古详报，列于34个省级行政区之前。

四、下编下依34个省级行政区排列，每一省、自治区下再列地级市（州、盟）及省、自治区直管市。涉及两个或两个以上地级市（州、盟）的考古简报，列于该省、自治区之首。

五、其他相关事宜，请参阅“本书说明”。

目录

本书说明

本卷说明

上编　考古详报

1. 中国西部考古记……3
2. 满蒙古迹考……3
3. 西域考古记举要……3
4. 晋绥纪行……4
5. 中国长城遗迹调查报告集……4
6. 中国古代窑址调查发掘报告集……4
7. 中国早期考古调查报告……6
8. 长江三峡工程淹没及迁建区文物古迹保护规划报告……6
9. 三门峡地区考古集成……6

北京市

10. 镇江营与塔照：拒马河流域先秦考古文化的类型与谱系……8
11. 北京奥运场馆考古发掘报告……8
12. 房山南正遗址：拒马河流域战国以降时期遗址发掘报告……9
13. 北京段考古发掘报告集……9
14. 北京寺庙宫观考古发掘报告……10
15. 北京亦庄考古发掘报告：2003 ~ 2005 年……10
16. 平谷杜辛庄遗址……11

17. 丰台王佐遗址 …… 11
18. 大兴北程庄墓地：北魏、唐、辽、金、清代墓葬发掘报告 …… 13
19. 北京亦庄 X10 号地 …… 14
20. 密云大唐庄：白河流域古代墓葬发掘报告 …… 14
21. 昌平沙河：汉、西晋、唐、元、明、清代墓葬发掘报告 …… 15
22. 北京亦庄 X11 号地考古发掘报告 …… 16
23. 京沪高铁北京段与北京新少年宫考古发掘报告集 …… 16

天津市

河北省

24. 观台磁州窑址 …… 17
25. 邢台粮库遗址 …… 17
26. 唐县高昌墓地发掘报告 …… 18
27. 北响堂石窟加固保护工程报告 …… 18
28. 唐县南放水：夏、周时期遗存发掘报告 …… 20
29. 内丘张夺发掘报告 …… 20
30. 发微求真　走进定窑：定窑考古全记录（2009 ~ 2011） …… 21
31. 石家庄元氏、鹿泉墓葬发掘报告 …… 21
32. 徐水东黑山遗址发掘报告 …… 22

山西省

33. 雁北文物勘察团报告 …… 23
34. 上马墓地 …… 23
35. 天马一曲村（1980 ~ 1989） …… 24
36. 垣曲古城东关（黄河小浪底水库山西库区考古报告之二） …… 25
37. 侯马乔村墓地（1959 ~ 1996） …… 25
38. 黄河漕运遗迹：山西段 …… 26
39. 忻州游邀考古 …… 26
40. 垣曲盆地聚落考古研究 …… 27
41. 大同华严寺（上寺） …… 27
42. 垣曲上亳 …… 27

43. 运城盆地东部聚落考古调查与研究 28
44. 滹沱河上游先秦遗存调查报告（一） 29
45. 屯留余吾墓地 29
46. 黄河蒲津渡遗址 30
47. 汾阳东龙观宋金壁画墓 31
48. 忻阜高速公路考古发掘报告 31

内蒙古自治区

49. 万家寨水利枢纽工程考古报告集 32
50. 半支箭河中游先秦时期遗址 32
51. 内蒙古东南部航空摄影考古报告 32
52. 内蒙古东部（赤峰）区域考古调查阶段性报告 33
53. 小黑石沟：夏家店上层文化遗址发掘报告 33
54. 西拉木伦河流域先秦时期遗址调查与试掘 34
55. 林西井沟子：晚期青铜时代墓地的发掘与综合研究 34
56. 包头燕家梁遗址发掘报告 35
57. 浑河下游航空摄影考古报告 35

辽宁省

58. 双砣子与岗上：辽东史前文化的发展与研究 36
59. 大南沟：后红山文化墓地发掘报告 36
60. 五女山城 36
61. 辽宁省道路建设考古报告集（2003） 37
62. 朝阳北塔考古发掘与维修工程报告 37
63. 大连土羊高速公路发掘报告集 38
64. 朝阳袁台子：战国西汉遗址和西周至十六国时期墓葬 38
65. 石台子山城 39

吉林省

66. 榆树老河深 40
67. 和龙兴城：新石器及青铜时代遗址发掘报告 40
68. 洞沟古墓群：1997 年调查测绘报告 41

69. 集安高句丽王陵：1990 ~ 2003 年集安高句丽王陵调查报告 41
70. 国内城：2000 ~ 2003 年集安国内城与民主遗址试掘报告 41
71. 丸都山城：2001 ~ 2003 年集安丸都山城调查试掘报告 42
72. 吉林集安高句丽墓葬报告集 42
73. 后太平：东辽河下游右岸以青铜时代遗存为主的调查与发掘 43

黑龙江省

74. 河口与振兴：牡丹江莲花水库发掘报告（一） 45
75. 七星河——三江平原古代遗址调查与勘测报告 45

上海市

76. 上海唐宋元墓 46

江苏省

77. 南京附近考古报告 47
78. 北阴阳营——新石器时代及商周时期遗址 47
79. 通古达今之路：宁沪高速公路（江苏段）考古发掘报告文集 47
80. 祁头山 48
81. 苏州文物考古新发现——苏州考古发掘报告专辑（2001 ~ 2006） 48
82. 扬州城——1987 ~ 1998 年考古发掘报告 48
83. 大运河两岸的历史印记：楚州、高邮考古报告集 49
84. 印记与重塑：镇江博物馆考古报告集（2001 ~ 2009） 49
85. 昆山绰墩遗址 51
86. 穿越长三角：京沪、沪宁高铁江苏段考古发掘报告 51
87. 穿越宜溧山地：宁杭高铁江苏段考古发掘报告 52
88. 句容鹅毛岗土墩墓发掘报告 53
89. 南京考古资料汇编 54
90. 扬州城遗址考古发掘报告（1999 ~ 2013 年） 54

浙江省

91. 寺龙口越窑址 55
92. 沪杭甬高速公路考古报告 55

93. 上林湖越窑 56
94. 龙泉东区窑址发掘报告 56
95. 独仓山与南王山：土墩墓发掘报告 56
96. 德清火烧山：原始瓷窑址发掘报告 57
97. 余杭义桥汉六朝墓 57
98. 姚江田野考古 58
99. 浙江汉六朝墓报告集 58
100. 萧山柴岭山土墩墓 59
101. 郭童岙：越窑遗址发掘报告 59
102. 武义陈大塘坑婺州窑址 60
103. 象山塔山 60
104. 句章故城：考古调查与勘探报告 61

安徽省

105. 寿县史迹考察团调查报告书 62
106. 淮北柳孜：运河遗址发掘报告 62
107. 潜山薛家岗 62
108. 霍邱堰台：淮河流域周代聚落发掘报告 63
109. 安徽繁昌窑遗址发掘与研究 64
110. 怀宁考古记 64
111. 潜山林新战国秦汉墓 64
112. 天长三角圩墓地 65

福建省

113. 闽侯昙石山遗址第八次发掘报告 66
114. 宁德市虹梁式木构廊屋桥考古调查与研究 66
115. 福建北部古村落调查报告 67
116. 福建晋江流域考古调查与研究 67
117. 磁灶窑址——福建晋江磁灶窑址考古调查发掘报告 68
118. 福建连江定海湾沉船考古 68
119. 福建考古资料汇编（1953 ～ 1959） 68

江西省

120. 铜岭古铜矿遗址发现与研究 69
121. 景德镇湖田窑址：1988 ～ 1999 年考古发掘报告......69
122. 江西玉山渎口婺州窑址 69

山东省

123. 济青高级公路章丘工段考古发掘报告集 71
124. 兖州六里井 71
125. 山东省高速公路考古报告集（1997） 71
126. 胶东考古 71
127. 南水北调东线工程山东省文物调查报告 72
128. 蓬莱古船 72
129. 淄川考古：北沈马遗址考古发掘报告暨淄川考古研究 72
130. 山东省历史文化遗址调查与保护研究报告 73
131. 山东省胶东地区引黄调水工程文物保护工作报告 73
132. 鲁东南沿海地区系统考古调查报告 73
133. 临淄齐故城 74
134. 梁山薛垓墓地 74
135. 章丘女郎山 75
136. 胶州板桥镇遗址考古文物图集 76
137. 平邑县南武城故城遗址考古报告（城墙部分） 76

河南省

138. 辉县发掘报告 77
139. 郑州二里冈 77
140. 洛阳中州路（西工段） 78
141. 三门峡漕运遗迹 78
142. 浚县辛村 79
143. 淅川下王岗：2008 ～ 2010 年考古发掘报告......80
144. 洛阳发掘报告：1955 ～ 1960 年洛阳涧滨考古发掘资料......81
145. 登封王城岗与阳城 81

146. 陕县东周秦汉墓 82
147. 鹤壁鹿楼冶铁遗址 82
148. 汝州洪山庙 83
149. 中国国道项目河南段洛阳至三门峡高速公路文物勘探报告 83
150. 驻马店杨庄：中全新世淮河上游的文化遗存与环境信息 83
151. 黄河小浪底水库文物考古报告集 84
152. 豫东杞县发掘报告 84
153. 郑州大河村 84
154. 洛阳王湾：田野考古发掘报告 85
155. 巩义芝田晋唐墓葬 86
156. 辉县孟庄 86
157. 禹州瓦店 87
158. 郑州宋金壁画墓 87
159. 洛阳考古集成 87
160. 偃师水泉石窟 88
161. 新乡李大召：仰韶文化至汉代遗址发掘报告 88
162. 三门峡庙底沟唐宋墓葬 88
163. 新郑郑国祭祀遗址 89
164. 黄河小浪底水库考古报告（二） 89
165. 郑韩故城兴弘花园与热电厂墓地 90
166. 登封王城岗考古发现与研究（2002 ~ 2005） 90
167. 洛阳文物钻探报告（第一辑） 91
168. 洛阳文物钻探报告（第二辑） 92
169. 大司空村：第二次发掘报告 92
170. 洛阳大遗址研究与保护 93
171. 三门峡南交口 94
172. 汉魏洛阳故城阊阖门区域文物钻探报告 95
173. 汉魏洛阳故城南郊礼制建筑遗址 1962 ~ 1992 年考古发掘报告 95
174. 洛阳瞿家屯发掘报告 96
175. 百泉、郭柳与山彪 96
176. 洛阳周围小石窟全录 96
177. 淅川东沟长岭楚汉墓 97

178. 淅川刘家沟口墓地 97
179. 新乡老道井墓地 97
180. 南阳镇平程庄墓地 98
181. 南阳丰泰墓地 98
182. 洛阳文物钻探报告（第三辑） 99
183. 南阳一中战国秦汉墓 100
184. 辉县孙村遗址 100
185. 安阳鄣邓 101
186. 偃师华润电厂考古报告 102
187. 新乡王门墓地 103
188. 淅川柳家泉墓地 103
189. 淇县大马庄墓地 104
190. 民权牛牧岗与豫东考古 104
191. 洛阳文物钻探报告（第四辑） 105
192. 禹州新峰墓地 105
193. 平顶山黑庙墓地 106
194. 洛阳五女冢：田野考古发掘报告 106
195. 淅川新四队墓地 107
196. 卫辉大司马墓地 107

湖北省

197. 铜绿山：中国古矿冶遗址 108
198. 西花园与庙台子 108
199. 鄂东北考古报告集 108
200. 铜绿山古矿冶遗址 108
201. 枣林岗与堆金台：荆州大堤荆州马山段考古发掘报告 109
202. 荆州高台秦汉墓 109
203. 朝天嘴与中堡岛 109
204. 宜昌路家河：长江三峡考古发掘报告 110
205. 武昌放鹰台 111
206. 湖北库区考古报告集（第一卷） 111
207. 秭归何光嘴 113

208. 秭归柳林溪……113
209. 秭归庙坪……114
210. 荆门罗坡岗与子陵岗……114
211. 赤壁土城：战国西汉城址墓地调查勘探发掘报告……115
212. 清江考古：长阳地区考古发掘报告……115
213. 秭归官庄坪……116
214. 襄阳王坡东周秦汉墓……116
215. 湖北库区考古报告集（第二卷）……116
216. 大冶五里界：春秋城址与周国遗址考古报告……118
217. 当阳岱家山楚汉墓……118
218. 巴东楠木园……119
219. 巴东罗坪……119
220. 湖北库区考古报告集（第三卷）……119
221. 湖北库区考古报告集（第四卷）……120
222. 郧县老幸福院墓地……122
223. 蕲春罗州城——2001 年发掘报告……122
224. 荆门子陵岗……122
225. 湖北省南水北调工程重要考古发现（一）……123
226. 秭归卜庄河……123
227. 荆州荆南寺……124
228. 老河口九里山秦汉墓……124
229. 巴东雷家坪……125
230. 巴东李家湾……125
231. 湖北库区考古报告集（第五卷）……126
232. 湖北库区考古报告集（第六卷）……127
233. 巴东旧县坪……128
234. 巴东红庙岭……129
235. 秭归陶家坡……131
236. 秭归东门头……131
237. 三峡湖北段沿江石刻……132
238. 阳新大路铺……132
239. 湖北南水北调工程考古报告集（第 1 卷）……133

240. 湖北省南水北调工程考古报告集（第 2 卷） 134
241. 襄阳陈坡 134
242. 丹江口牛场墓群 135
243. 郧县上宝盖 136
244. 丹江口潘家岭墓地 136
245. 宜昌杨家湾 137
246. 巴东谭家岭与宋家榜 137
247. 武当山柳树沟墓群 138
248. 湖北南水北调工程考古报告集（第 3 卷） 139
249. 湖北南水北调工程考古报告集（第 4 卷） 139
250. 湖北南水北调工程考古报告集（第 5 卷） 140

湖南省

251. 长沙发掘报告 142
252. 湖南宋元窖藏金银器发现与研究 142
253. 永顺老司城 143
254. 沅陵窑头发掘报告：战国至汉代城址及墓葬 143

广东省

255. 东莞虎头村头村青铜时代及明代遗址 145
256. 乳源泽桥山六朝隋唐墓 145
257. 南海神庙古遗址古码头 145
258. 南越宫苑遗址 1995、1997 年考古发掘报告 146
259. 肇庆古墓 146
260. 石峡遗址：1973 ～ 1978 年考古发掘报告 147

广西壮族自治区

261. 广西文物考古报告集（1950 ～ 1991） 148
262. 广西文物考古报告集（1991 ～ 2010） 148

海南省

263. 西沙文物：中国南海诸岛之一西沙群岛文物调查 149

264. 西沙水下考古（1998 ~ 1999） 149

重庆市

265. 重庆库区考古报告集：1997 卷 150
266. 瞿塘峡壁题刻保护工程报告 151
267. 重庆库区考古报告集：1998 卷 152
268. 重庆库区考古报告集：1999 卷 153
269. 三峡古栈道 154
270. 重庆涂山窑 155
271. 万州大坪墓地 155
272. 重庆库区考古报告集：2000 卷 155
273. 云阳晒经 157
274. 忠县仙人洞与土地岩墓地 159
275. 重庆库区考古报告集：2001 卷 159
276. 重庆库区考古报告集：2002 卷 162
277. 重庆公路考古报告集 164
278. 奉节新浦与老油坊 165
279. 奉节宝塔坪 165
280. 忠县翠屏山崖墓 167
281. 酉阳邹家坝 167
282. 重庆万州老棺丘古墓群发掘报告 168
283. 丰都镇江汉至六朝墓群 168
284. 奉节白马墓地 168
285. 涪陵白鹤梁 169

四川省

286. 四川船棺葬发掘报告 170
287. 乐山崖墓和彭山崖墓 170
288. 四川考古报告集 171
289. 什邡城关战国秦汉墓地 171
290. 安宁河流域大石墓 172
291. 巴中石窟内容总录 172

292. 中江塔梁子崖墓 172
293. 成都十二桥 173
294. 绵阳龛窟：四川绵阳古代造像调查研究报告集 173
295. 四川邛崃龙兴寺 2005 ~ 2006 年考古发掘报告 174
296. 茂县营盘山石棺葬墓地 174
297. 金沙遗址考古发掘资料集（一） 175
298. 广汉二龙岗 176
299. 金沙遗址考古发掘资料集（二） 176

贵州省

300. 赫章可乐 2000 年发掘报告 177
301. 贵州董箐考古发掘报告 177
302. 贵州田野考古报告集（1993 ~ 2013） 178
303. 仰望沅水：清水江考古记 180
304. 大河上下：赤水河考古记 180
305. 悠悠牂牁：北盘江考古记 181

云南省

306. 云南苍洱境考古报告（甲、乙编） 182
307. 云南晋宁石寨山古墓群发掘报告 182
308. 云南古长城考察记 183
309. 大理大丰乐 183
310. 曲靖八塔台与横大路 184
311. 昆明羊甫头墓地 184
312. 云南考古报告集（之二） 185
313. 云南边境地区（文山州和红河州）考古调查报告 185
314. 晋宁石寨山：第五次发掘报告 186
315. 鹤庆象眠山墓地 186
316. 耿马石佛洞 188
317. 云南考古（1979 ~ 2009） 189
318. 昭通田野考古之一 190
319. 华宁小直坡墓地 192

西藏自治区

320. 古格王国建筑遗址 193
321. 古格故城 193
322. 青藏铁路西藏段田野考古报告 194
323. 皮央 · 东嘎遗址考古报告 194

陕西省

324. 西行日记 195
325. 陕西调查古迹报告 195
326. 沣西发掘报告：1955 ~ 1957 年陕西长安县沣西乡考古发掘资料 195
327. 陕西铜川耀州窑 196
328. 陕南考古报告集 197
329. 扶风案板遗址发掘报告 198
330. 西安长安区韩家湾墓地发掘报告 198
331. 城固宝山：1998 年发掘报告 199
332. 慈善寺与麟溪桥：佛教造像窟龛调查研究报告 199
333. 陕西兴平侯村遗址 200
334. 高陵张卜秦汉唐墓 200
335. 立地坡 · 上店耀州窑址 200
336. 陇县原子头 200
337. 旬邑下魏洛 201
338. 华县东阳 202
339. 宝鸡建河墓地 202
340. 法门寺考古发掘报告 202
341. 西岳庙 203
342. 梁带村芮国墓地：2007 年度发掘报告 203
343. 商洛东龙山 204
344. 李家崖 204
345. 周原汉唐墓 205
346. 凤翔孙家南头：周秦墓葬与西汉仓储建筑遗址发掘报告 205

甘肃省

347. 庆阳北石窟寺 …… 207
348. 永昌西岗柴湾岗：沙井文化墓葬发掘报告 …… 207
349. 敦煌莫高窟北区石窟 …… 207
350. 西汉水上游考古调查报告 …… 208
351. 临洮战国秦长城山丹汉、明长城调查报告 …… 208
352. 水帘洞石窟群 …… 209
353. 甘肃省基本建设考古报告集（一） …… 210

青海省

354. 青海柳湾——乐都柳湾原始社会墓地 …… 212
355. 西宁朱家寨遗址 …… 212
356. 上孙家寨汉晋墓 …… 213
357. 民和核桃庄 …… 213

宁夏回族自治区

358. 须弥山石窟 …… 214
359. 宁夏灵武窑 …… 214
360. 宁夏灵武窑发掘报告 …… 214
361. 原州古墓集成 …… 215
362. 固原开城墓地 …… 215
363. 吴忠北郊北魏唐墓 …… 216
364. 固原南塬汉唐墓地 …… 216
365. 固原九龙山汉唐墓葬 …… 216
366. 彭阳海子塬墓地发掘报告 …… 217

新疆维吾尔自治区

367. 斯坦因西域考古记 …… 218
368. 罗布淖尔考古记 …… 218
369. 塔里木盆地考古记 …… 218
370. 新疆考古发掘报告（1957 ~ 1958） …… 219

371. 新疆克孜尔石窟考古报告（第一卷）……220
372. 新疆考古记……220
373. 交河故城：1993、1994 年度考古发掘报告……222
374. 新疆察吾呼：大型氏族墓地发掘报告……222
375. 中国新疆山普拉：古代于阗文明的揭示与研究……223
376. 中国新疆的建筑遗址……223
377. 新疆古佛寺：1905 ～ 1907 年考察成果……223
378. 丹丹乌里克遗址：中日共同考察研究报告……224
379. 新疆下坂地墓地……225
380. 新疆萨恩萨伊墓地……225
381. 古代和田：中国新疆考古发掘的详细报告……226
382. 新疆文物考古资料汇编……226
383. 拜城多岗墓地……227
384. 中日、日中共同尼雅遗迹学术调查报告书（第二卷）……227

香港特别行政区、澳门特别行政区、台湾省

385. 台湾省浊水溪与大肚溪流域考古调查报告……228
386. 南丫岛深湾——考古遗址调查报告……228
387. 十七世纪荷西时期北台湾历史考古研究成果报告……228

下编　考古简报

1. 中国西安、洛阳汉唐陵墓的调查与发掘……231
2. 晋豫鄂三省考古调查简报……233

北京市

3. 北京怀柔城北东周两汉墓葬……234
4. 北京房山县考古调查简报……234
5. 北京昌平白浮村汉、唐、元墓葬发掘……235
6. 北京昌平半截塔村东周和两汉墓……235
7. 北京西郊出土古代铁口木臿……236

8. 介绍几件北京出土的陶瓷器 236
9. 北京市发现一批古遗址和窖藏文物 236
10. 北京市拒马河流域考古调查 237
11.1995 年琉璃河唐—明代居址发掘简报 237

天津市

12. 渤海湾西岸古文化遗址调查 239
13. 天津宝坻县牛道口遗址调查发掘简报 239
14. 天津军粮城海口汉唐遗迹调查 240
15. 河北静海东滩头发现宋金墓 241
16. 天津地区出土的古代铜镜 241
17. 天津市武清县兰城遗址的钻探与试掘 242
18. 宝坻秦城遗址试掘报告 242

河北省

石家庄市

19. 无极甄氏诸墓的发现及其有关问题 244
20. 河北石家庄市赵陵铺镇古墓清理简报 244
21. 河北正定天宁寺凌霄塔地宫出土文物 245
22. 河北鹿泉市西龙贵墓地唐宋墓葬发掘简报 245

唐山市

23. 河北玉田县发现新石器和青铜时代遗址 246
24. 河北遵化县出土周、汉遗物 247
25. 河北唐山市丰润区施家营遗址考古发掘报告 247

秦皇岛市

26. 河北青龙县发现古代官印 248

邯郸市

27. 观台窑址发掘报告 248
28. 河北磁县讲武城古墓清理简报 249
29. 河北磁县讲武城调查简报 250
30. 河北武安县午汲古城中的窑址 250
31.1957 年邯郸发掘简报 251

32. 邺城调查记 252
33. 磁县下潘汪遗址发掘报告 252
34. 磁县下七垣遗址发掘报告 253
35. 河北邯郸市区古遗址调查简报 253
36. 邺城考古调查和钻探简报 254
37. 河北武安洺河流域几处遗址的试掘 255
38. 河北省磁县观台磁州窑遗址发掘简报 255
39. 河北省永年县何庄遗址发掘报告 256
40. 河北磁县境内牤牛河两岸考古调查 257
41. 磁州窑观台遗址出土的瓷枕 257
42. 河北临漳县邺城遗址北吴庄佛教造像埋藏坑的发现与发掘 258
邢台市
43.1958 年邢台地区古遗址古墓葬的发现与清理 258
44. 邢台尹郭村商代遗址及战国墓葬试掘简报 259
45. 河北邢台地上文物调查记 259
46. 河北临城县补要村遗址北区发掘简报 260
保定市
47. 河北曲阳县涧磁村定窑遗址调查与试掘 260
48. 河北曲阳涧磁村发掘的唐宋墓葬 261
49.1964 ~ 1965 年燕下都墓葬发掘报告 262
50. 河北易县龙兴观遗址调查记 262
51. 河北易县涞水古遗址试掘报告 263
52. 河北涞水北封村遗址试掘简报 264
53. 河北曲阳县考古调查简报 264
54. 河北易县发现一批石造像 265
55. 河北唐县南放水遗址 2006 年发掘简报 265
56. 河北曲阳县涧磁岭定窑遗址 A 区发掘简报 266
张家口市
57. 蔚县考古纪略 267
58. 张家口市白庙遗址清理简报 267
59. 河北张家口市考古调查简报 268
60. 河北怀来官厅水库沿岸考古调查简报 268

61. 河北怀来县大古城遗址 1999 年调查简报 269
承德市
62. 河北滦平县后台子遗址发掘简报 269
63. 河北承德县白河口遗址调查 270
沧州市
64. 河北省隆化县土城子城址 2005 年试掘简报 270
廊坊市
65. 河北大厂回族自治县大坨头遗址试掘简报 271
衡水市

山西省

66. 山西娄烦、离石、柳林三县考古调查 272
太原市
67. 晋阳古城勘察记 272
68. 太原小井峪宋、明墓第一次发掘记 273
69. 太原西南郊清理的汉至元代墓葬 273
70. 孟家井瓷窑遗址 274
71. 山西太原郊区宋、金、元代砖墓 274
72. 龙山石窟考察报告 275
73. 岩香寺石窟调查报告 276
大同市
朔州市
74. 山西朔县秦汉墓发掘简报 277
忻州市
阳泉市
75. 山西平定宋、金壁画墓简报 278
晋中市
76. 山西寿阳出土一批东魏至唐代铜造像 279
77. 灵石旌介发现商周及汉代遗迹 280
吕梁市
78. 山西石楼发现的三方官印 281
79. 山西汾阳、孝义两县考古调查和杏花村遗址的发掘 281

80.2008 年山西汾阳东龙观宋金墓地发掘简报 282
长治市
81. 山西长治市分水岭古墓的清理 282
82. 山西沁县发现了一批石刻造像 283
83. 山西潞城县潞河东周、汉墓 283
84. 平顺荐福寺遗址出土的佛教石造像及龙门寺部分造像 283
85. 山西壶关县上好牢村宋金时期墓葬 284
晋城市
临汾市
86. 侯马地区东周、两汉、唐、元墓葬发掘简报 285
87. 山西襄汾赵康附近古城址调查 285
88. 晋西南三县市古文化遗址的调查 285
89. 山西侯马上马墓地发掘简报（1963 ~ 1986 年） 286
90. 侯马市东阳呈遗址调查简报 287
91.1990 年山西侯马战国、西汉墓发掘简报 287
92. 山西曲沃县广福院发现宋金（齐）佛经 288
93. 山西隰县七里脚千佛洞石窟调查 288
94. 山西侯马市虒祁墓地的发掘 289
95.1994 年山西省曲沃县曲村两周墓葬发掘简报 290
96. 山西吉县挂甲山摩崖造像调查简报 290
运城市
97. 山西闻喜汀店新石器及周代遗址 290
98. 晋西南地区新石器时代和商代遗址的调查与发掘 291
99. 山西垣曲龙王崖遗址的两次发掘 291
100. 黄河古栈道的新发现与初步研究 292
101. 山西垣曲县宁家坡遗址发掘纪要 293
102. 山西夏县辕村遗址发掘简报 293
103. 山西夏县宋金墓的发掘 294

内蒙古自治区

104. 内蒙古西北部秦汉长城调查记 295
105. 内蒙古阴山山脉狼山地区岩画 295

呼和浩特市

106. 和林格尔县土城子古墓发掘简报 297
107. 内蒙古呼和浩特市的两座塔 297
108. 呼和浩特市附近出土的外国金银币 298

包头市

乌海市

赤峰市

109. 内蒙古敖汉旗孟克河上游的遗址调查 298
110. 宁城县南山根的石椁墓 299
111. 赤峰蜘蛛山遗址的发掘 299
112. 内蒙古宁城县南山根 102 号石椁墓 300
113. 内蒙古敖汉旗发现的青铜器及有关遗物 301
114. 宁城小黑石沟石椁墓调查清理报告 302
115. 内蒙古白岔河沿岸新发现的动物岩画 302
116. 赤峰发现鄂尔多斯式铜镀 303
117. 内蒙古敖汉旗大哈巴齐拉墓地调查 303
118. 内蒙古喀喇沁旗大山前遗址 1996 年发掘简报 304
119. 内蒙古赤峰地区 1999 年区域性考古调查报告 304
120. 内蒙古喀喇沁旗大山前遗址 1998 年的发掘 305
121.2005 年赤峰市三座店古库区考古调查记 306

通辽市

122. 内蒙古库伦旗胡金稿古墓葬清理简报 306
123. 内蒙古南宝力皋吐鲜卑墓地发掘简报 307

鄂尔多斯市

124. 内蒙古伊盟达拉特旗瓦窑村的新石器时代遗址 308
125. 秦汉广衍故城及其附近的墓葬 308
126. 内蒙古准格尔旗玉隆太的匈奴墓 309
127. 内蒙古朱开沟遗址 309

呼伦贝尔市

128. 内蒙古新巴尔虎右旗哈乌拉石板墓 310
129. 内蒙古新巴尔虎左旗出土青铜镞 311

巴彦淖尔市

130. 阴山岩画新发现 311
乌兰察布市
131. 内蒙古乌盟南部发现的青铜器和铜印 312
132. 内蒙古凉城县岱海周围古遗址调查 313
133. 内蒙古兴和县沟里头匈奴墓 314
134. 内蒙古乌兰察布盟石虎山遗址发掘纪要 314
兴安盟
锡林郭勒盟
135. 内蒙古北部地区发现的新石器 315
阿拉善盟
136. 内蒙古黑城考古发掘纪要 315

辽宁省

沈阳市
137. 沈阳伯官屯汉魏墓葬 317
138. 沈阳新乐遗址试掘报告 317
139. 沈阳肇工街和郑家洼子遗址的发掘 318
140. 辽宁康平县赵家店村古遗址及墓地调查 319
141. 辽宁康平县老山头遗址调查报告 320
142. 辽宁沈阳市石台子高句丽山城第二次发掘简报 320
143. 沈阳市老城区大舞台工地文物勘探报告 321
144. 辽宁沈阳八家子汉魏墓葬群发掘简报 321
145. 沈阳市石台子山城高句丽墓葬 2002 ～ 2003 年发掘简报 322
146. 沈阳市道义镇郭七遗址发掘简报 322
大连市
147. 旅大市营城子古墓清理 323
148. 旅大市长海县新石器时代贝丘遗址调查 323
149. 大连新金县乔东遗址发掘简报 324
150. 辽宁大连新金县碧流河大石盖墓 324
151. 大连发现元明铁炮和铜火铳 325
152. 辽宁瓦房店市马圈子汉魏晋墓地发掘 325
153. 辽宁大连市郊区考古调查简报 326

154. 大连长兴岛西疆坡墓地发掘简报 326
鞍山市
155. 辽宁岫岩城南遗址 327
抚顺市
156. 辽宁抚顺市前屯、洼浑木高句丽墓发掘简报 328
157. 辽宁抚顺高尔山古城址调查简报 329
158. 辽宁清原县近年发现一批石棺墓 329
159. 抚顺地区早晚两类青铜文化遗存 330
160. 辽宁抚顺大伙房水库石棺墓 331
161. 赵家坟石棚发掘简报 331
162. 辽宁抚顺李石开发区四号路墓群发掘简报 332
本溪市
163. 本溪地区太子河流域石器至青铜时期遗址 332
164. 辽宁桓仁浑江流域新石器及青铜时期的遗迹和遗物 333
165. 辽宁桓仁县抽水洞遗址发掘 333
丹东市
166. 丹东市东沟县新石器时代遗址调查和试掘 334
167. 辽宁丹东地区鸭绿江右岸及其支流的新石器时代遗存 334
锦州市
168. 锦州山河营子遗址发掘报告 335
169. 辽宁锦西邰集屯三座古城址考古纪略及相关问题 335
营口市
阜新市
170. 辽宁彰武县考古复查纪略 336
辽阳市
盘锦市
铁岭市
171. 辽宁昌图县发现战国、汉代青铜器及铁器 337
172. 辽宁省抚顺市浑河流域石棚调查 337
173. 辽宁铁岭市邱台遗址试掘简报 338
174. 辽宁开原境内的高句丽城址 338
175. 辽宁铁岭市大山嘴子青铜文化遗址调查 339

朝阳市

176. 朝阳地区发现的剑柄端加重器及其相关遗物 340
177. 辽宁建平县的青铜时代墓葬及相关遗物 340
178. 介绍辽宁朝阳出土的几件文物 341
179. 辽宁凌源安杖子古城址发掘报告 341
180. 朝阳王子坟山墓群 1987、1990 年度考古发掘的主要收获 342
181. 辽宁朝阳北朝及唐代墓葬 343
182. 辽宁北票市大板营子鲜卑墓的清理 344

葫芦岛市

183. 辽宁绥中县“姜女坟”秦汉建筑遗址发掘简报 344
184. 辽宁绥中县石碑地秦汉宫城遗址 1993 ～ 1995 年发掘简报 345
185. 辽宁绥中县“姜女石”秦汉建筑群址石碑地遗址的勘探与试掘 346
186. 辽宁绥中县“姜女石”秦汉建筑群址瓦子地遗址一号窑址 347
187. 辽宁绥中县石碑地遗址 1996 年度的发掘 347

吉林省

188. 吉林东丰、海龙县考古调查与试掘简报 349

长春市

189. 吉林省农安德惠考古调查简报 350
190. 吉林省德惠王家坨子北岭发现的古代遗存 350
191. 吉林省饮马河沿岸古文化遗存调查简报 351
192. 长春市腰红嘴子与北红嘴子遗址发掘简报 351
193. 长春市双阳区五家子遗址发掘简报 352

吉林市

194. 吉林永吉县学古东山遗址试掘简报 353
195. 吉林永吉县乌拉街出土“触角式剑柄”铜剑 353
196. 吉林市郊二道水库狼头山石棺墓地发掘简报 354
197. 吉林市唐家崴子、西沟江沿石器制造场等遗址调查 354
198. 吉林市龙潭山鹿场遗址发掘简报 355

四平市

199. 吉林公主岭市赵油坊遗址发掘简报 355

辽源市

200. 吉林东丰县南部古遗迹调查 356
201. 吉林辽源市龙首山遗址的调查 357

通化市

202. 吉林辑安高句丽建筑遗址的清理 357
203. 一九六二年春季吉林辑安考古调查简报 358
204. 吉林辑安榆林河流域高句丽古墓调查 359
205. 吉林辑安高句丽南道和北道上的关隘和城堡 359
206. 吉林辑安历年出土的古代钱币 360
207. 吉林辑安高句丽霸王朝山城 360
208. 吉林集安洞沟三室墓清理记 361
209. 集安高句丽墓葬发掘简报 361
210. 高句丽罗通山城调查简报 362
211. 吉林集安出土的古镜 362
212. 吉林集安出土的几方铜印 363
213. 吉林集安东大坡高句丽墓葬发掘简报 363
214.1990 年吉林省通化县南部考古调查试掘的主要收获 364
215. 吉林通化市万发拨子遗址 21 号墓的发掘 364
216. 通化市金厂镇出土战国晚期至秦汉时期青铜短剑 365
217. 吉林省通化市自安山城调查报告 365

白山市

218. 吉林长白县干沟子墓地发掘简报 366
219. 吉林抚松新安遗址发掘报告 367

松原市

220. 吉林松原市后土木村发现古代墓葬 367

白城市

221. 吉林大安渔场古代墓地 368
222. 吉林洮安县双塔屯原始文化遗址调查 368
223. 吉林大安县洮儿河下游右岸新石器时代遗址调查 369
224. 吉林省镇赉县后少力古城调查 369

延边朝鲜族自治州

225. 吉林汪清考古调查 370
226. 吉林珲春新兴洞墓地发掘报告 370

227. 吉林省图们市下嘎遗址发掘报告……371

黑龙江省

228. 黑龙江中下游文物普查取得新成果……372
229. 黑龙江右岸沿江嘉荫至萝北太平沟文物普查简报……372
230. 黑龙江省莲花、尼尔基、磨盘山库区考古的主要收获……373
哈尔滨市
231. 黑龙江拉林河右岸考古调查……374
232. 黑龙江宾县庆华遗址发掘简报……375
233. 双城市同心乡同心村出土的玉斧……375
234. 黑龙江省巴彦县王八脖子山遗址考古调查简报……376
235. 黑龙江省五常市砂河子镇西山石棺墓的考古调查……376
236. 黑龙江省木兰县石头河遗址调查简报……377
齐齐哈尔市
237. 富拉尔基老龙头原始社会遗址调查……377
238. 黑龙江讷河市二克浅青铜时代至早期铁器时代墓葬……378
239. 黑龙江省讷河市红马山遗址调查……378
240. 黑龙江讷河市库勒浅青铜至早期铁器时代墓地……379
241. 黑龙江省泰来县佰大街遗址发掘简报……379
242. 黑龙江省齐齐哈尔市奈门沁遗址发掘简报……380
鸡西市
鹤岗市
243. 黑龙江萝北县团结墓葬发掘……381
244. 黑龙江省萝北、绥滨县文物普查简报……381
245. 黑龙江绥滨同仁遗址发掘报告……382
246. 黑龙江省绥滨县蜿蜒河遗址发掘报告……382
双鸭山市
247. 黑龙江友谊县凤林城址 1998 年发掘简报……383
248. 黑龙江双鸭山市保安村汉魏城址的试掘……383
249. 黑龙江友谊县凤林古城址的发掘……384
250. 黑龙江省集贤县沙岗镇文物遗址调查简报……385
251. 黑龙江省集贤县永红城址一、二、三号灰坑清理简报……385

252. 黑龙江省集贤县升昌镇文物遗址调查简报 386
253. 幸福东山城址发现“陶猪群” 386
254. 黑龙江宝清炮台山汉魏城址试掘简报 387
255. 黑龙江友谊凤林城址 2000 年发掘报告 387
大庆市
256. 黑龙江林甸牛尾巴岗发现青铜时代墓葬 388
257. 望海屯遗址略记 389
258. 黑龙江省肇源小拉哈遗址调查简报 389
259. 黑龙江省肇源县小拉哈遗址发掘简报 390
260. 黑龙江肇源白金宝遗址 1986 年发掘简报 390
伊春市
261. 黑龙江省嘉荫仁合古城调查简报 391
佳木斯市
262. 黑龙江省富锦市南部考古调查简报 392
263. 黑龙江省同江市勤得利古城调查 392
264. 黑龙江省同江市街津口遗址调查报告 393
265. 佳木斯市郊凤凰山遗址调查 393
266. 黑龙江省抚远县出土的水滴形石网坠 393
267. 黑龙江省佳木斯南郊考古调查报告 394
268. 黑龙江桦南县小八浪遗址的发掘 394
269. 黑龙江抚远县亮子油库遗址调查简报 395
七台河市
270. 勃利县平安出土单孔石刀 395
牡丹江市
271. 黑龙江省牡丹江卡路遗址调查 396
272. 镜泊湖周围山城遗址的调查 396
273. 黑龙江省宁安县石灰场遗址 397
274. 黑龙江海林市河口遗址发掘简报 397
275. 黑龙江省海林市三道河乡东兴遗址 1994 年考古发掘简报 398
276. 1995 年海林三道河乡河口遗址发掘的主要收获 398
277. 黑龙江省海林木兰集东遗址 399
278. 黑龙江省海林东兴遗址 1992 年试掘简报 399

279. 黑龙江海林市渡口遗址的发掘 …………………………………………399
280. 黑龙江省海林县振兴遗址发掘简报 ……………………………………400
281. 黑龙江省海林市望天岭遗址发掘简报 …………………………………400
282. 宁安市路家店墓群与“老君炉”遗迹调查简报 …………………………401
283. 牡丹江市郊区熊场遗址清理简报 ………………………………………401
284. 宁安市渤海镇西安村东遗址发掘简报 …………………………………402
285. 黑龙江海林市兴农渤海时期城址的发掘 ………………………………402
286. 黑龙江省乌斯浑河下游考古调查简报 …………………………………403
287. 黑龙江省宁安市东康遗址采集的陶器 …………………………………403
288. 黑龙江省绥芬河市新石器——商周时代遗址调查报告 ………………404

黑河市

289. 黑龙江水电站淹没区逊克县考古调查 …………………………………404

绥化市

大兴安岭地区

上海市

290. 青浦县淀山湖新石器时代文物的初步调查 ………………………………406
291. 上海市松江青浦两县古遗址调查 ………………………………………406
292. 上海青浦县的古文化遗址和西汉墓 ……………………………………407
293. 上海市金山县戚家墩遗址发掘简报 ……………………………………407
294. 上海福泉山唐宋墓 ………………………………………………………408
295. 上海嘉定法华塔元明地宫清理简报 ……………………………………409
296. 上海青浦区塘郁元明时期码头遗址 ……………………………………410

江苏省

297. 淮阴地区考古调查 ………………………………………………………411
298. 江苏邳海地区考古调查 …………………………………………………412
299. 江苏射阳湖周围考古调查 ………………………………………………412
300. 洪泽湖周围的考古调查 …………………………………………………413

南京市

301. 南京西善桥太岗寺遗址的发掘 …………………………………………414
302. 南京象坊村发现东晋墓和唐墓 …………………………………………414

无锡市
303. 无锡市环城河古井清理 415
304. 江苏宜兴石室墓试掘简报 416
徐州市
305. 徐州高皇庙遗址清理报告 416
306. 利国驿古代炼铁炉的调查及清理 416
307.1959 年冬徐州地区考古调查 417
308. 徐州茅村画像石墓 417
309. 江苏徐州大庙晋汉画像石墓 418
310. 徐州户部山东汉至金代墓葬发掘简报 418
311. 江苏徐州市徐州卫遗址水井发掘简报 419
常州市
312. 常州南郊戚家村画像砖墓 419
苏州市
313. 苏州市瑞光寺塔发现一批五代、北宋文物 420
314. 江苏越城遗址的发掘 421
315. 江苏吴县出土一批周代青铜剑 421
316. 江苏吴县越溪张墓村遗址调查 422
南通市
连云港
317. 江苏新海连市和东海县新石器时代、商、汉遗址 422
318. 江苏赣榆新石器时代至汉代遗址和墓葬 423
319. 江苏连云港市九龙口商和战国遗址 423
320. 江苏连云港市清理四座五代、北宋墓葬 424
淮安市
321. 江苏盱眙南窑庄楚汉文物窖藏 425
322. 江苏淮安山头遗址墓地发掘简报 425
盐城市
323. 江苏盐城出土的半两钱 426
324. 江苏盐城市城区唐宋时期的墓葬 427
扬州市
325. 江苏扬州五台山唐、五代、宋墓发掘简报 427

326. 扬州古城 1978 年调查发掘简报 428
327. 扬州三元路工地考古调查 429
镇江市
328. 镇江、句容出土的几件五代、北宋瓷器 429
329. 江苏丹阳墩头山遗址调查与试掘 430
330. 江苏丹徒镇四脚墩土墩墓第二次发掘简报 430
331. 江苏丹阳葛城遗址勘探试掘简报 431
332. 江苏镇江市铁瓮城遗址发掘简报 431
333. 镇江铁瓮城南门遗址发掘报告 432
334. 江苏镇江花山湾古城遗址 2010 年发掘简报 433
泰州市
宿迁市

浙江省

杭州市
335. 杭州西湖发现宋、金、元铜质官印 435
336. 浙江淳安古墓发掘 435
337. 杭州水田畈遗址发掘报告 436
338. 浙江淳安左口土墩墓 436
339. 杭州萧山蜈蚣山土墩墓（D4）发掘简报..437
340. 杭州萧山柴岭山土墩墓（D30）发掘简报..438
宁波市
341. 浙江余姚青瓷窑址调查报告 439
342. 浙江鄞县古瓷窑址调查记要 439
343. 调查浙江鄞县窑址的收获 440
344. 浙江宁波出土唐宋医药用具 440
345. 浙江南田海岛发现唐宋遗物 441
346. 浙江宁波天封塔地宫发掘报告 441
347. 浙江越窑寺龙口窑址发掘简报 442
348. 浙江宁波市祖关山冢地的考古调查和发掘 443
349. 浙江慈溪市越窑石马弄窑址的发掘 443
350. 慈溪上林湖荷花芯窑址发掘简报 444

351. 浙江宁波市马岭山古代墓葬与窑址的发掘 444
温州市
352. 浙江瑞安桐溪与芦蒲古墓清理 445
353. 温州地区古窑址调查纪略 446
354. 浙江瑞安凤凰山周墓清理简报 447
355. 浙江省飞云江上游古文化遗址调查 447
356. 浙江温州五代、北宋瓷制冥器 448
357. 浙江温州市郊正和堂窑址的调查 448
嘉兴市
湖州市
358. 浙江省安吉县出土一罐钱币 449
359. 浙江德清原始青瓷窑址调查 449
360. 德化屈斗宫窑址的调查发现 450
361. 浙江安吉天子岗汉晋墓 450
绍兴市
362. 浙江绍兴县出土一批窖藏古钱 451
363. 绍兴上灶官山越窑调查 451
364. 浙江绍兴里木栅晋、唐墓 452
金华市
365. 浙江东阳象塘窑址调查记 452
366. 浙江金华铁店村瓷窑的调查 453
衢州市
367. 浙江开化龙坦窑址调查 454
舟山市
台州市
368. 黄岩秀岭水库古墓发掘报告 455
369. 浙江温岭青瓷窑址调查 455
370. 浙江玉环岛发现的古文化遗存 456
丽水市
371. 龙泉溪口青瓷窑址调查纪略 457
372. 浙江省龙泉青瓷窑址调查发掘的主要收获 458
373. 浙江龙泉县安福龙泉窑址发掘简报 458

安徽省

合肥市

374. 安徽肥西县发现古代水井 460

375. 合肥出土、征集的部分古代铜镜 460

芜湖市

376. 繁昌县古代炼铁遗址 461

377. 安徽南陵县古铜矿采冶遗址调查与试掘 462

蚌埠市

378. 安徽省荣军医院怀远新址建设工地古墓群 462

淮南市

马鞍山市

淮北市

379. 安徽淮北相城战国至汉代大型排水设施发掘简报 463

铜陵市

380. 安徽铜陵市古代铜矿遗址调查 464

381. 安徽铜陵县师姑墩遗址发掘简报 465

安庆市

382. 安徽潜山薛家岗遗址第六次发掘简报 465

383. 安徽安庆市张四墩遗址试掘简报 466

384. 安徽潜山彭岭战国西汉墓 466

黄山市

385. 安徽歙县竦口窑调查 467

滁州市

阜阳市

386. 安徽颍上县出土四件古代铜镜 468

宿州市

387. 安徽寿县牛尾岗的古墓和五河濠城镇新石器时代遗址 468

388. 萧窑调查记略 469

389. 安徽萧县白土窑 470

巢湖市

六安市

390. 寿州瓷窑址调查记略 470
391. 舒城凤凰嘴发现两座战国西汉墓 471
392. 安徽寿县发现汉、唐遗物 471
亳州市
池州市
宣城市
393. 安徽郎溪欧墩遗址调查报告 472
394. 安徽郎溪唐宋墓 473

福建省

395. 福建省最近发现的古代窑址 474
396. 闽南新石器时代遗址的调查 474
福州市
397. 福州浮村遗址的发掘 475
398. 福建闽侯荆山、杜武南朝、唐墓清理记 476
399. 福建福清东张新石器时代遗址发掘报告 476
400. 福州新发现的元明时代伊斯兰教史迹 476
401. 福建闽侯县昙石山遗址发掘新收获 477
402. 福州洪塘金鸡山古墓葬 477
403.1992 年福建平潭岛考古调查新收获 478
404. 福建福州市新店古城发掘简报 479
厦门市
405. 同安发现古代炼铁遗址 479
莆田市
406. 福建莆田古窑址 480
三明市
泉州市
407. 德化屈斗宫窑址的调查发现 481
408. 泉州新发现的两方阿拉伯字墓碑 481
409. 福建南安发现的青铜器和福建的青铜器文化 482
410. 福建惠安银厝尾古窑址发掘简报 483
411. 福建南安县发现成套石锛 483

漳州市
412. 福建华安县仙字潭石刻 484
413. 福建云霄县尖子山贝丘遗址调查 484
414. 福建漳浦县赤土古窑址调查 485
南平市
415. 福建建阳古瓷窑址调查简报 486
416. 福建浦城石排下遗址试掘 486
417. 福建顺昌发现宋元窑址 487
418. 福建浦城三处古遗址调查简报 487
419. 福建浦城县管九村土墩墓群 488
龙岩市
420. 福建连城县姑田镇发现的古代岩画 489
421. 福建汀州城址勘查 489
宁德市

江西省

422. 江西的汉墓与六朝墓葬 491
423. 记赣南出土的古代农具 491
424. 鄱阳湖地区的考古收获 492
425. 江西出土地券综述 492
南昌市
426. 江西进贤县李渡烧酒作坊遗址的发掘 493
景德镇市
427. 江西湖田窑址 H 区发掘简报 493
428. 景德镇湖田窑 H 区附属主干道发掘简报 494
萍乡市
429. 江西萍乡南坑古窑调查 495
九江市
430. 江西修水出土战国青铜乐器和汉代铁器 496
431. 江西瑞昌范镇、高丰发现窖藏铜币 497
432. 江西九江神墩遗址发掘简报 497
新余市

433. 江西新余市渝水区古文化遗址调查 498
434. 江西新余市拾年山遗址 498
鹰潭市
赣州市
435. 江西赣州通天岩石窟调查 499
436. 江西赣州窑址调查 500
吉安市
437. 江西吉州窑遗址发掘简报 501
438. 江西省吉安县发现吉州窑瓷器 502
439. 江西吉安地区唐至明代窑址调查 502
440. 江西吉安市临江窑遗址 502
宜春市
441. 江西清江县马家寨遗址调查 504
442. 江西清江营盘里遗址发掘报告 504
443. 清江筑卫城遗址发掘简报 505
444. 江西宜丰县太平岗遗址调查 506
445. 江西靖安、奉新的古瓷窑 506
446. 清江樊城堆遗址发掘简报 506
447. 樟树吴城遗址第七次发掘简报 507
448. 江西高安市华林造纸作坊遗址发掘简报 507
449. 江西铜鼓平顶垴遗址发掘简报 509
抚州市
450. 江西南丰白舍窑调查纪实 509
451. 江西乐安出土汉晋铜钱 510
上饶市
452. 江西波阳王家咀遗址调查简报 510
453. 江西铅山县发现几处古瓷窑址 511

山东省

454. 山东北部小清河下游 2010 年盐业考古调查简报 512
济南市
455. 山东长清出土的青铜器 512

456. 济南大辛庄龙山、商遗址调查 513
457. 山东济阳县邝塚遗址调查 513
458.1984 年秋济南大辛庄遗址试掘述要 514
459. 山东历城黄石崖摩崖龛窟调查 514
460. 山东济南市神通寺殿堂遗址的清理 515
461. 山东章丘市王推官庄遗址发掘报告 515
462. 山东章丘市焦家遗址调查 516
463. 济南市五区古遗址调查报告 516
464. 山东章丘县董东村遗址试掘简报 516
465. 山东平阴县古文化遗存调查简报 517
466. 济南市历城区宋元壁画墓 518
467. 山东章丘市孙家东南遗址的发掘 518
青岛市
468. 山东平度东岳石村新石器时代遗址与战国墓 519
469. 山东即墨市北阡遗址 2007 年发掘简报 519
淄博市
470. 山东淄博市淄川区磁村古窑址试掘简报 520
471. 山东临淄后李遗址第一、二次发掘简报 521
472. 山东临淄后李遗址第三、四次发掘简报 521
473. 山东淄博市临淄徐家村战国西汉墓的发掘 522
474. 山东淄博市临淄区国家村战国及汉代墓葬 522
475. 山东淄博磁村窑址调查 523
476. 山东临淄齐故城秦汉铸镜作坊遗址的发掘 524
枣庄市
477. 山东滕县古遗址调查简报 524
478. 枣庄市南部地区考古调查纪要 525
479. 山东枣庄出土犁镜铜范 526
480. 山东枣庄中陈郝瓷窑址 526
481. 山东滕州市东小宫周代、两汉墓地 527
482. 山东枣庄市博物馆收藏的战国汉代铜镜 527
东营市
483. 山东广饶西杜疃遗址调查 528

484. 山东广饶佛教石造像 528
烟台市
485. 山东蓬莱县柳格庄墓群发掘简报 529
486. 山东黄县归城遗址的调查与发掘 530
487. 山东半岛出土的几件古盐业用器 530
488. 山东牟平县北头墓群清理与调查 531
489. 山东龙口市阎家店遗址发掘简报 531
490. 山东栖霞市寨里镇泊子村东周和唐代水井清理简报 532
491. 山东莱州市朱郎埠墓群发掘报告 533
潍坊市
492. 山东诸城县前寨遗址调查 533
493. 潍坊市古文化遗址调查 534
494. 山东昌乐岳家河周墓 534
495. 山东青州市戴家楼战国西汉墓 535
496. 山东临朐明道寺舍利塔地宫佛教造像清理简报 535
497. 山东昌乐县谢家埠遗址的发掘 536
498. 山东寿光龙兴寺遗址出土北朝至隋佛教石造像 536
499. 山东青州兴国寺故址出土石造像 537
威海市
济宁市
500. 山东梁山青堌堆发掘简报 538
501. 山东泗水、兖州考古调查简报 538
502. 山东济宁县古遗址 539
503. 淄博元末明初玻璃作坊遗址 539
504. 兖州西吴寺遗址第一、二次发掘简报 540
505. 山东嘉祥县出土古代铜镜 540
506. 山东济宁程子崖遗址发掘简报 541
507. 山东嘉祥县发现两方铜印 541
508. 山东微山县汉、宋墓葬清理简报 542
509. 山东微山县古遗址调查 542
510. 山东微山县发现汉、宋墓葬 543
511. 山东济宁市玉皇顶遗址发掘简报 543

泰安市

512. 泰安市发现古代文物 544
513. 山东泰安县中淳于古代瓷窑遗址调查 544
514. 山东东平白佛山石窟造像调查 545
515. 山东宁阳西太平村古代瓷窑遗址试掘简报 545
516. 泰安岱庙出土的汉唐瓦当 545
517. 山东泰安市龙门口遗址调查 546
518. 山东泰山经石峪摩崖刻经及周边题刻的考察 546

日照市

519. 莒县马鬐山出土南宋、金、元之际有关“红袄忠义军”的文物 548
520. 山东莒县杭头遗址 548
521. 山东日照市周代文化遗存 549
522. 山东日照市两城地区的考古调查 549
523. 山东日照地区系统区域调查的新收获 550

莱芜市

524. 山东省莱芜市古铁矿冶遗址调查 551

临沂市

525. 山东临沭县北沟头和寨子遗址调查 552
526. 山东沂水县发现古井 552
527. 山东郯城县古文化遗址调查简报 553
528. 山东临沂朱陈古瓷窑址调查 553
529. 山东临沂市大范庄遗址调查 554
530. 山东费县防故城遗址的试掘 554

德州市

聊城市

531. 山东聊城地区出土的铜镜 554
532. 山东聊城地区出土的磁州窑瓷器 555
533. 聊城地区出土部分古代铜镜 555
534. 山东阳谷、东阿县古文化遗址调查 556
535. 山东茌平县李孝堂遗址的调查 556
536. 聊城、茌平古文化遗址调查简报 557
537. 山东省阳谷县马庙元明墓地发掘简报 558

滨州市

538. 山东博兴出土百余件北魏至隋代铜造像 558
539. 山东博兴龙华寺遗址调查简报 559
540. 山东邹平丁公遗址第二、三次发掘简报 559
541. 山东省邹平县古文化遗址调查简报 560
542. 山东滨州市滨城区五处古遗址的调查 561

菏泽市

543. 山东成武县古遗址调查简报 561

河南省

544. 河南省几处石窟简介 563
545. 河南省石刻调查登记情况简报 563
546.1975 年豫西考古调查 564
547. 河南省五县古代铁矿冶遗址调查 565

郑州市

548. 一九五二年秋季郑州二里冈发掘记 566
549. 郑州旭旮王村遗址发掘报告 567
550. 河南巩县古窑址调查记要 568
551. 河南登封卢店汉、唐墓的发掘 568
552. 河南巩县石家庄古墓葬发掘简报 568
553. 河南省密县、登封唐宋窑址调查简报 569
554. 河南密县、登封唐宋古窑址调查 570
555. 登封县雷村发现宋金时期犁镜 570
556. 郑州市陈庄遗址发掘简报 570
557. 两件制作精美的古代勾杀兵器——青铜戈 571
558. 郑州市西北郊区考古调查简报 571
559. 郑州市站马屯遗址发掘报告 572
560. 河南荥阳县阎河遗址的调查与试掘 573
561. 郑州唐宋瓦窑址的发掘 573
562. 洛汭地带商周文化遗存调查 574
563. 河南密县西关瓷窑遗址发掘简报 574
564. 河南巩义市仓西战国汉晋墓 575

565. 巩义市北窑湾汉晋唐五代墓葬 575
566. 河南巩义市白河瓷窑遗址调查 576
567. 河南新密曲梁遗址 1988 年春发掘报告 577
568. 登封白坪钧瓷窑址调查简报 579
569. 登封宣化唐宋时期瓷窑遗址调查简报 579
570. 河南荥阳市关帝庙遗址唐、金墓葬发掘简报 580
571. 河南荥阳晋墓、唐墓发掘简报 580
572. 郑州高新区贾庄宋金墓葬发掘简报 581
573. 河南新郑市唐户遗址裴李岗文化遗存 2007 年发掘简报 581
574. 河南巩义市白河窑遗址发掘简报 582
575. 郑州西山河南艺术职业学院秦汉墓葬发掘简报 583
576. 河南新郑市华阳城遗址的调查简报 583
开封市
577. 河南杞县鹿台岗遗址发掘简报 584
洛阳市
578. 洛阳涧滨古文化遗址及汉墓 585
579. 河南偃师灰嘴遗址发掘简报 585
580. 一九五五年洛阳涧西区北朝及隋唐墓葬发掘报告 586
581. 洛阳涧滨仰韶、殷文化遗址和宋墓清理 586
582. 汉魏洛阳城出土的有文字的瓦 587
583. 河南偃师“滑城”考古调查简报 587
584. 河南偃师仰韶及商代遗址 588
585. 河南偃师伊河南岸考古调查试掘报告 588
586. 汉魏洛阳城一号房址和出土的瓦文 589
587. 汉魏洛阳城初步勘查 589
588. 新安古窑址的新发现 590
589. 洛阳西高崖遗址试掘简报 590
590. 洛阳近几年来搜集的珍贵历史文物 591
591. 洛阳汉魏故城北垣一号马面的发掘 591
592. 洛阳市一九八四年古文化遗址调查简报 592
593. 河南偃师灰嘴遗址发掘报告 592
594. 洛阳市偃师县高崖遗址发掘报告 592

595. 汉魏洛阳故城城垣试掘 593
596. 河南新安县太涧遗址发掘简报——黄河小浪底水库淹没区考古发掘简报之一594
597. 河南偃师商城Ⅳ区 1996 年发掘简报 594
598. 汉魏洛阳故城金墉城址发掘简报 595
599. 河南洛阳唐宫路北唐宋遗迹发掘简报 595
600. 黄河八里胡同栈道的勘测 596
601. 洛阳东车站两周墓发掘简报 596
602. 东周王城战国至汉代陶窑遗址发掘简报 597
603. 定鼎门遗址发掘报告 598
604. 河南洛阳盆地 2001 ~ 2003 年考古调查简报 599
605. 河南伊川县槐庄墓地晋唐墓发掘简报 600
606. 洛阳邙山陵墓群的文物普查 600
607. 河南郾城县庙岗遗址调查简报 601
平顶山市
608. 河南鲁山段店窑 602
609. 宝丰县出土铜质造像 602
610. 河南鲁山段店窑的新发现 603
611. 宝丰清凉寺汝窑址的调查与试掘 603
612. 河南汝州市区古代遗址发掘简报 604
613. 河南汝州市东沟瓷窑址发掘简报 605
614. 河南鲁山县薛寨遗址发掘简报 605
615. 河南宝丰史营遗址战国至汉代墓葬 606
焦作市
616. 武陟县保安庄遗址调查简报 606
617. 河南焦作地区的考古调查 607
鹤壁市
618. 河南鹤壁市古煤矿遗址调查简报 607
619. 河南省鹤壁集瓷窑遗址发掘简报 608
620. 淇县现存的石窟和造像碑 608
621. 鹤壁市后营古墓群发掘简报 609
622. 鹤壁市故县战国和汉代冶铁遗址出土的铁农具和农具范 610
新乡市

623. 河南辉县古窑址调查简报 610
624. 新乡地区文物普查的主要收获 611
625. 河南新乡杨岗战国两汉墓发掘简报 612
626. 河南新乡五陵村战国两汉墓 612
627. 河南新乡市宋金墓 613
628. 河南新乡李大召遗址战国两汉墓发掘简报 614
629. 河南新乡县后高庄遗址发掘报告 614
630.2003 年河南新乡市火电厂墓地发掘简报 615
安阳市
631. 河南安阳西郊唐、宋墓的发掘 615
632. 林县峡谷千佛洞造像调查记 616
633. 豫北洹水两岸古代遗址调查简报 616
634. 安阳县古瓷窑遗址考察 617
635. 河南林州市出土古代铜镜 617
636. 安阳古城勘察记 618
637. 河南安阳殷墟刘家庄北地殷墓与西周墓 618
638. 林州慈源寺建筑基础清理简报 619
639. 安阳市西高平遗址晋、唐宋遗存发掘报告 620
640. 河南安阳市黄张遗址两周时期文化遗存发掘简报 620
濮阳市
641. 濮阳市郊区考古调查简报 621
642.1988 年河南濮阳西水坡遗址发掘简报 621
许昌市
643. 河南省禹县古窑址调查记略 622
644. 河南许昌市仓库路战国和汉代墓葬发掘简报 623
645. 河南省禹州市神垕镇刘家门钧窑遗址发掘简报 623
646. 许昌长葛山孔遗址发掘简报 624
漯河市
647. 河南舞阳出土的周、汉兵器 625
648. 河南临颍小商桥出土的古建筑构件 625
三门峡市
649. 渑池县发现的古代窖藏铁器 626

650. 上村岭秦墓和汉墓 627
651. 陕县西崖村遗址的发掘 627
652. 三门峡市崤山西路发现三座古墓 627
653. 三门峡市李家窑遗址发掘简报 628
654. 河南三门峡市南家庄遗址的调查与试掘 628
655. 河南三门峡市北朝和隋代墓葬清理简报 629
656. 河南渑池石佛寺石窟调查 630
南阳市
657. 河南南召发现古代冶铁遗址 630
658. 河南南阳发现一批秦汉铜钱 631
659. 河南淅川下王岗遗址的试掘 631
660. 南阳地区的文物普查工作 632
661. 内乡县大窑店瓷窑遗址的调查 632
662. 南阳发现一批窖藏铜钱 632
663. 淅川丹江水库区的文物调查与发掘 633
664. 河南邓县房山新石器时代遗址及秦汉墓调查 633
665. 南阳市十里庙遗址调查 634
666. 河南邓州市八里岗遗址 1992 年的发掘与收获 634
667. 河南唐河发现汉、宋墓葬 635
668. 南阳市烟草专卖局春秋、西汉墓葬的发掘 635
669. 河南省镇平县楸树湾古铜矿冶遗址的调查 636
670. 河南南阳市邢庄汉、宋墓群发掘报告 636
671. 桐柏县几处古文化遗址调查简报 637
672. 河南淅川县马川遗址发掘简报 637
673. 河南淅川仓房新四队战国、秦墓发掘简报 638
商丘市
674.1977 年豫东考古纪要 638
675. 夏邑县杨楼春秋两汉墓发掘简报 639
676. 豫东商丘地区考古调查简报 639
677. 河南民权牛牧岗遗址战国西汉墓葬发掘简报 640
信阳市
678. 河南信阳三里店遗址发掘报告 640

679. 信阳孙砦遗址发掘简报 641
680.1991 年河南罗山考古主要收获 641
681. 河南固始平寨古城遗址发掘报告 642
682. 河南罗山县擂台子遗址发掘简报 642
683. 河南淮滨县黄土城地区区域考古调查简报 643
周口市
684. 寿圣寺塔调查 643
685. 河南鹿邑栾台遗址发掘简报 644
686. 河南乳香台遗址的发掘 644
驻马店市
687. 河南上蔡县卧龙岗战国西汉墓发掘简报 645
688. 河南泌阳县下河湾冶铁遗址调查报告 645
济源市

湖北省

689. 长江中游湖北地区考古调查 647
690. 记我省首次发现的两处古瓷窑址 647
691. 湖北发现战国西汉的骆驼图像 648
武汉市
692. 汉阳县发现陈子墩古文化遗址 648
693. 湖北黄陂鲁台山两周遗址与墓葬 649
694. 汉阳东城垸纱帽山遗址调查 649
695. 武昌青山瓷窑遗址发掘简报 650
696. 武昌县金口汉晋墓发掘简报 650
697. 武汉市东西湖柏泉农场古墓群清理简报 651
698. 洪山放鹰台遗址 97 年度发掘报告 651
699. 武汉市梁子湖古瓷窑址调查 652
700.1996 年汉南纱帽山遗址发掘 652
701. 湖北剧场扩建工程中的墓葬和遗迹清理简报 653
702. 武汉市江夏区新窑村窑址群的调查与发掘 653
黄石市
703. 大冶上罗村遗址试掘简报 654

704. 大冶县新发现一处古城遗址 654
705. 大冶县三处古遗址调查 655
706. 阳新枫林镇两处宋、明墓葬发掘简报 655
707. 阳新大路铺遗址东区发掘简报 656
708. 湖北阳新发现一处青铜器窖藏 656
709. 大冶金湖古文化遗址调查 657
710. 湖北大冶蟹子地遗址 2009 年发掘报告 657
711. 湖北省大冶市铜绿山古铜矿冶遗址保护区调查简报 658
712. 大冶市铜绿山卢家垴冶炼遗址发掘简报 659
713. 湖北大冶铜绿山岩阴山脚遗址发掘简报 659

襄樊市

714. 湖北宜城楚皇城战国秦汉墓 660
715. 南漳县几处古文化遗址调查简报 661
716. 湖北枣阳毛狗洞遗址调查 661
717. 襄樊地区出土的几方铜印 662
718. 谷城过山战国西汉墓葬 662
719. 襄樊市博物馆藏铜镜选介 662
720. 襄樊市郑家山古墓清理简报 663
721. 湖北襄阳刘家埂唐宋墓葬清理简报 663
722. 湖北襄樊市余岗战国至东汉墓葬发掘报告 664
723. 湖北宜城郭家岗遗址发掘 664
724. 襄阳邹湾遗址发掘简报 665
725. 湖北襄樊郑家山战国秦汉墓 666
726. 湖北襄樊刘家埂唐宋墓葬清理简报 667
727. 襄樊市高庄墓群发掘报告 667
728. 襄樊王寨许家岗墓群发掘 668
729. 襄阳东津洪山头遗址发掘简报 668
730. 襄樊檀溪隋唐宋墓清理简报 669
731. 襄樊杜甫巷东汉、唐墓 669
732. 老河口市付老馆遗址调查发掘简报 670
733. 湖北襄阳岗心与八亩坡墓地发掘简报 670
734. 湖北襄阳邓城韩岗遗址发掘报告 671

735. 湖北襄阳邓城韩岗遗址汉唐墓葬……671
736. 湖北襄阳王家坡墓地考古发掘主要收获……672
737. 湖北襄阳法龙付岗墓地发掘简报……672
738. 襄樊余岗战国秦汉墓第二次发掘简报……673
739. 湖北省襄樊市邓城遗址试掘简报……673
740. 湖北谷城县肖家营墓地……674
741. 襄樊市高庄墓群第三次发掘……675
742. 湖北襄阳马集、李食店墓葬发掘简报……675
743. 襄樊长虹南路墓地第二次发掘简报……675
744. 湖北襄樊市韩岗南朝“辽西韩”家族墓的发掘……676
745. 湖北谷城田家凹秦汉墓发掘简报……677

十堰市

746. 湖北房县的东汉、六朝墓……677
747. 丹江口市肖川区战国两汉墓葬发掘简讯……678
748. 房县桃园发掘出一批东周两汉墓……678
749. 丹江口市肖川战国两汉墓葬……679
750. 湖北均县朱家台遗址……679
751. 房县桃园战国两汉墓葬第三次发掘简讯……680
752.1986 ～ 1987 年湖北房县松嘴战国两汉墓发掘报告……680
753. 竹山县霍山遗址调查简报……681
754. 南水北调工程丹江口水库郧县淹没区考古调查……682
755.“南水北调”工程丹江口水库郧西县淹没区考古调查简报……682
756. 湖北房县松嘴战国两汉墓地第三、四次发掘报告……683
757. 房县羊鼻岭遗址再调查……684
758. 房县古城古墓地调查简报……684
759. 郧县三浪滩遗址调查简报……684
760. 丹江口市玉皇庙汉晋墓发掘简报……685
761. 湖北丹江口市金陂墓群的发掘……686
762.2008 年湖北省丹江口市观音坪遗址发掘报告……687
763. 湖北郧西张家坪遗址发掘简报……687
764. 湖北丹江口市莲花池墓地战国秦汉墓……688
765. 湖北郧县店子河遗址发掘简报……688

766. 湖北郧县中台子遗址发掘报告 689
767. 湖北丹江口市八腊庙墓群第二次发掘简报 690
768. 湖北郧西庹家湾遗址发掘报告 691
769. 湖北武当山柳树沟墓群 2010 年发掘简报 692
770. 湖北郧县上宝盖遗址 2010 年发掘简报 693
荆州市
771. 江陵毛家山发掘记 693
772. 江陵张家山遗址的试掘与探索 694
773. 江陵县纪南城摩天岭遗址试掘简报 694
774. 荆沙铁路考古发掘取得重大收获 695
775. 江陵县郢城调查发掘简报 695
776. 宜黄公路仙江段考古发掘工作取得重大收获 696
777. 湖北省洪湖市小城濠、大城濠、万铺塌遗址调查 697
778. 关沮秦汉墓清理简报 697
779. 江陵岳山秦汉墓 698
780. 荆州城南垣东端发掘报告 699
781. 湖北松滋西斋汪家嘴遗址发掘报告 700
宜昌市
782. 宜昌前坪战国两汉墓 701
783. 沮、漳河中游考古调查 701
784. 当阳沮河下游 1972 年考古调查简报 702
785. 秭归龚家大沟遗址的调查试掘 703
786. 秭归官庄坪遗址试掘简报 703
787. 赫家洼遗址的调查简报 704
788.1976 年清江下游沿岸考古调查简报 704
789. 湖北长阳出土一批青铜器 705
790. 宜昌市发现一座古代军垒 705
791. 湖北宜都发掘三座汉晋墓 705
792. 湖北宜昌中堡岛遗址发掘简报 706
793. 枝城市博物馆藏青铜器 706
794. 宜昌县朱家台遗址试掘 707
795. 宜昌县艾家河古遗址群调查简报 707

796. 当阳付家窑两周遗址调查简报 707
797. 湖北宜昌前坪包金头东汉、三国墓 708
798. 香溪河遗址调查简报 708
799. 秭归卜庄河古墓发掘简报 709
800. 清江高坝洲工程枝城市境内周代遗址调查简报 709
801. 三峡的重大考古发现 710
802. 秭归下尾子遗址发掘简报 711
803. 湖北宜昌杨家嘴遗址发掘简报 711
804. 湖北宜昌白庙遗址 1993 年发掘简报 712
805. 宜昌三家沱遗址发掘报告 712
806. 枝城乱葬岗古墓第二次发掘简报 713
807. 湖北宜昌县下岸遗址发掘简报 713
808. 远安孙家岗古墓发掘简报 714
809.1985 ~ 1986 年三峡坝区三斗坪遗址发掘简报 714
810. 湖北宜昌县上磨垴周代遗址的发掘 715
811. 湖北宜昌市鹿角包遗址发掘简报 716
812. 三峡库区旧州河遗址发掘报告 716
813. 湖北秭归何家坪遗址发掘简报 717
814. 湖北秭归东门头汉墓与宋墓清理简报 717
815. 湖北秭归望江古墓群发掘简报 718
816. 湖北秭归卜庄河古墓群考古发掘收获 718
817. 湖北秭归石门嘴遗址发掘 719

荆门市

818. 荆门市子陵岗古墓发掘简报 720
819. 荆门城区古建筑调查 720
820. 钟祥罗山遗址调查简报 721

鄂州市

821. 鄂城楚墓 721
822. 鄂城县发现一处冶炼遗址 722
823. 鄂州市吴王城古陶井发掘简报 722
824. 鄂州市古砖井发掘简报 723
825. 湖北鄂州市五处古窑址的调查 723

孝感市

826. 湖北云梦睡虎地秦汉墓发掘简报 724
827. 孝感、黄陂两县部分古遗址复查简报 725
828. 大悟县几处古遗址的调查 725
829. 大悟吕王城重点调查简报 726
830. 湖北孝感地区古文化遗址调查 726
831.1978 年云梦秦汉墓发掘报告 727
832. 孝感花园发现战国秦汉墓群 727
833. 孝感市几处古遗址调查简报 728
834. 云梦楚王城遗址发掘简讯 728
835. 孝感地区博物馆馆藏铜镜简报 729
836. 孝感市草店坊城的调查与勘探 729
837. 大悟县古文化遗址调查简报 730
838. 云梦龙岗秦汉墓地第一次发掘简报 731
839. 湖北孝感地区两处古城遗址调查简报 731
840. 湖北省云梦珍珠坡 M17、M18 发掘简报 732
841. 湖北省汉川县考古调查简报 732
842. 湖北云梦龙岗秦汉墓地第二次发掘简报 733
843. 湖北孝感市古文化遗址调查简报 734
844. 孝感田家岗东汉南朝及唐墓清理简报 735
845. 孝昌古坟岗墓地的发掘 735
846. 京珠高速公路孝南段考古发掘简报 736
847. 安陆黄金山墓地发掘报告 736
848. 孝感永安铺南朝及唐代墓葬清理简报 737
849. 湖北孝昌武家岗墓地第二～四次发掘报告 737

黄冈市

850. 湖北红安金盆遗址的探掘 738
851. 湖北黄冈县禹王城出土一批铜蚁鼻钱和其他文物 739
852. 黄冈地区几处古文化遗址 739
853. 湖北麻城栗山岗战国秦汉墓清理简报 740
854. 蕲春县近年出土的铜镜 740
855. 京九铁路（红安、麻城段）文物调查 741

856. 湖北黄梅县考古调查简报 742
857. 黄冈蕲水流域古遗址调查 742
858. 湖北黄冈巴水流域部分古文化遗址 743
859. 湖北黄冈浠水流域古文化遗址调查 743
860. 武穴市新石器及商周遗址调查 744
861. 黄黄公路考古调查 744
862. 湖北黄梅意生寺遗址发掘报告 745

咸宁市

863. 通山县高湖乡发现石斧 745
864. 湖北通城高冲钱塘山二号墓发掘简报 746
865. 湖北咸丰县发现的青铜器 746
866. 湖北蒲圻市赤壁山遗址调查 746
867. 甘家坡遗址发掘简报 747

随州市

868. 湖北随县唐镇汉魏墓清理 748
869. 随州安居遗址初次调查简报 748
870. 随州几处古遗址调查 749
871. 湖北随州擂鼓墩战国东汉墓发掘简报 749
872.1980 年湖北广水市考古调查报告 750
873. 随州市何店镇干堰洼宋明墓葬发掘简报 750
874. 湖北随州市王家台遗址发掘简报 751
875. 湖北广水四顾台遗址发掘简报 751
876. 湖北随州文峰塔墓地考古发掘的主要收获 752

恩施州

877. 鄂西自治州收藏的元、明铜印 754
878. 鄂西首次发现一批青铜器 754
879. 巴东长江段几处古遗址调查 755
880. 湖北巴东茅寨子湾遗址发掘报告 755
881. 鹤峰刘家河遗址的房屋遗迹 756
882. 巴东县西瀼口古墓葬 2000 年发掘简报 756
883. 巴东店子头遗址发掘简报 757
884. 湖北省巴东县李家湾遗址发掘简报 757

885. 湖北巴东楠木园遗址 2001 年夏季发掘简报 758
886. 湖北巴东县雷家坪遗址第二次发掘简报 759
887. 湖北巴东将军滩墓地发掘简报 759
888. 湖北巴东任家坪遗址第一、二次发掘 760
889.2003 年巴东故县坪遗址发掘简报 760
890. 湖北巴东县汪家河遗址墓葬发掘简报 761
891. 湖北巴东高桅子遗址 2004 年发掘简报 761
892. 湖北巴东义种地墓葬发掘报告 762

仙桃市

潜江市

893. 潜江市文物考古调查 762

天门市

894. 湖北天门笑城城址发掘报告 763

神农架林区

湖南省

895. 湖南衡阳、长沙、宁乡、澧县、石门等地调查记 765
896. 湖南耒阳、永兴等地发现古代窑址 766

长沙市

897. 长沙沙湖桥一带古墓发掘报告 766
898. 长沙陈家大山战国、西汉、唐、宋墓清理 767
899. 长沙市东北郊古墓葬发掘简报 767
900. 长沙两晋南朝隋墓发掘报告 768
901. 长沙柳家大山古墓葬清理简报 768
902. 长沙南郊的两晋南朝隋代墓葬 768
903. 长沙树木岭战国墓阿弥岭西汉墓 769

株洲市

湘潭市

衡阳市

904. 湖南衡阳南朝至元明水井的调查与清理 769
905. 湖南古窑址调查之二——彩瓷 770
906. 湖南衡阳茶山坳东汉至南朝墓的发掘 771

907. 湖南耒阳磨形、太平窑群调查纪实 771
908. 湖南衡阳市蒋家窑址的再调查 772
909. 湖南耒阳城关六朝唐宋墓 772
910. 湖南耒阳白洋渡汉晋南朝墓 773

邵阳市

911. 湖南省新宁县发现商至周初青铜器 773

岳阳市

912. 湖南古窑址调查之一——青瓷 774
913. 湖南临湘陆城宋元墓清理简报 775
914. 湖南省岳阳市郊毛家堰——阎家山周代遗址发掘简报 775

常德市

915. 湖南临澧古遗址普查报告 776
916. 湖南津市古遗址调查报告 777
917. 湖南澧县出土元明地券 777
918. 湖南桃源印家岗古墓葬 778
919. 湖南桃源县二里岗战国西汉墓葬发掘报告 778
920. 湖南津市花山寺战国西汉墓清理简报 779

张家界市

益阳市

921. 湖南益阳战国两汉墓 779
922. 湖南益阳县羊午岭古窑址调查 780
923. 湖南益阳市大海圹唐宋墓 781

郴州市

924. 湖南郴州市马家坪古墓清理 781
925. 湖南资兴隋唐五代宋墓 782
926. 湖南郴州先秦时期遗址调查 782

永州市

927. 湖南祁阳长流村出土宋元瓷瓶 783

怀化市

928.1990 年湖南溆浦大江口战国西汉墓发掘简报 783
929. 湖南靖州县团结村战国西汉墓 784
930. 湖南溆浦县茅坪坳战国西汉墓 784

娄底市
湘西州
931. 湖南湘西自治州境内酉水沿岸古遗址调查 785
932. 湖南龙山县里耶战国秦汉城址及秦代简牍 786
933. 湘西古丈河战国、汉墓发掘简报 787

广东省

934. 广东北部山地区新石器时代遗存 788
935. 广东出土的古代陶坛 789
936. 广东西江两岸地区古文化遗址的调查 789
937. 广东珠海、汕头出土的元、明瓷器 790
938. 广东陵水、顺德、揭西出土的宋代瓷器、渔猎工具和元代钞版 791
广州市
939. 广东从化县发现古遗址 791
940. 广州秦汉造船工场遗址试掘 792
941. 广州南越国宫署遗址 2000 年发掘报告 792
942. 广州黄花岗汉唐墓葬发掘报告 793
943. 广州市南越国宫署遗址 2003 年发掘简报 794
深圳市
944. 深圳市考古重要发现 795
945. 深圳古墓中的稻谷遗存 795
946. 深圳屋背岭遗址发掘报告 796
珠海市
947. 珠海拱北新石器与青铜器遗址的调查与试掘 796
948. 珠海平沙棠下环遗址发掘简报 797
汕头市
韶关市
949. 广东韶关六朝隋唐墓葬清理简报 798
950. 广东韶关市郊古墓发掘报告 798
951. 广东始兴县晋、南朝、唐墓清理简报 799
952. 广东乐昌市对面山东周秦汉墓 799
佛山市

953. 佛山专区的几处古窑址调查简报……800
954. 广东佛山鼓颡岗宋元明墓记略……801
955. 广东佛山市郊澜石唐至明墓发掘记……802
956. 广东石湾古窑址调查……803
957. 广东南海县西樵山遗址……803
958. 广东南海县灶岗贝丘遗址发掘简报……804
959. 广东南海市鱿鱼岗贝丘遗址的发掘……804
960. 广东南海市西樵山佛子庙遗址的发掘……805
961. 广东三水市银洲贝丘遗址发掘简报……805
江门市
962. 广东新会官冲古代窑址……806
湛江市
茂名市
963. 高州县旧城“陈仓米”的初步调查……807
肇庆市
964. 广东高要晋墓和博罗唐墓……807
惠州市
965. 广东博罗银岗遗址发掘简报……808
梅州市
966. 广东梅县大埔县考古调查……809
967. 广东梅县市唐宋窑址……809
968. 广东五华县仰天狮山遗址发掘简报……810
汕尾市
969. 广东海丰县发现玉琮和青铜兵器……810
河源市
970. 广东省和平县古文化遗存调查……811
971. 广东和平县晋至五代墓葬的清理……811
阳江市
清远市
972. 广东英德、连阳南齐和隋唐古墓的发掘……812
东莞市
973. 广东东莞市三处贝丘遗址调查……812

中山市
974.2004 年广东中山龙穴遗址发掘简报 813
潮州市
975. 广东潮州古瓷窑址调查 814
揭阳市
976. 广东揭阳东晋、南朝、唐墓发掘简报 814
977. 揭阳地都蜈蚣山遗址与油柑山墓葬的发掘 815
云浮市

广西壮族自治区

978. 广西近年来发现的四件铜鼓 817
979. 近年来广西出土的先秦青铜器 817
980. 广西崖洞葬调查报告 818
南宁市
柳州市
桂林市
981. 广西桂州窑遗址 819
梧州市
北海市
崇左市
来宾市
贺州市
玉林市
百色市
982. 桂西发现的古代岩画 820
河池市
983. 广西南丹县里湖岩洞葬调查报告 821
钦州市
防城港市
984. 沥尾岛考古调查 822
985. 广西防城潭蓬出土唐、元、明代文物 822
贵港市

986. 两个不同类型的铜鼓同穴出土 823
987. 广西平南县石脚山遗址发掘简报 823
988. 广西贵港马鞍岭梁君垌汉至南朝墓发掘报告 824

海南省

989. 海南东方市荣村遗址试掘简报 826

海口市

三亚市

三沙市

990. 广东省西沙群岛文物调查简报 827
991. 东沙群岛发现的古代铜钱 827
992. 西沙群岛的考古调查 828

重庆市

993. 四川出土有关古代养猪的文物 829
994. 四川奉节县新浦遗址发掘报告 829
995. 四川奉节老关庙遗址第一、二次发掘 830
996. 四川省奉节县三峡工程库区砖室墓清理报告 830
997. 重庆市万州区上中坝遗址发掘 831
998. 重庆忠州城址调查 831
999. 重庆市万州区中坝子遗址第三次发掘简报 832
1000. 重庆云阳乔家院子遗址唐宋时期遗存 833
1001. 重庆云阳乔家院子遗址第三次发掘简报 833
1002. 张飞庙遗址发掘简报 834
1003. 重庆市云阳县马粪沱墓地 2002 年发掘简报 835
1004. 重庆云阳县李家坝遗址 1997 年度发掘简报 835
1005. 重庆巫山县巫峡镇秀峰村墓地发掘简报 836
1006. 重庆巫山水田湾东周、西汉墓发掘简报 836
1007. 重庆巫山麦沱古墓群第二次发掘报告 837
1008. 奉节宝塔坪遗址 2003 年发掘简报 838
1009. 重庆市云阳县明月坝唐宋寺庙遗址发掘简报 839
1010. 重庆云阳县乔家院子遗址六朝及明代窑址的发掘 839

1011. 重庆石柱县观音寺遗址发掘报告 840
1012. 奉节县刘家院坝遗址 2002 年发掘报告 840
1013. 奉节县头堂包遗址 2002 年发掘简报 841
1014. 重庆奉节拖板崖墓群 2005 年发掘报告 841
1015. 重庆市万州区包上秦汉墓地 842
1016. 重庆市万州铺垭遗址发掘报告 842
1017. 重庆巫山土城坡墓地 2006 年度发掘简报 843
1018. 重庆巫山县神女路秦汉墓葬发掘简报 843
1019. 嘉陵江郙阁栈道考察记 844
1020. 重庆奉节赵家湾墓地 2004 年发掘简报 844
1021. 重庆巫山下湾遗址发掘简报 845
1022. 重庆万州区青龙嘴墓地考古发掘简报 845
1023. 重庆市奉节县桂井战国秦汉墓地 846
1024. 重庆地区元明清佛教摩崖龛像 847
1025. 重庆万州区梁上墓群发掘简报 848
1026. 重庆市丰都县汇南墓群 2001 年度发掘简报 848
1027. 重庆市丰都县汇南墓群 2002 年度发掘简报 849
1028. 重庆丰都玉溪遗址北部新石器时代遗存 2004 年度发掘简报 849
1029. 重庆丰都县火地湾、林口墓地发掘简报 850
1030. 重庆丰都炼锌遗址群 2004 ～ 2005 年发掘报告 851
1031. 重庆万州嘴嘴墓群发掘简报 852
1032. 重庆市丰都县汇南墓群 2003 年度发掘简报 852
1033. 重庆市丰都县汇南墓群 2000 年度发掘简报 853

四川省

1034. 四川省长江三峡水库考古调查简报 854
1035. 四川古代墓葬清理简况 854
1036. 西攀高速公路文物遗存调查 855
1037.2005 年度康巴地区考古调查简报 856
1038. 岷江中下游考古调查简报 856

成都市

1039. 四川牧马山灌溉渠古墓清理简报 857

1040. 灌县马家古瓷窑遗址试掘记 857
1041. 蒲江飞仙阁摩崖造像 858
1042. 天彭文物考察散记 858
1043. 蒲江县长秋山摩崖造像调查 859
1044. 成都梁家巷唐宋墓葬发掘简报 859
1045. 四川省博物馆藏万佛寺石刻造像整理简报 860
1046. 四川成都市北郊战国东汉及宋代墓葬发掘简报 860
1047. 蒲江摩崖石刻造像的初步调查 861
1048. 成都方池街古遗址发掘报告 861
1049. 成都市西郊外化成小区唐宋墓葬的清理 862
1050. 邛崃市平乐镇冶铁遗址调查与试掘简报 862
1051.2007 年四川蒲江冶铁遗址试掘简报 863
1052. 金沙遗址强毅汽车贸易有限公司地点发掘简报 863
1053. 成都市郫县三观村遗址发掘简报 864
1054. 四川郫县波罗村遗址 II 区汉、唐遗存发掘简报..864
1055. 成都金沙遗址雍锦湾地点出土唐宋瓷器 865

自贡市

1056. 自贡市黄泥土山崖墓群清理简报 865

攀枝花市

1057. 四川盐边县石棺葬发掘简报 866

泸州市

1058. 古蔺县出土一面铜鼓 867
1059. 泸县发现大批明、清古桥 867
1060. 叙永县出土铜鼓 868

德阳市

1061. 绵竹县两次出土窖藏古币 868
1062. 广汉三星堆遗址 869
1063. 四川省中江县出土宋元窖藏 870
1064. 四川什邡市虎头山成汉至东晋时期崖墓群 870
1065.2004 年四川德阳“绵竹城”遗址调查与试掘 871
1066. 四川什邡市星星村遗址唐宋、明清墓葬发掘简报 871

绵阳市

1067. 四川江油市青莲古瓷窑址调查 872
1068. 四川绵阳出土的古代铜镜 872
1069. 三台永明乡崖墓调查简报 873
1070. 四川绵阳碧水寺藏“开元寺石佛”调查 873
1071. 绵遂高速公路（三台段）东汉至六朝崖墓发掘简报 874
广元市
1072. 四川古代的船棺葬 874
1073. 四川广元瓷窑的调查收获 875
1074. 广元新发现的佛教造像 875
1075. 宝珠寺水库淹没区文物调查记 876
1076. 广元市瓷窑铺窑址发掘简报 876
1077. 广元皇泽寺石窟调查报告 877
1078. 广元出土佛教石刻造像 878
1079. 蜀道广元段考古调查简报 878
遂宁市
1080. 遂宁发现“佛法僧宝”铜印 879
内江市
1081. 内江市岩墓情况综述 879
乐山市
1082. 四川乐山地区崖穴悬棺葬调查报告 880
1083. 乐山市崖墓墓阙调查记 880
南充市
1084. 四川达成铁路南充东站考古发掘报告 881
1085. 四川营山县太蓬山摩崖题刻调查简报 882
宜宾市
1086. 宜宾地区悬棺葬调查记 883
1087. 宜宾县双龙、横江两区岩穴墓调查记 883
1088. 四川叙南崖葬调查纪略 884
1089. 四川宜宾沙坝墓地 2009 年发掘简报 884
广安市
1090. 岳池后山古墓群清理简报 885
1091. 岳池代家坟古墓群发掘简报 886

1092. 四川武胜山水岩崖墓群发掘报告 886
达州市
1093. 四川达州市通川区瓷碗铺瓷窑遗址发掘简报 887
1094. 四川宣汉罗家坝遗址 1999 年度发掘简报 887
眉山市
1095. 彭山发现岩墓与砖墓相结合的墓制 888
1096. 仁寿县牛角寨摩崖造像 888
1097. 四川青神县坛罐窑调查 889
雅安市
1098. 四川石棉县考古调查 889
1099. 四川汉源大窑石棺葬清理简报 889
1100. 四川雅安小山子岩墓出土器物 890
1101. 汉源县瀑布沟水库淹没区文物古迹调查简况 890
1102. 四川汉源县大树乡两处古遗址调查 891
1103. 四川汉源县麦坪村、麻家山遗址试掘简报 891
1104. 四川汉源桃坪遗址及墓地发掘报告 892
1105. 大渡河瀑布沟水电站淹没区文物调查简报 892
1106. 四川石棉三星遗址发掘简报 893
1107. 四川汉源县麦坪遗址 2008 年发掘简报 893
1108. 四川省汉源县麦坪遗址 2006 年发掘简报 894
1109. 四川汉源县麦坪遗址 2006 年第二次发掘简报 894
1110. 四川汉源县麦坪遗址 B 区 2010 年发掘简报 895
1111. 四川汉源县龙王庙遗址 2008 年发掘简报 896
巴中市
1112. 巴中水宁寺摩崖造像 896
1113. 巴中石窟艺术调查简报 896
1114. 四川南江县太子洞遗址调查简报 897
1115. 四川南江米仓道调查简报 897
资阳市
1116. 安岳石窟寺调查记要 898
阿坝市
1117. 四川理县汶川县考古调查简报 899

1118. 茂汶石棺葬墓出土“青铜短剑” 900
1119. 茂汶羌族自治县元、明时期的石棺葬 900
1120. 汶川姜维城发掘的初步收获 901
1121. 大渡河双江口水电站地下文物遗存调查 901
甘孜州
1122. 四川巴塘、雅江的石板墓 902
1123. 2006 年稻城县瓦龙村石棺墓群试掘简报 902
1124. 九龙县乌拉溪乡石棺葬墓调查清理简报 903
1125. 四川炉霍县呷拉宗遗址发掘简报 903
1126. 四川雅江县呷拉遗址发掘简报 904
凉山洲
1127. 西昌坝河堡子大石墓发掘简报 904
1128. 西昌河西大石墓群 905
1129. 西昌坝河堡子大石墓第二次发掘简报 905
1130. 四川西昌陶家山古墓清理简报 906
1131. 西昌东汉、魏晋时期砖室墓葬调查 906
1132. 四川西昌天王山十号墓清理简报 907
1133. 四川西昌出土的古代农具 908
1134. 雅砻江二滩电站库区内文物考古调查记 909
1135. 西昌发现宋元时期的茶具 909
1136. 盐源近年出土的战国西汉文物 910
1137. 凉山州西昌市棲木沟遗址试掘简报 910
1138. 四川凉山冕宁三分屯遗址试掘简报 910
1139. 四川昭觉县好谷村古墓群的调查和清理 911
1140. 四川西昌市棲木沟遗址 2006 年度发掘简报 911
1141. 四川会理城河下游考古调查报告 912
1142. 四川木里县娃日瓦村考古调查试掘简报 913

贵州省

1143. 贵州清镇平坝汉至宋墓发掘简报 914
贵阳市
六盘水市

遵义市
1144. 遵义高坪“播州土司”杨文等四座墓葬发掘记 915
1145. 贵州桐梓宋明墓发掘简报 916
1146. 贵州赤水市复兴马鞍山崖墓 916
安顺市
1147. 贵州平坝县马场唐宋墓 917
铜仁市
1148. 贵州万山汞矿遗址调查报告 917
毕节市
1149. 贵州赫章可乐夜郎时期墓葬 918
黔西南州
黔东南州
1150. 贵州榕江发现石器 919
黔南州

云南省

昆明市
1151. 云南晋宁石寨山古遗址及墓葬 920
1152. 云南宜良县孙家山火葬墓发掘简报 921
1153. 云南晋宁石寨山第五次抢救性清理发掘简报 921
1154. 云南滇池地区聚落遗址 2008 年调查简报 922
1155. 云南滇池盆地 2010 年聚落考古调查简报 922
曲靖市
玉溪市
1156. 云南江川李家山古墓群发掘简报 923
1157. 云南玉溪古窑遗址调查 923
1158. 云南玉溪元末明初龙窑的发掘 924
1159. 云南澄江县发现火葬墓 925
1160. 玉溪窑综合勘查报告 925
1161. 云南澄江县金莲山墓地 2008 ～ 2009 年发掘简报 926
保山市
1162. 云南省龙陵县大花石遗址发掘简报 927

昭通市
1163. 云南昭通马厂和闸心场遗址调查简报 927
1164. 云南省巧家县小东门墓地清理简报 928
1165. 云南省水富县小河崖墓发掘报告 928
丽江市
普洱市
临沧市
文山州
红河州
1166. 云南省建水县碗窑村古窑址调查 929
1167. 云南泸西县和尚塔火葬墓的清理 930
西双版纳州
楚雄州
1168. 云南禄丰发现元明瓷窑 931
1169. 云南姚安首次出土一批编钟 931
大理州
1170. 云南祥云县检村石棺墓 932
1171. 剑川石窟——1999年考古调查简报 932
1172. 云南剑川县海门口遗址第三次发掘 933
1173. 云南大理市海东银梭岛遗址发掘简报 934
1174. 云南大理市凤仪镇大丰乐墓地的发掘 935
德宏州
怒江州
迪庆州

西藏自治区

拉萨市
1175. 西藏拉萨澎波农场洞穴坑清理简报 936
1176. 拉萨查拉路甫石窟调查简报 937
1177. 西藏穷结青娃达孜山摩崖造像调查简报 937
1178. 西藏纳木错扎西岛洞穴岩壁画调查简报 938
昌都地区

1179. 西藏贡觉县香贝石棺墓葬清理简报 938
山南地区
1180. 西藏山南拉加里宫殿勘察报告 939
日喀则地区
1181. 西藏定结县怡姆石窟 939
那曲地区
阿里地区
1182. 阿里地区古格王国遗址调查记 940
1183. 西藏阿里东嘎、皮央石窟考古调查简报 941
1184. 西藏札达县皮央 · 东嘎遗址古墓群试掘简报 941
1185. 西藏日土县塔康巴岩画的调查 942
1186. 西藏阿里札达县帕尔宗遗址坛城窟的初步调查 942
1187. 西藏阿里札达县象泉河流域卡俄普与西林衮石窟地点的初步调查 943
1188. 西藏阿里札达县象泉河流域白东波村早期佛教遗存的考古调查 943
1189. 西藏阿里地区丁东居住遗址发掘简报 944
1190. 西藏阿里象泉河流域卡孜河谷佛教遗存的考古调查与研究 945
林芝地区

陕西省

1191. 陕西渭水流域调查简报 946
1192. 陕西凤翔、兴平两县考古调查简报 947
1193. 陕西省地震碑石调查收获 947
1194. 古武关道栈道遗迹调查简报 948
1195. 陕西华县、扶风和宝鸡古遗址调查简报 949
1196. 陕西省博物馆藏的一批造像 949
1197. 扶风博物馆藏历代铜镜介绍 950
1198. 新发现的一种印文（符号） 950
西安市
1199. 陕西长安鄠县调查与试掘简报 951
1200. 临潼康桥石川河发现西汉石羊和仰韶文化遗址 951
1201. 陕西长安县王曲地区新石器时代遗址调查 952
1202. 临潼原头、邓家庄遗址勘查记 952

1203. 芷阳遗址调查简报 953
1204. 西安东郊出土的一批汉唐文物 953
1205. 蓝田出土的一批古代瓷器 953
1206. 西安北郊大白杨秦汉墓葬清理简报 954
1207. 西安南郊曲江池汉唐墓葬清理简报 954
1208. 子午道秦岭北段栈道遗迹调查简报 955
1209. 陕西长安县206基建工地汉、晋墓清理简报 955
1210. 陕西省饲料加工厂周、汉墓葬发掘简报 956
1211. 陕西蓝田泄湖遗址 956
1212. 西安发现的汉、隋时期陶俑 957
1213. 西安东郊秦川机械厂汉唐墓葬发掘简报 957
1214. 西安地区发现春秋战国秦汉时期的青铜器 957
1215. 临潼县博物馆藏北周造像座、唐代造像与经幢 958
1216. 秦汉骊山汤遗址发掘简报 958
1217. 西安财政干部培训中心汉、后赵墓发掘简报 959
1218. 西安南郊三爻村汉唐墓葬清理发掘简报 960
1219. 西安北郊永济电机厂秦汉墓发掘简报 960
1220. 陕西长安清华山卧佛调查 961
1221. 西安市湖滨花园小区宋、明、清墓发掘简报 961
1222. 长杨宫遗址出土的秦汉文物 962
1223. 西安洪庆北朝、隋家族迁葬墓地 963
1224. 陕西周至县八云塔地宫的发掘 964
1225. 泥峪北段古道路调查 964

铜川市

1226. 陕西耀县战国、西汉墓葬清理简报 965
1227. 陕西新发现两处古瓷窑遗址 965
1228. 耀州窑作坊和窑炉遗址发掘简报 966
1229. 铜川市王家河墓地发掘简报 966
1230. 耀州窑遗址在基建中的新发现 967
1231. 耀县新发现的一批造像碑 967
1232. 陕西耀县药王山摩崖造像调查简报 968
1233. 三铜公路工程中耀州窑陶瓷的新发现 968

1234. 宜君县柴家沟煤矿工地出土耀瓷等文物 969
1235. 药王山发现奇异石刻 969
1236. 耀州窑遗址考古收获 970
1237. 陕西宜君县东部石窟、摩崖造像调查简报 971

宝鸡市

1238.1982 年凤翔雍城秦汉遗址调查简报 971
1239. 陕西凤翔县大辛村遗址发掘简报 972
1240.1981 年凤翔八旗屯墓地发掘简报 973
1241. 陕西凤翔出土的唐、宋、金、元瓷器 973
1242. 扶风出土的古代瓷器 974
1243. 凤县出土唐宋瓷器 974
1244. 宝鸡市附近古遗址调查 974
1245. 陕西凤翔南干河出土战国、汉代窖藏青铜器 975
1246. 陕西凤翔凹里秦汉遗址调查简报 975
1247. 宝鸡市谭家村春秋及唐代墓 975
1248. 陇县出土的匈奴文物 976
1249. 陕西眉县成山宫遗址的调查 976
1250. 陕西陇县店子村汉唐墓葬 977
1251. 陕西眉县秦汉成山宫遗址的新发现 977
1252. 陕西周原七星河流域 2002 年考古调查报告 978
1253. 陕西眉县两处秦汉“眉邑”遗址的调查 979
1254. 陕西千阳尚家岭秦汉建筑遗址发掘简报 979
1255. 凤翔青渠古瓷窑考察初步收获 980
1256. 陕西凤翔西白村秦汉墓葬发掘简报 981
1257. 陕西凤翔豆腐村汉唐墓葬发掘简报 981
1258. 陕西凤翔孟家堡唐、宋、明墓发掘简报 981
1259. 陕西凤翔路家村墓葬发掘简报 982
1260. 凤翔孙家南头墓地宋元明墓葬发掘简报 982
1261. 陕西宝鸡南湾秦汉遗址调查简报 983

咸阳市

1262. 陕西郃县下孟村遗址发掘简报 983
1263. 咸阳市近年发现的一批秦汉遗物 984

1264. 旬邑安仁古瓷窑遗址发掘简报 984
1265. 陕西武功县新石器时代及西周遗址调查 984
1266. 淳化县出土秦、汉“市”“亭”陶文陶器 985
1267. 陕西旬邑县崔家河遗址调查记 985
1268. 1982 ~ 1983 年陕西武功黄家河遗址发掘简报 985
1269. 淳化县古甘泉山发现秦汉建筑遗址群 986
1270. 咸阳沙河古木桥遗址 T2 第一次调查简报 986
1271. 咸阳机场陵照导航台基建工地秦汉墓葬清理简报 987
1272. 西北林学院古墓清理简报 987
1273. 泾阳县博物馆收藏的青铜器 988
1274. 咸阳市杨陵区秦、汉墓葬清理简报 989
1275. 彬县大佛寺石窟所见正史人物铭记 989
1276. 陕西邮电学校北朝、唐墓清理简报 990
1277. 咸阳机场高速公路周陵段汉唐墓清理简报 990
1278. 大周沙州刺史李无亏墓及征集到的三方唐代墓志 991
1279. 陕西彬县水北遗址发掘报告 992
渭南市
1280. 陕西华县柳子镇考古发掘简报 992
1281. 陕西韩城秦汉夏阳故城遗址勘查记 993
1282. 郃阳千佛洞石窟 993
1283. 渭南市郊古墓葬清理简报 993
1284. 陕西蒲城尧山灵应祠唐宋题刻调查 994
1285. 渭南市区战国、汉墓清理简报 995
1286. 西岳庙考古收获 995
1287. 新发现的陕西澄城窑及其烧瓷产品 996
延安市
1288. 延安地区的石窟寺 997
1289. 延安地区发现一批佛教造像碑 998
1290. 陕西富县石窟寺勘察报告 999
1291. 陕西黄龙县古遗址调查 999
1292. 安塞县石窟寺调查报告 1000
1293. 延安地区古塔调查记 1000

1294. 安塞县出土一批佛教造像 1001
1295. 陕北甘泉县史家湾遗址 1001
1296. 陕西省甘泉县佛、道石窟调查简报 1001
1297. 陕西秦直道甘泉段发现秦汉建筑遗址 1002

汉中市

1298. 陕西城固出土汉晋宋瓷 1002
1299. 米仓道考察记 1003

榆林市

1300. 陕西神木县石峁龙山文化遗址调查 1003
1301. 榆林地区一批馆藏宋、金、元瓷器 1004
1302. 陕西清涧李家崖东周、秦墓发掘简报 1004
1303. 清涧出土两件古代铁犁铧 1005
1304. 米脂万佛洞石窟 1005
1305. 榆林市境内新发现一段秦汉长城遗址 1006
1306. 陕西府谷县郑则峁遗址发掘简报 1006

安康市

1307. 陕西安康专区考古调查简报 1007
1308. 陕西安康近年发现的几处画像砖 1007
1309. 陕西安康发现古代窖藏钱币 1008
1310. 安康地区出土的古代铜镜 1009
1311. 安康地区汉魏南北朝时期的墓砖 1009

商洛市

1312. 丹江上游考古调查简报 1010
1313. 陕西商县紫荆遗址发掘简报 1010
1314. 商州市北周、隋代墓葬清理简报 1011
1315. 陕西丹凤县巩家湾遗址发掘简报 1011

甘肃省

1316. 甘肃渭河支流南河、榜沙河、漳河考古调查 1013
1317. 临洮秦长城、敦煌玉门关、酒泉嘉峪关勘查简记 1013
1318. 黄河上游盐锅峡与八盘峡考古调查记 1014
1319. 酒泉、嘉峪关晋墓的发掘 1015

1320. 甘肃省葫芦河流域考古调查 1015
1321. 甘肃白龙江流域古文化遗址调查简报 1016
兰州市
嘉峪关
1322. 甘肃嘉峪关黑山古代岩画 1017
1323. 甘肃嘉峪关市文殊镇汉魏墓的发掘 1017
金昌市
白银市
天水市
1324. 甘肃甘谷毛家坪遗址发掘报告 1018
1325. 甘肃天水西山坪秦汉墓发掘纪要 1019
1326. 甘肃天水放马滩战国秦汉墓群的发掘 1019
1327. 甘肃天水西山坪遗址的原始农业遗存 1020
1328. 甘肃武山县东旱坪战国秦汉墓葬 1020
1329. 甘肃秦安考古调查记略 1021
武威市
张掖市
1330. 再现河西农耕生产的珍贵文物——谈高台骆驼城出土彩绘农耕画像砖 ...1021
1331. 甘肃省高台县汉晋墓葬发掘简报 1022
平凉市
1332. 调查炳灵寺石窟的新收获——第二次调查（1963）简报 1023
1333. 甘肃灵台县两周墓葬 1023
1334. 甘肃崇信出土铜镜介绍 1023
1335. 甘肃崇信古文化遗址调查 1024
酒泉市
1336. 敦煌莫高窟 53 窟窟前建筑遗址 1024
1337. 敦煌莫高窟窟前建筑遗址发掘简记 1025
1338. 敦煌莫高窟北区洞窟清理发掘简报 1026
1339. 敦煌莫高窟第 72 ~ 76 窟窟前殿堂遗址发掘报告 1027
1340. 甘肃玉门蚂蟥河墓群发掘简报 1027
1341. 甘肃玉门白土良汉晋墓发掘简报 1028
1342. 甘肃酒泉崔家南湾墓葬发掘简报 1028

1343. 甘肃肃北马鬃山古玉矿遗址调查简报 1029
庆阳市
1344. 甘肃庆阳、镇原等县发现三处石窟 1029
1345. 甘肃环县洪德出土宋、元、明瓷器 1030
定西市
陇南市
1346. 甘肃西汉水流域考古调查简报 1030
临夏州
1347. 甘肃临夏莲台辛店文化墓葬发掘报告 1031
甘南州
1348. 洮河中上游（甘南部分）考古调查简报 1032

青海省

1349. 青海湖环湖考古调查 1033
西宁市
1350. 青海湟中古代文化调查简报 1034
1351. 青海大通县文物普查简报 1034
海东地区
1352.1980 年循化撒拉族自治县考古调查 1035
1353. 青海平安、互助县考古调查简报 1036
1354. 青海化隆旦斗岩窟壁画初步调查 1036
海北州
1355. 青海省哈龙沟、巴哈毛力沟的岩画 1037
黄南州
海南州
1356. 青海贵德山坪台卡约文化墓地 1037
果洛州
玉树州
海西州

宁夏回族自治区

银川市

1357. 银川附近的汉墓和唐墓 1039
1358. 宁夏灵武县磁窑堡瓷窑址调查 1039
1359. 宁夏贺兰县拜寺口北寺塔群遗址的清理 1040

石嘴山市

吴忠市

1360. 宁夏盐池县古长城调查与试掘 1041

固原市

1361. 宁夏西吉县汉、金墓发掘简报 1041

中卫市

1362. 宁夏回族自治区中卫县古遗址及墓葬调查 1042

新疆维吾尔自治区

1363. 新疆考古的发现 1043
1364. 新疆文物调查随笔 1043
1365. 新疆东部的几处新石器时代遗址 1044
1366. 盐湖古墓 1044
1367. 新疆各地发现的一部分历代印章 1045
1368. 新疆出土的肖形印介绍 1045

乌鲁木齐市

1369. 新疆米泉大草滩发现石堆墓 1046
1370. 新疆乌鲁木齐萨恩萨依墓地发掘简报 1046

克拉玛依市

吐鲁番地区

1371. 新疆吐鲁番阿斯塔那北区墓葬发掘简报 1047
1372. 新疆维吾尔自治区——吐鲁番阿斯塔那北区晋唐墓葬 1047
1373. 吐鲁番县阿斯塔那——哈拉和卓古墓群发掘简报（1963 ~ 1965） 1048
1374. 吐鲁番哈喇和卓古墓群发掘简报 1048
1375. 新疆阿拉沟竖穴木椁墓发掘简报 1049
1376. 新疆鄯善苏巴什古墓葬 1050
1377. 柏孜克里克千佛洞遗址清理简记 1050
1378. 吐鲁番阿斯塔那古墓群新发现的“桃人木牌” 1051
1379. 新疆鄯善县苏巴什古墓群的新发现 1052

1380. 新疆鄯善县苏贝希考古调查 1052
1381. 1996 年新疆吐鲁番交河故城沟西墓地汉晋墓葬发掘简报 1053
1382. 新疆鄯善三个桥墓葬发掘简报 1053
1383. 新疆鄯善县洋海墓地的考古新收获 1054
1384. 新疆鄯善洋海墓地发掘报告 1055
1385. 新疆吐鲁番市台藏塔遗址发掘简报 1056
1386. 新疆吐鲁番市巴达木墓地发掘简报 1056

哈密地区

1387. 新疆发现的彩陶 1057
1388. 新疆东部发现的几批铜器 1057
1389. 新疆哈密焉不拉克墓地 1058
1390. 新疆巴里坤东黑沟遗址调查 1058
1391. 新疆巴里坤红山口遗址 2008 年调查简报 1059
1392. 2009 年新疆巴里坤石人子沟遗址 F2 发掘报告 1060

和田地区

1393. 洛浦县山普拉古墓地出土缂毛裤图案马人考 1060
1394. 新疆克里雅河流域考古调查概述 1061

阿克苏地区

1395. 新疆沙雅县出土大陶罐 1062
1396. 新疆拜城县克孜尔吐尔墓地第一次发掘 1062

喀什地区

克孜勒苏柯尔克孜自治州

巴音郭楞蒙古自治州

1397. 新疆库木吐喇石窟新发现的几处洞窟 1063
1398. 新疆轮台群巴克古墓葬第一次发掘简报 1063
1399. 新疆和静县察吾乎沟口二号墓地发掘简报 1064
1400. 新疆轮台县群巴克墓葬第二、三次发掘简报 1065
1401. 新疆尉犁县因半古墓调查 1066
1402. 新疆且末县加瓦艾日克墓地的发掘 1066
1403. 新疆尉犁县营盘墓地 1995 年发掘简报 1067
1404. 新疆尉犁县营盘墓地 1999 年发掘简报 1067
1405. 新疆且末扎滚鲁克一号墓地发掘报告 1068

1406. 新疆和静哈布其罕萨拉墓群 2013 年发掘简报 1069
昌吉回族自治州
1407. 新疆木垒县四道沟遗址 1069
1408. 新疆吉木萨尔北庭古城调查 1070
1409. 新疆吉木萨尔县大龙口古墓葬 1071
1410. 新疆昌吉努尔加墓地 2012 年发掘简报 1071
博尔塔拉蒙古自治州
1411. 博尔塔拉自治州石人墓调查简报 1072
1412. 博尔塔拉自治州重要古城址和古墓葬 1073
1413. 新疆温泉县阿敦乔鲁遗址与墓地 1074
伊犁哈萨克自治州
1414. 伊犁河谷新发现的古城堡及相关遗迹 1074
1415. 伊犁河流域的文物考古新发现 1075
1416. 新疆伊犁昭苏县古墓葬出土金银器等珍贵文物 1076
1417. 新疆尼勒克穷科克岩画调查 1077
1418. 新疆尼勒克县加勒克斯卡茵特墓地发掘简报 1077
1419. 新疆特克斯县阔克苏西 2 号墓群的发掘 1078
1420. 新疆伊犁尼勒克汤巴勒萨伊墓地发掘简报 1078
1421. 新疆尼勒克乌吐兰墓地发掘简报 1078
塔城地区
阿勒泰地区
1422. 阿勒泰地区石人墓调查简报 1079
1423. 新疆克尔木齐古墓群发掘简报 1080
1424. 新疆布尔津喀纳斯下湖口图瓦新村墓地发掘简报 1080
1425. 新疆哈巴河托干拜 2 号墓地发掘简报 1081
石河子市
1426. 新疆石河子南山古墓葬 1081
阿拉尔市
图木舒克市
五家渠市

香港特别行政区、澳门特别行政区、台湾省

1427. 香港考古发掘……1083
1428. 香港涌浪新石器时代遗址发掘简报……1083
1429.2002 年度香港西贡沙下遗址 C02 和 DⅡ02 区考古发掘简报……1084
1430. 香港西贡沙下遗址发掘简报……1084
1431. 香港南丫岛沙埔新村遗址发掘简报……1085
1432. 香港屯门扫管笏遗址发掘简报……1085

参考文献

后记

上编　考古详报

北京市……8
天津市……17
河北省……17
山西省……23
内蒙古自治区……32
辽宁省……36
吉林省……40
黑龙江省……45
上海市……46
江苏省……47
浙江省……55
安徽省……62
福建省……66
江西省……69
山东省……71
河南省……77
湖北省……108
湖南省……142
广东省……145
广西壮族自治区……148
海南省……149
重庆市……150
四川省……170
贵州省……177
云南省……182
西藏自治区……193
陕西省……195
甘肃省……207
青海省……212
宁夏回族自治区……214
新疆维吾尔自治区……218
香港特别行政区、澳门特别行政区、台湾省……228

1.中国西部考古记

作　者：（法）色伽兰　著；冯承钧　译

出　处：商务印书馆 1930 年初版，1932 年再版；中华书局 1955 年版 2004 年再版；中国图书馆学会高校分会 2007 年复印本等

该书 32 开一册，原系法文，冯承钧等译为中文发表，计 84 页。

该书系 1914 年法国考古队赴川、滇地区的考古报告。

全书简目如下：

中国古代石刻

四川之崖墓

四川之古代佛教艺术

古代中国之封墓艺术

今有上海古籍出版社、北京图书馆出版社等多家出版社新版。多与《西域考古记举要》合印为一册。

2.满蒙古迹考

作　者：（日）鸟居龙藏　著；陈念本　译

出　处：商务印书馆 1933 年版

该书 32 开一册，245 页，收入“史地小丛书”。该书为作者 1927 年第八次赴中国东北、内蒙古等地进行考古调查的报告，但文中多有对前七次考察的追述。共分 33 章，有大量照片、插图。

3.西域考古记举要

作　者：（法）郭鲁伽等　著；冯承钧　译

出　处：中华书局 1957 年版；图家图书馆出版社 2011 年版等

该书 32 开一册，原为法文著作，冯承钧先生译为中文，计 103 页。

该书系将冯承钧先生所译法国郭鲁伽、色伽兰、格鲁塞等人著述汇为一册。

4.晋绥纪行

作　者：石章如　著
出　处：独立出版社 1942 年版

该书 32 开一册，82 页。系作者 1937 年赴山西、绥远进行考古调查的琐记。共分 17 节，记述了考古、穴窖、民俗工艺、物产、宗教等。

5.中国长城遗迹调查报告集

作　者：文物编辑委员会　编
出　处：文物出版社 1981 年版

该书 16 开一册，汇集了 1949 年以来对长城遗迹的考古调查报告，计 140 页，另有大量插图、图版。

6.中国古代窑址调查发掘报告集

作　者：《文物》编辑委员会　编
出　处：文物出版社 1984 年版

前有冯先铭先生写的“代前言”，称收录“窑址调查与发掘报告四十一篇、专题讨论三篇、文献资料一篇”。其中浙江 5 篇、江苏 5 篇、江西 7 篇、福建 2 篇、广东 1 篇、广西 3 篇、湖南 5 篇、湖北 2 篇、四川 12 篇、河南 4 篇、山东 2 篇、山西 1 篇、北京 1 篇、辽宁 1 篇等。

简目如下：

浙江绍兴富盛窑——兼谈原始青瓷
浙江宁波云湖窑调查
勘察浙江宁波唐代古窑的收获
谈婺州窑
浙江武义发现三处古窑址
江苏宜兴丁蜀镇附近汉代窑址调查
江苏宜兴南山六朝青瓷窑址的调查
江苏宜兴涧潨窑
宜兴羊角山古窑址调查简报
关于宜兴陶瓷发展史中的几个问题

江西新干发现隋唐窑址
江西丰城罗湖窑发掘简报
试析洪州窑
江西南丰宋墓出土瓷器与南丰窑
江西全溪两处古窑的调查
江西宁都古瓷窑址调查
江西赣州七里镇古瓷窑址调查
略谈新安沉船中的七里镇窑瓷器
福建建阳芦花坪窑址发掘简报
“建窑”初探
广东饶平九村青花窑址调查记
方志等古文献中有关窑址的记载（二）
广西梧州富民坊汉代印纹陶窑址发掘
广西藤县宋代中和窑
广西桂平古窑址调查
广西永福窑田岭宋代窑址发掘简报
石渚长沙窑出土的瓷器及其有关问题的研究
湖南衡阳窑调查纪要
长沙铜官窑头冲宋代瓷窑址调查
湘江中、下游地区三处古窑址调查
湖南首次发现独具彩瓷工艺风格的古窑址——衡山窑
湖北鄂城梁子湖发现古瓷窑遗址
武汉市武昌县湖泗窑址的初步调查
四川灌县古瓷窑遗址试掘简报
四川彭县瓷峰窑调查与试掘的收获
河南内乡大窑店瓷窑遗址的调查
河南宜阳窑调查简报
河南省鹤壁集瓷窑遗址 1978 年发掘简报
河南新安古窑址的新发现
山东淄博坡地窑址的调查与试掘
山东枣庄古窑址调查
赤峰缸瓦窑村辽代瓷窑址的考古新发现

“官”和“新官”字款瓷器之研究
近几年北京发现的几处古代瓷窑址
山西浑源古瓷址调查

7.中国早期考古调查报告

作　者：足立喜六　编著
出　处：线装书局2006年版、2009年版

该书8开精装，全4册。收录（日）足立喜六著《长安史迹考》、民国时期古物保管委员会《古物保管委员会工作汇报》、朱希祖等《六朝陵墓调查报告》、西安筹备委员会《西安访古丛稿》等民国时期考古调查、考古访古等作品多部。

2009年又出版了第二辑，计5册。收入黄文弼先生《罗布淖尔考古记》《吐鲁番考古记》《塔里木盆地考古记》及《高昌陶集》《高昌砖集》等。

8.长江三峡工程淹没及迁建区文物古迹保护规划报告

作　者：国务院三峡工程建设委员会办公室、国家文物局　编
出　处：中国三峡出版社2010年版

该书16开精装4册，计“综合卷”一册、“湖北卷”一册、“重庆卷”上下两册。该报告先介绍了长江三峡工程淹没区、迁建区的古迹，类似考古调查报告。接下来详细介绍了相关的保护规划，类似保护工程报告。所列举的文物保护措施比较全面，所提出的“保护为主、抢救第一”和“重点保护、重点发掘”的“两重”原则，以及“有利于基本建设，有利于文物保护”的“两利”方针，对未来我国基本建设和文物保护工作，都有着重要的借鉴作用。

9.三门峡地区考古集成

作　者：李久昌　主编
出　处：大象出版社2011年版

该书16开精装上下两册，囊括了从史前直至元明清各个历史时期三门峡地区的考古发掘简报、考古调查报告等。正如该书序中所言，这些报告散见各处，“看到看全”，“实属不易与困难”。

所谓“三门峡地区”，系指河南省西部、陕西省东部和山西省南部。中国考古

学的序幕，可以说正是从这一地区拉开。在中国古代文明中，这一地区也占有独特的位置。

简目如下：

上卷

壹　古人类与旧石器考古

贰　新石器时代考古

叁　夏商周考古

下卷

肆　秦汉魏晋北朝考古

伍　隋唐宋元明考古

附录一：未收录的三门峡地区考古论著目录

附录二：三门峡区域历史文化论著目录

据统计，“壹”收文 12 篇、“贰”收文 46 篇、“叁”收文 35 篇、“肆”收文 54 篇，“伍”收文 35 篇，共计 172 篇。

北京市

10.镇江营与塔照：拒马河流域先秦考古文化的类型与谱系

作　者：北京市文物研究所　编著
出　处：中国大百科全书出版社 1999 年版

该书为 16 开精装上、下两册，系 1986 ～ 1990 年考古人员对北京房山区镇江营与塔照遗址进行考古发掘的详报。该遗址共发现 9 种先秦时期文化，年代从新石器时代延续到商周时期。附有表格 9 种，文章 4 篇。张忠培先生为本书作序。

11.北京奥运场馆考古发掘报告

作　者：北京市文物局、北京市文物研究所　编著
出　处：科学出版社 2007 年版

本书为 16 开精装上下两册。介绍了 13 处奥运场馆的考古发掘成果，计有从西汉到明、清各代墓葬 700 座，出土遗物 1500 多件。以明、清两代居多。

该书简目如下：

五棵松篮球馆工程考古发掘报告
国家体育场工程考古发掘报告
新奥公司体育场配套工程考古发掘报告
国家体育场工程考古发掘报告
奥林匹克会议中心工程考古发掘报告
数字北京大厦工程考古发掘报告
奥运村工程考古发掘报告
奥运一期工程考古发掘报告
五棵松棒球场工程考古发掘报告
郑常庄燃气热电工程考古发掘报告
中国科技馆新馆工程考古发掘报告
北京射击场工程考古发掘报告

国家体育总局射击射箭运动管理中心射击场内市政工程考古发掘报告

科学出版社2008年出版了《北京奥运场馆出土文物》一书，可参阅。

12.房山南正遗址：拒马河流域战国以降时期遗址发掘报告

作　者：北京市文物研究所　编著

出　处：科学出版社2008年版

本书为16开精装一册，是2005年、2006年为配合南水北调工程在北京房山区南正遗址进行发掘的考古详报。发掘报告清理了战国、西汉、东汉、辽等时期的灰坑、陶窑、墓葬等。

报告简目如下：

第一章　绪论

第二章　地层堆积及文化分期

第三章　战国晚期——西汉早期的文化遗存

第四章　东汉时期遗存

第五章　唐辽以降时期遗存

第六章　结语

附有表格3种及文章2篇。

13.北京段考古发掘报告集

作　者：北京市文物研究所　编著

出　处：科学出版社2008年版

本书为16开精装一册，是南水北调工程北京段的发掘报告汇集。计10篇：

岩上墓葬区考古发掘报告

北正遗址发掘报告

六间房墓葬区发掘报告

天开遗址发掘报告

西周各庄窑址发掘报告

周口窑址发掘报告

辛庄墓葬区发掘报告

新街墓葬区发掘报告

丁家洼遗址发掘报告

前后朱各庄遗址区考古发掘报告

科学出版社 2009 年出版有《南水北调中线一期工程北京段出土文物》一书，可参阅。

14.北京寺庙宫观考古发掘报告

作　者：北京市文物研究所　编著
出　处：科学出版社 2009 年版

本书为 16 开精装一册，是北京地区寺庙宫观考古发掘报告的汇集。计收 11 篇：
房山区青龙湖镇大苑村寺庙遗址
北京天宁寺钟、鼓楼遗址
朝阳区高碑店漕运码头公园龙王庙遗址
门头沟区灵岳寺
延庆县应梦寺遗址
北京市崇文区夕照寺遗址
通州区清真寺邦克楼、沐浴房、更衣室、照壁遗址
北京万寿寺万寿阁遗址
北京玉河庵遗址
北京丫髻山碧霞元君祠遗址
北京市朝阳区北顶娘娘庙遗址

15.北京亦庄考古发掘报告：2003 ～ 2005 年

作　者：北京市文物研究所　编著
出　处：科学出版社 2009 年版

本书为 16 开精装一册，是北京亦庄经济技术开发区考古发掘报告详报。计清理墓葬 210 座、窑址 4 座、古井 3 眼。该发掘出土铜器、铁器、陶器、瓷器等 700 余件（套），时代从战国历经汉、唐、辽、金、明清。

简目如下：
第一章　概述
第二章　战国、东汉墓葬介绍
第三章　唐代墓葬
第四章　辽、金墓葬

第五章　明、清墓葬
第六章　窑址、井
第七章　结语
附有表格 2 种。

16.平谷杜辛庄遗址

作　者：北京市文物研究所　编著
出　处：科学出版社 2009 年版

本书为 16 开精装一册，为 2006 ～ 2007 年北京市平谷区杜辛庄遗址的考古发掘详报。清理了西汉、东汉、明代墓葬、砖窑等 41 个，出土遗物 160 余件。

简目如下：
第一章　绪论
第二章　西汉时期墓葬
第三章　东汉时期墓葬
第四章　汉代窑址
第五章　明代墓葬
第六章　结语
附有表格 4 种及“北京地区汉代墓葬初步研究”“汉代窑炉略论”等两篇文章。

17.丰台王佐遗址

作　者：北京市文物研究所　编著
出　处：科学出版社 2010 年版

本书为 16 开本一册，共 288 页，彩色图版 62 页。

本书为北京市丰台区王佐遗址的考古发掘报告。该遗址于 2007 年发掘，揭露面积 2600 平方米，清理了两汉、隋唐、辽、清等不同时期的墓葬和窑址，出土了陶器、瓷器、金器、银器、玉器、铜器等遗物，数量多，种类丰富，时代特点鲜明。正文后附有遗址出土陶器、铜器、金银器等样品的检测分析报告。

在王佐遗址清理的墓葬和窑址，时代跨度大，内涵较为丰富，是了解本地区古代历史和社会生活的重要资料，为研究北京地区汉至清诸时期墓葬的形制特点、埋葬习俗、文化内涵提供了珍贵的实物资料，也为研究古代窑址提供了新资料。

本书简目如下：

第一章　绪论
　第一节　地理环境与历史沿革
　第二节　遗址概况与发掘经过
　第三节　资料整理与报告编排
　第四节　地层堆积与文化分期
第二章　汉代墓葬
　第一节　西汉时期墓葬
　第二节　东汉时期墓葬
第三章　隋唐至辽时期遗存
　第一节　窑址
　第二节　墓葬
第四章　清代墓葬
　第一节　单人葬墓
　第二节　双人合葬墓
　第三节　三人合葬墓
　第四节　迁葬墓
第五章　初步研究
　第一节　汉代墓葬分析
　第二节　唐辽以降时期墓葬分析
　第三节　隋唐时期窑址分析
　第四节　汉代广阳国的行政变迁与丰台的归属
附表：
　附表一　汉—辽时期墓葬登记表
　附表二　清代墓葬登记表
　附表三　隋唐时期窑址登记表
　附表四　墓葬、窑址用砖统计表
　附表五　汉代墓葬出土铜钱统计表
　附表六　清代墓葬出土铜钱统计表
附录：
　附录一　王佐遗址汉墓出土器物检测报告
　附录二　王佐遗址出土金属器的初步分析
编后记

18.大兴北程庄墓地：北魏、唐、辽、金、清代墓葬发掘报告

作　者：北京市文物研究所　编著

出　处：科学出版社 2010 年版

本书为大 16 开一册，正文 234 页，45 万字，文后附彩版 88 幅。

该书为北京市大兴区北程庄墓地的考古发掘详报。该次发掘系为配合北京市大兴区新城北区土地开发建设而对北程庄墓地所进行的，揭露面积总计约 2310 平方米，清理了北魏、唐代、辽代、金代、清代墓葬共 48 座，出土有陶器、瓷器、铜器、铁器等遗物，数量较多，时代特征明显。北程庄墓地的发掘，为永定河流域北魏至清代的考古学编年提供了重要的资料。其中发现的大多数辽代墓葬及部分金代墓葬未遭到任何人为破坏，是 1949 年以来北京地区发掘的辽金时期墓葬中保存最好的墓群。出土的随葬品为研究辽金时期的葬俗提供了丰富的资料，仿木结构的墓门是研究中国古代建筑史的重要资料。

本书简目如下：

第一章　绪论

　第一节　地理环境与历史概况

　第二节　发掘经过与资料整理

第二章　地层堆积情况

第三章　北魏墓葬 M23

第四章　唐代墓葬

第五章　辽代墓葬

第六章　金代墓葬

第七章　清代墓葬

　第一节　单棺墓

　第二节　双棺墓

　第三节　三棺墓

　第四节　四棺墓 M14

第八章　结语

　第一节　北魏、唐代墓葬的基本文化面貌

　第二节　辽金时期墓葬的基本文化面貌

　第三节　清代墓葬的基本文化面貌

附表：

附表一　辽金墓主要随葬品组合关系简表
附表二　墓门与墓室仿木结构及壁画简表
附表三　北魏、唐代墓葬登记表
附表四　辽金墓葬登记表
附表五　清代墓葬登记表
附表六　出土铜钱统计表
附表七　出土铜钱尺寸统计表
附表八　墓砖统计表
后记

19.北京亦庄 X10 号地

作　者：北京市文物研究所　编著
出　处：科学出版社 2010 年版

本书 16 开精装一册，是关于 2007 年北京市大兴区亦庄镇头号村发掘的详报。该次共发掘汉代墓葬 58 座、井 1 眼、窑址 8 座，唐墓 2 座、窑址 2 座，出土陶器 333 件、瓷器 2 件、铜钱 190 余枚。

该书简目如下：
第一章　绪论
第二章　汉代遗存
第三章　唐代遗存
第四章　汉唐遗迹的分期
第五章　结语
附有 5 种表格。

20.密云大唐庄：白河流域古代墓葬发掘报告

作　者：北京市文物研究所　编著
出　处：上海古籍出版社 2010 年版

该书 16 开精装一册，系 2007 年北京市密云县大唐庄遗址的考古发掘详报，共清理汉至清各代墓葬 122 座，各类出土文物 296 件（套），铜钱未计入内。

该书简目如下：
第一章　绪论

第二章　地层堆积与文化分期
第三章　汉代墓葬
第四章　唐代墓葬
第五章　辽代墓葬
第六章　金代墓葬
第七章　明代墓葬
第八章　清代墓葬
第九章　结语
附表 2 种及“大唐庄辽代石棺的材质分析”一文。

21.昌平沙河：汉、西晋、唐、元、明、清代墓葬发掘报告

作　者：北京市文物研究所　编著
出　处：科学出版社 2012 年版

本书为 16 开精装一册，为 2010 年对北京昌平沙河墓地的考古发掘详报。该地计发现汉代窑址 1 座，汉代至清代墓葬 128 座，出土遗物百余件。明清以前墓葬已遭到严重破坏，明清墓葬保存较好，出土有陶器、瓷器、玉饰、料器、“蜻蜓眼”、金银器、铜器、铁器、紫砂器、石器及铜钱等。

简目如下：
第一章　绪论
第二章　地层堆积
第三章　汉代窑址、墓葬
第四章　西晋墓葬
第五章　唐代墓葬
第六章　元代墓葬
第七章　明代墓葬
第八章　清代墓葬
第九章　明清时代搬迁墓
第十章　结语
附有表格 9 种、文章 2 篇。

22.北京亦庄 X11 号地考古发掘报告

作　者：北京市文物研究所　编著
出　处：科学出版社 2012 年版

本书为 16 开精装一册，是北京市大兴区亦庄镇西四号村一带的考古发掘详报。发掘了汉代墓葬 32 座、窑址 7 座；唐代墓葬 1 座；辽金墓 5 座、窑址 1 座；清代墓 3 座、水井 1 眼。

简目如下：

第一章　绪论
第二章　汉代遗迹
第三章　唐、辽时期遗迹
第四章　清代时期文化遗存
第五章　结语

附有表格 4 种。

23.京沪高铁北京段与北京新少年宫考古发掘报告集

作　者：北京市文物研究所　编著
出　处：上海古籍出版社 2014 年版

该书 16 开精装一册，系配合京沪高铁北京段等工程建设开展的考古发掘报告的汇编，共收报告 6 篇，涉及汉、辽、金、明、清等多个朝代。

简目如下：

京沪高铁北京段考古发掘报告
北京市新少年宫考古发掘报告
朝阳区中关村电子城西区 F1 望京综合酒店工程考古发掘报告
大兴区亦庄博兴七路（凉水河一街——泰河路）综合市政工程考古发掘报告
朝阳区新世纪商业中心明代驸马公主合葬墓考古发掘报告
门头沟区潭柘寺镇中心区 B 地块土地一级开发项目考古发掘报告

其中明代驸马公主合葬墓有墓志，报告录有志文。

天津市

河北省

24.观台磁州窑址

作　者：北京大学考古学系、河北省文物研究所、邯郸地区文物保管所　编著
出　处：文物出版社 1997 年版

该书 16 开精装一册，系河北省邯郸地区观台磁州窑址的考古发掘详报。磁州窑是宋元时期北方最大的民窑，而观台窑是其中保存最完好的一座中心遗址。1987 年发掘，出土器物近万件。书中图版收录了目前所见大部分有纪年的磁州窑产瓷器。

据介绍，磁州窑发现于 20 世纪 50 年代初，窑址位于今河北省磁县观台镇、彭城镇一带。1958 年、1960 ~ 1961 年两次发掘后，1987 年又进行了一次发掘。详报认为磁州观台窑创烧于宋初或稍早，停烧于元末明初。

今有《磁州窑古瓷》（陕西人民美术出版社 2004 年版）系在磁州窑展览基础上编成的，可参阅。

25.邢台粮库遗址

作　者：河北省邢台市文物管理处　编著
出　处：科学出版社 2005 年版

该书计一册，正文 334 页，插图 244 幅，图版 20 幅。

该书系统发布了邢台粮库遗址的发掘成果，全面综述了该遗址先商、中商、晚商时期的遗迹、遗物，为研究邢台地区的商文明提供了新的有价值的资料。此外，该书还介绍了该遗址发现的汉、唐、宋、元至明、清各阶段的墓葬。这批科学发掘资料的系统整理和初步研究，将有利于解决冀北冀南地区考古学中的诸多问题。

26.唐县高昌墓地发掘报告

作　者：南水北调中线建设干线建设管理局、河北省南水北调工程建设委员会办公室、河北省文物局　编著

出　处：文物出版社 2010 年版

该书 16 开精装一册，系河北省保定市唐县高昌镇北高昌村遗址的考古发掘详报。该遗址经 1990 年、2002 年、2003 ～ 2004 年三次调查，2006 年发掘，共发掘战国墓 7 座、西汉墓 112 座、北朝至隋代墓 6 座、宋代墓 1 座、清代墓 1 座及年代不明墓 1 座，出土随葬品 710 件（套）。

该书简目如下：

序言

第一章　概述

第二章　墓葬资料

第三章　初步研究

附有“高昌墓地出土器物登记表”。

27.北响堂石窟加固保护工程报告

作　者：河北省古代建筑保护研究所　编著

出　处：科学出版社 2010 年版

该书 16 开精装一册，赵仓群先生主编。2002 ～ 2005 年，河北省古代建筑保护研究所组织力量，对北响堂石窟实施了加固保护工程，有效防止了岩体脱落、破碎渗水等危害。2006 年，国家文物局组织专家进行技术验收，一致提议列为优质工程。该报告对同类型以及其他类型文物的保护工作，均有着重要的借鉴意义。

简目如下：

引言

第一章　石窟调查研究

　第一节　峰峰矿区概况

　第二节　响堂山石窟概况

　第三节　北响堂石窟现状调查

第二章　加固保护工程设计方案

　第一节　设计依据与保护原则

　第二节　保护工程设计方案的主要内容

第三章　设计内容变更与研究

第一节　变更原因及研究

第二节　变更内容

第四章　加固保护工程施工技术

第一节　危岩体锚杆加固

第二节　锚杆锚固工程实施

第三节　锚钉加固

第四节　不稳定岩块清除

第五节　破碎岩体化学加固

第六节　砌补加固

第七节　治水工程

第八节　7 窟（刻经洞）外部保护

第九节　窟区环境治理

第五章　新发现文物遗迹

第一节　3 窟

第二节　6 窟

第三节　7 窟窟檐

第四节　各窟原排水系统

第六章　施工组织与管理

第一节　施工组织

第二节　现场管理、控制措施

第七章　工程总结与建设

第一节　文物保护理念、原则的贯彻、执行

第二节　综合性的保护工程

第三节　工程建设

第八章　工程验收情况

最后附参考文献及附录，附录主要是工程批文、试验报告、工程大事记、验收会议纪要等。

北响堂石窟，位于河北省邯郸市峰峰矿区，开凿于北齐，隋、唐、宋、元、明各代均有增凿。现有石窟 16 座，4000 多尊雕像。全国第一批重点文物保护单位。

今有河北省古代建筑保护研究所编《北响堂石窟加固保护工程报告》（科学出版社 2010 年版），可参阅。

28.唐县南放水：夏、周时期遗存发掘报告

作　者：南水北调中线工程建设管理局、河北省南水北调工程建设委员会办公室、河北省文物局　编著

出　处：文物出版社 2011 年版

该书 16 开精装一册，系 2006 年河北省唐县南放水遗址的考古发掘报告。遗存涉及夏、西周、东周三个时期，以西周中期至晚期遗存最为丰富，内容有灰坑、灶坑、墓葬、灰沟等。

该书简目如下：

第一章　概述

第二章　夏时期遗存

第三章　西周时期遗存

第四章　东周时期遗存

第五章　结语

附有登记表 4 种，动物鉴定报告 1 篇。

29.内丘张夺发掘报告

作　者：南水北调中线干线工程建设管理局、河北省南水北调工程建设领导小组办公室　编著

出　处：科学出版社 2008 年版

本书为 16 开精装一册，是关于河北省内丘县 2009 年度张夺 2 号遗址与 2010 年度张夺村南墓地的考古发掘详报。此遗址为一处战国至汉代的平民墓地，共清理墓葬 200 座。

本书简目如下：

壹　前言

贰　张夺 2 号遗址

叁　张夺村南墓地

肆　综述

伍　结语

附有表格 3 种，附录文章 2 篇。

30.发微求真　走进定窑：定窑考古全记录（2009 ~ 2011）

作　者：河北省文物研究所　编著

出　处：科学出版社 2013 年版

此书为 32 开本一册，系关于定窑考古的综合性专著。

该书简目如下：

第一章　走进定窑

一、定窑其窑

二、发现定窑

三、历年来的考古工作

第二章　启动 2009 定窑考古工作

第三章　定窑考古发掘主要收获

第四章　考古人手记

第五章　公众考古

第六章　陶瓷考古专家看定窑

附有“定窑考古大事记”“定窑研究相关专著与论文”。该书第 48 页认为定窑创烧于中晚唐，元代后期以后，成规模的生产已告结束。

31.石家庄元氏、鹿泉墓葬发掘报告

作　者：南水北调中线干线工程建设管理局、河北省南水北调工程建设领导小组办公室、河北省文物局　编著

出　处：科学出版社 2014 年版

本书为 16 开精装一册，是对元氏县殷村墓地、南吴会墓地及鹿泉市西龙贵墓地的考古发掘详报。考古发掘共发现东汉墓葬 36 座、宋金墓葬 18 座。全书共分两个部分：

壹　殷村墓地、南吴会墓地

贰　西龙贵墓地

32.徐水东黑山遗址发掘报告

作　者：南水北调中线干线工程建设管理局、河北省南水北调工程建设领导小组办公室、河北省文物局　编著

出　处：科学出版社 2014 年版

该书 16 开精装一册，是河北省徐水县东黑山遗址的考古发掘详报。2006 年 4 月至 2007 年 1 月，考古人员对徐水县东黑山遗址进行了发掘，发掘面积 5400 平方米，发现了丰富的战国、汉代文化遗存。详报全面、系统地报道了此次发掘的考古资料，并对其进行了初步研究，为研究战国、汉代时期的文化面貌与分期、火炕的源流及发展等，提供了丰富的实物资料。

山西省

33.雁北文物勘察团报告

作　者：雁北文物勘察团　编著
出　处：文化部文物局 1951 年版

该书 16 开一册，系裴文中、陈梦家等先生赴山西北部雁北地区进行考古调查的报告。郑振铎先生作序。

34.上马墓地

作　者：山西省考古研究所　编著
出　处：文物出版社 1994 年版

该书 16 开精装一册，是山西省侯马市南上马村墓地的考古发掘详报。

简目如下：

序言
第一章　前言
第二章　墓葬
第三章　随葬器物
第四章　墓地的分期与年代
第五章　典型墓葬举例
第六章　车马坑、马坑及牛坑
第七章　文化遗址
第八章　关于墓地布局和文化结构的讨论

前有苏秉琦、张忠培先生序，后附有“上马墓地墓葬登记表”等附录 4 种。

上马墓地自 1963 年至 1987 年共进行了 13 次发掘，发掘墓葬 1373 座、车马坑 3 座、马坑 3 座、牛坑 1 座，出土各类遗物近 6000 件，是两周时期一处保存较为完好的以族为单位的公共墓地。

35.天马—曲村（1980 ~ 1989）

作　者：北京大学考古学系商周组、山西省考古研究所　编著
出　处：科学出版社 2000 年版

此书 8 开四册，邹衡先生主编，是 1980 ~ 1989 年对山西省天马—曲村遗址 10 年发掘的考古详报。简目如下：

第一册
总论
　第一章　山西南部天马—曲村遗址所在地区的区域概况及自然环境演变
　第二章　考古调查、发掘、整理、研究以及报告的编写
第壹部分　西周、春秋时代—晋文化（上）
　第一章　居住址

第二册
　第二章　墓葬

第三册
第贰部分
第叁部分　战国墓葬—晋文化（下）
　第一章　概述
　第二章　墓葬形制
　第三章　随葬品物
　第四章　分期与年代
　第五章　小结
第肆部分　秦汉时代墓葬
　第一章　墓地概况
　第二章　墓葬形制
　第三章　墓内情况
　第四章　随葬器物
　第五章　分期与年代
　第六章　墓葬举例
第伍部分　金元明时代墓葬
　第一章　墓葬分布

第二章　墓葬形制
第三章　随葬器物
第四章　分期与年代
第五章　小结
结束语
第四册全部为图片
附有墓葬索引、6种研究报告、鉴定报告。

36.垣曲古城东关（黄河小浪底水库山西库区考古报告之二）

作　者：中国历史博物馆考古部、山西省考古研究所、垣曲县博物馆　编著
出　处：科学出版社 2001 年版

本书 16 开精装一册，是山西垣曲古城东关遗址 1982 ～ 1986 年的考古发掘详报。这一遗址包含了仰韶文化、龙山文化、商、周、宋各时代遗存。

该书简目如下：
第一章　绪言
第二章　遗址概述
第三章　地层堆积与文化分期（上）
第四章　地层堆积与文化分期（下）
第五章　庙底沟二期文化遗存
第六章　龙山文化遗存
第七章　商周文化遗存
第八章　宋代文化遗存
第九章　结语
有附录 8 种及英文摘要等。

37.侯马乔村墓地（1959 ～ 1996）

作　者：山西省考古研究所　编著
出　处：科学出版社 2004 年版

本书为 16 开上、中、下三册，是对山西侯马乔村墓地 18 次发掘的总结。该墓地遗址计发掘了 1038 座墓葬，时代从战国至西汉为主。

本书简目如下：

第一章　绪论
第二章　墓地概况
第三章　墓葬形制及葬俗
第四章　围墓沟墓葬
第五章　随葬器物
第六章　陶器文字
第七章　墓地的分期与年代
第八章　关于墓地布局和文化结构的讨论
第九章　墓葬等级结构的分析
第十章　各类型出土陶器墓葬资料
第十一章　东汉以后各时期古墓葬
第十一章　结语
附有表格 5 种，研究文章 4 篇。

38.黄河漕运遗迹：山西段

作　者：山西省考古研究所、山西大学考古专业、运城市文物工作站　编著
出　处：科学技术文献出版社 2004 年版

该书 16 开精装一册，系 1997 年山西三门峡以东黄河北岸漕运遗迹的考古勘查详报。在山西平陆、夏县、垣曲三县共发现古栈道遗迹 45 处、古寺庙遗址 2 处、古渡口遗址 1 处及多处与漕运有关的石刻题记等。2004 年进行了复查。

39.忻州游邀考古

作　者：忻州考古队　编著
出　处：科学出版社 2004 年版

该书 16 开精装一册，计 220 页，黑白图版 48 幅。此书系 1987 年、1989 年山西忻州游邀遗址两次发掘的考古详报。该遗址主要为龙山文化至夏王朝时期遗存。附有《游邀遗址的西阴文化遗存》《游邀遗址夏代居民的人类学特征》等文及鉴定、测定报告等。

40.垣曲盆地聚落考古研究

作　者：中国国家博物馆考古部　编著
出　处：科学出版社 2007 年版

该书 16 开精装一册，系 2000 ~ 2003 年对山西垣曲盆地内黄河流域、亳清河流域、沇河流域、韩家河流域、西阳河流域进行田野调查和重点遗址试掘的基础上，对垣曲盆地史前至商代各时期聚落特征和相互关系、社会组织结构变化、古代人类与环境的关系等问题进行了综合研究，揭示了不同时期聚落形态演进的过程。严文明先生为本书作序。

41.大同华严寺（上寺）

作　者：齐　平、柴泽俊　编著
出　处：文物出版社 2008 年版

该书 16 开精装一册，计 372 页，实为 20 世纪 80 年代、90 年代重修华严寺（上寺）大雄宝殿时的珍贵记录，可视为一部实测和维修报告。图文并茂，对中国古代佛教建筑研究，有着重要的参考价值。

华严寺，位于大同古城内西南隅，始建于辽重熙七年（1038 年），具辽国皇室宗庙性质，后毁于战火，金天眷三年（1140 年）重建，规模已逊于辽代。元代武宗至大年间（1308 ~ 1311 年）又曾修缮。元末战乱，再遭破坏。明代时，宣德、景泰年间，又予重修，明中叶以后，华严寺分为上、下两寺。清初顺治五年（1648 年），华严寺又遭战火，只有大雄宝殿、薄迦教藏殿幸免于难。后又陆续重修，规模远不及前代。中华人民共和国成立以后，才真正保护起来，进行全面修缮。

华严寺现为全国重点文物保护单位。

今有《大同华严寺》（中国建筑工业出版社 2015 年版）一书，汇集大量图片，图片有文字说明。

42.垣曲上亳

作　者：山西省考古研究所　编著
出　处：科学出版社 2010 年版

本书为 16 开精装一册，有正文 310 页，文后有彩色图版 30 版。

本书是位于山西省的垣曲上亳遗址 2002 年和 2003 年的考古发掘报告。上亳遗址是垣曲境内一处非常重要的古遗址，其文化层堆积从新石器时代仰韶早期一直延续到汉代，出土了各种陶器及部分骨器、石器、蚌器、铁器等，为研究垣曲盆地古代文化面貌提供了重要的资料。

本书简目如下：

序
第一章　概述
第二章　地层堆积与文化分期
第三章　仰韶中期遗存
第四章　仰韶晚期遗存
第五章　庙底沟二期遗存
第六章　龙山期遗存
第七章　东周遗存
第八章　结语
　第一节　对上亳遗址仰韶中期遗存的认识
　第二节　对上亳遗址仰韶晚期遗存的认识
　第三节　对上亳遗址庙底沟二期遗存的认识
　第四节　对上亳遗址龙山期遗存的认识
　第五节　余论
附录一　上亳遗址陶器研究
附录二　上亳遗址 14C 测年数据
附录三　上亳遗址陶器化学组成测试报告

43.运城盆地东部聚落考古调查与研究

作　者：中国国家博物馆田野考古研究中心、山西省考古研究所、运城市文物保护研究所　编著

出　处：文物出版社 2011 年版

该书 16 开精装一册。

简目如下：

第一章　概论
第二章　GPS 与 GIS 的应用
第三章　涑水河流域遗址
第四章　青龙河流域遗址

第五章　运城盆地东部各时期聚落形态的特征
第六章　运城盆地东部聚落形态的演变
附有“运城盆地遗址登记表”。
运城盆地东部聚落，从时代上，有仰韶时期、龙山时期、夏商时期。

44.滹沱河上游先秦遗存调查报告（一）

作　者：山西省考古研究所、中国国家博物馆田野考古研究中心、忻州市文物管理处　编著
出　处：科学出版社 2012 年版

本书为 16 开上下两册，是关于滹沱河上游繁峙、代县、原平三县 363 处遗址的考古详报。该遗址年代从新石器时期至战国时期。

本书简目如下：
第一章　绪论
第二章　调查方法及思路整理
第三章　繁峙县境内遗址
第四章　代县境内遗址
第五章　原平市境内遗址
第六章　结语
附有三地登记表。

45.屯留余吾墓地

作　者：山西省考古研究所　编著
出　处：三晋出版社 2012 年版

该书 16 开精装一册，系对山西省长治市屯留余吾墓地的考古发掘详报。分为有陶器墓、无陶器墓两类，介绍了战国时期的墓葬。又分“竖穴土圹墓”“竖穴正洞室墓”“竖穴偏洞室墓”和“斜坡洞室墓”四类，介绍了秦至西汉的墓葬；分为“土洞墓”“砖室土洞混合式墓”“砖室墓”三类，介绍了东汉墓葬。

简目如下：
第一章　绪论
第二章　墓地概况
第三章　战国墓葬

第四章　秦至西汉墓葬
第五章　东汉墓葬
第六章　明清墓葬
第七章　墓葬的类型学研究
第八章　墓地布局和文化因素分析
第九章　相关器物研究
附有出土人骨、遗物的检测报告以及墓地登记表等。

该墓地时间跨度长,墓葬的形式多种多样,尽管出土遗物只有青铜器、铁器、铜钱、陶器等，并不算丰富，但仍是一处很值得研究的北方先民墓地。

46.黄河蒲津渡遗址

作　者：山西省考古研究所　编著
出　处：科学出版社 2013 年版

本书为 16 开精装一册，是山西省永济县蒲州古城西门外蒲津渡遗址 1991 ~ 2000 年发掘的考古详报。共揭示出堤坝、渡口遗存，清理出四头铁牛、四尊铁人、两座铁山、三个铁墩及七根排列成北斗七星状的铁柱等。

简目如下：

壹　山西永济黄河蒲津渡遗址考古发掘报告
　第一章　绪言
　第二章　遗址概述
　第三章　地层分析和文化分期
　第四章　唐代时期
　第五章　北宋时期
　第六章　金元时期
　第七章　明代时期
　第八章　清代、民国时期
　第九章　蒲州古城的勘察情况
　第十章　结语
贰　蒲津渡遗址铁器群近期抢救保护项目研究报告
叁　蒲津渡遗址保护工程竣工报告

47.汾阳东龙观宋金壁画墓

作　者：山西省考古研究所、汾阳市文物旅游局、汾阳市博物馆　编著
出　处：文物出版社 2012 年版

该书 16 开精装一册，据宋建忠先生所作序介绍，“实际上，这是一本公路建设考古报告集，道路起自汾阳南关，终于孝义贾家坡，全线长 10 千米”，报告时代涉及唐、宋、金、元、明、清。墓葬数量 48 座，报告中全部发表，但重点在 6 座精美的宋金砖雕壁画墓，这 6 座墓涉及两个家族，壁画中兑换货币场景少见。

该书简目如下：

第一章　前言
第二章　东龙观北区
第三章　东龙观南区
第四章　西龙观区
第五章　团城北区
第六章　团城南区
第七章　墓葬综论
最后附有鉴定报告等 3 篇文章。

48.忻阜高速公路考古发掘报告

作　者：山西省考古研究所、忻州市文物管理处　编
出　处：上海古籍出版社 2012 年版

该书 16 开精装一册，系考古发掘报告的汇编本。山西省修建的忻阜高速公路，路线经由晋东南 3 县区 17 个乡镇 64 个村庄，沿途恰为古代遗存十分丰富的地区。

内蒙古自治区

49.万家寨水利枢纽工程考古报告集

作　者：内蒙古自治区文物考古研究所　编著
出　处：远方出版社 2001 年版

该书 16 开精装一册，汇集了 1994 ~ 1998 年考古人员为配合万家寨水利枢纽工程进行的考古工作的部分成果。全书共收录考古发掘简报 15 篇，时代从新石器时代至明清时代。

50.半支箭河中游先秦时期遗址

作　者：赤峰考古队　编著
出　处：科学出版社 2002 年版

该书为 16 开精装一册，是赤峰市西南部半支箭河中游 220 处遗址的考古详报。年代从新石器至战国，尤以夏、商时期遗址为多。

该书简目如下：

第一章　绪言
第二章　各地点记述
第三章　结语

附有“按考古学文化（年代）编排的各地点索引”及地图一张。

51.内蒙古东南部航空摄影考古报告

作　者：中国历史博物馆遥感与航空摄影考古中心、内蒙古自治区文物考古研究所　编著
出　处：科学出版社 2002 年版

该书 12 开精装一册，系 1997 ~ 1998 年对内蒙古东南部地区古代大型遗址进行航空摄影考古勘察和全球卫星定位系统（GPS）测量定位的考古专题报告，是我国第

一部采用遥感与航空摄影方法进行考古勘察研究的正式考古详报。前有俞伟超先生序，称此书出版填补了我国航空摄影考古的空白。

该书简目如下：

前言

壹　遥感与航空摄影考古基本理论与方法

贰　内蒙古东南部地区自然遗址概况和历史沿革

叁　内蒙古东南部地区考古发现概况

附有“航空摄影考古飞行勘察记录表”。

据介绍，发现有新石器、商周、秦汉、北魏至辽金元等多个历史时期遗迹。

52.内蒙古东部（赤峰）区域考古调查阶段性报告

作　者：赤峰中美联合考古研究项目　编著

出　处：科学出版社 2003 年版

本书为 16 开精装一册，共 220 页，彩色图版 10 幅。

本书是中美合作对内蒙古赤峰市阴河、半支箭河及锡伯河下游古代遗址调查的阶段性考古详报。此次调查面积达 700 多平方公里，发现古代遗址 1000 多处。此次调查采用了 GPS 定位、全占仪测量、地理信息系统制图等多项新的科技手段，还采用了美国考古学调查遗址、聚落的方法。

该报告不但客观地介绍了此次调查的结果，而且为区域考古调查提供了一套切实可行的工作方法。

53.小黑石沟：夏家店上层文化遗址发掘报告

作　者：内蒙古自治区文物考古研究所、宁城县辽中京博物馆　编著

出　处：科学出版社 2009 年版

该书 16 开精装一册，公布了 1985 年、1992 ~ 1993 年、1998 年四次发掘赤峰市小黑石沟遗址 2300 平方米的成果。遗存包括少量的兴隆洼、赵宝沟、红山文化及较晚的春秋战国时期墓葬等，以夏家店上层文化遗存为主。一般认为，夏家店上层文化的时代，相当于西、东周时期。

54.西拉木伦河流域先秦时期遗址调查与试掘

作　者：内蒙古自治区文物考古研究所、吉林大学边疆考古研究中心　编著
出　处：科学出版社 2010 年版

本书正文 182 页，约 32 万字，书中另附有彩色图版 36 页。

2002 ~ 2003 年，考古人员在西拉木伦河流域进行了较大范围的考古调查。本书重点报道了克什克腾旗、林西县、巴林右旗 23 处遗址近 40 个采集地点的资料，并刊布林西县井沟子西梁和克什克腾旗关东车遗址的试掘成果及相关检测分析报告。

根据采集与试掘遗物的识别，西拉木伦河流域先秦时期包含 9 种文化遗存。它们分别是：类小河西文化、兴隆洼文化、以井沟子西梁为代表的遗存、赵宝沟文化、红山文化 5 种新石器文化；夏家店下层晚商时期遗存、夏家店上层文化、以井沟子西区墓葬为代表的遗存等 4 种青铜时代文化。其中，井沟子西梁和井沟子西区墓葬遗存为首次发现，这一发现填补了以往不同时段考古学文化的空白，为确立先秦时期西拉木伦河流域考古学文化序列与编年补充了新资料，提供了基础研究的参照系。

55.林西井沟子：晚期青铜时代墓地的发掘与综合研究

作　者：内蒙古自治区文物考古研究所、吉林大学边疆考古研究中心　编著
出　处：科学出版社 2010 年版

本书为 16 开精装一册，列为“西拉木伦河考古系列之二”。正文共 385 页，约 57 万字，另附有彩色图版 23 页。

林西井沟子是一处包含有红山文化、小河沿文化、夏家店上层文化和井沟子类型四种古代遗存的遗址。本书重点报道了 2002 ~ 2003 年该遗址西区墓地的发掘资料及相关的检测和分析结果。报告分为上、下两编。

上编包括遗址概况与墓葬综述、墓葬分析、墓葬资料、灰坑与房址共四章。

下编包括出土人骨的体质人类学、线粒体 DNA 和稳定同位素分析以及动物遗存、青铜器、孢粉土样的检测与分析。

井沟子西区墓地是内蒙古东南部地区迄今唯一一处经科学发掘的早期游牧文化的墓地。对该墓地出土井沟子类型遗存进行全面报道和多学科的综合研究，为探讨我国北方早期游牧文化的形成与发展提供了一批必不可少的考古学资料和重要的研究基础。本书对于考古、历史、自然科学史研究均有参考价值。

56.包头燕家梁遗址发掘报告

作　者：内蒙古自治区文物考古研究所、包头市文物管理处　编著
出　处：科学出版社 2010 年版

本书为 16 开，上中下三册。正文 805 页，约 145 万字，附彩色图版 292 页，黑白图版 10 页。

本书是燕家梁遗址的考古发掘详报。记录了 2006 年度内蒙古自治区文物考古研究所和包头市文物管理处配合内蒙古华电包头发电公司电厂铁路建设对工程占用遗址区域进行考古发掘的成果。此次发掘除出土少量汉代遗物及发现明清时期墓葬一座外，其余文物均为元代遗存。遗址遗迹保存较好，布局井然，并有同一时代不同时期遗迹叠压现象。出土遗物丰富，特别是出土较多青花瓷器等。该遗址为研究元代社会基层组织生产、生活等提供了丰富的实物资料。

57.浑河下游航空摄影考古报告

作　者：中国国家博物馆、内蒙古自治区文物考古研究所　编著
出　处：文物出版社 2012 年版

该书 16 开精装一册，系 2009 年对内蒙古中南部浑河流域进行区域性航空考古勘察的考古详报。

简目如下：

前言
浑河下游区域性航空摄影考古的主要收获
航拍区域卫星照片
航拍区域三维视图
航拍区域遗址分布图
遗址航拍照片
遗址三维视图

附有表格及“无人机航测遥感技术在浑河下游航空摄影考古中的运用”一文。据介绍，共发现史前至汉代遗迹多处。

辽宁省

58.双砣子与岗上：辽东史前文化的发展与研究

作　者：中国社会科学院考古研究所　编著

出　处：科学出版社 1996 年版

该书 16 开精装一册，系 1963 ~ 1964 年考古人员对辽宁省大连市双砣子、将军山、岗上、楼上、卧龙泉、尹家村等 6 处古代遗址进行考古发掘的详报。时代涉及新石器时代和青铜时代。书中还对辽东史前文化的源流进行了分析。最后附有 5 种表格。

59.大南沟：后红山文化墓地发掘报告

作　者：辽宁省文物考古研究所、赤峰市博物馆　编著

出　处：科学出版社 1998 年版

该书 16 开精装一册，系内蒙古赤峰市北两处后红山文化墓地的考古发掘详报。1977 年发掘，共发掘墓葬 83 座，出土陶器 220 余件、石器 160 余件、装饰品近百件，反映出当地由新石器时代红山文化向早期青铜时代夏家店下层文化的过渡时期情况。

60.五女山城

作　者：辽宁省文物考古研究所　编著

出　处：文物出版社 2004 年版

本书为 16 开精装一册，正文 321 页，文后有彩色图版 24 页，黑白图版 70 页。

五女山城位于辽宁省本溪市桓仁县。为了厘清高句丽早期的文化面貌和五女山城的形制及城内文化堆积，1996 ~ 1999 年、2003 年，考古人员对山城进行四次发掘，本详报就是这四次发掘的内容。山城内的遗存可分为五期，第一期文化的时代为新石器时代晚期；第二期文化的时代为青铜时代晚期，是早于当地铁器时代的遗存；第三期文化的时代大体应在两汉之际，相当于高句丽建国前后，应为高句丽早期的

物质遗存；第四期文化是山城最丰富的一期文化，山上山下都有遗迹发现，建筑种类数量较多，重要遗迹有大型建筑基址、兵营遗址、哨所遗址及居住址，本期应为高句丽中期的遗存；第五期遗存从出土器物特点看，其时代应为金代。五女山城是高句丽建国之初的王都，因此，五女山城的发掘，对探究和了解高句丽民族的兴起和政权的建立，以及高句丽早期山城的建筑形制及其防御体系等，都具有重要意义。

61.辽宁省道路建设考古报告集（2003）

作　者：辽宁省文物考古研究所　编著
出　处：辽宁民族出版社 2004 年版

该书 16 开一册，系考古人员配合沈阳—山海关、锦州—朝阳、锦州—阜新、秦皇岛—沈阳等公路建设进行考古调查、发掘的成果汇编，包括有 9 篇考古发掘报告。

62.朝阳北塔考古发掘与维修工程报告

作　者：辽宁省文物考古研究所　编著
出　处：文物出版社 2007 年版

该书 16 开精装一册，系对辽宁省朝阳市北塔的考古发掘与维修综合报告。分为上、下两篇，上篇为考古发掘报告，共分 8 章：

第一章　地貌与地层堆积
第二章　三燕和龙宫殿建筑遗迹与遗物
第三章　北魏思燕佛图建筑遗迹与遗物
第四章　隋唐时期塔台基建遗迹与遗物
第五章　辽代塔台基建遗迹与遗物
第六章　天宫地宫及其他发现
第七章　朝阳北塔历代形制结构勘察
第八章　朝阳北塔修建历史及相关问题之研究

下篇为维修工程报告，分为 4 章，详尽介绍了维修工程的全过程，并附有 7 种有关维修工作的资料。

朝阳北塔，为一高 42.6 米的佛舍利塔，前身为北魏时修建的“思燕佛图”，已毁。隋文帝时重建。唐天宝年间修饰一新，辽代两度维修。1988 年进行修缮时，发现了天宫、地宫，出土上千件珍贵文物，是继 1987 年陕西法门寺后又一次重大发现。其中鎏金银塔、金银经塔、波斯玻璃瓶等均为国家级珍品。朝阳北塔现为全国重点文物保护单位。

今有白文煜、刘大志先生主编《契丹梵韵：朝阳北塔文物精品集》（辽宁民族出版社 2015 年版）一书，可参阅。

63.大连土羊高速公路发掘报告集

作　者：韩建宏　主编
出　处：科学出版社 2010 年版

此书为 16 开精装一册，系 2006 年大连土羊（大连土城子村—旅顺羊头洼港）高速公路抢救性考古发掘报告汇总。此次考古计发掘青铜时代房址 7 座、灰坑 2 个，出土石器 25 件，复原野陶器 5 件。前牧城驿汉墓清理王莽至东汉初墓葬 4 座，出土器物 86 件。沙岗子汉墓清理东汉墓 5 座，出土器物 170 件。楼上遗址主要为战国时期，发现房址一处。西甸子遗址为辽末。

该书简目如下：

韩家坟青铜时代遗址发掘报告
前牧城驿汉墓发掘报告
沙岗子汉墓发掘报告
楼上遗址发掘报告
西甸子辽代遗址发掘报告

64.朝阳袁台子：战国西汉遗址和西周至十六国时期墓葬

作　者：　辽宁省文物考古研究所、朝阳市博物馆　编著
出　处：　文物出版社 2010 年版

该书 16 开精装一册，系辽宁省朝阳市十二台营子公社袁台子大队遗址和墓地 1979 年考古发掘的详报。此次考古共计发掘商周至魏晋十六国时期墓葬 160 余座，认为袁台子汉代遗址就是西汉辽西郡西部都尉治柳城县故址。

该书简目如下：

第一章　概述
第二章　袁台子遗址
第三章　墓葬
第四章　墓葬综合研究
第五章　结语

附有表格两种及人骨报告一篇。

65.石台子山城

作　者：辽宁省文物考古研究所、沈阳市文物考古研究所　编著

出　处：文物出版社 2012 年版

该书 16 开精装上、下两册，系对辽宁省沈阳市辉山自然保护区棋盘山水库右岸石台子山城的考古发掘详报。石台子山城，时代属高句丽时期（公元前 1 世纪至公元 7 世纪）。遗存系用石块垒筑，形状大小不一。外侧石材均经加工，内部石材多用自然条石。北侧局部有第二道城墙，与第一道石墙基本平行，相距 2 至 5 米。城周长约 1600 米，东西稍窄，南北较长，为一不规则长方形。城内尚有居住遗址、灶址、灰坑、蓄水池等。出土有陶器、石器、铁器、钱币等。石台子山城是高句丽时期一处重要城址，现为全国重点文物保护单位。

吉林省

66.榆树老河深

作　者：吉林省文物考古研究所　编著
出　处：文物出版社 1987 年版

该书 16 开一册，分平装、精装两种，系吉林省榆树县大坡公社后岗大队老河深村 1981 年以来年考古发掘的详报。该次发掘共清理出西团山文化、汉代鲜卑族文化、隋唐靺鞨文化房址、墓葬等百余座，出土各类文物五千余件。

该书简目如下：

前言

壹　地理环境与下层遗存

贰　中层遗存

叁　上层遗存

肆　结语

附有“铁甲胄的复原”及鉴定报告、登记表等。

林秀贞先生书评载《考古》1990 年第 1 期。

67.和龙兴城：新石器及青铜时代遗址发掘报告

作　者：吉林省文物考古研究所、延边朝鲜族自治州博物馆　编著
出　处：文物出版社 2001 年版

该书 16 开精装一册，系 1986 ~ 1987 年吉林延边兴城遗址的考古发掘详报。此遗址主要有新石器时代、青铜时代两个时期遗存。发掘中共清理新石器时代房址 8 座、青铜时代房址 21 座，获得大量陶、石、骨器。详报全面公布了这些资料，并对其文化特征、社会性质及其与周边文化的关系进行了探讨。

详报指出，这批材料对研究我国东北东部地区新石器、青铜时代文化有着重要意义。

68.洞沟古墓群：1997 年调查测绘报告

作　者：吉林省文物考古研究所、集安市博物馆　编著
出　处：科学出版社 2002 年版

该书 16 开精装一册，发表了 1997 年吉林省集安市洞沟古墓群的调查测绘资料。该古墓群以高句丽国内城为中心。现存墓葬 6854 座，其中可确认为王陵的有 12 座。

一般认为，高句丽国内城时期的年代，为公元前 37 年～公元 427 年之间约 450 年间。

简目如下：

第一部分　洞沟古墓群概说

第二部分　洞沟古墓群墓葬简介

第三部分　洞沟古墓群分布图

洞沟古墓群位于高句丽王城外，位于一片群山环抱的平原上，近 7000 座古墓，从数量看堪称东北亚地区古墓群之首。

69.集安高句丽王陵：1990 ～ 2003 年集安高句丽王陵调查报告

作　者：吉林省考古研究所、集安市博物馆　编著
出　处：文物出版社 2004 年版

该书 16 开精装一册，主要介绍 2003 年对 24 座高句丽王陵及疑似王陵的调查情况，适当收录了此前的考古调查资料。附有《一号陪葬墓出土动物骨骼遗存研究》《出土部分铁甲片的金相学研究》等文。

70.国内城：2000 ～ 2003 年集安国内城与民主遗址试掘报告

作　者：吉林省文物考古研究所、集安市博物馆　编著
出　处：文物出版社 2004 年版

该书 16 开精装一册，系吉林省集安市国内城高句丽时期遗址的考古发掘详报。同时公布了 2003 年在集安民主遗址发掘的 3 组院落建筑遗址的资料。

据介绍，西汉元帝建昭二年（公元前 37 年），少数民族头领在西汉玄菟郡辖地内建立了地方政权，号“高句丽”。初期以纥升骨城（今辽宁桓仁县五女山城）为都城。大约在公元 3 年迁都国内城，其时相当于中原地区的西汉末年。此后直至北魏始光四年（公元 427 年）迁都平壤（今朝鲜平壤），国内城一直是高句丽的政治、经济、文化中心。

71.丸都山城：2001 ～ 2003 年集安丸都山城调查试掘报告

作　者：吉林省文物考古研究所、集安市博物馆　编著
出　处：文物出版社 2004 年版

该书 16 开一册，系吉林省集安市北丸都山城的考古发掘详报。该城曾是高句丽王朝的政治、经济和文化中心，2001 ～ 2003 年发掘，清理发现有宫殿、眺望台、蓄水池、1 号门址、2 号门址、3 号门址等遗迹。附有 7 种表格及铁器金相学分析等文章。

公元 3 年～公元 427 年间，丸都山城一直是高句丽国都国内城的军事卫城。

72.吉林集安高句丽墓葬报告集

作　者：吉林省文物考古研究所　编著
出　处：科学出版社 2009 年版

本书 16 开精装一册，是 1962 ～ 2003 年间关于吉林集安高句丽墓葬调查、发掘工作报告的汇总，大多在专业刊物上发表过。收文 35 篇：

1962 年春季吉林集安考古调查简报
吉林集安榆林河流域高句丽古墓调查
吉林集安五盔坟四号和五号墓清理略记
吉林集安通沟第十二号高句丽壁画墓
吉林集安麻线沟一号壁画墓
吉林集安两座高句丽墓
集安县两座高句丽积石墓的清理
吉林集安洞沟三室墓清理记
集安洞沟三室墓壁画著录补正
集安长川一号壁画墓
集安万宝汀墓区 242 号古墓清理简报
集安长川二号封土墓发掘纪要
集安洞沟两座树立石碑的高句丽古墓
集安高句丽墓葬发掘简报
集安洞沟三座壁画墓
吉林集安五盔坟四号墓
1976 年集安洞沟高句丽墓清理
集安县上、下活龙村高句丽古墓清理简报

集安老虎哨古墓
集安两座高句丽封土墓
“折天井”墓调查拾零
吉林集安东大坡高句丽墓葬发掘简报
集安洞沟古墓群禹山墓区集锡公路墓葬发掘
集安洞沟古墓群三座古墓葬清理
吉林省集安洞沟古墓群七星山墓区两座古墓的考察
维修中发现的两座高句丽积石石室壁画墓
集安麻线安子沟高句丽墓葬调查与清理
集安下解放第 31 号高句丽壁画墓
集安洞沟古墓群禹山墓区 2112 号墓
洞沟古墓群禹山墓区 JYM3319 号墓发掘报告
集安 JSZM0001 号墓清理报告
集安 JSZ145 号墓调查报告
集安禹山 M2112 号墓室清理报告
黄泥岗大墓调查报告
集安禹山 540 号墓清理报告
O3JYM0540 出土的动物骨骸遗存报告

73.后太平：东辽河下游右岸以青铜时代遗存为主的调查与发掘

作　者：吉林省文物考古研究所、四平市文物管理委员会办公室、双辽市文物管理所、双辽市郑家屯博物馆　编著

出　处：文物出版社 2011 年版

该书 16 开精装一册，系对吉林省中西部东辽河右岸双辽市东明镇后太平村青铜时代遗存为主的诸多遗址的考古详报。

简目如下：

前言
第一部分　考古调查
　第一章　地理环境与遗址分布
　第二章　重点遗址的调查与试掘
　第三章　其他遗址的调查
　第四章　结语

第二部分　后太平遗址的发掘
第一章　发掘概况
第二章　地层堆积
第三章　青铜时代遗存
第四章　其他时代遗存
第五章　后太平遗址青铜时代遗存相关问题探讨
第三部分　总结
第一章　东辽河下游右岸考古工作收获与认识
第二章　学术意义与工作展望

附有测试报告、登记表等5种，文章3篇。

据介绍，后太平遗址的年代可分两期：第一期相当于中原地区晚商时期；第二期相当于中原地区西周晚期至春秋时期，下限不晚于春秋时期。

黑龙江省

74.河口与振兴：牡丹江莲花水库发掘报告（一）

作　者：黑龙江省文物考古研究所、吉林大学考古学系　编著
出　处：科学出版社 2001 年版

此书为 16 开一册，系为配合牡丹江莲花水库建设，1994、1995 年对位于黑龙江省东部以河口、振兴两处遗址为代表的古代遗址进行发掘的考古发掘详报。

简目如下：

壹　序言
贰　河口遗址
叁　振兴遗址
肆　结语

附有两处遗址遗迹登记表。此两处遗址，年代从新石器时代至隋唐时期不等。

75.七星河——三江平原古代遗址调查与勘测报告

作　者：黑龙江省文物考古研究所　编著
出　处：科学出版社 2004 年版

本书为 16 开大开本一册，是关于黑龙江省东北部三江平原腹地七星河流域汉魏时期古代遗址的调查与勘测报告，公布了已调查的 426 处遗址，年代从两汉至魏晋。

该书简目如下：

壹　自然地理
贰　考古工作
叁　遗址介绍
肆　结语

该书附有“七里河流域汉魏遗址分布图”一帧，与书分装。附有“七星河流域遗址登记表”。书前有张忠培先生序，称此表“十分重要”。

上海市

76.上海唐宋元墓

作　者：上海博物馆　编著

出　处：科学出版社 2014 年版

本书是《上海明墓》一书的姊妹篇，16 开精装一册。

简目如下：

序
上海唐宋元墓发现与研究回顾
壹　唐—五代墓葬
　第一章　唐代纪年墓
　第二章　唐代无纪年墓
贰　宋代墓葬
　第一章　宋代纪年墓
　第二章　宋代无纪年墓
叁　元代墓葬
　第一章　元代纪年墓
　第二章　元代无纪年墓
肆　上海唐宋元墓相关研究
　上海唐宋元墓葬探析
　上海出土唐代墓志考释
　元任仁发家族出土墓志反映的几个问题
　失而复得的青浦任仁发家族墓随葬品
　上海宋元墓葬金银器

附有统计表、墓主人简介、墓志等。

江苏省

77.南京附近考古报告

作　者：南京博物院　编著
出　处：上海出版公司 1952 年版

该书 16 开一册，文字仅 42 页，另有图版 30 页。曾昭燏先生编，为尹焕章、张正祥、罗宗真等先生执笔。有“江宁湖熟史前遗址调查”等文。此调查汇集了 1949 年前后的考古调查成果。是当时的南京博物院集刊之一。

78.北阴阳营——新石器时代及商周时期遗址

作　者：南京博物院　编著
出　处：文物出版社 1993 年版

该书 16 开精装一册，系 20 世纪 50 年代对江苏省南京市北阴阳营遗址四次发掘的考古详报。遗存包括新石器时代、商代、西周三个历史时期。1955 ~ 1958 年发掘。上层为商和西周时期遗存，下层为新石器时代遗存，有墓葬 253 座，另有居住面残迹和灰坑等。出土有石器、陶器、玉器等。年代大约为公元前 4000 年至公元前 3000 年。骨骼特征与今天的南京人几无差别。说明早在五六千年前，南京地区的先民已具有今日江南人的体质特点。

据介绍，明代鹰扬营卫队曾驻扎于此地，故名“鹰扬营”，后讹传为“阴阳营”。现“北阴阳营”“南阴阳营”均已成住宅小区。

79.通古达今之路：宁沪高速公路（江苏段）考古发掘报告文集

作　者：南京博物院　编
出　处：《东南文化》1994 年增刊二号

该书 16 开平装一册，正文 189 页，收录了 1992 ~ 1993 年间配合宁沪公路建设发掘的考古简报，计 10 篇。以《东南文化》杂志增刊方式推出。涉及多个朝代。

80.祁头山

作　者：南京博物院、无锡市博物馆、江阴博物馆　编著
出　处：文物出版社 2007 年版

本书为大 16 开精装一册，有正文 262 页，文后有彩色图版 72 版。

本书计分五章：

第一章为概述，由地理环境及历史沿革和工作概况组成。

第二章为遗址概况与地层堆积，由遗址概况和地层堆积两节组成。

第三章为生活遗存，主要介绍了灰坑和房址两部分遗迹。

第四章为墓葬，主要介绍了新石器时代墓葬，另外介绍了少量汉代墓葬和宋代墓葬。

五章为结语，对遗址地理位置的特殊性和墓葬特点及分期等进行了分析。

正文后有“地层陶片统计表”“灰坑陶片统计表”“2000 年度发掘灰坑登记表”“2000 年度发掘墓葬登记表”和“墓葬关系表”等五个附表以及“祁头山遗址从发现到发掘”“江阴祁头山遗存的多文化因素”和“江苏江阴祁头山新石器时代遗址考古地层研究”等三个附录。

祁头山遗址地处长江三角洲的太湖平原北侧，紧邻长江，是目前发掘的马家浜文化时期邻近长江的一处大型遗址。对这一遗址的发掘，使我们认识到早在距今 6000 年前后，宁绍、宁镇和江淮乃至黄淮间的一些新石器文化就对这里有不同程度的影响，江阴一直是长江下游地区江南和江北诸文化进行交往的咽喉之地。

81.苏州文物考古新发现——苏州考古发掘报告专辑（2001 ～ 2006）

作　者：苏州博物馆　编
出　处：古吴轩出版社 2007 年版

该书 16 开精装一册，收录 2001—2006 年苏州考古发掘简报“江苏吴江同里遗址发掘报告”等多篇。

82.扬州城——1987 ～ 1998 年考古发掘报告

作　者：中国社会科学院考古研究所、南京博物院、扬州市文物考古研究所　编著
出　处：文物出版社 2010 年版

扬州城在我国城市中占有重要的历史地位，尤其是隋唐时期的扬州城地位更为重要，因此扬州城的研究是历史考古学较为瞩目的课题。扬州城的考古发掘工作开

始于 20 世纪 70 年代。1984 年唐宋扬州城南门遗址的发掘，确定了唐代扬州罗城的南界，这一重要发现引起考古学界的关注。为深入研究唐代扬州城，从 1987 年开始，考古人员对扬州城遗址进行了全面、系统的考古勘探和发掘工作。本书 16 开精装一册，即是 1987 ～ 1998 年对扬州子城、罗城进行的考古勘探和发掘的成果。

通过考古勘探和发掘，确定了扬州有战国、汉代和六朝的广陵城，隋、唐、五代、两宋至明的扬州城，它们的位置范围及演变关系基本清楚。扬州城的发掘，为中国古代城市史特别是地方城市史的研究提供了极其难得的资料。

简目如下：

第一章　前言

第二章　蜀冈上城址的考古勘探与试掘

第三章　蜀冈下城址的考古勘探与试掘

第四章　蜀冈下城墙的考古发掘

第五章　蜀冈下城址内遗址的考古发掘

第六章　结语

前有徐苹芳先生序，后附《扬州出土五代时期铁甲》一文。

83.大运河两岸的历史印记：楚州、高邮考古报告集

作　者：南京博物院　编著

出　处：科学出版社 2010 年版

该书 16 开精装一册，收入江苏大运河两岸唐代至明清时期遗址及墓葬发掘简报 8 篇，另有古生物化石地点发掘简报一篇。

84.印记与重塑：镇江博物馆考古报告集（2001 ～ 2009）

作　者：镇江博物馆　编

出　处：江苏大学出版社 2010 年版

该书 16 开精装一册，收入镇江博物馆 2001 ～ 2009 年重要考古发掘简报（报告）35 篇，包括凤凰山、三城巷、十亩山、葛城、土墩墓等遗址。有“近十年来镇江考古新发现”一文。

简目如下：

近十年来镇江考古新发现

丹阳三城巷遗址第二次发掘报告

镇江十亩山遗址发掘报告
丹阳葛城遗址勘探试掘简报
镇江官塘桥镇鬼山遗址发掘报告
镇江大港双墩 2 号墩发掘报告
丹徒辛丰薛家村大墩、边墩发掘报告
镇江沿江台形遗址和土墩墓调查报告
溧阳天目湖庙山土墩墓发掘报告
溧水县秀才墩发掘报告
溧阳天目湖门口田土墩墓发掘报告
镇江辛丰金家坟汉墓发掘简报
镇江高资乌龟山汉六朝墓地发掘报告
镇江都天庙工地汉—宋代墓葬发掘简报
镇江新区银山公园汉六朝墓葬、明代房基发掘简报
镇江“香江现代名城”汉—清代墓葬发掘报告
镇江焦山《瘗鹤铭》碑刻水下考古第二次打捞简报
镇江中轩房地产项目工地六朝墓发掘简报
镇江“优山美地”小区六朝墓发掘简报
镇江“冠城国际”项目工地六朝墓群发掘简报
镇江“东城绿洲”工地六朝墓发掘简报
镇江丁卯“钻石铭苑”六朝墓地发掘报告
镇江“魅力之城”一期工地六朝墓发掘报告
镇江“魅力之城”二期工地六朝墓 M13 发掘简报
镇江“南山华庭”工地六朝墓发掘简报
镇江丁卯小窑湾六朝及宋代墓发掘报告
镇江华山村六期六朝、宋墓发掘报告
丹阳高楼村六朝、明代墓地发掘简报
镇江教顶山东晋墓群发掘报告
镇江唐宋罗城西垣考古勘探与发掘报告
大运河历史文化遗产的重大发现——镇江双井路考古发现的宋元仓储遗迹和元代石拱桥
镇江华地百货工地考古勘探暨试掘简报
镇江长江路皇冠假日酒店考古勘探报告
镇江金刚攻明代墓地发掘简报
镇江发现两块“千人义墓”碑

85.昆山绰墩遗址

作　者：苏州市考古研究所　编著

出　处：文物出版社 2011 年版

该书 16 开精装一册，系江苏省苏州市昆山市绰墩遗址的考古发掘详报。该遗址 1961 年发现，1981 年、1998 ～ 2004 年间共进行了六次发掘。

简目如下：

第一章　概述
第二章　地层堆积
第三章　文化遗存
第四章　文化遗物
第五章　结语

据介绍，该遗址共发现新石器时代墓葬 85 座、房址 14 座、灰坑 80 个。出土陶器、石器、玉器 800 多件。涉及马家浜文化、崧泽文化、良渚文化、马桥文化及东周文化。另外，还发现有汉、唐、宋时期灰坑、墓葬等。附有登记表、分期表 9 种，相关文章 16 篇。

86.穿越长三角：京沪、沪宁高铁江苏段考古发掘报告

作　者：南京博物院　编著

出　处：科学出版社 2013 年版

本书为京沪、沪宁高铁江苏段考古发掘报告的汇总，分上、下两篇。上篇收京沪高铁江苏段考古发掘报告 11 篇；下篇收沪宁高铁江苏段考古发掘报告 6 篇。

简目如下：

上篇
　徐州贾汪段文物发掘简报
　徐州石户城村汉代遗址发掘简报
　句容茶叶山春秋遗址发掘简报
　镇江金刚坟明代墓地发掘简报
　镇江官塘镇鬼山遗址发掘简报
　镇江施家村、乌龟山六朝墓地发掘简报
　镇江丹徒辛丰薛家村大墩、边墩发掘简报
　句容下蜀中心山土墩墓发掘简报
　常州小山遗址调查、发掘、钻探报告

无锡锡山区华巷、周巷上土墩墓遗存发掘简报
苏州草鞋山遗址抢救性考古发掘简报
下篇
镇江唐宋罗城西垣考古勘探与发掘报告
镇江高资乌龟山墓地发掘报告
常州新岗遗址考古发掘简报
镇江丹阳高楼村墓地发掘简报
镇江李家大山墓地
苏州周家洪 D2 发掘简报

87.穿越宜溧山地：宁杭高铁江苏段考古发掘报告

作　者：南京博物院　编著
出　处：科学出版社 2013 年版

本书 16 开一册，是连接两大历史名城南京与杭州的宁杭高铁江苏段考古发掘报告的汇总，计 12 篇。简介如下：

一、江苏湖熟曹家边遗址考古发掘报告

曹家边村位于南京市江宁区湖熟镇。考古发现清理灰坑 8 座、坑 4 座、灶（或火膛）1 座、墓葬 15 座、沟 5 条。出土遗物有陶器、石器、铜器、铁器、漆器等。该遗址时代可分为两期，早期属点将台文化，晚期为新莽时期。

二、溧水二塘头遗址发掘报告

二塘头村位于溧水县东南白马镇。考古发掘共清理明清时期灰坑 3 座、墓葬 4 座，湖熟文化遗存灰坑 24 座、房址 3 座。遗物有陶器、瓷片等。该遗址以湖熟文化遗存为主体，时代应在商代晚期至西周初期。

三、溧水秀才墩土墩墓发掘报告

秀才墩位于溧水县白马镇白龙村下属墩头村，为春秋时期土墩墓，计有墓葬 2 座（M1、M2），遗物以陶器为大宗。M1 的年代为春秋中期，M2 比 M1 略早。

四、溧阳水西土墩墓群发掘简报

该墓群位于溧阳市南渡镇水西茶场，清理西周到春秋时期墓葬 6 座、春秋时期祭祀群 1 座、汉墓 1 座、宋墓 1 座、汉代窑址 3 座。其中有 4 座土墩墓曾被盗。

五、宜兴百合村土墩墓群 D1 ～ D4 发掘报告

该土墩墓位于宜兴市区西南 10 公里的新街镇百合村新街茶场。D1 共清理墓葬 1 座、器物群 2 组、石堆遗迹 16 处、灰坑 1 个、窑址 1 座，墓葬曾被盗。D2 共清理

墓葬3座、器物群1组、石堆遗迹1处、窑类遗迹1座，亦有盗洞。D3清理墓葬2座、器物群1组、石堆遗迹3处，也曾被盗。D4清理墓葬2座、器物群1组、窑类遗址3座、石堆遗址2处。简报推断：D1为春秋中、晚期遗存，D2为明代遗存，D3为西周晚期、明清遗存，D4为西周晚期遗存。

六、宜兴紫云山茶厂古代墓地发掘报告

该墓地位于宜兴新街乡陆平村。共发现春秋土墩墓1个、六朝墓葬群4处、六朝至清代墓地1处、明代墓地1处，发掘春秋至明清墓葬28座。

七、宜兴百合村六朝墓、窑址及宋墓发掘报告

共发掘清理六朝墓葬7座、六朝窑址1座、宋墓1座。7座六朝墓基本无随葬品。六朝窑址应为砖窑。

八、宜兴梅园村墓群发掘报告

该墓群位于宜兴市新街镇梅园村铜官组。共发现六朝墓葬6座、明清墓葬1座。六朝墓出土有宜兴本地烧制盘口壶。

九、宜兴南岳寺保护区墓葬勘探发掘报告

该墓葬位于宜兴新街镇南岳寺保护区内。共发现明清时墓葬1座、六朝时墓葬1座。另基本确定石室土墩墓1座、六朝时期砖室墓3座。

十、宜兴紫云山墓群发掘报告

该墓群位于宜兴新街镇陆平村。发现明清墓葬3座、六朝墓葬3座。六朝墓所出黑釉四系壶应为本地烧制。

十一、宜兴狄家坟墓群调查报告

该墓群位于宜兴市新街镇铜峰村。墓土建筑已遭破坏，发现有神道等遗迹，应包含从六朝至明清时期墓葬。

十二、宜兴霞墅村墓群发掘报告

该墓群位于宜兴市新街镇霞墅村。发现明清墓葬4座，保存较差，葬具、葬式不明，也无随葬品。

88.句容鹅毛岗土墩墓发掘报告

作　者：镇江博物馆　编著

出　处：江苏大学出版社2013年版

该书16开精装一册，正文160页，系对江苏省句容市鹅毛岗一、二号土墩墓的考古发掘详报。其中二号墩保存完整，墩内发现了22座墓葬、4处器物群及红烧土等遗迹，出土了大量遗物。该遗址的时代，当在西周末期至春秋中期。

简目如下：

第一章　概述

第二章　二号墩

第三章　一号墩

第四章　出土陶瓷器型式分析

第五章　分期与年代

第六章　结语

89.南京考古资料汇编

作　者：南京市博物馆　编

出　处：凤凰出版社 2013 年版

此汇编全 4 册，收录了 1950 年至 2012 年正式刊出的南京地区各时期的考古调查、考古发掘报告等，共计 418 篇。时代从旧石器时代至民国时期。所收资料均为影印，保持原貌。

90.扬州城遗址考古发掘报告（1999 ～ 2013 年）

作　者：中国社会科学院考古研究所、南京博物院、扬州市考古研究所　编著

出　处：科学出版社 2015 年版

该书为 16 开精装一册，收录了 1999 年至 2013 年对扬州古城遗址的考古发掘资料，时代为从战国到南宋。

简目如下：

第一章　概述

第二章　蜀岗古代城址的考古发掘

第三章　蜀岗下城址的考古发掘

第四章　结语

报告讨论了扬州蜀岗古代城址的范围、唐代罗城的修建与沿革、宋代至明清时期的扬州城、蜀岗下城址的城门及出土城砖等问题。

浙江省

91.寺龙口越窑址

作　者：浙江省文物考古研究所、北京大学考古文博院、慈溪市文物管理委员会编著

出　处：文物出版社 2002 年版

该书 16 开精装一册，是 1998 ～ 1999 年浙江省慈溪市寺龙口越窑址的考古发掘详报。

该遗址 1988 年发现。发掘中发现有龙窑、作坊等遗址和大量瓷器。该窑的产品有别于越窑传统的青釉产品，却与汝官窑产品相似。专家认为此窑南宋时为官窑。寺龙口窑的使用时间长，从晚唐一直到南宋。有“唐宋越窑分期年代表”等附录。

92.沪杭甬高速公路考古报告

作　者：浙江省文物考古研究所　编著

出　处：文物出版社 2002 年版

该书 16 开精装一册，系 20 世纪 90 年代修建沪杭甬高速公路时发现遗址的考古发掘详报集成。共收文 8 篇：

桐乡叭喇浜遗址发掘

桐乡章家浜、徐家浜良渚文化墓葬发掘

余姚老虎山一号墩发掘

上虞羊山古墓群发掘

上虞牛头山古墓群发掘

上虞周家山古墓群发掘

上虞驮山古墓群发掘

上虞驿亭谢家岸后头山古墓葬发掘

据介绍，共清理古代墓葬 278 座，其中以汉代墓葬最多，六朝墓葬次之，另外还有良渚文化墓葬、两周墓葬等，出土遗物近千件。

93.上林湖越窑

作　者：慈溪市博物馆　编著
出　处：科学出版社 2002 年版

该书 16 开精装一册，系 1996 年浙江慈溪上林湖及其周边古银锭湖、白洋湖、里社湖等地越窑遗址的考古发掘详报。附录有“越窑刻划文字”“越窑瓷墓志”等。

一般认为，上林湖越窑的时代，为晚唐至南宋早期。

94.龙泉东区窑址发掘报告

作　者：浙江省文物考古研究所　编著
出　处：文物出版社 2005 年版

该书 16 开精装一册，系 1979 ~ 1983 年浙江省龙泉市雁川乡、双平乡和云和县龙泉窑址的考古发掘详报。

简目如下：

绪论
第一章　紧水滩库区窑址调查
第二章　山头窑窑址群
第三章　大白岸窑址群
第四章　源口窑址群
第五章　各窑产品的分期与年代

据该书页 407 介绍，龙泉东区窑址的年代自北宋晚期、北宋末期、南宋早期、南宋中晚期、南宋末期、元代中期、元代晚期至末期、明代中期不等。今有文物出版社 2009 年出版的《龙泉大窑枫洞岩窑址出土瓷器》一书，可参阅。

95.独仓山与南王山：土墩墓发掘报告

作　者：浙江省文物考古研究所、德清县博物馆　编著
出　处：科学出版社 2007 年版

该书 16 开精装一册，系浙江省德清县独仓山、南王山两地点 11 座商、西周、春秋时期土墩墓考古发掘详报。

简目如下：

第一章　概述

第二章　土墩及墓葬综述

第三章　随葬品

第四章　土墩及墓葬分述

第五章　结语

附有“吴越土墩墓的形制结构及相关问题”长文及表格两种。

96.德清火烧山：原始瓷窑址发掘报告

作　者：浙江省文物考古研究所、故宫博物院、德清县博物馆　编著

出　处：文物出版社 2008 年版

该书 16 开精装一册，系浙江省湖州市德清县武康镇火烧山窑址的考古发掘详报。据介绍，该窑址发现于 20 世纪 50 年代。原始瓷窑址已发现 30 多次，年代从西周晚期延续到战国早期，是我国发现的窑址最集中、跨越时间最长、序列最为完整的原始瓷窑区。

该书简目如下：

第一章　概述

第二章　出土遗物综述

第三章　I 区地层、遗迹与遗物

第四章　II 区地层与遗物

第五章　III 区地层与遗物

第六章　分期与年代

附有统计表 8 种，测试报告等 2 篇。

德清是我国重要的瓷器发源地之一，火烧山即为其中比较重要的一处。2007 年 3 ～ 5 月，考古人员进行了发掘，获取了大量考古材料。报告将该窑址的时代划分为 9 个阶段，时代定为西周晚期至春秋晚期。

97.余杭义桥汉六朝墓

作　者：杭州市文物考古所、余杭区博物馆　编著

出　处：文物出版社 2010 年版

该书 16 开精装一册，系浙江省杭州市余杭区某工地汉六朝墓遗址 2007 年考古发掘详报，共清理战国、两汉、六朝、宋、清墓 64 座，以两汉、六朝墓为主，计 60 座。出土文物 522 件（组），采集文物 63 件。

该书简目如下：

第一章　概况

第二章　单位墓葬详述

第三章　墓葬形制与出土遗物类型

第四章　分期与年代

第五章　结语

附有登记表、统计表 3 种及《战国墓葬》《宋代墓葬》《明清墓葬》三文。

98.姚江田野考古

作　者：叶树望　主编

出　处：浙江古籍出版社

该书 16 开一册，系“姚江文化丛书”中的一种，介绍了浙江省姚江田野考古的成果。

99.浙江汉六朝墓报告集

作　者：浙江省文物考古研究所　编著

出　处：科学出版社 2012 年版

该书 16 开精装一册，系近年来浙江省汉至六朝古墓葬考古发掘简报的汇集。前有胡继根先生《浙江汉六朝墓葬发掘回顾》一文。

简目如下：

湖州市杨家埠二十八号墩汉墓

海盐仙坛庙遗址汉墓发掘简报

余杭石马兜汉墓发掘简报

慈溪陈山汉墓发掘简报

龙游仪冢山汉墓发掘简报

杭州大观山果园汉墓发掘简报

绍兴马鞍汉墓发掘简报

湖州小塔山汉代砖室合葬墓发掘简报

长兴西峰坝汉画像石墓清理简报

湖州市白龙山汉六朝墓葬发掘报告

奉化白杜南岙林场汉六朝墓葬

绍兴平水会稽村汉六朝墓发掘简报
武义东山晋墓出土器物
三门横山汉六朝古墓葬
瑞安六朝墓
临安市牛上头谢氏家族墓地发掘报告

100.萧山柴岭山土墩墓

作　者：杭州市文物考古研究所、萧山博物馆　编著
出　处：文物出版社 2013 年版

该书 16 开精装一册，系 2011 年浙江省杭州市萧山区柴岭山土墩墓的考古发掘详报。

该书简目如下：
第一章　前言
第二章　综述
第三章　分述
第四章　分期与年代
第五章　结语
附有“墓葬登记表”“出土遗物登记表”和有关鉴定、测试报告等。

遗存可分八期：第一期 3 座墓，为商代中晚期墓；第二期 7 座墓，为西周早期墓；第三期 8 座墓，为西周中期墓；第四期共 21 座墓 3 个器物群，年代为西周晚期；第五期 2 座墓 3 个器物群，年代为春秋早期；第六期 7 座墓 2 个器物群，年代为春秋中期；第七期 4 座墓，年代为春秋晚期；第八期 2 座墓，年代为春秋末期至战国初期。

101.郭童岙：越窑遗址发掘报告

作　者：宁波市文物考古研究所　编著
出　处：科学出版社 2013 年版

此书为 16 开精装一册，系 2007 年宁波东钱湖郭童岙越窑遗址的考古详报。该遗址 2007 年发掘，共发掘龙窑 7 座、馒头形窑 3 座、房址 2 座，出土各类瓷器 1.7 万件、窑具 3000 件。窑址时代为五代晚期至北宋中晚期。

简目如下：

第一章　地理环境与历史沿革
第二章　历年的考古和研究工作
第三章　I 区
第四章　II 区
第五章　III 区
第六章　IV 区
第七章　分期与年代
第八章　结语
附有瓷器样品分析测试报告。

102.武义陈大塘坑婺州窑址

作　者：浙江省文物考古研究所　编著
出　处：文物出版社 2014 年版

该书 16 开精装一册，系浙江省金华市武义县陈大塘坑婺州窑址的考古发掘详报。2000 ～ 2001 年发掘，共发掘、试掘窑址 4 处，时代从晚唐至宋、元不等。

该书简目如下：
第一章　概况
第二章　蜈蚣形山窑址
第三章　乌石岗脚窑址
第四章　缸窑口窑址
第五章　叶李坑窑址
第六章　结语
结语中论及陈大塘坑窑址群各窑口出土遗物的特点和比较，乳光釉和灰白浊釉。还专门谈到婺州窑的概念。附有对照表、统计表等 8 种。

103.象山塔山

作　者：浙江省文物考古研究院、象山县文物管理委员会　编
出　处：文物出版社 2014 年版

该书 16 开精装一册，是浙江省象山县丹城塔山东南麓塔山遗址考古发掘详报。塔山遗址面积约 3 万平方米。塔山遗址发掘的时间跨度已经达 17 年。1988 年发掘后，在浙江省考古研究所主持下，分 1990 年、1992 年、2007 年三次发掘。该遗址的发

现使象山地域人类活动的历史，从春秋战国时期，上溯到6000年前的新石器时代。本书系前后三次发掘的资料结集公布。

104.句章故城：考古调查与勘探报告

作　者：宁波市文物考古研究所　编著

出　处：科学出版社2014年版

该书16开精装一册，是浙江省宁波市江北区慈城镇王家坝村与乍山翻水站一带句章故城的考古发掘详报。该遗址2003～2012年发掘。

该书简目如下：

前言

第一章　环境特征

第二章　工作概况

第三章　文化堆积

第四章　相差遗迹

第五章　出土遗物

第六章　初步认识

附有“句章故城的遥感解译”等文章6篇。

据介绍，句章故城的始建年代应不晚于战国中晚期，东晋时孙恩起事，屡遭围攻，随被毁废。

安徽省

105.寿县史迹考察团调查报告书

作　者：商承祚等　著

出　处：1936 年作者自刊

该书 32 开一册，系安徽寿县李三孤堆遗址发掘报告。分李三孤堆调查情形、发掘设计两部分。另附 1936 年安徽省彩色明细图一张及实测遗址地区晒蓝地图 6 幅。书前附照片 10 幅。

106.淮北柳孜：运河遗址发掘报告

作　者：安徽省文物考古研究所、安徽省淮北市博物馆　编著

出　处：科学出版社 2002 年版

该书 16 开精装一册，系 1999 年安徽省淮北市柳孜隋唐大运河的考古发掘详报，共发现沉船 8 艘、宋代石结构建筑遗址 1 处及二十多个窑口的陶瓷器。

107.潜山薛家岗

作　者：安徽省文物考古研究所　编著

出　处：文物出版社 2004 年版

本书为 16 开精装一册，正文 632 页，文后有彩色图版 23 版，黑白图版 190 版。

潜山市王河镇薛家岗遗址自 1977 年发现之后，共进行了六次发掘，遗址内有新石器时代、商周时期和唐宋时期的遗存。本详报对这三个时期的文化遗存进行了全面、客观、系统的介绍，还利用这些资料重点对新石器时代遗存的分期与年代、聚落形态、墓地布局及经济技术特点进行了细致的研究，同时对薛家岗文化的特征与分布范围、文化源流以及与周边同时期文化的关系进行了分析，对夏商周文化的面貌和年代以及此时期的文化特点进行了研究。

本书简目如下：

第一章　概说
第二章　遗址考古小史
第三章　地层堆积及层位关系
第四章　新石器时代遗存
第五章　新石器时代文化讨论
第六章　夏商周时期遗存
第七章　夏商周文化讨论
第八章　唐宋时期遗存

附有表格13种及《薛家岗玉器简述》《拂去历史轻尘，倾听远古回声——薛家岗遗址考古散记》两文。

张弛先生有书评，见《文物》2005年第12期。

本书的编写方法和以往的考古发掘报告有所不同，尤其是第二章的“遗址考古小史”，偏重从认识论的角度对整个发掘工作进行叙述，重点介绍工作中认识的变化以及由此而对此次考古发掘的目的、方法、技术等方面的思考。

现原址已建成薛家岗遗址博物馆。

108.霍邱堰台：淮河流域周代聚落发掘报告

作　者：安徽省文物考古研究所　编著
出　处：科学出版社2010年版

本书为16开精装一册，是关于安徽省霍邱县堰台遗址的考古发掘详报。该遗址位于霍邱县石店镇韩店村南约600米处，2004年发掘。

简目如下：

第一章　概述
第二章　地层堆积
第三章　遗迹
第四章　遗物
第五章　分期与年代
第六章　结语

详报以陶器为核心对霍邱堰台古代遗存进行分期。据该书第379页，此遗址可分4期，第一期至第三期为西周，第四期为春秋早中期。有附录4篇。

109.安徽繁昌窑遗址发掘与研究

作　者：安徽繁昌窑遗址考古队　编著
出　处：中国社会科学出版社 2010 年版

该书 16 开精装一册，是 2002 年安徽省繁昌县城关镇繁昌窑遗址考古发掘的详报。该遗址发掘龙窑窑炉 1 座、作坊基址 1 处、淘洗池遗址 2 处以及排水沟、灰坑、墓葬等，共出土瓷器、窑具标本 8 万余件。详报重点是柯家冲窑址的资料，一般认为，柯家冲窑的年代，是五代至北宋时期。

110.怀宁考古记

作　者：怀宁县文物考古所等　编著
出　处：文物出版社 2011 年版

该书 16 开一册，正文 276 页，系安徽省怀宁县参加考古文物调查的考古工作人员编写的一部考古调查记。共分 5 章。第一、第二章，系统介绍了以往怀宁县的考古工作。第三章重点介绍了"三普"工作取得的成绩（所谓"三普"，即第三次全国文物普查）。第四章，重点介绍了以孙家城遗址为核心的大沙河流域先秦遗址。第五章，是就文化遗产保护等提出了一些建议。

111.潜山林新战国秦汉墓

作　者：安徽省文物考古研究所　编著
出　处：文物出版社 2013 年版

该书 16 开精装一册，系安徽省潜山县梅城镇七里村林新村民组林新墓地的考古发掘详报。该墓地 2005 年修路时发现，2005 ～ 2006 年进行了抢救性发掘。

该书简目如下：

第一章　绪论
第二章　墓葬分布
第三章　战国至秦代墓葬
第四章　西汉墓葬
第五章　东汉墓葬
第六章　时代不详墓葬

第七章　结语

附有表格多种。据介绍，该墓地墓葬的时代，从战国、秦、西汉、东汉不等。

112.天长三角圩墓地

作　者：安徽省文物考古研究所　编著

出　处：科学出版社 2013 年版

该书 16 开精装一册，是安徽省天长市天长镇祝涧村北三角圩墓地 1991 年、1992 年、1997 年三次考古发掘的详报。该墓地共发掘墓葬 27 座，出土漆器、铜器、陶器、玉器等 800 余件。其中漆器及 M1 出土的一套铁质木工工具 26 件罕见。这批墓葬的年代，从战国晚期至西汉晚期不等。该书分为上、下编，上编分为两章，下编分为六章。共计八章。

简目如下：

第一章　概述

第二章　墓葬资料

第三章　墓葬分类

第四章　随葬器物分类与组合

第五章　钱币

第六章　出土“文字”及符号

第七章　墓葬分期、年代及时代特征

第八章　结语

附有相关研究文章 7 篇及表格等。

福建省

113.闽侯昙石山遗址第八次发掘报告

作　者：福建博物院　编著

出　处：科学出版社 2004 年版

此书为 16 开精装一册，是昙石山遗址第八次发掘的考古详报。此次发掘是历次发掘中收获最大的一次，清理了灰坑、壕沟、火膛灶坑、陶窑等遗迹和墓葬，出土有陶器、原始瓷、石器、骨器、贝器、玉饰等遗物。

该书简目为：

一、绪言

二、遗址现状及地层堆积

三、一期文化遗存

四、二期文化遗存

五、三期文化遗存

六、四期文化遗存

七、历史时期层位中的早期文化遗物

八、结语

该书第 108 页指出，一期文化遗存的年代为距今 5000 年；二期文化遗存的年代为距今 5000 ~ 4000 年间；三期文化遗存的年代为距今 4000 ~ 3500 年间；四期文化遗存的年代为距今 3500 ~ 3000 年间。

附有表格 13 种。

114.宁德市虹梁式木构廊屋桥考古调查与研究

作　者：宁德市文化与出版局　编著

出　处：科学出版社 2006 年版

本书为 16 开精装一册，是关于福建宁德地区的虹梁式木构廊屋桥的考古调查与研究详报，是一部建立在实地调查资料基础上的较为全面的专著。简目如下：

一、宁德地区木构廊屋桥简介
二、宁德地区的造桥木匠与工艺
三、宁德地区的桥梁文化
四、木构廊屋桥的产生、发展与种类
五、1949 ~ 1999 年宁德市已毁木构廊屋桥调查
六、保护木构廊屋桥的对等和建议
后附“参考书目”。

115.福建北部古村落调查报告

作　者：福建博物院　编著
出　处：科学出版社 2006 年版

本书为 16 开精装一册，是对福建北部各县市古村落的调查报告汇总。
该书简目如下：
一、绪言
二、福建北部的地理形势
三、福建北部古村落的历史形成过程
四、福建北部古村落的构成要素分析
五、福建北部古村落的实例解析
六、福建北部古村落的聚落形态研究
附有“参考书目”。

116.福建晋江流域考古调查与研究

作　者：福建晋江流域考古调查队　编著
出　处：科学出版社 2010 年版

该书 16 开一册，公布了 2005 年考古人员赴福建晋江流域进行考古调查的资料及初步研究成果。此次考古调查涉及石狮市、晋江市、惠安县、南安市、安溪县等 10 个市县，试掘了翠屏山遗址、蚁山遗址、音楼山遗址。书中还收录了 2006 年尾山仔遗址发掘所获的资料及 2007 年两次高速公路调查发掘所获资料及庵山遗址的发掘情况等。

117.磁灶窑址——福建晋江磁灶窑址考古调查发掘报告

作　者：福建博物馆、晋江博物馆　编著

出　处：科学出版社 2011 年版

此书为 16 开精装一册。是关于福建省晋江市磁灶镇一带古代窑业遗存的考古调查、发掘、研究详报。前有郑国珍先生序。

简目如下：

前言

第一章　磁灶窑址的考古调查与发现

第二章　土尾庵窑址 1995 年度考古发掘

第三章　金交椅山窑址 2002 ～ 2003 年度考古发掘

第四章　关于磁灶窑的几个问题

后附日本、中国、菲律宾学者文章 4 篇。

据介绍，磁灶窑的烧制时间很长，大约从南朝晚期开始，历经隋唐、五代、北宋各朝代，在南宋、元时达到鼎盛时期，产品大量外销。可参阅福建美术出版社 2002 年版《磁灶窑瓷》一书。

118.福建连江定海湾沉船考古

作　者：中国国家博物馆水下考古学研究中心、厦门大学海洋考古学研究中心、福建博物院考古研究所、福州市文物考古工作队、连江县博物馆　编著

出　处：科学出版社 2011 年版

该书 16 开精装一册。报告公布了 1989 ～ 1990 年、1995 年、1999 ～ 2000 年定海湾三次水下考古、出水黑釉盏及青花瓷碗等遗物的资料。遗物涉及宋、元、明、清等不同历史时期。

119.福建考古资料汇编（1953 ～ 1959）

作　者：福建省博物馆　编

出　处：科学出版社 2011 年版

该书 16 开精装一册，计 496 页。在 20 世纪 50 年代，福建省有关部门曾编写过《福建古窑址》《福建古墓葬》《福建新石器时代遗址》三个油印小册子，资料十分珍贵。此次出版前，专家又进行了重新修订，汇为一册，正式出版。《福建古窑址》下收有调查记录、发掘报告共计 25 种。《福建古墓葬》下收有发掘简报三十余种。

江西省

120.铜岭古铜矿遗址发现与研究

作　者：江西省文物考古研究所、瑞昌博物馆　编著

出　处：江西科学技术出版社 1997 年版

该书 16 开精装一册，系 1988 ～ 1991 年江西省瑞昌铜岭遗址采矿区的考古发掘详报及初步研究汇集。书中收有论文 8 篇，分别从考古学、科技史等角度对发掘成果进行了分析、研究。

一般认为，瑞昌铜岭遗址采矿区的年代自商代前期一直延续到战国，是我国开采最早的矿山之一。

121.景德镇湖田窑址：1988 ～ 1999 年考古发掘报告

作　者：江西省文物考古研究所、景德镇民窑博物馆　编著

出　处：文物出版社 2007 年版

该书 16 开精装上、下两册。景德镇湖田窑是五代至明代后期的著名窑场。1988 ~ 1999 年，考古人员对其进行了 10 次抢救性发掘，发现作坊、窑炉和生活遗迹，出土普通瓷器、粗陶瓷器、制瓷工具、窑具、金属钱币等各类遗物。报告报道湖田窑遗址发掘获得的资料，做分期与年代研究，归纳各期的特点，说明湖田窑窑业的兴衰，总结发掘的主要收获。附录有三：1. 湖田窑青瓷与青白瓷的科学技术研究，2. 湖田窑古瓷元素组成的核分析研究，3. 宋元纪年墓出土青白瓷简表。权奎山先生为本书作序。

122.江西玉山渎口婺州窑址

作　者：江西省文物考古研究所　编著

出　处：文物出版社 2008 年版

该书 16 开一册，为玉山渎口婺州窑址的考古详报。

2004 年 5 ～ 7 月，考古人员对渎口窑进行了抢救性发掘，共发掘出窑炉 2 座、房基 2 座、灰土方 1 座，出土陶瓷片数十万片，完整和复原器物 1323 件。从考古材料看，渎口窑产品釉色有青釉、酱釉两种，以生产青瓷为主，始烧年代始于晚唐、五代，盛烧于北宋时期。

该书简目如下：

第一章　概况

第二章　发掘概况

第三章　出土遗物

第四章　相关问题研究

第一节　渎口窑兴起的历史背景

第二节　渎口窑产品的主要特征与其他窑口的关系

第三节　渎口窑的年代

附有表格 9 种。

山东省

123.济青高级公路章丘工段考古发掘报告集

作　者：山东省文物考古研究所　编著
出　处：齐鲁书社 1993 年版

该书 16 开一册，汇集了济青公路章丘工段施工时发掘、清理的报告 4 篇，时代涉及龙山文化时期、晚商、西周、东周、两汉、宋、元、明时期，有遗址和墓葬。

124.兖州六里井

作　者：国家文物局考古领队培训班　编著
出　处：科学出版社 1999 年版

该书 16 开精装一册，系 1991 年考古人员对山东兖州六里井遗址进行考古发掘的详报。该遗址包括大汶口文化、东周、汉代三个历史时期。附有表格 9 种、文章 5 篇。

125.山东省高速公路考古报告集（1997）

作　者：山东省文物考古研究所　编著
出　处：科学出版社 2000 年版

该书 16 开一册，汇集了在配合山东省高速公路修建时发掘的考古简报 9 篇，涉及新石器、商周、汉魏等多个历史时期。

126.胶东考古

作　者：北京大学考古学系、烟台市博物馆　编著
出　处：文物出版社 2000 年版

该书 16 开一册，系 1979 ～ 1988 年胶东地区 8 篇考古调查、考古发掘报告的汇集。严文明先生写有题为《胶东考古记》的代序。

127.南水北调东线工程山东省文物调查报告

作　者：山东省文物考古研究所　编著
出　处：山东省文物考古研究所 2004 年印制

该书 16 开平装一册，计 340 页。有大量彩图。系配合南水北调工程展开的文物调查工作的报告，山东省文物考古研究所内部印制。

128.蓬莱古船

作　者：山东省文物考古研究所、烟台市博物馆、蓬莱市文物局　编著
出　处：文物出版社 2006 年版

该书 16 开精装一册，系山东省蓬莱市三艘元、明时期古船的考古发掘报告。
简目如下：

前言
上编
　第一章　地理环境与历史沿革
　第二章　古船发掘和研究
　第三章　古船位置与地层堆积
　第四章　古船形制和结构
　第五章　遗物
　第六章　古船木材分析与保护
　第七章　古船的保护和利用
　第八章　结语
下编
　山东蓬莱水城清淤与古船发掘
　蓬莱古战船及其复原研究
　山东蓬莱水城与明代战船
　蓬莱水城出土古船考

129.淄川考古：北沈马遗址考古发掘报告暨淄川考古研究

作　者：任相宏、张光明、刘德宝　主编
出　处：齐鲁书社 2006 年版

该书 16 开一册，收录涉及淄川区寨里镇北沈马村的考古调查报告、发掘简报及

研究论文共 13 篇，重点在新石器时代北沈马遗址龙山、岳石文化遗存，商代及周代墓葬、古窑址等。

简目如下：

第一章　淄川概述

第二章　淄川古遗存的调查与研究

第三章　淄川北沈马遗址的发掘与研究

第四章　淄川周代墓葬的发掘与研究

第五章　淄川古瓷窑址的发掘与研究

130.山东省历史文化遗址调查与保护研究报告

作　者：王志民　主编

出　处：齐鲁书社 2008 年版

该书 16 开精装一册，系对山东省 181 处历史文化遗址进行调查基础上提出的保护报告。上篇为领导批示及文件等；中篇为各市的保护建议；下篇分市、分点，逐一介绍了遗址现状，是全书最为重要的部分。

131.山东省胶东地区引黄调水工程文物保护工作报告

作　者：山东省文化厅南水北调文物保护工作办公室、山东省文物考古研究所　编著

出　处：编著者 2009 年印制

该书 16 开平装一册，系配合胶东地区引黄调水工程开展的文物保护工作报告合集。自印本。

132.鲁东南沿海地区系统考古调查报告

作　者：中美日照地区联合考古队等　编著

出　处：文物出版社 2012 年版

该书 16 开精装上、下两册。系 1995 ～ 2007 年中美联合考古队对日照市两城镇遗址为中心区域的考古调查详报。

简目如下：

前言

一、调查区域与方法

二、重要遗址

三、重要遗物

四、主要发现与阐释

报告主要介绍了东港区、胶南市、岚山区、五莲县、诸城市发现的北辛文化、大汶口文化、龙山文化诸时期及商、周、秦汉遗址和遗物。

报告认为各地实际上应存在着不同的发展途径。

133.临淄齐故城

作　者：山东省文物考古研究所　编著

出　处：文物出版社 2013 年版

该书 16 开精装一册，是山东省淄博市淄博区周代齐国都城的考古发掘详报。自 20 世纪 30 年代相关工作即已开始，50 年代开始发掘。本书主要收录 1964 ～ 1984 年 20 年间的资料。

简目如下：

第一章　概述

第二章　调查与勘探

第三章　小城发掘

第四章　大城发掘

第五章　采集遗物

第六章　结语

齐国故城的年代横跨西、东周。

134.梁山薛垓墓地

作　者：山东省文物考古研究所等　编著

出　处：文物出版社 2013 年版

该书 16 开精装一册，计 271 页，系 2006 年为配合南水北调工程，对山东省梁山薛垓墓地考古发掘的考古详报。共发掘汉、宋墓 210 座，出土大量陶器、铜器、铁器等随葬物品，为研究鲁西地区汉、宋两代墓葬形制、随葬制度等，提供了第一手材料。

简目如下：

第一章　绪言

第二章　随葬遗物综述
第三章　汉墓
第四章　宋墓
第五章　分期与年代

135.章丘女郎山

作　者：济南市考古研究所　编著
出　处：科学出版社 2013 年版

本书为 16 开精装一册，正文 619 页，字数约 111.8 万，文后附有彩色图版 32 幅。

本书是济南市考古研究所 2009 年发掘的章丘女郎山墓地的考古详报。报告将发掘的 417 座墓葬以时代为顺序，按墓葬形制分类逐一介绍。汉墓发现 80 座，有土坑竖穴墓、土坑竖穴砖椁墓和砖室墓三种。其中部分土坑竖穴墓和土坑竖穴砖椁墓带二层台或壁龛，随葬品多为陶壶 1 对；砖室墓规模较大，为带墓道的单室墓和多室墓，墓葬多被破坏，仅存底部，随葬品除陶罐、壶外，还有案、耳杯、盘、樽、勺等陶器。唐墓发现 8 座，为土坑竖穴墓和带墓道的土坑洞室墓。其中土坑竖穴墓随葬器物很少，每墓 1 ～ 3 件，主要有陶罐和瓷碗、瓶等；土坑洞室墓随葬器物较多，基本组合为陶罐和瓷罐、碗、瓶，有的还出有铜带扣、三彩器等。宋金元时期的墓葬有 140 座，为土坑竖穴墓、土坑洞室墓、圆形砖室墓和少量的舟形墓，其中土坑洞室墓占该时期墓葬总数的近半数。土坑洞室墓修建方式为先下挖长方形或梯形的竖穴墓道，再掏出圆形、长方形、椭圆形或不规则形的洞室，其内置一棺或二棺，少数为三棺。个别土洞墓还用砖砌出仿木式门楼或青砖铺地。圆形砖室墓用青砖砌筑墓室，有的在墓门处修建仿木结构的门楼，墓壁上用青砖雕砌出仿木结构的斗拱、门窗、桌椅、晾衣架等，墓底多设有棺床。有些砖室墓的墓门及墓壁上用白灰涂抹后绘有彩色壁画，但多数已脱落。舟形墓主要是用青砖砌成舟形墓室，规模较小，个别还带有墓道，这种葬式在济南地区较少发现。

明代墓葬有 84 座，以土坑洞室墓占绝大多数，另有少量的土坑竖穴墓、长方形砖室墓和石室墓。

清代墓葬有 105 座，主要为土坑竖穴墓和土坑洞室墓，长方形砖室墓数量较少。砖室墓一般规模较小，墓室四壁用青砖错缝平砌，逐层内收成拱顶，大多设有壁龛。

章丘女郎山发掘的墓葬数量众多，种类丰富，形制多样，为研究当地的丧葬习俗和历史文化的变迁提供了重要资料。

该书简目如下：

第一章　概述
第二章　汉代墓葬
第三章　唐代墓葬
第四章　宋代墓葬
第五章　金代墓葬
第六章　元代墓葬
第七章　明代墓葬
第八章　清代墓葬
第九章　对女郎山各时期墓葬的初步认识

136.胶州板桥镇遗址考古文物图集

作　者：青岛市文物保护考古研究所　编著
出　处：科学出版社 2014 年版

本书为 16 开精装一册，为胶州板桥镇遗址的考古文物图集。分为四个部分：
板桥镇遗址历史简述
板桥镇遗址历年考古工作概况
遗型介绍
遗物介绍
该遗址时代最早可上溯到龙山文化，晚则到清、民国期间，以宋、金、元三个时期遗存为主。

137.平邑县南武城故城遗址考古报告（城墙部分）

作　者：山东省临沂市沂州文物考古研究所　编著
出　处：山东省临沂市沂州文物考古研究所 2014 年印制

该书 16 开精装一册。

南武城故城，在今山东省平邑县魏庄乡境内，今残存黄土夯筑的残墙，高低不一，高的仍有 9 米。古代文献中多处提到南武城，如孔子的学生子游，曾任武城宰，孔子本人也到过南武城。据史籍记载，南武城的建城时间，应在东周中期的公元前 554 年，一直延续了五百多年，至东汉以后，逐渐荒废。

河南省

138.辉县发掘报告

作　者：中国科学院考古研究所　编著

出　处：科学出版社 1956 年版、科学出版社 2016 年版

该书 8 开精装一册，为 1950 ～ 1952 年在河南省辉县境内进行考古发掘工作的详报。对若干地区的考古发掘分别作了报道：琉璃阁的殷代遗址、墓葬战国墓葬、车马坑和汉代墓葬；固围村的战国墓葬；赵固村的战国墓葬；褚丘村的殷代遗址、战国墓葬和汉代墓葬；百泉村的汉代墓葬。根据大量的遗迹、遗物进行分区整理并发表了重要的研究结果。

简目如下：

总说（郭宝钧、夏鼐先生撰）

第一编　琉璃阁区

第二编　固围区

第三编　赵固区

第四编　褚丘区

第五编　百泉区

结束语（夏鼐先生撰）。

时代涉及商、战国、汉代。一般公认，这是中华人民共和国成立后出版的第一部考古发掘报告。报告所创立的“地点为经、年代为纬”的编写模式，对日后中国考古发掘报告的编写，具有重要的示范作用。

139.郑州二里冈

作　者：河南省文化局文物工作队　编著

出　处：科学出版社 1959 年版

该书 16 开平装一册，为 1953 ～ 1954 年在河南省郑州二里冈发掘商代遗址和战国墓葬的考古详报。书中商代遗址部分介绍了发掘经过与上下叠压地层关系；其中出土遗物的分类统计，为我国商代文化的研究提供了资料。战国墓葬部分介绍了 212

座墓的发掘经过，及战国时期各种形制墓葬的演变过程；书中公布的陶、石、骨、铜、铁器随葬品，是研究战国时期经济、生活、艺术的重要资料。

该书简目如下：

一、序言

二、二里冈地形和文物分布

三、商代遗址部分

四、战国墓葬部分

五、结语

附有表格 21 种。

140.洛阳中州路（西工段）

作　者：中国科学院考古研究所　编著

出　处：科学出版社 1959 年版

该书 16 开精装一册，是 1954 ～ 1955 年考古人员在洛阳中州路（西工段）发掘的详报。此次发掘发现有仰韶文化遗存、早期殷商文化遗存、东周遗存、西周遗存。报告根据地层关系和随葬陶器、铜器的形制组合把东周墓作了初步的分期，关于这部分陶器、铜器、玉石器的器类、形制及其组合的分析说明，以及它们的分期、年代问题的讨论都占了较多的篇幅。东周至汉代遗址大致分为两部分，书中着重介绍了期间大量形制、花纹不同的瓦当以及它们的变化序列。

该书简目如下：

第一章　序言

第二章　地理沿革及遗址葬地的分布

第三章　遗址

第四章　墓葬

第五章　结语

附有表格 13 种。

141.三门峡漕运遗迹

作　者：中国科学院考古研究所　编著

出　处：科学出版社 1959 年版

该书 16 开一册，分精装、平装两种，是 1955 ～ 1957 年对河南省陕县黄河三门峡地区漕运遗迹的考古专题报告。

简目如下：

前言

一、古栈道

二、开元新河

三、北岸陆道与东西仓址

四、摩崖题刻与碑记

五、结束语

附有《三门峡漕运简史》《河心诸岛的仰韶、龙山与殷代文化遗存》两文。

三门峡水流湍急，是黄河航程中一个十分危险的地方。汉、唐时代，需要漕运关东、江淮等地区的粮食来供应国家机构的庞大开支。当年为了征服三门天险，使漕舟、运车能比较顺利地通过这里，曾在三门峡一带开凿栈道、运渠、道路和修建粮仓；在这些修建工程中历代来此游览的人们，还遗留下许多摩崖题刻。详报详细记录了这些漕运遗迹，为研究我国漕运历史提供了重要的实物资料。

142.浚县辛村

作　者：郭宝钧　著

出　处：科学出版社 1964 年版

该书 16 开一册，分精装、平装两种，是 1932 ~ 1933 年对河南省浚县辛村龙山文化晚期遗址的考古发掘详报。此次考古共发掘出一处龙山文化遗址、80 余座西周墓葬（包括 8 座公侯墓、6 座中型墓、14 座车马坑及 54 座小墓）。此报告主要报道两周时卫国墓葬，龙山、仰韶文化的资料留待整理后发表。

该书简目如下：

叙言

壹　发掘经过

贰　墓葬述略

叁　遗物说明

肆　时代推证

该书页 72 云，辛村墓地“大致是西周时代到东周初年卫国贵族的埋藏地。”经与文献对读，认为卫国始祖康叔，初封不在卫而在康。浚县辛村的发掘，为研究从康叔受封到卫国灭亡这一段历史，提供了宝贵的实物资料。

2019 年，辛村遗址列入全国重点文物保护单位名单。

143.淅川下王岗：2008 ～ 2010 年考古发掘报告

作　者：河南省文物研究所、长江流域规划办公室考古队河南分队　编著
出　处：文物出版社 1989 年版

该书 16 开精装三册。

下王岗遗址位于河南省淅川县宋湾乡下王岗村，属于丹江口水库淹没区，现存面积约 6000 平方米。考古人员于 1971 年 5 月至 1974 年 6 月对该遗址进行了发掘，共揭露面积 2309 平方米，清理了大量遗迹遗物，并且发现了仰韶（一、二、三期）、屈家岭（一、二期）、龙山、二里头（一、三期）和西周五种文化九个不同时期的遗存。时间从距今约 7000 年的仰韶文化至西周晚期，时间跨度近 5000 年，是一个研究聚落形态演变的典型个案。

仰韶文化是遗址中的早期遗存，具有内容丰富、分布范围大的特点，遗迹遗物在整个遗址中都占很大比例。尤其是地面起建的长屋的出现，可以说是早期建筑史中的一个新突破。它使我们对当时的建筑形式有了新认识。

屈家岭文化在下王岗遗址中分布范围较小，文化堆积只有 0.2 米左右，因而在两期遗存中仅发现 35 个灰坑和 6 座墓葬。比较重要的是 M704，坑内埋有四具骨架，可能是一个家庭的成员。由于下王岗遗址与湖北省相邻，在文化器物方面也有许多相似之处，如一期的陶豆、陶杯、陶罐等器形，在京山屈家岭遗址二期中，均可找到类似的器形。

下王岗龙山文化由屈家岭二期直接发展而来，文化内涵密切，地层叠压关系清楚，分布范围与仰韶文化相当。灰坑是这期文化中主要和重要的遗迹，其中 5 个灰坑埋有骨架，这是一个值得注意的现象。墓葬多数为屈肢葬，而且近半数无随葬品。

下王岗二里头文化的分布不如前者普遍，从文化分期上看，下王岗二里头文化中间有一段缺环，早期部分更接近于龙山文化，晚期则与偃师二里头晚期相当。

西周文化作为一个晚期文化类型存在于下王岗遗址中，尽管遗迹遗物都较少，但它是下王岗遗址文化系列中不可分割的一部分。

详报指出，下王岗遗址各期遗存各具特色，但又相互联系，组成了一个不可分割的文化主体，并具有浓厚的地方性，与豫西、豫东及中原地区的同类型文化既有联系，又存在着一定的差异。

严文明先生书评，载《华夏考古》1990 年第 4 期；华平先生书评，载《中国文物报》1990 年 9 月 13 日。

144.洛阳发掘报告：1955 ～ 1960 年洛阳涧滨考古发掘资料

作　者：中国社会科学院考古研究所　编著

出　处：北京燕山出版社 1989 年版

该书 16 开平装一册，是 1954 ～ 1960 年在河南省洛阳市配合基本建设进行的考古发掘详报。全部资料包括仰韶文化、河南龙山文化、二里头文化、西周文化、洛阳东周城和汉河南县城六部分，内容十分丰富。本书不仅是研究古代洛阳不可缺少的读物，同时对探讨仰韶文化、河南龙山文化、二里头文化的性质，研究周、汉两代城市的形制，以及当时的手工业等问题均有重要参考价值。

该书简目如下：

第一章　前言
第二章　同乐寨、西干沟仰韶文化和龙山文化遗址
第三章　东干沟龙山文化和二里头文化遗址
第四章　西干沟、瞿家屯西周遗址
第五章　东周城遗址
第六章　汉河南县城遗址
第七章　结语

145.登封王城岗与阳城

作　者：河南省文物研究所、中国历史博物馆考古部　编著

出　处：文物出版社 1992 年版

该书 16 开精装一册，系 1975 ～ 1981 年对河南省登封县王城岗和阳城遗址的考古发掘详报。分为两编 10 章，

简目如下：

第一编　王城岗遗址
　第一章　概述
　第二章　王城岗裴李岗文化
　第三章　王城岗龙山文化
　第四章　二里头文化
　第五章　商代二里岗期与商代晚期
　第六章　周代文化
第二编　东周阳城

第一章　概述
第二章　龙山文化早期
第三章　战国时期
第四章　阳城铸铁遗址

大象出版社 2007 年出版有北京大学考古文博学院、河南省文物考古研究所编著的《登封王城岗考古发现与研究》一书，可参阅。

146.陕县东周秦汉墓

作　者：中国社会科学院考古研究所　编著
出　处：科学出版社 1994 年版

该书为 16 开精装一册，系 1956 ~ 1958 年考古人员对河南省三门峡市陕县东周、秦、汉墓地的考古发掘的详报。此次考古共发掘东周墓 100 余座、秦至西汉初墓 92 座、汉墓 35 座。

该书简目如下：
第一部分　东周墓葬
第二部分　秦至汉初墓葬
第三部分　西汉中期至东汉晚期墓葬
结语部分有三个表格和三篇相关文章。

据介绍，这批墓葬的时间自春秋至东汉绵延 800 余年。东周墓计 100 余座，包括车马坑、铜器墓和陶器墓，是一处较完整的族墓地。秦至汉墓 92 座，包括战国晚期秦攻取陕地以后至西汉初年的墓葬，与秦文化有密切的关系。葬制的发展、演变折射出秦民族军事扩张、统一全国以及与各民族融合的进程，因此是这一历史时期较典型的墓葬，在探讨秦文化问题中有较高的价值。书中报道的随葬品有万余件，是供文物、考古、历史学者们研究的重要实物资料。

147.鹤壁鹿楼冶铁遗址

作　者：鹤壁市文物工作队　编著
出　处：中州古籍出版社 1994 年版

该书 16 开精装一册，系 1988 年河南省鹤壁市鹿楼战国至汉代冶铁作坊遗址考古发掘详报，公布了有关全部资料以及少量商、唐代遗迹、遗物。

148.汝州洪山庙

作　者：河南省文物考古研究所　编著

出　处：中州古籍出版社 1995 年版

该书 16 开精装一册，系河南省汝州市洪山庙遗址考古发掘详报。该遗址 1989 年、1993 年进行了两次发掘，发现仰韶文化、东周文化等遗存。

该书简目如下：

一、前言

二、遗址

三、仰韶文化墓葬

四、遗址与墓葬的相关问题

五、彩陶图案的初步研究

149.中国国道项目河南段洛阳至三门峡高速公路文物勘探报告

作　者：河南省文物考古研究所　编著

出　处：1995 年印制本

该书 16 开平装一册，仅 66 页，为非正式出版物。

150.驻马店杨庄：中全新世淮河上游的文化遗存与环境信息

作　者：北京大学考古学系、驻马店市文物保护管理所　编著

出　处：科学出版社 1998 年版

该书 16 开精装一册，是 1992 年河南省驻马店杨庄遗址的考古发掘详报。该遗址涉及石家河文化、中原龙山文化、二里头文化。书中介绍了对孢粉、植硅石、黏土矿物、炭化稻粒及果核等的分析情况，从中获取了难得的古代环境、古代农业信息。

该书简目如下：

第一章　概述

第二章　文化层堆积

第三章　第一期遗存（石家河文化）

第四章　第二期遗存（龙山文化晚期）

第五章　第三期遗存（二里头文化）

第六章　结语

该详报比较重视环境考古，这也是其特色之一。

151.黄河小浪底水库文物考古报告集

作　者：河南省文物管理局、水利部小浪底水利枢纽建设管理局移民局　编著
出　处：黄河水利出版社 1998 年版

该书 16 开平装一册，记录了渑池县班村遗址等 31 处遗址、济源市毛公冢等 8 处墓葬，还介绍了石窟、栈道、民居、石刻等古代遗迹。该遗址涉及多个朝代。注意此书与《黄河小浪底水库考古报告》不是一个系列。

152.豫东杞县发掘报告

作　者：郑州大学文博学院、开封市文物工作队　编著
出　处：科学出版社 2000 年版

本书 16 开精装一册，是 1989 ~ 1990 年对杞县段岗、鹿台岗两处遗址的考古发掘详报。遗址时代从仰韶、龙山文化时期至夏、商、东周，尤以龙山与夏代文化遗存最为丰富。

该书简目如下：

壹　概述
贰　鹿台岗遗址
叁　段岗遗址
肆　结语

该书认为，此遗址为夷、夏、商三种文化的交汇地域。

153.郑州大河村

作　者：郑州文物考古研究所　编著
出　处：科学出版社 2001 年版

该书 16 开精装上下两册，系 1972 ~ 1987 年河南省郑州市大河村古代遗址的考古发掘详报。该遗址包括仰韶文化、龙山文化、二里头文化时期和商代遗存，其中仰韶文化遗存最为丰富。延续时间长达 2400 年，分为七期，可从中见证仰韶文化的产生、发展和衰亡。前有杨育彬先生序。

该书简目如下：

第一章　概述
第二章　仰韶文化遗存

第三章　龙山文化遗存
第四章　二里头文化遗存
第五章　商文化遗存
第六章　结语

154.洛阳王湾：田野考古发掘报告

作　者：北京大学考古文博院　编著
出　处：北京大学出版社 2002 年版

该书 16 开精装一册，是河南省洛阳市王湾遗址的考古发掘详报，介绍了 1959 年、1960 年两次考古发掘所获资料，包括豫西地区新石器时代、周代、魏晋、北朝时期的遗迹和遗物。由于发掘资料丰富，文化分期较细，学界公认此处遗址是研究我国中原地区历史的重要一手材料。

该书简目如下：

第一编　总说
　第一章　地理环境
　第二章　文化遗存的分布与一般堆积状况
　第三章　发掘经过
　第四章　报告的编写
第二编　新石器时代
　第一章　文化堆积与分期
　第二章　新石器时代第一期文化
　第三章　新石器时代第二期文化
　第四章　新石器时代第三期文化
第三编　周代
　第一章　层位关系与年代分期
　第二章　居住遗址
　第三章　墓葬
　第四章　小结
第四编　北朝隋代
　第一章　遗迹
　第二章　遗物
　第三章　小结
第五编　晋墓

155.巩义芝田晋唐墓葬

作　者：郑州市文物考古研究所

出　处：科学出版社 2003 年版

该书 16 开精装一册，系 1988 ～ 1993 年河南省巩义市芝田镇晋唐墓葬的考古发掘详报。

该书简目如下：

第一章　墓地概况与发掘

第二章　汉墓

第三章　晋墓

第四章　唐代墓葬

第五章　结束语

附有表格 5 种及“西汉至唐纪年墓葬资料文献目录”。

该书序言称，此处遗址的发掘，为汉至唐代郑州地区，尤其是伊洛地区的墓葬制度等研究提供了宝贵的实物资料。

156.辉县孟庄

作　者：河南省文物考古研究所　编著

出　处：中州古籍出版社 2003 年版

本书为 16 开精装一册，正文 567 页。

孟庄遗址位于河南省辉县市东南，面积约 30 万平方米。1992 年 7 月至 1995 年 5 月，河南省文物考古研究所对遗址进行了发掘。遗址内文化遗迹丰富，发现了裴李岗、仰韶、龙山、二里头、二里冈、商代晚期、西周和东周等时期的文化堆积，其中以龙山、二里头、商代三座相互叠压的城址的发现尤为重要。遗址内发现的龙山文化时期城址是中原地区同时期所见最大的城址，在考古学界引起了广泛的关注，被评为 1994 年“全国十大考古新发现”之一。

全书共分 14 章，对遗址内各文化的各类遗迹和出土遗物做了详尽的介绍。全书除正文外，还有 8 版彩色图版和 120 版黑白图版，正文后有遗址内各个文化的各种遗迹现象的统计表，有对遗址内人骨的人类学研究。书中还有英文目录，文后附有英文提要和日文提要。

157.禹州瓦店

作　者：河南省文物考古研究所　编著
出　处：世界图书出版公司 2004 年版

该书 16 开精装一册，是河南禹州瓦店遗址 1997 年考古发掘的详报，也收录了 20 世纪 80 年代初发掘的成果，对研究早期夏文化、夏代年代学具有重要学术价值。书后附有《禹州瓦店龙山文化人骨的研究报告》一文。

158.郑州宋金壁画墓

作　者：郑州市文物考古研究所　编著
出　处：科学出版社 2005 年版

该书 16 开精装一册，系郑州市区及登封、新密、巩义、荥阳壁画墓考古发掘成果的汇集。

该书简目如下：

绪言

第一章　宋代壁画墓

第二章　金代壁画墓、砖雕墓

第三章　相关问题

附有《辽宋金壁画墓、砖雕墓墓葬形制研究》《登封卢店明代壁画墓》《辽宋金纪年壁画墓、砖雕墓资料文献目录》等文。

159.洛阳考古集成

作　者：洛阳师范学院河洛文化国际研究中心　编
出　处：北京图书馆出版社 2005 ～ 2010 年版

该书 16 开精装，为一多卷本丛书，分卷汇集了公开发表的洛阳考古发掘报告。已推出“原始社会卷”“夏商周卷”“秦汉魏晋南北朝卷”（上下）“隋唐五代宋卷”以及“补编”两卷。其中“补编一”，是对“夏商周卷”和“隋唐五代卷”两卷遗漏的补充；“补编二”为洛阳市文物钻探管理办公室等编，以文物钻探报告为主。

160.偃师水泉石窟

作　者：刘景龙、赵会军　编著
出　处：文物出版社 2006 年版

该书 16 开平装一册。

水泉石窟，位于河南省偃师市的寇店乡水泉村是洛阳古城南大门——大谷关口以东的佛教石窟。共有大小佛龛 400 余个，开凿年代从北魏至北宋，但主要是在北魏，两尊佛像并列的造型十分独特。该书介绍了偃师水泉石窟的一般情况，特别介绍了碑刻题记。有测绘图及图版，可视为偃师水泉石窟的考古勘测报告。

161.新乡李大召：仰韶文化至汉代遗址发掘报告

作　者：郑州大学历史学院考古系　编著
出　处：科学出版社 2006 年版

本书为 16 开本一册，共 430 页，彩色图版 8 幅，黑白图版 32 幅。

本书系统地报道了郑州大学考古专业系 2002 ～ 2003 年在新乡李大召遗址进行的四次考古发掘所获资料，包括仰韶文化、龙山文化、二里头文化、二里冈文化、晚商文化、东周、汉代等各个时期的文化遗存，尤以龙山文化时期遗存最为丰富，为研究豫北地区龙山文化向夏商文化发展以及与周邻古文化的关系提供了宝贵的实物资料。

162.三门峡庙底沟唐宋墓葬

作　者：河南省文物考古研究所　编著
出　处：大象出版社 2006 年版

本书为 16 开本一册，共 321 页，彩色图版 82 幅，黑白图版 50 幅。

2002 年 5 月至 2003 年 10 月，河南省文物考古研究所等单位对三门峡市庙底沟遗址进行了大规模的抢救性发掘，面积达 24000 多平方米，发现仰韶文化和庙底沟二期文化遗存，以及 226 座汉唐至明清时期的墓葬，本书是关于其中唐宋时期墓葬的考古详报。

此次发掘共清理 101 座唐墓和 78 座宋墓，其中形制结构比较清楚的 127 座墓，多为洞室墓，单人葬占绝大多数，葬式为仰身直肢，出土遗物有陶器、瓷器和三彩器等。根据墓葬的规模、葬具和随葬品等推测，该墓区应是一处平民百姓占主导地位的公共墓地。

163.新郑郑国祭祀遗址

作　者：河南省文物考古研究所　编著

出　处：大象出版社 2006 年版

本书为 16 开精装本，有正文 1393 页，文后有彩色图版 74 版，黑白图版 314 版。

郑国故城坐落在今新郑市区的双洎河与黄水河的交汇处，城址平面呈不规则长方形，城内中部有一道南北隔墙将城址分为东西两部分。西部是内城，平面略呈长方形，宫殿基址、郑国某些国君的陵墓和附葬坑以及韩国的宫城与宗庙遗址多分布在这里。东部是廓城，平面为不规则长方形，主要分布着郑国的贵族墓地、祭祀遗址和部分夯土建筑基址，以及郑、韩两国的手工业作坊遗址。1993 年、1996～1998 年和1999 年，遗址进行了三次发掘。本书基本上是第二次发掘的内容，共分九章。

该书简目如下：

前言
第一章　概述
第二章　郑国祭祀遗址
第三章　商代二里冈文化
第四章　西周文化
第五章　东周文化
第六章　春秋铸铜遗址
第七章　战国铸造遗址
第八章　墓葬
第九章　结语

正文后还附有 11 个附录和 89 个附表。

本详报的出版，使得读者对遗存的分布概况和文化内涵有了较全面的了解，而且在探索郑国祭祀遗存性质和证实东周铸铜、铸铁等手工业作坊的存在，研究其铸造工艺与技术及解决商、周遗址陶器分期等方面都有重要意义。

164.黄河小浪底水库考古报告（二）

作　者：河南省文物管理所　编著

出　处：中州古籍出版社 2006 年版

该书 16 开一册，主要介绍了 1996 年河南孟津妯娌新石器时代遗址、寨根新石器时代遗址及周代、汉代遗存等。

165.郑韩故城兴弘花园与热电厂墓地

作　者：河南省文物考古研究所　编著
出　处：文物出版社 2007 年版

该书 16 开精装一册，系河南省新郑市郑韩故城兴弘花园与热电厂墓地考古发掘详报。2003 ~ 2005 年，考古人员在该墓地进行了三次发掘，发现有西周至战国时期灰坑 95 个、水井 22 眼、陶窑 1 座、墓葬 63 座。

该书简目如下：

第一章　前言
第二章　墓葬形制
第三章　出土遗物
第四章　器物组合
第五章　分期与年代
第六章　埋葬制度及文化渊源探讨
第七章　结语

附有登记表 4 种。

详报共汇集了该墓地 213 座墓葬的资料，年代约从西周至战国中期。考古人员对所获考古材料进行了分类整理，从而勾勒出这一时期地处中原腹地的丧葬文化的大体线索。

166.登封王城岗考古发现与研究（2002 ~ 2005）

作　者：北京大学考古文博学院、河南省文物考古研究所　编著
出　处：大象出版社 2007 年版

本书为 16 开精装本，有正文 1066 页，文后有彩色图版 40 版，黑白图版 248 版。

2002 ~ 2005 年，北京大学考古文博学院和河南省文物考古研究所承担的“中华文明探源工程预研究——登封王城岗城址及周围地区遗址聚落形态研究”专题组在王城岗遗址展开了大规模的考古工作，发现了一座河南龙山文化晚期的大城址。本书即是对这几年发掘的考古详报。从概述，遗址概况和地层堆积，龙山文化，二里头文化，商代，春秋时期，汉代、北魏和唐代、宋元明时期等七章对遗址的发掘进行了详尽的描述，从植物、人与动物、工艺技术——石器和陶器分析、实验考古——王城岗龙山文化晚期大城用工量的模拟实验与测算等方面对遗址中出土的各类遗存

进行了详尽的研究，进行了碳十四年代的测定、校正与拟合，并对在颍河中上游登封、禹州等地进行的考古调查进行了报道。结语中，作者对王城岗龙山文化的遗存分期、晚期大小城的关系、晚期城址与夏文化，遗址的聚落形态，遗址的兴废与历史上的洪水以及遗址的生态环境等进行了研究。

遗址的发掘，大大加深了我们对该遗址的认识，对夏文化研究有着重要学术价值。

167.洛阳文物钻探报告（第一辑）

作　者：洛阳市文物钻探管理办公室　编

出　处：文物出版社 2008 年版

该书 16 开一册，正文 246 页。收录了文物极其丰富的洛阳地区的文物钻探报告 19 篇，为文物的进一步发掘及保护，提供了科学依据。

目录如下：

洛阳哈斯曼制冷有限公司车间扩建工程文物钻探报告
洛阳得天置业有限公司 4 号、5 号、7 号住宅楼文物钻探报告
洛阳市第二十七中学综合楼及 1 号、2 号住宅楼文物钻探报告
洛阳市东周王城广场工程文物钻探报告
洛阳市电业局中心分局改扩建工程（南部）文物钻探报告
洛阳市王城大道工程管道沟文物钻探报告
洛阳市龙羽房地产开发有限公司新都购物公园文物钻探报告
中国空空导弹研究院 50 号、51 号高层住宅楼文物钻探报告
洛阳市唐宫西路小学综合楼文物钻探报告
洛阳铁路分局客车技术整备所（东段）文物钻探报告
洛阳市凯悦房地产开发公司凯悦雅园一期、二期工程文物钻探报告
洛阳市第二十八中学综合实验楼文物钻探报告
洛阳市第三中学体育训练馆文物钻探报告
洛阳市公路管理局住宅楼文物钻探报告
洛阳市亚威置业有限公司高明园 1 号～ 6 号、桐花园 1 号～ 5 号商住楼文物钻探报告
中房集团洛阳公司东明小区文物钻探报告
一拖（洛阳）东方红轮胎有限责任公司整体搬迁改造工程文物钻探报告
洛阳市新区翠云路文物钻探报告
洛阳市新区龙康小区（A 区）、广利街（南段）文物钻探报告

168.洛阳文物钻探报告（第二辑）

作　者：洛阳市文物钻探管理办公室　编

出　处：文物出版社 2008 年版

该书 16 开一册，正文 188 页。收录了洛阳地区文物钻探报告 21 篇，为文物的进一步发掘及保护提供了科学依据。

目录如下：

洛阳凌空房地产开发公司 10 号住宅楼文物钻探报告
洛阳君隆鼎源置业有限公司西工步行街项目文物钻探报告
中国航空洛阳光电设备研究所职工活动中心综合楼文物钻探报告
洛阳市仪康房地产开发有限公司中心湖公务员小区文物钻探报告
洛阳华晟置业有限公司建材物流中心文物钻探报告
洛阳南峰机电设备制造有限公司 1802、1803 装配厂房文物钻探报告
洛阳隆安房地产开发有限公司上阳新村项目文物钻探报告
河南第二荣康医院新院址文物钻探报告
洛阳福温联合置业有限公司紫金城一期工程文物钻探报告
洛阳亚洲啤酒有限公司（首期）啤酒易地扩建工程（北区）文物钻探报告
隋唐洛阳城定鼎门遗址文物钻探报告
洛阳市第一干部休养所北院 2 号、3 号老干部住宅楼文物钻探报告
洛阳豫安房地产开发有限公司安泰公寓二期文物钻探报告
洛阳市天仁置业有限公司天仁中州公寓文物钻探报告
洛阳市政府西院 1 号住宅楼文物钻探报告
洛阳中亚置业发展有限公司华阳新城 C 地块一期工程文物钻探报告
洛阳瀍河回族区人民政府洛阳市银宏特钢有限公司文物钻探报告
洛阳市安龙房地产开发有限公司熙春花园项目文物钻探报告
洛阳酒家有限责任公司“洛阳酒家”改扩建项目文物钻探报告
洛阳市中侨房地产开发有限公司中侨铭秀一期工程文物钻探报告
栾川县建设局君山西路扩宽改造工程文物钻探报告

169.大司空村：第二次发掘报告

作　者：高去寻　著；杜正胜、李永迪　编

出　处：（台北）“中研院历史语言研究所”2008 年版

该书 8 开精装一册，系 1936 年河南省安阳市大司空村第二次发掘的考古报

告。发现有商代、东周、唐宋及近代共四个时期的遗迹、墓葬等。有上百幅图版、彩照。

170.洛阳大遗址研究与保护

作　者：洛阳市文物管理局　编著

出　处：文物出版社 2009 年版

该书为大 16 开平装一册。

该书介绍了二里头遗址、偃师商城遗址、洛阳东周王城遗址、韩都宜阳故城、汉魏洛阳故城、隋唐洛阳城遗址、邙山陵墓群共 7 处所谓“大遗址”的考古调查、发掘和研究情况，分析了“大遗址”的保存现状及存在的问题。

本书简目如下：

前言

壹　二里头遗址

　第一节　地理位置与历史沿革

　　一、地理位置

　　二、历史沿革

　第二节　发现、发掘与研究

　　一、遗址的发现

　　二、遗址的发掘与研究

　第三节　遗址布局

　　一、中心区

　　二、一般居住区

　　三、墓葬与手工业遗迹

　第四节　重要遗迹

　　一、宫城

　　二、大型建筑基址群

　　三、宫殿区外侧“井”字形道路

　　四、车辙痕迹

　　五、宫殿区内贵族墓及出土遗物

　　六、祭祀遗存

　　七、手工业遗迹

　第五节　遗址价值

一、学术研究价值
二、文物研究价值
三、社会价值
第六节 保护与管理
一、保护因素与保护现状
二、保护与管理的法律保障
三、保护管理机构
四、保护管理的工作程序
五、保护宣传
贰 偃师商城遗址
叁 洛阳东周王城遗址与韩都宜阳故城
肆 汉魏洛阳故城
伍 隋唐洛阳城遗址
陆 邙山陵墓群
后记

据介绍，目前我国已确定的“大遗址”有500余处。主要集中在洛阳文化片区、新疆吐鲁番片区、西安周原片区、吉林集安沿渤海湾片区等地。

171.三门峡南交口

作　者：河南省文物考古研究院　编著
出　处：科学出版社2009年版

本书为16开精装一册，是河南省三门峡南交口遗址和古墓葬的考古详报。

该书简目如下：
第一章 概述
第二章 遗址分区与文化堆积
第三章 仰韶文化一期遗存
第四章 仰韶文化二期遗存
第五章 仰韶文化三期遗存
第六章 二里头文化遗存
第七章 东周、汉代墓葬
第八章 结语
附有6篇文章及表格等。

172.汉魏洛阳故城阊阖门区域文物钻探报告

作　者：朱世伟、安亚伟　主编

出　处：三秦出版社 2009 年版

该书 16 开精装一册。

汉魏洛阳故城，位于河南省洛阳市洛龙区城东 15 公里，始建于西周时期，北魏时总面积已达约 100 平方公里，被认为是当时世界上最大的城市。北魏灭亡，洛阳城沦为一片废墟。1962 年，考古工作者即已开始对汉魏故城进行考古发掘工作。阊阖门，是北魏时期宫城的正门，位于北魏洛阳城中轴线大街“铜驼街”北端，现已探明该门台基为长方形、东西长 44 米，南北宽 24 米。城门两侧向前延伸出东阙、西阙。阊阖门巍峨壮观，是一座面阔七间，有三个门道的雄伟建筑，对后世有较大影响。本报告系统介绍了对阊阖门区域的钻探情况，为相关研究打下了坚实的基础。

今有《汉魏故城研究》（科学出版社 2000 年版）、《汉魏故城研究札记》（中州古籍出版社 2011 年版）等专著，可参阅。

173.汉魏洛阳故城南郊礼制建筑遗址 1962 ~ 1992 年考古发掘报告

作　者：中国社会科学院考古研究所　编著

出　处：文物出版社 2010 年版

本书为 16 开本一册，共 456 页，彩色图版 4 页，黑白图版 196 页。

汉魏洛阳故城位于洛阳市区以东约 15 公里的伊洛河盆地中部邙山以南古洛河以北的区域，1961 年被公布为全国第一批重点文物保护单位，1962 年即由中国科学院考古研究所（今中国社会科学院考古研究所）长期进行考察发掘及研究工作，有关的科学考察工作从 20 世纪 60 年代一直延续至今。

汉魏洛阳故城南郊的灵台、明堂、辟雍和太学等礼制建筑遗址，皆位于该城的南郊古洛河北岸。对于这些遗址，中国科学院考古研究所在 20 世纪 60 年代初期就进行了详细勘探，随后在 20 世纪 70 ~ 80 年代初和 90 年代，又分别对辟雍、灵台、明堂和太学等遗址进行了多次的试掘或大规模发掘，获得了关于这些重要礼制建筑的建造时代和相对完整的建筑基址平面布局资料。本书即是汉魏洛阳故城南郊礼制建筑遗址 1962 ~ 1992 年考古发掘详报。报告结语部分还对灵台、明堂、辟雍、太学遗址的定名、历史沿革、建筑形制布局等问题进行了讨论，文后还有附图、附表、附录等内容，为全面了解汉魏洛阳故城南郊礼制建筑遗址提供了翔实的资料。

174.洛阳瞿家屯发掘报告

作　者：洛阳市文物工作队　编著

出　处：文物出版社 2010 年版

该书16开精装一册，是2004～2005年洛阳市瞿家屯西、东周墓地的考古发掘详报，共清理93座西、东周时期墓地，另外，还发掘了战国中晚期夯土建筑基址等遗迹。

该书简目如下：

第一章　地理沿革与发掘过程

第二章　地层堆积与重要遗迹

第三章　出土遗物

第四章　墓葬

第五章　洛阳瞿家屯东周大型夯土基址的相关研究

175.百泉、郭柳与山彪

作　者：河南省文物局　编著

出　处：科学出版社 2010 年版

本书为 16 开精装一册，是为配合南水北调工程于 2006 ～ 2007 年对河南新乡辉县市百泉、郭柳和卫辉市山彪三处墓地近 120 座墓葬的考古详报。

该书简目如下：

绪言

第一章　百泉墓地

第二章　郭柳墓地

第三章　山彪墓地

第四章　结语

176.洛阳周围小石窟全录

作　者：杨超杰　著

出　处：外文出版社 2010 年版

该书 16 开精装一函 5 册，收录古代洛阳周围 15 个小石窟的形制、造像组合等。所谓“小”，是相对于著名的洛阳龙门石窟和巩县石窟而言的。这些小石窟，大多为北朝及唐代时开凿，宋代的仅两例。洛阳周围小石窟“保护现状令人揪心”（第三卷第 21 页），此书则保留传承了诸多重要信息。

177.淅川东沟长岭楚汉墓

作　者：河南省文物局　编著
出　处：科学出版社 2011 年版

本书为 16 开精装一册，是为配合南水北调工程对河南淅川东沟长岭楚汉墓的考古发掘详报，共介绍了 46 座战国楚墓、16 座汉墓、5 座车马坑。

简目如下：

绪言
第一章　战国墓葬
第二章　汉代墓葬
结语

178.淅川刘家沟口墓地

作　者：河南省文物局　编著
出　处：科学出版社 2011 年版

本书为 16 开精装一册，是为配合南水北调工程对河南淅川刘家沟口墓地进行发掘的考古详报，共介绍了 39 座东周墓、40 座秦汉墓、2 座宋墓。

简目如下：

第一章　概述
第二章　东周时期墓葬
第三章　秦汉时期墓葬
第四章　宋代墓葬
第五章　结语

179.新乡老道井墓地

作　者：河南省文物局　编著
出　处：科学出版社 2011 年版

本书为 16 开精装一册，是 2005 ～ 2006 年为配合南水北调工程对新乡老道口等墓地的考古发掘详报，介绍了战国、西汉、宋代等各个时期墓葬 151 座。

简目如下：

第一章　绪论

第二章　王门墓区
第三章　金灯寺墓区
第四章　东同古墓区
第五章　老道井墓区
第六章　初步研究
附有表格 4 种及人骨鉴定报告等。

180.南阳镇平程庄墓地

作　者：河南省文物局　编著
出　处：科学出版社 2011 年版

本书为 16 开精装一册，是 2006 年对河南省南阳市镇平县安子营乡程庄墓地的发掘详报。该墓地以东周遗存为主，共发掘墓葬 212 座及灰坑 15 座、瓮棺 1 座等。

本书简目如下：
绪论
第一章　龙山时期遗存
第二章　东周时期墓葬
第三章　汉代遗存
第四章　唐代墓葬
第五章　明清墓葬
第六章　时代不明的遗存
第七章　初步认识
附有表格 6 种。

181.南阳丰泰墓地

作　者：河南省南阳市文物考古研究所、武汉大学历史学院考古系　编著
出　处：科学出版社 2011 年版

本书为 16 开精装一册。南阳丰泰墓地位于河南省南阳市宛城区，是一处以战国秦汉墓葬为主，包括唐、宋、明、清多个时期墓葬的墓地，共出土随葬品 3000 余件，2002 年发掘。本书是以其中 259 座战国、秦汉墓葬为主的考古详报。

简目如下：
第一章　绪论
第二章　墓葬概况

第三章　出土遗物
第四章　分期与年代
第五章　文化内涵分析
第六章　墓地结构分析
附有多种表格。

182.洛阳文物钻探报告（第三辑）

作　者：洛阳市文物钻探管理办公室　编
出　处：三秦出版社 2011 年版

该书 16 开一册，正文 225 页。收录洛阳地区文物钻探报告 20 篇，为文物的进一步发掘与保护提供了科学依据。

简目如下：

洛阳铁路局集资建房豫西指挥部乘务院小区（1～3 号、5～8 号楼）文物钻探报告
中航光电科技股份有限公司光电技术产业基地文物钻探报告
河南隆安房地产开发有限公司隆安·富阳国际花园文物钻探报告
洛阳都市雅居市场开发有限公司都市雅居建材市场 B 区文物钻探报告
河南荣祥房地产开发有限公司荣祥花园 1 ～ 5 号楼文物钻探报告
中电置业（洛阳）有限公司中电·阳光新城 B3 ～ 1 地块文物钻探报告
洛阳市大华置业有限公司熙春花苑 2 ～ 6 号楼文物钻探报告
河南省林业学院园林实训中心文物钻探报告
中国空空导弹研究院地下车库文物钻探报告
洛阳博物馆新馆广场文物钻探报告
洛阳市老城区邙山镇史家屯村村民委员会道北二路拆迁安置楼 1 号楼文物钻探报告
洛阳市天主教爱国会教堂、办公楼及按摩医院东车站综合楼文物钻探报告
洛阳市中安蓝盾房地产开发有限公司中安花园文物钻探报告
洛阳东鹏置业有限公司鹏祥小区二期工程文物钻探报告
洛阳市宏伟置业有限公司一品苑文物钻探报告
洛阳中迈置业有限公司王城之珠经济适用房住宅小区（A 区）4 ～ 9 号楼文物钻探报告
洛阳中航瑞赛置业有限公司航空城中心广场（一期）文物钻探报告
洛阳市智杰房地产开发有限公司亚秀丽都人和 5、6 号住宅楼项目文物钻探报告
郑西铁路客运专线洛阳南站文物钻探报告
中铝洛阳铜业有限公司综合楼文物钻探报告

183.南阳一中战国秦汉墓

作　者：南阳市文物考古研究所　编著
出　处：文物出版社 2012 年版

该书 16 开精装一册，系河南省南阳市宛城区南阳一中一带战国秦汉墓的考古发掘详报。2001 年考古人员在此发掘汉至明清中小型墓葬 447 座、窑 7 口，其中 226 座墓为东周秦汉墓葬，出土文物近 3000 件。

该书简目如下：

前言
第一章　墓葬概况
第二章　出土遗物
第三章　分期与年代
第四章　分析与研究

附有“南阳一中墓地器物统计表”。

184.辉县孙村遗址

作　者：河南省文物局　编著
出　处：科学出版社 2012 年版

该书 16 开精装一册，正文 156 页，约 28 万字，有彩色照片 8 幅，黑白照片 20 幅。系为配合南水北调工程，对辉县孙村遗址的考古发掘详报。

该遗址内涵丰富，包括了下七垣文化、殷墟文化、战国文化以及汉代以后文化。尤以夏商时期、东周时期遗存最为丰富，为研究豫北地区历史，提供了宝贵的一手资料。

该书简目如下：

第一章　概论
第二章　下七垣文化
第三章　殷墟文化
第四章　战国文化
第五章　汉代以后文化
第六章　结语

附有孙村遗址灰坑、灰沟、墓葬、水井、房址统计表及文章两篇。报告第三章、第四章中，均专门谈到“刻划符号与陶文”。

185.安阳鄣邓

作　者：河南省文物考古研究所　编著

出　处：大象出版社 2012 年版

本书为 16 开精装一册，正文 464 页，文后有彩色图版 32 版，黑白图版 46 版。

本书共分六章：

第一章是概述，主要介绍了遗址的地理位置与历史沿革，从区域地质发展简况，地貌，水资源，气候、土壤、生物群落与资源和交通等方面对遗址所在区域的景观生态系统进行了介绍。

第二章主要介绍了遗址的概况、地层堆积与文化遗存。

第三章至第五章对遗址的遗迹和遗物进行了详细的描述，遗址中主要有先商时期、战国时期和宋代的文化遗存。

第六章是结语，分析了遗址内先商文化遗存的基本特征，并对遗址内的遗存进行了分期，对豫北地区漳河型先商文化的来源与性质进行了探讨，对遗址中战国遗存和宋代遗存的年代也进行了分析。

正文后有 15 个附表，主要有“遗迹统计表”“先商文化的石器、骨器和典型遗迹中出土陶片的记重统计表”等。另有 4 个附录。

遗址的文化遗存以先商文化时期遗存最丰富，遗址的发掘为认识豫北地区先商文化面貌及研究豫北地区先商文化的年代、特征及发展演变提供了重要的实物资料。

本书简目如下：

第一章　概述
　第一节　地理位置与历史沿革
　第二节　景观生态系统特征
　第三节　考古发掘、资料整理与报告编写经过及说明
第二章　遗址概况与地层堆积
　第一节　遗址概况
　第二节　地层堆积与文化遗存
第三章　先商文化遗存
　第一节　文化遗迹
　第二节　文化遗物
第四章　战国文化遗存
第五章　宋代文化遗存
　第一节　文化遗迹

第二节　文化遗物
第六节　结语
第一节　鄣邓遗址先商文化的特征、分期及其相关问题
第二节　鄣邓遗址战国遗存的年代
第三节　鄣邓遗址宋代遗存的年代及其他
附表
附表一　郭邓遗址遗迹统计表
附表二　先商文化石器统计表
附表三　先商文化骨器统计表
附表四　G2 陶片统计表
附表五　H7 陶片统计表
附表六　H18 陶片统计表
附表七　H32 陶片统计表
附表八　H50 陶片统计表
附表九　H64 陶片统计表
附表一〇　H85 陶片统计表
附表一一　H86 陶片统计表
附表一二　H88 陶片统计表
附表一三　H89 陶片统计表
附表一四　H92 陶片统计表
附表一五　先商文化堆积单位陶片计重统计表
附录一　安阳鄣邓遗址先商文化石器岩性鉴定结果
附录二　安阳鄣邓遗址先商文化浮选炭化植物种子的鉴定及分析
附录三　安阳鄣邓遗址先商文化动物资源的获取与利用
附录四　安阳鄣邓遗址先商文化动物骨骼的 C、N 稳定同位素分析——先商文化时期家畜饲养方式初探
后记

186.偃师华润电厂考古报告

作　者：乔　栋、史家珍　主编
出　处：中州古籍出版社 2012 年版

该书 16 开精装一册，系河南省偃师市华润电厂墓地的考古发掘详报。共清理发

掘墓葬123座，大多被盗过，计东汉墓77座、曹魏墓3座、晋墓28座、唐墓2座，不详13座。

本书简目如下：

前言
第一章　遗址区的文化层堆积和遗迹
第二章　墓葬区

附有表格、器物线图、遗迹平剖图等。

187.新乡王门墓地

作　者：河南省文物考古研究、新乡市文物考古研究所　编著

出　处：科学出版社2013年版

本书为16开精装一册，正文298页，文后有彩色图版52版，黑白图版72版。

2006～2007年，为配合南水北调中线总干渠新乡段的建设工程，考古人员对位于新乡市凤泉区的王门墓地进行了考古发掘，共发掘灰坑3座，墓葬62座，陶窑1座。本书以遗迹为单位，发表了56座战国至两汉时期的墓葬和1座汉代陶窑的考古发掘成果，对墓葬的形制、规格、年代和随葬品等进行了分析、探讨，基本再现了战国至两汉时期新乡地区中小型墓葬的演变历程，为研究新乡地区战国和两汉时期的墓葬礼仪提供了宝贵的资料。

本书简目如下：

前言
绪言
第一章　墓葬基本资料
第二章　初步研究
结语
附表
后记

188.淅川柳家泉墓地

作　者：河南省文物局　编著

出　处：科学出版社2013年版

本书为16开精装一册，是为配合南水北调工程对河南省淅川柳家泉墓地进行发

掘的考古详报，共介绍了东汉晚期至清代墓葬 88 座。

该书简目如下：

第一章　概述

第二章　墓地概况

第三章　东汉晚期至唐代墓葬

第四章　明代墓葬

第五章　清代墓葬

第六章　墓葬综论

第七章　宋代窑址

附有“骨骼鉴定记录”等。

189.淇县大马庄墓地

作　者：河南省文物局　编著

出　处：科学出版社 2013 年版

本书为 16 开精装一册，是为配合南水北调工程于 2006 年在淇县大马庄墓地进行发掘的考古详报，共清理战国至汉代古墓 54 座、灰坑 7 座、围墓沟 1 条。

简目如下：

第一章　概述

第二章　墓葬资料

第三章　初步研究

190.民权牛牧岗与豫东考古

作　者：郑州大学历史学院考古系　编著

出　处：科学出版社 2013 年版

该书 16 开精装一册，分为两个部分，上篇为“牛牧岗遗址考古发掘与周边区域调查”，下篇为“豫东考古发掘与研究”。李伯谦先生所作序中称：“这本书是一部资料丰富可信、全面系统论述豫东考古的集大成著作。”此次考古研究基本廓清了豫东及邻境地区新石器时代至夏商周时期考古学文化的分期、年代基本框架：

开封地区东部、商丘地区西部：裴李岗文化——仰韶文化——河南龙山文化——二里头文化、下七垣文化早商文化。这是中原系统文化，期间又交错有后李、北辛文化——大汶口文化——山东龙口文化——岳石文化等海岱文化系统。

191.洛阳文物钻探报告（第四辑）

作　者：洛阳市文物钻探管理办公室　编

出　处：中州古籍出版社 2013 年版

该书 16 开精装一册，正文 245 页。收录了洛阳地区文物钻探报告 19 篇，为文物的进一步发掘与保护提供了科学依据。

目录如下：

隋唐洛阳城定鼎门遗址区域考古调查勘探（一期）工作报告

洛阳联信房地产开发有限公司都市雅居建材市场 A 区文物钻探报告

洛阳福温联合置业有限公司紫金城 C 区补探文物钻探报告

洛阳市洛南新区村民拆迁安置居住区工程建设指挥部龙康小区（E 区）文物钻探报告

河南省洛阳荣康医院整体搬迁新址扩建项目文物钻探报告

洛阳衡达置业有限公司衡达锦运大厦文物钻探报告

洛阳市老城区史家沟村整体改造指挥部史家沟村整体改造文物钻探报告

河南隆安房地产开发有限公司隆安大厦文物钻探报告

洛阳市碧联房地产开发有限公司七一路 6、8、10 号院改造文物钻探报告

洛阳升龙置业有限公司西工区汉屯路小学文物钻探报告

洛阳市曲剧团多功能演艺厅和综合办公楼文物钻探报告

洛阳合和置业有限公司阳光富邸文物钻探报告

洛阳隆达房地产开发有限公司富阳佳苑（二期地下车库）文物钻探报告

河南绿都置业有限公司绿都阳光佳苑项目文物钻探报告

中国洛阳浮法玻璃集团有限责任公司洛玻俱乐部地块 14 号楼文物钻探报告

洛阳顺峰房地产开发有限公司状元府邸一期（1 ～ 6 号楼、13 ～ 17 号楼及地下车库）文物钻探报告

洛阳市智杰房地产开发有限公司智杰亚秀丽都天和 1、5、7、8 号楼和 1 号楼沿街商铺文物钻探报告

洛阳顶泰置业有限公司“白马城邦”经济适用房小区文物钻探报告

洛阳澳事达置业有限公司富尔家文物钻探报告

192.禹州新峰墓地

作　者：河南省文物局　编著

出　处：科学出版社 2013 年版

该书为 16 开精装一册，系 2007 年至 2011 年对河南省许昌市禹州新峰墓地的考

古发掘详报。共发掘战国至清代墓葬551座，其中505座为战国、秦汉时期墓葬，有土坑墓、砖室墓、砖石混筑墓。出土各类遗物2830件（套）。

193.平顶山黑庙墓地

作　者：河南省文物局　编著
出　处：科学出版社2014年版

该书为16开精装一册，正文186页，系配合南水北调工程，对河南省平顶山市郏县白庙乡黑庙村黑庙墓地三号区的考古发掘详报。发掘墓葬55座、灰坑3处。其中49座墓葬和两处灰坑，属西汉中晚期至西汉晚期。另有一处清墓，一处东周灰坑。

该书简报如下：

壹　概述
贰　遗迹概况
叁　汉代遗迹的初步研究
肆　结语

附有表格两种、文一篇。

194.洛阳五女冢：田野考古发掘报告

作　者：洛阳市文物考古研究所　编著
出　处：中州古籍出版社2014年版

该书16开精装一册，系2010年至2011年对洛阳市西工区洛北乡五女冢村五女冢遗址的考古发掘详报。该遗址遗存丰富，包括了新石器时代仰韶文化中晚期、商代早期、战国时期、汉代等多个时期的遗迹、遗物。尤以仰韶文化遗存最为丰富。报告还将此次发掘的成果，与周边地区相关遗址仰韶文化遗存进行了比较，探讨其内在的联系。

该书简目如下：

第一章　概述
第二章　仰韶文化遗存
第三章　商代文化遗存
第四章　战国时期文化遗存
第五章　汉代遗存

195.淅川新四队墓地

作　者：河南省文物局　编著
出　处：科学出版社 2015 年版

该书 16 开精装一册，是配合南水北调工程发掘的河南省淅川县新四队墓地的考古详报。该次考古共发掘了 48 座墓葬，时代从东周、西汉至元明清时期不等。

该书简目如下：

前言
第一章　绪目
第二章　战国至汉墓葬
第三章　元明清墓葬
结语

196.卫辉大司马墓地

作　者：河南省文物局　编著
出　处：科学出版社 2015 年版

该书为 16 开精装上、下两册，上册公布了 2006 年对卫辉大司马墓地的发掘资料。共计 26 座墓，时代涉及汉、隋、唐、宋、西晋、明、清。下册为“综合研究”，收录了相关的文章等。

湖北省

197.铜绿山：中国古矿冶遗址

作　者：湖北省黄石市博物馆等　编著
出　处：文物出版社 1980 年版

该书为 12 开一册，系湖北省黄石市铜绿山古矿冶遗址的简介，文字仅 5 页，另有图版 24 页。

198.西花园与庙台子

作　者：武汉大学历史系考古教研室、襄樊市博物馆、随州市博物馆　编著
出　处：武汉大学出版社 1993 年版

该书为 16 开精装一册，系 1983 年对湖北省随州市西花园遗址、庙台子遗址的考古发掘详报。西花园遗址包含有石家河、屈家岭、东周文化遗存。庙台子遗址包含石家河、商、西周、春秋、战国遗存。

199.鄂东北考古报告集

作　者：熊卜发　主编
出　处：湖北科学技术出版社 1996 年版

该书 16 开平装一册，正文 248 页，收录了鄂东北地区相关的考古发掘简报。同一出版社 1995 年还出版过《鄂东北地区文物考古》一书，16 开平装一册，熊卜发编著。当与本书为姐妹篇。

200.铜绿山古矿冶遗址

作　者：黄石市博物馆　编著
出　处：文物出版社 1999 年版

该书为 16 开精装一册，系 1974 ~ 1985 年考古人员对湖北省大冶铜绿山古矿冶

遗址进行发掘清理的详报。书中公布了 5 处矿体采矿遗址、2 处冶炼遗址的资料，分析了遗址的年代、矿业工具和采冶技术成就。书后有 5 种附录。书前以夏鼐先生 1980 年所写《铜绿山古铜矿的发掘》一文为序言。

201.枣林岗与堆金台：荆州大堤荆州马山段考古发掘报告

作　者：荆州博物馆　编著

出　处：科学出版社 1999 年版

该书为 16 开精装一册。1990 ~ 1992 年，考古人员在配合湖北省荆江大堤荆州马山段加固工程时，发掘了枣林岗墓地、堆金台东周墓地和颠倒屋台东周遗址。此书为其发掘详报，报道了包括新石器时代的瓮棺墓、东周时期楚墓、东周遗址和宋代墓葬。遗物中最为珍贵的是石家河文化时期的玉器，附有表格等 10 种。

简目如下：

壹　概况

贰　枣林岗墓地

叁　堆金台东周墓地

肆　颠倒屋台东周遗址

伍　结语

202.荆州高台秦汉墓

作　者：湖北省荆州博物馆　编著

出　处：科学出版社 2000 年版

该书 16 开精装一册，系 1992 年湖北省荆州高台墓地的考古发掘详报，介绍了发掘的 44 座秦汉墓葬的全部材料，并对出土的简牍文字进行了初步的研究。

203.朝天嘴与中堡岛

作　者：国家文物局三峡考古队　编著

出　处：文物出版社 2001 年版

该书 16 开精装一册，系湖北省秭归朝天嘴遗址、宜昌县中堡岛 1985 ~ 1986 年的考古详报。

简目如下：

朝天嘴遗址

第一章　地层堆积及遗迹相对早晚关系
第二章　新石器时代文化遗存
第三章　夏商文化遗存
第四章　小结

附有登记表 2 种。

中堡岛遗址

第一章　遗址概况
第二章　地层堆积与文化分期
第三章　新石器时代文化遗存
第四章　商时期文化遗存
第五章　宋代墓葬
第六章　结语

附有表格 10 种，鉴定报告等 3 篇。

204.宜昌路家河：长江三峡考古发掘报告

作　者：长江水利委员会　编著
出　处：科学出版社 2002 年版

该书为 16 开精装一册，系湖北省宜昌县太平溪镇五相庙村路家河遗址的考古发掘详报。该遗址 1958 年发现，1982 年试掘，1984 年进行了两次发掘，发现有距今 8000 年的城背溪文化，与二里头文化年代相当的朝天嘴类型文化，商代路家河文化，殷墟末期至春秋前期、战国时期楚文化及西汉前期、东汉时期、六朝至宋、明遗存，其中以商代路家河文化遗存最为丰富。

该书简目如下：

第一章　地理环境与发掘经过
第二章　层位关系与文化分期
第三章　第一期文化遗存
第四章　第二期文化遗存
第五章　第三期文化遗存
第六章　第四期文化遗存
第七章　第五期文化遗存
第八章　第六期文化遗存
第九章　第七期文化遗存
第十章　结语

附有文章 3 篇。

205.武昌放鹰台

作　者：湖北省文物考古研究所　编著
出　处：文物出版社 2003 年版

该书 16 开精装一册，系武汉市武昌水果湖畔放鹰台遗址的考古发掘详报。该遗址 1956 年发现，1965 年发掘，1997 年第二次发掘，发现有新石器、西周、宋代遗存。

简目如下：

第一章　概述
第二章　新石器时代文化遗存
第三章　西周文化遗存
第四章　宋代墓葬
附有统计表 3 种及“武昌放鹰台遗址 1997 年发掘报告”。

206.湖北库区考古报告集（第一卷）

作　者：国务院三峡工程建设委员会办公室、国家文物局　编
出　处：科学出版社 2003 年版

该书 16 开一册。库区，指三峡水库库区。本书共收录配合三峡水库工程于 1997 ~ 2000 年发掘的考古发掘报告 43 篇，时代从旧石器时代、新石器时代、经历夏商周，直至宋元明清各个历史阶段。

目录如下：

巴东白羊坪遗址发掘简报
巴东黎家沱遗址发掘简报
巴东黎家沱遗址 2000 年度发掘简报
巴东地主坪考古发掘简报
巴东孔包河遗址发掘报告
巴东茅寨子湾遗址发掘报告
巴东雷家坪遗址发掘简报
巴东团包遗址发掘简报
巴东棕杨树槽遗址发掘报告
巴东鸽子窝遗址 2000 年发掘简报
巴东前进滩遗址发掘简报
巴东老五亩田遗址发掘简报
巴东雕楼包古墓葬发掘简报

巴东罗坪唐代墓葬发掘简报
巴东黄家梁子墓葬发掘简报
巴东老屋场墓群发掘简报
巴东宝塔河遗址六朝墓葬发掘简报
巴东西瀼口古墓葬 2002 年发掘简报
秭归长府沱遗址试掘简报
秭归庙坪遗址 1995 年试掘简报
秭归玉种地遗址发掘简报
秭归下尾子遗址发掘简报
秭归沙湾遗址发掘简报
秭归曲溪口遗址发掘简报
秭归长府沱商代遗址发掘简报
秭归仓坪遗址发掘简报
秭归台子湾遗址发掘报告
湖北秭归台子湾遗址钻探报告
秭归渡口遗址发掘简报
秭归大梁尾遗址发掘简报
秭归何家坪遗址发掘简报
秭归香溪刘家坝、八字门遗址 1997 年第一次发掘简报
秭归台丘遗址发掘报告
秭归将军滩遗址发掘简报
秭归狮子包明墓清理简报
秭归蟒蛇寨汉晋墓群发掘报告
秭归望江墓群发掘简报
秭归王家湾遗址发掘简报
秭归柳林溪遗址 1998 年发掘简报
秭归旧州河遗址发掘报告
秭归王家坝遗址发掘简报
宜昌上磨垴周代遗址发掘简报
秭归东门头汉墓与宋墓清理简报

按：此系列丛书仍在出版，有朱世学、周百灵《三峡库区墓葬初步研究》（科学出版社 2010 年版）一书，可参阅。该书分为新石器、东周、西汉、东汉、六朝、唐宋和明几个历史时期，分别叙述了相关墓葬及其特点。后附“三峡湖北库区出土墓葬索引”。

207.秭归何光嘴

作　者：国务院三峡工程建设委员会办公室、国家文物局　编著
出　处：科学出版社 2003 年版

本书为 16 开精装一册，是湖北省秭归何光嘴商代遗址的考古发掘详报。

该书简目如下：

第一章　地理环境与发掘经过
第二章　地层与遗迹
第三章　陶器
第四章　石制品
第五章　动物群
第六章　汉至明清时期遗存

附有表格 10 种。

208.秭归柳林溪

作　者：国务院三峡工程建设委员会办公室、国家文物局　编著
出　处：科学出版社 2003 年版

本书为 16 开精装一册，是三峡库区秭归柳林溪遗址的考古发掘详报。该遗址以新石器时代遗存为主，兼及部分东周、汉以后考古材料。

该书简目如下：

壹　前言
贰　地层堆积与文化分期
叁　新石器时代遗存
肆　二里头文化遗存
伍　周代文化遗存
陆　汉代文化遗存
柒　六朝文化遗存
捌　宋代遗存
玖　明清遗存
拾　结语

有附表 3 种，附录 2 种。

209.秭归庙坪

作　者：湖北省文物事业管理局、湖北省三峡工程移民局　编著

出　处：科学出版社 2003 年版

该书 16 开精装一册，系对湖北省秭归县郭家坝镇楚王井村庙坪遗址的考古发掘详报。时代从新石器时代直至明代。为三峡地区各阶段历史发展的研究提供了实物资料。

该书简目如下：

壹　前言

贰　文化堆积与遗址分期

叁　新石器时代遗存

肆　周代遗存

伍　汉代遗存

陆　六朝遗存

柒　唐宋遗存

捌　明代遗存

玖　结语

附有各种表格 9 种、相关文章 5 篇。

210.荆门罗坡岗与子陵岗

作　者：湖北省文物考古研究所、荆门市博物馆　编著

出　处：科学出版社 2004 年版

本书为 16 开精装一册，正文 381 页，约 56 万字，文后附彩色图版 6 页、黑白图版 46 页。

为配合荆门市水泥厂的迁建工程，考古人员于1996 年8 ～12 月对罗坡岗、子陵岗进行勘探，发现战国及东汉时墓地163 座。这本发掘详报全面、系统地报道了这批考古资料。据研究，罗坡岗墓地是一处战国中期晚段至战国晚期（秦统一六国前后）的楚人墓地；在子陵岗发现的4 座墓葬为战国晚期晚段（秦统一六国前后）至西汉初年的秦人墓葬。此报告的出版，为探索公元前278 年秦将白起拔郢前后至西汉初年时，楚国腹心区域的政治、经济、文化发展状况，以及楚遗民的文化演进等，提供了难得的实物资料。

211.赤壁土城：战国西汉城址墓地调查勘探发掘报告

作　者：湖北省文物考古研究所、咸宁市博物馆、赤壁市博物馆　编著

出　处：科学出版社 2004 年版

本书为 16 开本一册，共 402 页，彩版 10 幅，黑白版 46 幅。

1999 年 7 月至 2002 年 1 月，考古人员先后 5 次在赤壁土城遗址进行考古调查、勘探与发掘。在城内清理战国瓮棺墓 5 座、瓦棺墓 2 座和北宋墓 1 座，同时还清理了城外两处墓地的 108 座战国墓葬。本考古详报系统、全面地介绍了这批情况。报告判定土城是两座大小相异、时代不同的城址。大城的出土遗物与城外墓葬具有鲜明的楚文化特征，应是战国时期楚国的一座地方城邑，也是湖北省江南发现的惟一一处楚城遗址。小城位于大城内西南部，面积是大城的五分之一，出土遗物的西汉时代特征十分明显，是鄂东南地区首次发掘并公布的一批西汉城址资料。本书为探索不同区域的楚文化和汉代考古学文化提供了难得的实物资料。

该书简目如下：

第一章　绪论

第二章　城址及城外遗址墓地调查与铲探

第三章　城址发掘

第四章　墓葬发掘

第五章　结语

附有 5 种表格。

212.清江考古：长阳地区考古发掘报告

作　者：王善才　编著

出　处：科学出版社 2004 年版

该书 16 开精装一册，系湖北省清江中下游长阳地区的考古发掘报告，为研究鄂西从旧石器时代到汉唐时期历史提供了一手材料。

简目如下：

壹　前言

贰　旧石器时代遗址

叁　新石器时代遗址及巴人崖墓葬

肆　早期巴文化遗址及东周遗址

伍　东汉——唐代墓葬

陆　结语

213.秭归官庄坪

作　者：国务院三峡工程建设委员会办公室、国家文物局　编著
出　处：科学出版社 2005 年版

本书为 16 开精装一册，正文 653 页，文后有彩色图版 12 版，黑白图版 140 版。

本书是长江三峡工程文物保护项目报告，全面系统地介绍了湖北省秭归县官庄坪遗址不同时期的文化遗存。报告分别就该地区的屈家岭文化时期、石家河文化时期、二里头文化时期、商代、东周、唐代、元代及明代的遗存进行了报道和研究，内容涉及考古学、历史学、人类学、生物学等学科，重点总结了三峡地区古代文化的发展历程及各阶段的文化特点。

214.襄阳王坡东周秦汉墓

作　者：湖北省文物考古研究所　编著
出　处：科学出版社 2005 年版

该书 16 开精装一册，正文共 461 页，插图 291 幅，图版 82 幅。

2001 年 4 月至 2002 年 11 月，为配合襄（樊）十（堰）、襄（樊）荆（州）高速公路连接线工程建设，考古人员在襄阳王坡勘探、发掘墓葬 173 座，墓葬时代有春秋早期、战国晚期至秦代、西汉、东汉。本报告系统地报道了这批资料，并推断王坡墓地在春秋早期是邓国贵族墓地，战国晚期后段（公元前 278 年秦拔郢后）至秦代是占领、统治邓城的秦人和楚遗民的墓地，西汉时期是邓城居民的公共墓地，东汉时期是地方官员或豪强地主的家族墓地。王坡墓地的发掘填补了襄阳地区邓国贵族墓地和秦墓发掘的空白。

该详报为探索邓国历史文化、建立本地区秦文化的分期序列及研究楚、秦、汉文化的演进历程和多种文化的交流提供了一批重要的实物资料。

215.湖北库区考古报告集（第二卷）

作　者：国务院三峡工程建设委员会办公室、国家文物局　编
出　处：科学出版社 2005 年版

该书 16 开精装一册，计 515 页。继第一卷之后推出的第二卷，共收录湖北库区各个历史时期的考古发掘报告 36 篇。发掘时间集中在 1997 ～ 2000 年。

目录如下：

巴东李家湾遗址发掘简报
巴东长渡河遗址发掘简报
巴东长沱河遗址发掘简报
巴东大河坪遗址发掘简报
巴东店子头遗址发掘简报
巴东东壤口六朝墓地发掘简报
巴东福利溪旧石器时代遗址发掘简报
巴东高桅子遗址发掘简报
巴东铜铲坪遗址发掘简报
巴东火焰石遗址发掘简报
巴东罗坪墓葬发掘报告
巴东茅寨子湾六朝墓发掘简报
巴东石柱子遗址发掘简报
巴东四季坪遗址发掘简报
巴东大罗囤墓地发掘简报
巴东土寨子遗址发掘简报
巴东万流遗址发掘简报
巴东西口墓群发掘报告
巴东农行遗址发掘简报
巴东学堂包遗址发掘简报
巴东鸭子嘴遗址（西区）发掘简报
巴东杨家棚汉代遗址发掘简报
秭归东门头遗址第三次发掘简报
秭归坟堰湾与谭家河遗址发掘简报
秭归河坎上遗址发掘简报
秭归黄土嘴遗址考古发掘简报
秭归卢家沱遗址发掘简报
秭归乔家坝遗址发掘简报
秭归青草坝遗址发掘简报
秭归土地湾汉代遗址发掘简报
秭归香溪口遗址发掘简报
秭归杨家沱遗址发掘简报
秭归张家坪遗址发掘简报

秭归东门头汉墓与宋墓清理简报
秭归马槽岭与孔岭东汉墓发掘简报
秭归大沙坝遗址的发掘

216.大冶五里界：春秋城址与周国遗址考古报告

作　者：湖北省文物考古研究所　编著
出　处：科学出版社 2006 年版

本书为 16 开一册。五里界城为春秋时期城址，城周遗址为西周至春秋时期。鄂王城为战国遗址，草王嘴城为西汉遗址。这些城址均与采矿、冶炼密切相关，应是当时采矿、冶炼生产过程中的管理、仓储、转运中心。该书前有李伯谦先生序。

该书简目如下：
第一章　绪论
第二章　城址调查与勘探
第三章　城址发掘
第四章　城周围遗址调查
第五章　结语
附有 4 种表格及“鄂王城调查”等 4 种附录。

217.当阳岱家山楚汉墓

作　者：湖北省宜昌博物馆　编著
出　处：科学出版社 2006 年版

该书 16 开精装一册，是 2003 ～ 2004 年湖北省当阳市岱家山楚汉墓群的考古发掘详报。该墓群共发掘墓葬 171 座，包括战国中、晚期的楚墓及两汉时期墓葬。

该书简目如下：
第一章　概述
第二章　墓葬叠压、打破关系及时代划分
第三章　东周墓葬
第四章　汉代墓葬
第五章　东周至明清时期相关遗存
第六章　结语
附有统计表、分期表各一种及文物检测报告、人骨鉴定报告各一篇。

218.巴东楠木园

作　者：国务院三峡工程建设委员会办公室、国家文物局　编著
出　处：科学出版社 2006 年版

该书 16 开精装一册，正文 568 页，系湖北省恩施巴东县楠木园遗址 2000 年至 2003 年七次发掘的详报。该遗址遗存丰富，包涵了新石器时代、商周时期、汉至六朝时期、唐宋明清时期等各个历史时期的遗迹、遗物。

简目如下：

壹　绪言
贰　地层堆积
叁　楠木园文化遗存
肆　分期
伍　碳 -14 年代研究
陆　动物研究

219.巴东罗坪

作　者：国务院三峡工程建设委员会办公室、国家文物局　编著
出　处：科学出版社 2006 年版

本书为 16 开精装一册，正文共 423 页，近 90 万字，文后附有彩色图版 8 版、黑白图版 56 版。

本书是三峡库区巴东罗坪遗址的考古发掘详报。书中分别对该遗址周代、汉代、唐代、宋代、明代、清代的遗迹、遗物作了系统、翔实的报道，反映了该地区古代文化的基本面貌。本报告重点总结了周、汉两代遗存的文化特点，丰富了对三峡地区考古学文化的认识，对于建立三峡地区考古学文化序列有重要价值。

220.湖北库区考古报告集（第三卷）

作　者：国务院三峡工程建设委员会办公室、国家文物局　编
出　处：科学出版社 2006 年版

该书 16 开精装一册，计 524 页。收录 2002 年至 2003 年湖北库区考古发掘报告 30 篇，涉及各个历史时期，

简目如下：

秭归埂子上遗址和墓葬发掘简报

秭归望江彭家老屋墓群发掘简报
卜庄河古遗址（A、B 区）发掘简报
秭归大幺姑沱遗址发掘简报
秭归老坟园墓群发掘报告
秭归胜利街遗址发掘简报
秭归窑湾墓地发掘简报
秭归何家大沟遗址的发掘
小幺姑沱遗址发掘报告
秭归何家坪遗址发掘简报
巴东龙堆包墓群发掘报告
巴东炮台子墓发掘简报
巴东龙王庙遗址发掘简报
巴东宝塔河古墓发掘报告
巴东罗坪遗址发掘简报
巴东链子溪遗址发掘简报
巴东万家湾墓地发掘简报
巴东九红岩化石点发掘简报
巴东横坪墓群发掘简报
巴东龙船河墓地发掘简报
巴东老虎包墓地发掘简报
巴东孔包河墓地 2002 年发掘简报
巴东孔包河墓地 2003 年发掘简报
巴东福利溪墓地 2003 年发掘简报
巴东竹林湾墓地发掘简报
巴东仁家坪遗址 2002 年发掘简报
巴东四季坪遗址发掘简报
巴东将军滩墓地发掘简报
巴东官田包墓地发掘简报
巴东茅寨子湾遗址的第二次发掘

221.湖北库区考古报告集（第四卷）

作　者：国务院三峡工程建设委员会办公室、国家文物局　编
出　处：科学出版社 2007 年版

该书16开精装一册，计524页。共收录湖北库区各个历史时期考古发掘报告32篇。

目录如下：

巴东县太极图墓群 2005 年发掘简报
巴东县杜公祠墓地 2005 年发掘简报
巴东县雷家坪遗址 2003 年发掘报告
巴东县雷家坪遗址第三次发掘简报
巴东县雷家坪六朝墓地发掘报告
巴东县高桅子遗址 2004 年发掘简报
巴东县高桅子遗址 2005 年发掘简报
巴东县高桅子墓群 2005 年发掘简报
巴东县陈橡树墓群发掘简报
巴东县万人坑墓群 2005 年发掘简报
巴东县嘉湾墓群 2005 年发掘简报
巴东县孤家岭遗址 2004 年发掘简报
巴东县蔡家包墓地 2004 年发掘简报
巴东县沿渡河墓群 2004 年发掘简报
巴东县上码头墓群 2004 年发掘简报
巴东县将军滩墓地发掘简报
巴东县张家坟墓群 2003 年发掘简报
巴东县七亩地遗址 2005 年发掘报告
巴东县祠堂包化石点发掘简报
巴东县吴家坝遗址（西区）2006 年发掘报告
巴东县吴家坝遗址发掘报告
巴东县葛藤坪遗址发掘简报
巴东县陈向坪王家湾墓群 2004 年发掘报告
巴东县王家湾遗址发掘报告
秭归县马槽岭遗址发掘简报
秭归县陶家坡墓葬发掘简报
秭归县水田坪遗址发掘报告
秭归县砂罐岭遗址发掘简报
兴山县平邑口墓群发掘简报
兴山县平邑口墓葬发掘简报
兴山县邹家岭墓葬 2005 年发掘简报
兴山县甘家坡遗址发掘简报

222.郧县老幸福院墓地

作　者：南水北调中线水源有限责任公司、湖北省移民局、湖北省文物事业管理局　编著

出　处：科学出版社 2007 年版

该书为 16 开一册，正文共计 177 页，彩版 4 幅，黑白版 44 幅。

2004 年 6 ~ 9 月和 2005 年 3 ~ 4 月，为配合南水北调中线一期工程建设，考古人员先后两次对老幸福院墓地进行全面发掘，清理东周墓葬 30 座、东汉墓葬 38 座、宋代墓葬 3 座。该书全面、系统地报道了这批资料，并推断战国中期晚段至战国晚期晚段此处为楚人墓地，东汉中晚期为公共墓地。该考古发掘详报为探索郧县地区战国中晚期的政治、经济、文化发展状况及文化属性和东汉中晚期的社会发展状况，提供了难得的实物资料。

223.蕲春罗州城——2001 年发掘报告

作　者：黄冈市博物馆、湖北省文物总局　编著

出　处：科学出版社 2007 年版

该书为 16 开本一册，共 388 页，约 57.5 万字，文后附有彩色图版 16 页、黑白图版 28 页。

作为湖北蕲春罗州古城遗址考古工作的系列成果，该书主要收录了 2001 年蕲春国家粮库建设期间，在罗州城内发掘所获的城址堆积的相关资料。书中全面报道了 2001 年的发掘收获，展示了罗州古城遗址在战国两汉、隋唐五代、宋代等各个历史时期的地层、遗迹和遗物的基本面貌，通过系统整理，理清了罗州古城内考古学文化发展的基本脉络。本书的出版，对湖北乃至长江中游地区战国两汉及唐宋时期的考古学研究均有学术价值。

224.荆门子陵岗

作　者：荆门市博物馆　编著

出　处：文物出版社 2008 年版

该书 16 开精装一册，为湖北省荆门市东宝区子陵铺镇子陵岗遗址的发掘详报。书中有郭德维先生序，共收录东周墓 62 座、秦西汉墓 14 座、东汉墓 17 座、明墓 2 座，均为小墓。

该书简目如下：

第一章　绪论

第二章　墓葬分区与分布

第三章　东周墓

第四章　秦、西汉墓

第五章　东汉墓

第六章　明墓

附有表格 4 种、检测分析 1 篇。

据介绍，1987 ~ 1991 年，考古人员在荆门市子陵岗抢救发掘了一批东周、秦、两汉和明时期的墓葬，其中东周墓数量最多。出土遗物中的陶器组合完整，显示从鬲、盂、罐、豆向鼎、敦、壶转变过程。青铜器中越王勾践剑等为研究楚越关系提供了新的实物资料。除出土大量秦、西汉、东汉时期陶器外，多种金属器、铭文等十足珍贵。明代墓中出土有多件墓志，为研究明史提供了宝贵的资料。

225.湖北省南水北调工程重要考古发现（一）

作　者：湖北省文物局　编著

出　处：文物出版社 2008 年版

该书 16 开一册，介绍了 2006 年湖北南水北调工程中发现的重要遗址 35 个。2010 年又推出了第二集，介绍了 2008 年重要发现 32 个。2012 年再推出了第三集。注意此书与《湖北南水北调工程考古报告集》不是一个系列。

226.秭归卜庄河

作　者：国务院三峡工程建设委员会办公室、国家文物局　编著

出　处：科学出版社 2008 年版

本书 16 开精装上下两册，计 887 页，约 170 万字，文后有彩色图版 60 版，黑白图版 240 版。

本书按发掘区域全面系统地介绍了三峡库区卜庄河遗址不同历史时期的文化遗存。全书分为 10 章，内容丰富，图文并茂，是一部综合性的考古发掘报告。书中分别就卜庄河遗址的大溪文化、石家河文化、二里头文化、商代、周代、汉代、六朝、宋代、明代、清代等时期的遗存进行了研究，内容涉及考古学、历史学、人类学、生物学等学科，重点总结了三峡地区古代文化的发展历程和各阶段的文化特点。

227.荆州荆南寺

作　者：荆州博物馆　编著
出　处：文物出版社 2009 年版

该书 16 开精装一册，系湖北荆州市荆州古城西 1.5 公里荆南寺遗址的考古发掘详报。该遗址 1982 年发现，1984 年发掘，1985 年、1986 年、1988 年、1992 年间又进行了七次发掘。

简目如下：

第一章　前言
第二章　地层堆积
第三章　大溪文化遗存
第四章　石家河文化遗存
第五章　夏商时期遗存
第六章　西周时期遗存
第七章　东周时期遗存
第八章　西汉时期遗存

附有《荆南寺遗址动物骨骼遗存研究》一文及表格等。

228.老河口九里山秦汉墓

作　者：襄樊市文物考古研究所、武安铁路复线九里山考古队　编著
出　处：文物出版社 2009 年版

本书为 16 开精装一册。

2005 年 6 月至 2006 年 7 月，为配合武（汉）安（康）铁路复线建设，考古人员在老河口市九里山墓地调查发现墓葬 1000 余座，勘探墓葬 257 座，发掘墓葬 194 座。所发掘的墓葬除 1 座为宋代墓葬外，其余均为秦汉时期的墓葬。

该书分绪言、墓地布局、秦墓、汉墓、结语等五章，全面、系统地报道了本次发掘的秦汉时期墓葬的资料，并推断九里山墓地是一处经统筹规划、有集中管理并长期使用的大型低等贵族、中小地主和平民的公共墓地。墓地年代上限为秦昭襄王二十八年（前 279 年）秦占本区的战国晚期后段，下限到东汉光武帝建武十六年（40 年）的东汉初年，且很可能与其南侧的大型中心聚落柴店岗遗址相配套。其文化因素较为复杂，并随时代发展而变化。这种变化也正反映了汉文化承秦制、融楚俗的形成与发展的过程。该墓地的发掘为研究本地区秦汉时期的墓葬制度、楚秦文化的流变，进而探

讨秦、楚间政治对决进程和地方区域中心的演变、文化的区域性特点等提供了重要而翔实的资料。对于文物、考古、历史学及相关学科的研究均有参考价值。

本书简目如下：

第一章　绪言

第二章　墓地布局

第三章　秦墓

第四章　汉墓

第五章　结语

附有登记表及人骨鉴定等。

229.巴东雷家坪

作　者：国务院三峡工程建设委员会办公室、国家文物局　编著

出　处：科学出版社 2009 年版

该书 16 开精装一册，系对重庆市巴东雷家坪遗址考古发掘的考古详报。时代跨度大，涉及新石器时代、商周时代、东汉与六朝、唐代及明清时期。为三峡地区考古学文化序列的建立，提供了重要的一手资料。

230.巴东李家湾

作　者：国务院三峡工程建设委员会办公室、国家文物局　编著

出　处：科学出版社 2009 年版

本书为 16 开本一册，正文 184 页，36.7 万字，文后附彩色图版 20 幅，黑白图版 26 幅。

该书系统介绍了湖北省巴东县李家湾遗址 2001 年发掘的田野资料。李家湾遗址包含新石器时代文化遗存、周代遗存、汉代至六朝遗存、唐宋及明清文化遗存等，其中新石器时代屈家岭文化遗存具有江汉平原典型的屈家岭类型特征，为屈家岭文化分布范围的扩大提供了翔实的证据。值得注意的是，本书在描述石质生产工具时开创性地提出了一套系统的定位、观察、描述的方法。

该书对于从事考古学、历史学、第四纪地质学等学科研究的专家、学者均有重要参考价值。

本书简目如下：

壹　概述

一、地理环境与历史沿革
二、调查、发掘整理经过
贰　地层堆积与遗址分期
叁　新石器时代文化遗存
肆　周代遗存
伍　汉——六朝遗存
陆　唐宋及明清遗存
柒　模糊遗存
捌　结语
一、遗址性质
二、遗址年代和地域特征
有“附大溪文化遗迹一览表”等各种表格 33 种。

231.湖北库区考古报告集（第五卷）

作　者：国务院三峡工程建设委员会办公室、国家文物局　编
出　处：科学出版社 2010 年版

该书 16 开精装一册，正文 567 页。收录湖北库区相关考古发掘报告 30 篇，涉及各个历史时期。

目录如下：
巴东孔包墓群 2007 年发掘报告
巴东堰塘湾遗址发掘报告
巴东杨家包、下滩坪、秦家沱墓地 2007 年度考古报告
巴东老茗田墓地 2002 年发掘简报
巴东宋家榜遗址发掘简报
巴东杨家包墓群发掘简报
巴东店子坪墓群发掘简报
巴东孔包河遗址墓葬 2001 年度发掘报告
巴东镇江寺墓地发掘简报
秭归兵书宝剑峡悬棺清理简报
秭归缆子杆遗址发掘简报
秭归独石子遗址发掘简报
秭归大沱湾遗址发掘简报
秭归正午溪遗址发掘简报

秭归油厂夏商时期遗址与六朝墓葬发掘简报
秭归三溪墓群发掘简报
秭归八字门墓群发掘简报
秭归台子湾墓群发掘简报
秭归何家坡遗址发掘简报
秭归乌龟包墓群发掘简报
秭归王家岭古墓群 2007 年度发掘报告
秭归香溪几处遗址墓葬 2007 年的发掘
秭归小幺姑沱遗址发掘简报
秭归何家岭、沙包岭墓地发掘简报
秭归陶家坡遗址发掘报告
秭归郑家湾遗址发掘简报
秭归陈家坪遗址发掘简报
秭归何家坪遗址 2007 年发掘报告
秭归大麦沱、王家滩、杨家包、徐家屋场墓地 2007 年第一次发掘简报
宜昌伍相庙遗址 2001 年度发掘简报

232.湖北库区考古报告集（第六卷）

作　者：国务院三峡工程建设委员会办公室、国家文物局　编
出　处：科学出版社 2010 年版

该书 16 开精装一册，658 页。收录湖北库区相关考古报告 26 篇，涉及各个历史时期。目录如下：
巴东吴家坝遗址（南区）2006 年发掘报告
巴东吴家坝遗址 2006 年发掘报告
巴东吴家坝遗址 2007 年发掘报告
巴东吴家坝遗址 2006 年发掘简报
巴东吴家坝墓地发掘报告
巴东红庙岭遗址第一、二次发掘报告
巴东红庙岭遗址第三次发掘
巴东红庙岭墓地 2007 年发掘报告
巴东雷家坪遗址 2006 年发掘简报
巴东雷家坪遗址 2005 年发掘简报
巴东杜公祠墓地发掘简报

巴东焦家湾墓群 2008 年发掘简报
巴东王家湾墓群 2007 年发掘简报
巴东高桅子遗址 2006 年发掘简报
巴东云盘遗址考古发掘简报
巴东九红岩化石点发掘简报
巴东东瀼品墓地发掘简报
秭归李家街遗址发掘
秭归白水河遗址发掘简报
秭归天登包墓群 2004 年发掘简报
秭归天灯堡遗址墓葬发掘报告
秭归永家坪遗址发掘简报
秭归县甲沟遗址发掘简报
秭归塔子沟墓葬发掘及遗址调查简报
秭归下滩沱遗址发掘简报
秭归向家坪墓群发掘简报

233.巴东旧县坪

作　者：国务院三峡工程建设委员会办公室、国家文物局　编著
出　处：科学出版社 2010 年版

该书 16 开精装上下两册，系 2001 年、2003 年对湖北省恩施巴东旧县坪遗址考古发掘的详报。该遗址遗存十分丰富，涉及东周、两汉、六朝、隋唐五代、两宋、明清各个历史时期。

简目如下：

上编　遗址篇
　第一章　绪论
　第二章　地层堆积与文化内涵
　第三章　东周时期
　第四章　两汉时期
　第五章　六朝时期
　第六章　隋唐五代时期
　第七章　两宋时期
下编　墓葬篇
　第一章　墓葬概论

第二章　汉代墓葬
第三章　六朝墓葬
第四章　宋代墓葬
第五章　明代墓葬
第六章　结语
附有《六朝至宋代巴东发展初探》等三篇文章。

234.巴东红庙岭

作　者：国务院三峡工程建设委员会办公室、国家文物局　编著
出　处：科学出版社 2010 年版

本书为大 16 开精装一册，正文共 408 页，约 73.4 万字，文后附有彩色图版 6 页、黑白图版 46 页。

本书是配合三峡水利枢纽工程建设开展考古发掘的一部正式详报，全面系统地介绍了湖北省巴东县红庙岭遗址大溪文化时期、夏商时期、周代、秦、西汉时期的文化遗存，以及东汉至唐宋时期的一批墓葬，为研究三峡地区古代文化和古代巴人的起源、发展、演变等提供了一批重要考古资料。对于考古学、历史学、民族学研究具有重要的学术价值。

本书简目如下：
第一章　绪论
一、地理位置
二、自然环境
三、工作概况
四、编写本报告的有关说明
第二章　地层堆积与文化分期
一、地层堆积
二、文化分期
第三章　大溪文化遗存
一、概述
二、文化遗存
三、小结
第四章　夏商时期的遗存
一、概述

二、文化遗存
三、小结
第五章　周代时期的遗存
一、概述
二、文化遗存
三、小结
第六章　秦、西汉时期的遗存
一、概述
二、文化遗存
三、小结
第七章　东汉时期墓葬
一、概述
二、土圹墓介绍
三、小结
第八章　六朝时期墓葬
一、概述
二、土圹墓介绍
三、小结
第九章　唐宋时期墓葬
一、概述
二、土圹墓介绍
三、小结
第十章　模糊遗迹
一、概述
二、模糊遗迹
三、小结
第十一章　结语
一、对文化遗迹方面的认识
二、对文化遗物方面的认识

附有“红庙岭遗址土坑墓随葬器物种类、型、式排列一览表”等表格 8 种，相关文章 5 篇。

红庙岭遗址位于巴东县滚口镇绿竹筏村，面积约 2000 平方米。1994 年、1998 ～ 1999 年两次发掘。

235.秭归陶家坡

作　者：国务院三峡工程建设委员会办公室、国家文物局　编著

出　处：科学出版社 2010 年版

该书为 16 开精装一册，是 2004 ～ 2007 年间对湖北省秭归县陶家坡汉至明清墓葬群考古发掘详报。该书简目如下：

壹　前言

贰　汉代墓葬

叁　六朝墓葬

肆　唐宋墓葬

伍　明清墓葬

陆　结语

236.秭归东门头

作　者：国务院三峡工程建设委员会办公室、国家文物局　编著

出　处：科学出版社 2010 年版

本书为 16 开一册，462 页，约 83 万字。

本书介绍了湖北省秭归县东门头遗址 1997 ～ 2002 年的发掘成果，展示了该遗址新石器时代、商周、汉、唐、宋、元、明、清等时期的文化面貌与特点。其中，宋元时期的城墙、城门、道路、房址、排水沟等遗迹保存较好，出土遗物丰富，是研究三峡地区县治变迁、城市规划、建筑艺术及社会风貌等的重要资料。

本书简目如下：

壹　绪论

　一、地理环境与遗址位置

　二、考古工作概况

贰　文化堆积与遗址分期

叁　新石器时代遗存

肆　商代遗存

伍　周代遗存

陆　汉代遗存

柒　唐代遗存

捌　宋元时期遗存

玖　明清时期遗存
结语
附表一　东门头遗址城背溪文化时期陶片统计表
附表二　东门头遗址商代陶片统计表
附表三　东门头遗址周代陶片统计表
附表四　M11 出土铜钱登记表
附表五　M1 出土铜钱登记表
附表六　H13 出土铜钱登记表
附表七　F14、F16、F22、F28、F32、F36、G1、H5、M0、M10 出土铜钱登记表
附录一　东门头遗址动物遗骸研究报告
附录二　东门头遗址出土古代人骨的研究

237.三峡湖北段沿江石刻

作　者：国务院三峡工程建设委员会办公室　编著
出　处：科学出版社 2010 年版

该书 16 开精装一册，主要介绍了三峡中西陵峡、巫峡区域多个历史时期的石刻史料。这些史料的内容，涉及长江水情、航道治理、镇江佑安、滩险提示、筑路修道、捐献义渡等。以此为线索，又可发现西陵峡、巫峡一带众多古墓葬、古城址、古寺庙、古桥梁、古民居等文化遗产。

该书简目如下：
第一章　总述
第二章　巴东段石刻
第三章　秭归段石刻
第四章　宜昌段石刻

238.阳新大路铺

作　者：湖北省文物考古研究所、湖北省黄石市博物馆、湖北省阳新县博物馆编著
出　处：文物出版社 2013 年版

该书为16开精装上、下两册，系湖北省阳新县白沙镇大路铺村遗址考古发掘详报。该遗址于1984～1985年、1990年、2003年间共进行了四次发掘，发现有灰坑、灰沟（柱

洞）、房址（柱洞）、墓葬、水井、陶窑、灶（炕）、烧土堆等遗迹，出土各类遗物 3790 件。其中包括新石器时期、商周时期文化遗存，以商周时期遗存较为丰富。遗物中商周时期冶炼、溶铜、铸铜工具值得重视。

该书简目如下：

第一章　绪言

第二章　地层堆积与遗迹分布

第三章　新石器时代文化遗存

第四章　商周时代文化遗存

第五章　结语

附有表格 11 种，文章 3 篇。

239.湖北南水北调工程考古报告集（第 1 卷）

作　者：湖北省文物局、湖北省移民局、南水北调中线水源有限责任公司　编著

出　处：科学出版社 2013 年版

本书为 16 开精装一册，是为配合南水北调工程对丹江口库区进行考古发掘的汇集。收 16 篇考古发掘简报，附论文 1 篇。

目录如下：

湖北省丹江口市观音坪遗址 2008 年发掘报告

湖北省丹江口市南张家营遗址发掘简报

湖北省丹江口市金陂墓群的发掘

湖北省丹江口市莲花池墓地战国秦汉墓

湖北省丹江口市金陂墓群 2006 年度清墓发掘简报

湖北省勋县大寺遗址 2006 年发掘简报

湖北省勋县胡家窝遗址发掘报告

湖北省勋县店子河遗址发掘报告

湖北省勋县郭家道子遗址 2006 ～ 2007 年发掘简报

湖北省勋县乔家院春秋殉人墓(附《东周—汉代居民牙齿的形态观察与测量》一文)

湖北省勋县辽瓦店子遗址东周遗存的发掘

湖北省勋县韩家洲墓地发掘报告

湖北省勋县前房遗址发掘报告

湖北省勋县后房村崖墓调查发掘报告

湖北省十堰市斜窝河遗址发掘简报

湖北省十堰市方滩遗址考古发掘报告

240.湖北省南水北调工程考古报告集（第 2 卷）

作　者：湖北省文物局、湖北省移民局、南水北调中线水源有限责任公司　编著
出　处：科学出版社 2013 年版

本书为 16 开精装一册，是丹江口库区考古发掘报告汇集。计 15 篇，另有研究论文 1 篇：

丹江口彭家河旧石器遗址发掘简报
丹江口彭家院遗址 2006 年发掘简报
丹江口八腊庙墓群第二次发掘简报
丹江口薄家湾遗址发掘简报
丹江口吴家沟墓群发掘简报
丹江口龙口林场墓群万家沟岭墓地战国—汉代墓葬发掘简报（附有《出土人骨研究》一文）
丹江口雷陂墓地晋、明清墓葬发掘简报
丹江口七里沟墓群 2008 年发掘报告
郧县尖滩坪遗址 2006 ~ 2007 年发掘简报
郧县青龙泉遗址 2008 年度发掘简报
郧县鲤鱼嘴遗址发掘简报
郧县中台子遗址发掘简报
郧县白鹤观遗址东周墓发掘简报
十堰沉滩河遗址 2006 年发掘简报
郧西张家坪遗址发掘简报

241.襄阳陈坡

作　者：湖北省文物考古研究所、襄阳市文物考古研究所、襄阳市襄州区文物管理处　编著
出　处：科学出版社 2013 年版

该书 16 开，共约 80 万字，附彩色图版 76 页。

襄阳陈坡遗址是湖北省文物考古研究所为配合襄樊市（今襄阳市）崔家营航电枢纽工程而进行发掘的一处重要遗址。2005 ~ 2006 年考古人员对该遗址进行了两次发掘，本详报对两次发掘所得资料进行了全面、系统的报道。

襄阳陈坡遗址的时代主要始于西周中期，一直延续到东汉早期，西汉晚期略有

间断。西周中期至春秋时期正是楚文化形成、发展、成熟、繁荣昌盛的历史时期，也是陈坡遗址文化内涵最丰富的时期，因此，本报告的出版，对研究早期楚文化的形成、发展进程具有重要的学术价值。

陈坡10号墓是一座战国时期的中型楚墓，出土器物繁多，制作精美，礼器组合齐全，特别是“大司马”铜鼎、“卲王”铭文铜戈等，为研究战国时期楚国中等贵族墓的葬制、葬俗和考古学文化的分类、分期提供了一批重要的实物资料。

242.丹江口牛场墓群

作　者：湖北省文物局、湖北省移民局、南水北调中线水源有限责任公司　编著
出　处：科学出版社2013年版

本书为大16开精装一册，正文共570页，约102.6万字，文后附有彩色图版4页，黑白图版208页。

为配合南水北调中线一期工程湖北丹江口库区的建设，考古人员对丹江口市牛场墓群进行了大规模考古发掘，本书即为此次工作的专题考古报告。书中所报道的材料以东周及两汉时期墓葬为主，尤以东周时期楚文化融合中原文化因素的墓葬居多。出场墓群是湖北库区小型东周墓葬最为集中的一处贫民墓地，反映了当时贫民阶层在该地区流行的葬制、葬俗，对研究该地区楚文化与中原文化的联系与交流有着非常重要的价值。

第一章　概述
第二章　东周墓葬
第三章　两汉墓葬
第四章　结语
　第一节　东周墓葬墓主身份推测、文化属性认定以及与相邻地区的对比分析
　第二节　两汉时期墓葬与周边地区文化面貌上的比较
附录一　湖北丹江口市外边沟东周、两汉墓
附录二　丹江口牛场墓群出土动物遗骸鉴定报告
附录三　丹江口牛场墓群出土人骨的初步研究
附录四　丹江口牛场墓群东周一汉代居民牙齿的形态观察
附表一　牛场墓群东周墓葬登记表（形制与结构）
附表二　牛场墓群东周墓葬登记表（人骨与葬具）
附表三　牛场墓群东周墓葬登记表（随葬品、分期、年代）
附表四　牛场墓群两汉墓葬登记表（形制与结构）

附表五　牛场墓群两汉墓葬登记表（人骨与葬具）
附表六　牛场墓群两汉墓葬登记表（随葬品、分期、年代）

243.郧县上宝盖

作　者：湖北省文物局、湖北省移民局、南水北调中线水源有限责任公司　编著
出　处：科学出版社 2013 年版

本书为 16 开一册，正文 266 页，字数约 47.5 万字，文后附彩色图版 40 版。

为配合南水北调中线工程建设，考古人员分别在 2006 年、2009 年、2010 年，先后三次对郧县上宝盖遗址进行了考古勘探与发掘，揭露出新石器时代、周代、汉代以及明清时期的文化遗存，其中以汉代遗存为主。本书将三次考古发掘简报汇编成一册，全面、系统地报道了这三次发掘收获。上宝盖遗址文化遗存的发现，对研究汉水流域的历史地理变迁、城镇建置沿革等问题具有十分重要的意义。

本书简目如下：

郧县上宝盖遗址 2006 年度发掘报告
郧县上宝盖遗址 2009 年度发掘报告
郧县上宝盖遗址 2010 年度发掘报告

244.丹江口潘家岭墓地

作　者：湖北省文物局等　编著
出　处：科学出版社 2013 年版

本书为 16 开本一册，正文 211 页，另有彩版 2 版，黑白图版 50 版。

2008 年 10 月至 2009 年 1 月，为配合南水北调中线一期工程建设，考古人员对丹江口市潘家岭墓地进行了抢救性考古发掘，清理了汉代墓葬 48 座、明清墓葬 2 座。该详报全面、系统地介绍了 48 座汉代墓葬。这批墓葬形制多样，出土器物丰富，时代从西汉初期延续到东汉初期。潘家岭应为古均州城外的一处平民公共墓地。此次发掘为研究鄂西地区西汉时期的政治、经济、丧葬习俗的发展变化及汉文化的传播发展提供了不可多得的实物资料。

该书简目如下：

第一章　绪论
第二章　墓葬和出土器物类型
第三章　墓葬分述

第四章　墓葬分期与年代
第五章　结语
附有登记表等。

245.宜昌杨家湾

作　者：湖北省文物考古研究所　编著
出　处：科学出版社 2013 年版

本书为 16 开精装上下两册，是湖北宜昌杨家湾遗址的考古发掘详报，涉及大溪文化、屈家岭文化及周代文化。讨论了新石器时代各个阶段的生产工具如石斧、纺轮，以及日用陶器，及陶器上的刻划符号。

简目如下：

壹　绪论
贰　遗址分区、地层堆积与文化分期
叁　大溪文化早期的遗存
肆　大溪文化中期的遗存
伍　大溪文化晚期的遗存
陆　屈家岭文化早期的遗存
柒　屈家岭文化晚期的遗存
捌　西周时期的遗存
玖　东周时期的遗存
拾　杨家湾遗址采集的文化遗物

附有表格 11 种。

杨家湾遗址位于宜昌市三斗坪镇杨家湾村。1958 年即已开始发掘。发现有墓葬、房址、灰坑、陶窑和一座可能是祭祀场所的黄土台等。出土遗物以陶器、石器为大宗。

246.巴东谭家岭与宋家榜

作　者：国务院三峡工程建设委员会办公室、国家文物局　编著
出　处：科学出版社 2014 年版

本书为 16 开本一册，正文 382 页，字数约 72 万字，文后附彩色图版 3 版，黑白图版 20 版。

本书全面、系统地介绍了湖北巴东县谭家岭与宋家榜遗址中不同历史时期的文

化内涵，并对该地区的西周、东周、两汉、宋、明清时期的遗存进行了比较性研究，提出了对该地区西周文化的起源、形成与发展的认识，总结了该地区早期楚文化的基本特点。本书内容涉及考古学、历史学、人类学与环境考古学等学科，是配合三峡水利枢纽工程建设的又一部综合性的考古发掘报告，对于研究历史学、人类学乃至环境科学，均有参考价值。

本书简目如下：

第一章　绪论
第二章　文化失和与遗址分期
第三章　西周文化遗存
第四章　东周文化遗存
第五章　汉代文化遗存
第六章　宋代文化遗存
第七章　明、清文化遗存
第八章　结语
附表
后记

247.武当山柳树沟墓群

作　者：湖北省文物局等　编著
出　处：科学出版社 2015 年版

该书为 16 开精装一册，收录了 2008 年至 2009 年对武当山柳树沟墓群进行考古发掘的资料。共计发掘战国、西汉、东汉、宋、明、清各朝各代墓葬 134 座，遗物 570 余件。

该书简目如下：

第一章　绪论
第二章　墓葬分布
第三章　战国时期墓葬
第四章　西汉时期墓葬
第五章　东汉时期墓葬
第六章　宋代墓葬
第七章　明清时期墓葬
第八章　墓葬研究

248.湖北南水北调工程考古报告集（第3卷）

作　者：湖北省文物局、湖北省移民局、南水北调中线水源有限责任公司　编著
出　处：科学出版社 2014 年版

该书 16 开精装一册，正文约 68 万字，有彩色图版 24 版。共收录南水北调中线一期工程丹江口库区考古发掘简报 14 篇，时代涉及旧石器时代、新石器时代、夏商周直至宋元明清各个历史时期。

目录如下：

丹江口市北泰山庙旧石器遗址发掘简报
丹江口市黄家湾旧石器遗址发掘简报
丹江口库区黄沙河口旧石器地点发掘简报
丹江口市彭家院遗址 2008 年发掘简报
丹江口市小店子遗址考古发掘报告
丹江口市岩屋沟墓群发掘简报
丹江口市金陂墓群 2009 年发掘简报
近年在丹江口地区发现的新石器时代——东周时期人类遗骸及相关研究
郧县人遗址 2006—2007 年发掘简报
郧县刘湾Ⅰ、Ⅱ号旧石器时代地点发掘简报
郧县下棚遗址发掘报告
郧县西峰汉墓群发掘简报
郧县余嘴遗址发掘简报
十堰市黄龙镇焦家院墓群及遗址 2009 年发掘简报

249.湖北南水北调工程考古报告集（第4卷）

作　者：湖北省文物局、湖北省移民局、南水北调中线水源有限责任公司　编著
出　处：科学出版社 2014 年版

该书 16 开精装一册，收录为配合南水北调中线一期工程开展的考古发掘报告 15 篇，另有论文 1 篇。涉及从旧石器时代、新石器时代、夏商周直至宋元明清各个历史时期。

目录如下：

丹江口龙口旧石器遗址发掘报告
丹江口北泰山庙 2 号旧石器遗址发掘报告
丹江口玉皇庙遗址发掘简报

丹江口金陂墓群 2010 年发掘报告
丹江口温坪墓群发掘简报
郧县后房旧石器遗址发掘简报
郧县刘湾遗址发掘简报
郧县辽瓦店子遗址 2007 年度发掘简报
郧县龚家村遗址发掘简报
郧县郭家道子遗址 2010 年发掘简报
郧县杨溪铺遗址发掘简报
郧县曾家窝墓地发掘简报
郧县三门店子遗址发掘简报
武当山遇真宫村遗址 2008 年度发掘简报
武当山遇真宫西宫建筑基址发掘简报
另有论文《华中地区近代人群上、下颌第一臼齿齿冠及齿尖面积》。

250.湖北南水北调工程考古报告集（第 5 卷）

作　者：湖北省文物局、湖北省移民局、南水北调中线水源有限责任公司　编著
出　处：科学出版社 2014 年版

该书 16 开精装一册，共收录涉及南水北调汉江下游治理工程中的考古发掘报告 16 篇。

目录如下：
沙洋老滩嘴遗址 2009 年考古发掘简报
沙洋江家咀新石器遗址考古发掘简报
沙洋钟桥遗址考古发掘简报
沙洋南北垱遗址考古发掘简报
沙洋黄湾墓群考古发掘简报
沙洋郑家山墓地考古发掘简报
沙洋黄歇宋墓考古发掘简报
沙洋新城遗址考古勘探发掘简报
沙洋凤凰井遗址考古发掘简报
荆州魏家草场遗址 2010 年考古发掘简报
荆州张家台遗址 2010 年考古发掘简报

荆州红光七组遗址考古发掘简报
荆州王家屋场遗址考古发掘简报
荆州艾家冢墓地考古发掘简报
荆州花园村遗址考古发掘简报
潜江帅家台遗址考古发掘简报

湖南省

251.长沙发掘报告

作　者：中国科学院考古研究所　编著
出　处：科学出版社 1957 年版

该书为 16 开精装一册，为 1951 ～ 1952 年在长沙近郊发掘 160 余座战国至唐宋墓葬的考古详报。书中介绍了长沙地方战国和汉代的墓葬形制、棺椁制度，遗物中的漆器、木俑、竹简、丝织品、铜兵器等。其中西汉后期墓葬出土的船、车模型，为研究古代交通史的珍贵资料。

简目如下：

壹　战国墓葬
贰　西汉前期墓葬
叁　西汉后期墓葬
肆　东汉墓葬

附有《长沙 203 号出土车船的研究》一文及表格等。

252.湖南宋元窖藏金银器发现与研究

作　者：湖南省博物馆　编著
出　处：文物出版社 2009 年版

该书 16 开精装一册，汇集了湖南省宋、元窖藏金银器的考古发掘成果及初步研究成果。书分上、下编，上编为“湖南宋元窖藏金银器的发现”，介绍了常德、株洲、益阳、娄底、衡阳、湘西、岳阳等地的考古发现与发掘；下编为“湖南宋元窖藏金银器的研究”。

下编简目如下：

湖南宋元窖藏金银器丛考
第一章　金银首饰的类型、名称与工艺
第二章　金银酒器的类型、名称与工艺

第三章　其他
第四章　几个相关问题的考证
湖南宋元窖藏金银器铭文考释
湖南宋元窖藏金银器细目
徐苹芳先生为本书作序。

253.永顺老司城

作　者：湖南省文物考古研究所、湘西自治州文物局、永顺县文物局　编著
出　处：科学出版社 2014 年版

本书为 16 开精装上、中、下三册，为湖南省永顺老司城遗址的考古发掘详报。公元 10 ～ 18 世纪，湘西酉水流域是永顺宣慰司彭氏家族的世居之地。五代梁开平四年（910 年），彭氏袭职溪州刺史；五代至北宋初，彭氏辖区一度包括沅水流域南北两江的二十州；明代，永顺彭氏土司受到中央政府的恩宠；清雍正五年（1727 年），彭氏土司改土归流。其间世袭 27 代 35 位土司，历五代的梁、唐、晋、汉、周和宋、元、明、清九朝，共计 817 年。永顺老司城是彭氏土司数百年的司治所在。本报告汇集了历次考古发掘、调查成果，通过考古资料，结合丰富的地方史志、族谱、传说和前人的研究成果，对老司城进行了全面解读，叙述了彭氏土司生成、强盛以及消失的历史和遗址背后丰富的社会生活。

254.沅陵窑头发掘报告：战国至汉代城址及墓葬

作　者：湖南省文物考古研究所　编著
出　处：文物出版社 2015 年版

该书为 16 开精装上、下两册，系湖南省沅陵县太常乡窑头战国至汉代遗址的考古发掘详报。

该书简目如下：

综述
　第一章　地理位置、地貌与历史沿革
　第二章　勘探发掘及资料整理情况
第一部分　窑头古城遗址
　第一章　探方地层及遗迹、遗物
　第二章　城址概貌及年代

第二部分　战国至秦代墓葬
　第一章　墓葬分布
　第二章　墓葬概述
　第三章　墓葬资料
　第四章　出土器物型式分析
　第五章　墓葬年代与分期
第三部分　汉代墓葬
　第一章　墓葬概述
　第二章　墓葬资料
　第三章　部分出土器物型式分析
　第四章　分期及年代
余论

附有《〈里耶秦简〉［壹］中‘沅陵’地名简摘录》和《沅陵楚墓新近出土铭文砝码小识》两文。

广东省

255.东莞虎头村头村青铜时代及明代遗址

作　者：广东省考古研究所、东莞市博物馆　编著
出　处：文物出版社 1991 年版

该书 16 开精装一册，系对广东省东莞市虎门镇虎头村头村遗址的考古发掘详报。1989 至 1990 年，1993 年共进行了两次发掘。出土石器、骨器、角器一千多件，陶片数量之多更为全省之冠，涉及春秋时期、东汉时期、明代等各个时期的墓葬、垃圾堆、住所等，为研究珠江三角洲的历史提供了不可多得的实物资料。现在原址已建成遗址公园。

256.乳源泽桥山六朝隋唐墓

作　者：广东省文物考古研究所　编著
出　处：文物出版社 2006 年版

该书 16 开精装一册，系广东省韶关市乳源瑶族自治县侯公渡镇泽桥山墓地的考古发掘详报。该墓地 1984 年文物普查时发现，当时进行了抢救性发掘，1998 年、2000 年又进行了发掘。

该书简目如下：

第一章　前言
第二章　墓葬综述
第三章　墓葬分述
第四章　结语

附有“墓葬登记表”及相关文章 3 篇。

257.南海神庙古遗址古码头

作　者：广州市文物考古研究所、黄埔区文化广电新闻出版局　编著
出　处：广州出版社 2006 年版

该书 16 开精装一册。2005 年，为配合南海神庙及其周边环境的整治，考古人员

对工程范围内六个地点进行发掘，揭露出南越国时期遗址，出土以米字纹为主的陶器，清理出宋代大型建筑遗址的基础和明代石基码头遗址，出土一批重要碑刻。本书发表此次发掘所获得的资料。

258.南越宫苑遗址 1995、1997 年考古发掘报告

作　者：南越王宫博物馆筹建处、广州市文物考古研究所　编著
出　处：科学出版社 2008 年版

本书为 16 开上、下两册。上册共 328 页，彩色图版 24 幅，黑白图版 126 幅；下册共 574 页，彩色图版 24 幅，黑白图版 191 幅。

本书是广州市南越宫苑遗址 1995 年、1997 年考古发掘详报。上册介绍了西汉南越国时期遗存，包括蓄池遗迹、曲流石渠遗迹及出土的大量遗物，并分类介绍了南越国陶文、封泥和石刻文字，还对出土的动、植物等遗存进行了多学科的分析研究，在结语部分对遗址的年代与性质、南越宫苑遗址的特点与秦汉苑囿、南越国都城与宫城问题进行了探讨，文后还有 18 个附表。下册对其他朝代遗存进行了介绍，时代从秦代至清代，并对各朝代水井分别进行了介绍，文后有 12 个附表。

本书是南越国宫署遗址第一本考古发掘详报，为确定南越国都城和宫城的位置提供了依据，为研究岭南早期开发史、南越国史等提供了重要资料。

259.肇庆古墓

作　者：广东省文物考古研究所　编著
出　处：科学出版社 2008 年版

本书为 16 开精装一册，有正文 141 页，文后有彩色图版 70 版。

本书是广东省文物考古研究所于 2004 ~ 2006 年在广东省肇庆地区的肇庆市、四会市、广宁县发掘的墓葬、水井和灰坑的综合发掘详报。广宁龙嘴岗墓地共发掘战国晚期墓葬 4 座、它的发现和发掘是广东地区青铜时代考古的重要收获，为研究古越族的政治、生活、军队的驻防情况与防御能力、兵器的使用和埋葬习俗等提供了宝贵的实物资料。肇庆康乐中路墓地共发掘墓葬 12 座，水井 3 口和灰坑 2 座，墓葬的时代有汉代、东晋、南朝、唐代和宋代。四会市陶塘墓地发掘了 1 座唐代砖室墓。这批墓葬出土遗物有陶器、釉陶器、瓷器、铜器和滑石器，文化面貌和中原同时期遗存有很多相同之处，但又独具自身特点，为研究广东肇庆地区几个时期的葬俗、葬制等提供了宝贵的资料。

该书简目如下：

绪言

第一章　广宁龙嘴岗墓地

第二章　肇庆康乐中路墓地

第三章　四会市陶塘墓地

260.石峡遗址：1973 ～ 1978 年考古发掘报告

作　者：广东省文物考古研究所、广东省博物馆、广东省韶关市曲江区博物馆编著

出　处：文物出版社 2014 年版

该书 16 开精装上、下两册，系广东曲江县石峡遗址 1973 年、1978 年间三次发掘的考古详报。出土各类遗物一万多件，清理墓葬 132 座。年代从距今五千多年至西周晚期、春秋早期。

该书简目如下：

第一章　前言

第二章　地层堆积与文化分期

第三章　石峡第一期文化遗存

第四章　石峡第二期文化遗存——石峡文化

第五章　石峡第三期文化遗存

第六章　石峡第四期文化遗存

第七章　结语

附有表格 12 种文章 12 篇。

据研究，第一期文化仅与珠江三角洲地区草堂湾等少数遗址有一些相近之处。第二期文化不仅分布范围大，而且与南岭以北的樊城堆文化也有着非常密切的关系，与江浙地区良渚文化、珠江三角洲地区同时代文化，也有一定联系。第三期文化与珠江三角洲、东江流域同时代文化联系密切。第四期文化几乎遍布广东全境，应是南越先民的重要文化。

广西壮族自治区

261.广西文物考古报告集（1950 ~ 1991）

作　者：广西文物考古研究所　编
出　处：广西人民出版社 1993 年版

该书汇编了 1950 ~ 1991 年间公开发表的广西壮族自治区文物考古发现、发掘报告，为学界利用提供了方便。

262.广西文物考古报告集（1991 ~ 2010）

作　者：广西文物考古研究所　编
出　处：科学出版社 2012 年版

该书汇编了《广西考古文集》未收的考古调查、发掘报告 70 篇，为学界利用提供了便利。

海南省

263.西沙文物：中国南海诸岛之—西沙群岛文物调查

作　者：广东省博物馆　编著
出　处：文物出版社 1974 年版

该书为 16 开一册，汇集了 1949 年以来考古人员在西沙群岛进行的考古调查的成果。计文字 31 页，插图 3 幅，另有图版 25 页。

264.西沙水下考古（1998 ~ 1999）

作　者：中国国家博物馆水下考古研究中心、海南省文物保护管理办公室　编著
出　处：科学出版社 2005 年版

该书为 16 开精装一册，是 1998 年组建的西沙水下考古队 1998 ~ 1999 年的考古发掘成果详报。

该书简目如下：

前言
第一章　西沙群岛的历史沿革与既往考古工作
第二章　西沙群岛的自然环境与水下文物遗存
第三章　1998 ~ 1999 年的水下考古调查
第四章　华光礁 1 号沉船遗址的试掘
第五章　西沙群岛水下考古调查的摄影与摄像
第六章　西沙群岛水下考古调查的出水文物
第七章　结语

附有“西沙群岛发现文物遗存地点一览表”等表格 4 种、《西沙群岛水下考古调查发现陶瓷器的相关问题》一文。据介绍，西沙群岛出水文物的时代，从南宋、元初至明、清各代都有。

重庆市

265.重庆库区考古报告集：1997 卷

作　者：重庆市文物局、重庆市移民局　编
出　处：科学出版社 2001 年版

该书 16 开精装一册，收录了三峡工程重庆库区 1997 年度考古发掘报告 31 篇，时代从旧石器时代、新石器时代、夏商周直至宋元明清各个历史时期，是三峡工程重庆库区考古报告集中的第一本。

今有郝国胜著《二十年：三峡工程重庆库区文物保护总结性研究》（科学出版社 2014 年版）一书，可参阅。

本书目录如下：

巫山锁龙遗址发掘简报
巫山双堰塘遗址发掘报告
巫山跳石遗址发掘报告
巫山麦沱汉墓群发掘报告
巫山瓦岗槽汉代墓地发掘报告
巫山古城遗址的勘探与发掘
奉节鱼复浦遗址旧石器时代考古发掘报告
奉节新浦遗址发掘报告
奉节鱼复浦遗址发掘报告
云阳东洋子遗址考古勘探发掘报告
云阳李家坝遗址发掘报告
云阳李家坝东周墓地发掘报告
云阳李家坝 10 号岩坑墓发掘报告
云阳李家坝 37 号岩坑墓发掘报告
云阳李家坝水田遗址发掘报告
万州一溪口遗址发掘报告
万州中坝子遗址发掘报告
万州麻柳沱遗址发掘报告

万州庙湾墓地发掘报告
万州上河坝墓地发掘简报
万州松树岭包墓地发掘报告
万州龙宝陈家坝东汉墓发掘报告
万州塘坊坪遗址发掘报告
万州安全墓地发掘报告
万州上中坝遗址发掘报告
忠县中坝遗址发掘报告
忠县斡井沟遗址群哨棚嘴遗址发掘简报
丰都高家镇遗址发掘报告
丰都烟墩堡遗址发掘报告
丰都汇南墓群发掘简报
涪陵石沱遗址发掘报告
最后附有“三峡工程重庆库区 1997 年度发掘位置示意图”。

266.瞿塘峡壁题刻保护工程报告

作　者：重庆市文物局、重庆市移民局、西安文物保护修复中心　编著
出　处：文物出版社 2003 年版

该书 16 开平装一册，正文 274 页，系配合三峡工程，对瞿塘峡壁题刻进行保护的总体设计。

瞿塘峡，又称西峡、夔峡、夔门、瞿塘关。

自南宋至近代，历代文人墨客，在此刻下长达 180 米、总面积约 600 平方米的 13 幅题刻，字迹真、草、隶、篆皆备。是我国一处著名的文化遗产。

简目如下：

序篇
　一　中国文物保护工程史上的壮举
　二　万古瞿塘留华章
　三　科技创新，为全国文物保护事业做贡献
研究篇
　一　绪论
　二　夔门历史和瞿塘峡壁题刻研究
　三　瞿塘峡壁题刻区环境、地质研究
　四　瞿塘峡壁题刻保护规划之研究

267.重庆库区考古报告集：1998 卷

作　者：重庆市文物局、重庆市移民局　编
出　处：科学出版社 2003 年版

该书 16 开精装一册，收录 1998 年度重庆库区相关考古报告 34 篇、“综述”一篇。涉及史前至元明清各个历史时期。

目录如下：

重庆库区 1998 年度考古综述
巫山锁龙遗址发掘简报
巫山四龙嘴遗址调查与试掘
巫山跳石遗址第二次发掘报告
巫山双堰塘遗址发掘报告
巫山蓝家寨遗址发掘报告
巫山麦陀古墓群第二次发掘报告
巫山瓦岗槽墓地发掘报告
巫山琵琶洲遗址发掘报告
巫山张家湾遗址发掘报告
巫山江东嘴墓群发掘报告
奉节横路遗址发掘报告
奉节新浦遗址发掘简报
奉节老油坊遗址考古发掘报告
奉节上关遗址发掘简报
云阳李家坝遗址发掘报告
云阳李家坝巴人墓地发掘报告
云阳故陵楚墓发掘报告
云阳县旧县坪遗址发掘报告
万州涪溪口遗址发掘报告
万州大地嘴遗址发掘简报
万州黄柏溪遗址发掘报告
万州麻柳沱遗址发掘报告
万州安全墓地发掘报告
万州塘坊坪遗址发掘报告
万州中坝子遗址东周时期墓葬发掘报告
忠县中坝遗址Ⅱ区发掘简报

忠县瓦渣地遗址发掘简报
忠县崖脚墓地发掘报告
丰都井水湾遗址考古发掘报告
丰都玉溪遗址勘探、早期遗存发掘简报
丰都汇南墓群发掘报告
涪陵蔺市遗址发掘简报
涪陵石沱遗址发掘报告
涪陵镇安遗址发掘报告

268.重庆库区考古报告集：1999卷

作　者：重庆市文物局、重庆市移民局　编
出　处：科学出版社 2006 年版

该书 16 开精装一册，收录了三峡工程重庆库区 1999 年度考古发掘报告 28 篇，时代包含了史前至明清各个历史时期。

目录如下：

重庆库区 1999 年度考古综述
巫山蓝家寨遗址发掘报告
巫山张家湾遗址第二次发掘报告
巫山培石遗址第一次发掘报告
巫山双堰塘遗址发掘报告
奉节鱼复浦遗址发掘报告
奉节小云盘遗址发掘报告
奉节新浦遗址发掘简报
奉节毛狗堆遗址第一次发掘简报
奉节王家包遗址发掘简报
奉节瞿塘关遗址发掘报告
万州中坝子遗址第三次发掘简报
万州大周溪遗址发掘报告
万州大地嘴墓地发掘报告
万州黄柏溪遗址发掘报告
万州苏和坪遗址发掘报告
万州王家沱遗址发掘报告
万州涪溪口遗址第三期发掘报告

万州麻柳沱遗址考古发掘报告
忠县唐家河石器地点发掘报告
忠县哨棚嘴遗址发掘报告
丰都井水湾旧石器时代遗址发掘报告
丰都玉溪遗址发掘简报
丰都杜家包汉墓群发掘简报
丰都石地坝遗址商周时期遗存发掘报告
丰都冉家路口遗址第一次发掘报告
涪陵镇安遗址发掘报告
涪陵蔺市遗址发掘简报

269.三峡古栈道

作　者：重庆市文物局、移民局、西安文物保护修中心　编著
出　处：文物出版社 2006 年版

该书为 16 开精装上、下两册。上册为“瞿塘峡栈道”，下册为“大宁河栈道”。该书简目如下：

上册
　前言
　第一章　综述
　第二章　地理环境与历史沿革
　第三章　栈道分段调查
　第四章　孟良梯栈道、偷水孔栈道等
　第五章　沿线遗物与史迹
　第六章　栈道的相关研究
　结语
附有“相关史料”“相关诗歌”及参考文献目录。
下册
　前言
　第一章　综述
　第二章　地理环境与历史沿革
　第三章　栈道分段调查
　第四章　古道分段调查

第五章　其他相关古道
第六章　沿线遗物与史迹
第七章　栈道的相关研究
结语

附有“相关史料”“民间传说”及参考书目。

书中的栈道，包括秦汉之前的纤道，及秦汉、三国、唐宋、明清的各种古道。

270.重庆涂山窑

作　者：重庆市文物考古所　编著
出　处：科学出版社 2006 年版

该书为 16 开精装一册，系重庆市涂山窑遗址的考古发掘详报。2003 ～ 2005 年发掘。初步认定此窑是一处宋元时期以烧制黑釉瓷器为主的民间窑。附有分析报告及“涂山窑考古工作大事记”等。

271.万州大坪墓地

作　者：重庆市文物局、重庆市移民局　编著
出　处：科学出版社 2006 年版

本书为 A4 开本一册，共 194 页，彩色图版 24 幅，黑白图版 42 幅。

本书是重庆市万州区大坪墓地的发掘报告。全书以时代为序先后介绍了该墓地东周、汉代及六朝时期 150 余座墓葬的发掘成果，为研究重庆乃至长江三峡地区东周至六朝时期的历史文化提供了丰富的实物资料。

272.重庆库区考古报告集：2000 卷

作　者：重庆市文物局、重庆市移民局　编
出　处：科学出版社 2007 年版

该书 16 开精装，上下两册，收录重庆库区 2000 年度考古发掘报告 51 篇，“综合”一篇，时代从史前直至元明清。

目录如下：

重庆库区 2000 年度考古综述
巫山蓝家寨遗址发掘报告

巫山古城遗址发掘报告
巫山古城遗址第二次发掘报告
巫山江东嘴遗址发掘报告
巫山上阳村遗址发掘报告
巫山水田湾东周、两汉墓葬发掘简报
巫山小三峡水泥厂墓地发掘报告
巫山秀峰一中战国、两汉墓地发掘报告
巫山涂家坝遗址发掘报告
巫山下沱遗址发掘报告
巫山江东嘴墓群发掘报告
巫山胡家包墓地发掘报告
巫山大昌古城遗址发掘报告
巫山江东嘴石器时代遗址发掘报告
巫山高唐观墓群发掘简报
巫山大溪遗址勘探发掘简报
奉节洋安渡石器遗址发掘报告
奉节毛狗堆遗址第二次发掘简报
奉节三坨遗址发掘报告
奉节三坨石器地点发掘报告
奉节宝塔坪墓群战国、汉代墓葬发掘报告
奉节宝塔坪墓群唐宋墓葬的发掘
奉节擂鼓台墓地发掘简报
奉节陈家坪遗址发掘简报
奉节杜家坪遗址发掘简报
奉节横路遗址考古发掘报告
奉节永安镇电厂北山古墓葬发掘报告
奉节莲花池墓地发掘简报
奉节新浦遗址发掘简报
云阳旧县坪遗址发掘报告
开县余家坝墓地发掘简报
万州苏和坪遗址第二次发掘报告
万州塘坊坪墓群发掘简报
万州上沱口墓群发掘简报
万州荷包丘墓群发掘报告

万州青草背墓地发掘报告
万州钟嘴墓群发掘简报
万州沙田墓群发掘报告
万州石地磅墓地发掘报告
忠县老鸹冲遗址（墓葬部分）
忠县老鸹冲遗址（居址部分）
忠县宣公墓群发掘报告
忠县善井沟遗址群崖脚（半边街）墓地发掘报告
忠县中坝遗址 1999 年度发掘简报
忠县三岭八队墓群发掘报告
丰都井水湾遗址发掘简报
丰都上河嘴墓群发掘报告
丰都枣子坪遗址发掘简报
涪陵石沱遗址发掘报告
涪陵八卦遗址发掘简报
涪陵太平村墓群考古发掘报告

273.云阳晒经

作　者：重庆市文物局、重庆市移民局　编著
出　处：科学出版社 2008 年版

本书为 16 开精装一册，有正文 216 页，文后附有彩色图版 4 版、黑白图版 84 版。

本书是为配合三峡库区建设于 2000 ～ 2002 年三次对重庆云阳县晒经遗址进行发掘的考古详报。晒经遗址主要包括西周、战国秦汉、宋和明清几个时代的各种遗存。其中，西周遗存很少，没有太多的地层堆积，也没有发现比较完整的遗物；战国秦汉时期的遗存仅有少量墓葬；宋代遗存是晒经遗址的主要堆积，发现了大量的手工业作坊建筑和比较完整的石质道路遗迹，并出土了多个窑口各种型式的陶瓷器；明清时期的文化遗存基本都是在宋代的基础上发展而来。本详报详细介绍了三次发掘的重要收获，为峡江地区考古学文化研究尤其是宋代小城镇发展、兴旺以及衰落的研究提供了宝贵的材料。

该书简目如下：

壹　前言

　一　地理环境与历史沿革

二　遗址概况与工作经过
三　室内整理与报告的编写
贰　地层堆积与遗址分期
一　地层堆积
二　文化堆积与遗址分期
三　小结
叁　西周时期遗存
一　概述
二　遗迹
三　遗物
四　小结
肆　战国秦汉墓葬
一　概述
二　墓葬分述
三　分段与年代
四　小结
伍　汉代遗存
一　概述
二　遗迹
三　遗物
四　陶窑年代
陆　六朝遗存
一　概述
二　遗迹
三　遗物
四　小结
柒　宋代遗物
一　概述
二　遗迹
三　遗物
四　分段与年代
捌　明清遗存
玖　结语

274.忠县仙人洞与土地岩墓地

作　者：重庆市文物局、移民局　编著
出　处：科学出版社 2008 年版

该书 16 开精装一册，系重庆市忠县涂井镇仙人洞墓地、新生镇土地岩墓地 2002 ~ 2006 年考古发掘详报。此两处墓地，再加上已遭破坏的红星村墓地，共清理崖墓 52 座、岩坑墓 2 座、砖室墓 1 座，出土文物近千件，时代为两汉、六朝时期。

该书简目如下：

绪论；

第一章　仙人洞墓地

第二章　土地岩墓地

第三章　红星村墓地

第四章　初步研究

附有表格 5 种。

275.重庆库区考古报告集：2001 卷

作　者：重庆市文物局、重庆市移民局　编
出　处：科学出版社 2008 年版

该书 16 开精装上中下三册，计 2401 页。收录 2001 年度重庆库区相关考古发掘报告 85 篇、“综述”一篇，涉及史前到明清各个历史时期。

目录如下：

重庆库区 2001 年度考古综述

巫山江东嘴遗址发掘报告

巫山枣园坪遗址发掘简报

巫山窑坪遗址的调查与发掘

巫山冬瓜包遗址发掘报告

巫山柏树林遗址第二次发掘报告

巫山林家码头遗址 2001 年度发掘报告

巫山白水河遗址 2001 年度发掘报告

巫山瓦岗槽墓地 2001 年度考古发掘报告

巫山下西坪古墓群勘探发掘报告

巫山大昌古城遗址第二次发掘报告

巫山麦沱古墓群第三次发掘简报
奉节新浦遗址 2001 年发掘报告
奉节老油坊遗址 2001 年发掘报告
奉节窑坪遗址发掘报告
奉节万家嘴遗址的发掘
奉节李家坝遗址发掘简报
奉节千秋坊遗址考古试掘报告
奉节麻柳树包遗址发掘简报
奉节白杨沟墓群 2001 年发掘简报
奉节宝塔坪 2001 年度建筑遗迹发掘报告
奉节宝塔坪遗址 2001 年汉晋墓葬发掘报告
奉节宝塔坪 2001 年唐宋明清墓发掘报告
奉节赵家湾墓地发掘报告
奉节鱼复浦遗址 2001 年发掘报告
奉节拖板崖墓群 2001 年发掘简报
云阳伍家湾遗址 2001 年度发掘报告
云阳佘家嘴遗址 2001 年度发掘报告
云阳马岭墓地发掘报告
云阳马沱墓地 2001 年度发掘报告
万州小周溪墓群 2001 年墓葬发掘报告
万州渣子门遗址考古发掘报告
万州大地嘴遗址青龙嘴墓地发掘报告
万州瓦子坪遗址发掘报告
万州涪滩遗址发掘报告
万州杨家碑遗址发掘报告
万州太阳溪遗址发掘简报
万州关木溪遗址发掘简报
万州黄柏镇遗址发掘简报
万州礁芭石墓地发掘报告
万州包上秦汉墓发掘报告
万州炳泉院子遗址发掘报告
万州老棺丘古墓群发掘报告
万州团堡地墓群发掘报告
万州曾家溪墓地考古发掘报告

万州糖坊墓群发掘报告
万州糖坊坪遗址 2001 年考古发掘报告
万州冷水溪窑址发掘报告
万州麻柳梁窑址发掘简报
万州大窑包窑址发掘简报
万州黄陵嘴遗址发掘简报
万州中嘴遗址发掘简报
万州古坟包汉墓发掘简报
万州柑子梁墓群发掘简报
万州天丘遗址（墓群）发掘报告
万州武陵镇吊嘴墓群发掘报告
万州大坪墓群 2001 年度发掘简报
万州金狮湾墓群发掘报告
万州古坟嘴墓群发掘报告
万州巴豆林遗址发掘报告
万州武林镇七孔子崖墓发掘简报
开县余家坝墓地 2001 年发掘简报
石柱观音寺遗址发掘报告
石柱沙湾遗址的发掘
石柱砖瓦溪墓地发掘报告
石柱公龙背遗址的发掘
忠县哨棚嘴遗址 2001 年发掘报告
忠县罗家桥遗址 2001 年度发掘报告
忠县杜家院子遗址发掘简报
忠县沿江四队墓群发掘简报
丰都石地坝遗址发掘简报
丰都县黄燕嘴遗址发掘简报
丰都大沙坝窑址发掘简报
丰都糖房遗址发掘报告
丰都长沙坝遗址发掘报告
丰都张家河遗址发掘简报
丰都铺子河遗址考古发掘报告
丰都老院子窑址发掘简报

丰都槽房沟墓地发掘报告
丰都大湾墓群发掘报告
丰都棺山坡遗址发掘简报
丰都丰稳坝遗址发掘报告
丰都毛家包墓群发掘报告
2001、2003 年度涪陵镇安遗址发掘报告
涪陵石沱遗址 2001 年度发掘报告
涪陵北岩墓群发掘报告

276.重庆库区考古报告集：2002 卷

作　者：重庆市文物局、重庆市移民局　编
出　处：科学出版社 2010 年版

该书 16 开精装上中下三册，计 1852 页。收录 2002 年度重庆库区相关考古报告 55 篇，附录以往漏收的考古报告 11 篇。

目录如下：

巫山耳石窝遗址
巫山汪家沟遗址
巫山下猫儿坪遗址发掘简报
巫山大昌古城遗址发掘报告
巫山麦沱墓地第四次发掘报告
巫山涂家坝遗址发掘报告
奉节刘家院坝遗址发掘报告
奉节安坪遗址发掘报告
奉节和尚坪遗址发掘报告
奉节头堂包遗址发掘报告
奉节周家坪墓地
奉节丰获汉代墓地发掘报告
奉节三塘旧石器地点发掘报告
奉节陈家坪遗址发掘报告
云阳旧县坪遗址发掘简报
云阳赵家嘴遗址发掘报告
云阳石家包 10 号、11 号岩坑墓发掘报告

云阳张家嘴墓群发掘简报
云阳马沱墓地发掘报告
云阳打望包墓地发掘报告
云阳洪家包墓地发掘报告
云阳营盘包墓群发掘报告
云阳龙安遗址发掘报告
云阳伍家湾遗址发掘报告
万州冯家河遗址发掘报告
万州老棺丘古墓群发掘报告
方家岭窑址发掘报告
窑坝窑址发掘简报
滩垴窑址发掘简报
插柳子窑址发掘简报
屋基坪窑址发掘简报
万州武陵墓群发掘报告
万州金狮湾墓群（二期）发掘报告
万州胡家坝汉魏墓葬发掘报告
万州包上秦汉墓第二次发掘报告
万州下中村遗址发掘报告
万州中嘴遗址发掘报告
万州大坪墓群发掘简报
万州礁芭石墓地第二次发掘报告
石柱中间包汉代至东晋墓群与明代窑址发掘简报
石柱砖瓦溪遗址发掘报告
忠县罗家桥遗址发掘报告
忠县瓦窑古墓群发掘报告
忠县松江古墓群发掘简报
忠县洋渡沿江汉墓发掘报告
忠县下白桥溪墓地勘探发掘报告
忠县花灯坟墓群乌杨阙发掘简报
丰都麻柳嘴遗址发掘简报
丰都大湾墓群发掘报告
丰都石地坝遗址第四次发掘报告

丰都糖房遗址发掘报告
丰都秦家院子发掘报告
涪陵横梁子墓群发掘报告
涪陵吴家石梁（大院子）墓群发掘报告
涪陵小田溪墓群发掘简报
附录：
云阳旧县坪遗址 1999 年发掘报告
忠县（洽～甘）井沟遗址群崖脚（半边街）墓地 1999 年度发掘报告
云阳巴旺镇佘家嘴遗址 2000 年度发掘报告
2000 年云阳巴旺镇佘家嘴墓葬发掘报告
忠县中坝遗址 2000 年度发掘简报
丰都杜家坝一号墓 2000 年度发掘报告
2000 年度涪陵蔺市遗址发掘报告
奉节观武镇遗址 2001 年度发掘报告
万州庙梁墓群 2001 年度发掘报告
丰都沙溪嘴遗址 2001 年度发掘报告
丰都石板溪窑址 2001 年度发掘报告

277.重庆公路考古报告集

作　者：重庆市文物考古所、重庆文化遗产保护中心　编著
出　处：科学出版社 2010 年版

该书为 16 开精装一册，是重庆市近年来公路建设中调查、发掘报告的汇集，共计 18 篇。年代上迄汉、六朝，下至明清，主要是墓葬资料。前有邹后曦先生“重庆考古 60 年（代序）”一文，是一篇有关重庆市考古的概述性长文。

目录如下：
九龙坡区陶家大竹林画像砖墓发掘简报
重庆合川市南屏东汉墓葬群发掘简报
永川区永寒公路（青峰至来苏段）考古发掘简报
丰都县迎宾大道沿线古墓发掘简报
丰都县产业大道工程考古发掘清理简报
云阳县江口汉墓群发掘报告
江津区侯石坝宋墓发掘简报
南川区钟家塝墓群发掘简报

渝中区两路口劳动村元墓发掘简报
北部新区蹇氏家族墓地调查、勘探、试掘简报
潼南县崇龛梁家嘴墓群考古发掘简报
江津区塘白路工程考古发掘简报
永川区钟家祠堂明墓群发掘简报
永川区烂屋基明代墓群发掘简报
永川区凌阁堂壁画墓发掘清理简报
江津区四面山旅游公路调查报告
黔江至石柱公路建设工程考古调查报告
重庆市 24 条（县际）高等级公路考古调查报告

278.奉节新浦与老油坊

作　者：重庆市文物局、重庆市移民局　编著
出　处：科学出版社 2010 年版

该书为 16 开精装一册，系对重庆三峡库区奉节新浦、老油坊遗址的考古发掘详报，涉及夏、周、汉代、宋代、明清等各个历史时期的遗存，讨论了各时期遗存的年代与性质。

简目如下：

第一章　概述
第二章　新浦遗址
第三章　老油坊遗址
第四章　结语

279.奉节宝塔坪

作　者：重庆市文物局和重庆市移民局　编著
出　处：科学出版社 2010 年版

该书正文约 65 万字，共 359 页，书中附有 40 页彩色图版和 24 页黑白图版。

重庆市奉节县宝塔坪 2000 ～ 2005 年发掘所得遗存以墓葬为主，有战国、两汉、蜀汉、两晋、南朝、唐、宋、明代的墓葬，其中以唐宋墓数量最多，另外还发现了唐宋建筑遗址，这些为研究三峡历史增添了丰富的考古资料。2001 年发掘的唐墓中有乌银下颌托，是我国首次发现的乌银工艺制品，对于研究唐宋葬俗和与中亚文化交流史的研究均有重要价值。

本书简目如下：

第一章 绪论
一、遗址文化地理环境
二、遗址的分区与发掘工作概况
三、报告编写体例
四、地层堆积
第二章 战国墓葬
第三章 汉—六朝墓葬
一、汉墓
二、六朝时期墓葬
第四章 唐宋遗存
一、唐宋墓葬
二、建筑遗迹
第五章 明代墓葬
第六章 时代不明遗迹
一、墓葬
二、灰坑
第七章 结语
一、对战国墓葬的认识
二、对汉墓的认识
三、对六朝墓的认识
四、对唐宋墓的认识
五、对唐宋建筑遗迹的认识
六、对明墓的认识
附表
附表一 战国墓葬登记表
附表二 汉—六朝墓葬登记表
附表三 唐宋保留或部分保留墓顶的土洞墓登记表
附表四 唐宋墓顶完全被破坏掉的土洞墓登记表
附表五 唐宋土坑竖穴墓登记表
附表六 唐宋砖室和石室墓登记表
附表七 唐宋火葬墓登记表
附表八 明清墓葬登记表

附录

附录一　奉节县宝塔坪遗址人骨鉴定报告

附录二　重庆宝塔坪墓地出土两件青白釉瓷片成分及产地的初步分析

附录三　宝塔坪墓地出土下颌托金属片的检测分析报告

附录四　简析奉节宝塔坪出土的佛教造像

后记

280.忠县翠屏山崖墓

作　者：中山大学人类学系　编著

出　处：科学出版社 2011 年版

该书为 16 开精装一册，发表了 2007 ～ 2008 年重庆市忠县翠屏山崖墓遗址的两次发掘所获资料。其中包括 41 座崖墓、9 座石室墓，时代约相当于汉晋时期。

翠屏山海拔 504.5 米，现为四川省一级森林公园。占地面积 221 公顷。原来满目绿色，故名“翠屏”，民国时树木被砍伐殆尽，现在的树都是 1949 年以后栽种的。

281.酉阳邹家坝

作　者：重庆市文物考古所等　编著

出　处：科学出版社 2011 年版

该书 16 开精装一册，系对重庆市酉阳清源乡邹家坝遗址的考古发掘详报。邹家坝遗址遗存，时间跨度颇大，包含了新石器、西周至春秋、汉、明清等多个历史时期。

该书简目如下：

第一章　概况

第二章　文化堆积

第三章　新石器时代晚期遗存

第四章　商周时期遗存

第五章　汉代遗存

第六章　明清遗存

第七章　总结与认识

附有乌江彭水电站工程文物调查报告，及部分地点的试掘、发掘简报等。

282.重庆万州老棺丘古墓群发掘报告

作　者：云南省文物考古研究所、重庆市文化局“三峡办”、重庆市万州区博物馆　编著

出　处：云南科技出版社 2011 年版

该书为 16 开精装一册，主要介绍了万州老棺丘汉晋古墓群的发掘情况。

283.丰都镇江汉至六朝墓群

作　者：重庆市文物局、重庆市移民局　编著

出　处：科学出版社 2013 年版

本书为 A4 开本，正文 832 页，字数约 156 万字，文后附彩色图版 40 版，黑白图版 44 版。

本书是重庆市丰都县镇江墓群（冉家路口墓群）的发掘报告。全书以墓葬为单位，系统、全面地介绍了该墓群 127 座两汉至六朝时期墓葬的发掘成果，为研究重庆乃至长江三峡地区两汉至六朝时期墓葬发展序列和丧葬制度提供了丰富的实物资料。此外，书中还收录了在镇江墓群（冉家路口墓群）发掘过程中清理的一部分冶炼遗址的简报。本书的出版对于研究汉至魏晋南北朝时期的历史，以及揭示中国古代冶金史实，均有重要意义。

284.奉节白马墓地

作　者：重庆市文物局、重庆市移民局　编著

出　处：科学出版社 2013 年版

本书系长江三峡工程文物保护项目报告乙种第二十二号。16 开精装一册，正文 336 页，约 60.5 万字，文后附有彩色图版 28 页，黑白图版 39 页。

2000 年 10 ~ 12 月和 2001 年 3 ~ 5 月，为了配合三峡工程的建设，考古人员先后两次对奉节白马墓地进行了较大规模的考古发掘，共清理汉代墓葬 5 座、宋代墓葬 3 座，以及明清时期的墓葬 213 座。出土大量陶器、瓷器、铜器、铁器、石器、玉器、骨器、琉璃器等随葬品。本详报较为全面、系统地介绍了这批考古发掘资料，并对墓葬形制与结构、随葬器物、文化特征、分类与分期、相对年代等进行了深入分析和研究。本书为研究峡江地区古代葬俗的演变，探索奉节地区汉代、宋代、明清时期的政治、经济、文化发展状况，提供了一批极为难得的实物资料。

该书简目如下：

第一章　概述

第二章　地层堆积与文化分期

第三章　汉代墓葬

第四章　宋代墓葬

第五章　明清墓葬

第六章　结语

附有登记表 3 种。

285.涪陵白鹤梁

作　者：重庆市文物局、重庆市移民局　编著

出　处：文物出版社 2014 年版

该书 16 开精装一册，系对国际上称为“世界第一古代水文站”的重庆市涪陵区白鹤梁的考古详报。

该书简目如下：

前言

第一篇　历史与研究

第二篇　勘察与保护

第三篇　设计与施工

附有相关文章 20 篇。

据介绍，白鹤梁题刻的年代，从唐、宋、元、明、清、近现代都有，计 138 则，12000 字。

四川省

286.四川船棺葬发掘报告

作　者：四川省博物馆　编著
出　处：文物出版社 1960 年版

该书为 16 开平装一册，系 1954 年四川省巴县冬笋坝、昭化县宝轮院船棺墓的考古报告。时代为战国末至东汉初年。

该书简目如下：

第一章　总叙
第二章　墓葬总说
第三章　铜、铁器
第四章　陶器
第五章　竹、木、漆器及杂物
第六章　推论

附有出土文物情况表，平面图及冬笋坝残墓情况纪要等。

王世民先生写有书评，见《考古》1961 年第 8 期。

287.乐山崖墓和彭山崖墓

作　者：唐长寿　著
出　处：电子工业出版社 1994 年版

该书 16 开一册，作者回顾了汉、晋时期四川乐山、彭山崖墓发现、发掘的历史，对崖墓的发展、形制结构、建筑雕刻、画像石刻、文字题刻、葬具、随葬品等进行了综合研究。本书使用的材料，大多来自作者实地考察所得，名曰研究著作，实系考古调查。书后附录了 11 处重点崖墓群的资料。

今有乐山市崖墓博物馆，位于乐山大佛景区麻浩河北岸，这是我国目前唯一一座有关崖墓的专业博物馆。

今有范小军先生《四川崖墓艺术》（巴蜀书社 2006 年版）一书，可参阅。

288.四川考古报告集

作　者：四川省文物考古研究所　编

出　处：文物出版社 1998 年版

该书 16 开平装一册，计 453 页。收录考古简报 16 篇，均为首次发表。

简目如下：

巫山境内长江、大宁河流域古遗址调查简报

奉节县老关庙遗址第三次发掘

通江县擂鼓寨遗址试掘报告

丹巴县中路乡罕额依遗址发掘简报

三星堆遗址真武仓包包祭祀坛调查简报

云阳县明月坝遗址试掘简报

什邡市城关战国秦汉墓葬发掘报告

涪陵市小田溪 9 号墓发掘简报

广元市昭化宝轮院船棺葬发掘简报

荥经县同心村巴蜀船棺葬发掘报告

木里县三峡工程淹没区调查报告

三合县鄒江崖墓

大邑县董场乡三国画像砖墓

绵阳市出土宋代窖藏银器、钱币

重庆市荣昌县宋代窖藏瓷器

重庆涂山窑小湾瓷窑发掘报告

289.什邡城关战国秦汉墓地

作　者：四川省文物考古研究院、德阳市文物考古研究所、什邡市博物馆编著

出　处：文物出版社 2006 年版

该书为 16 开精装一册，系四川省德阳市什邡市城关镇战国秦汉墓地的考古发掘详报。该墓地 1988 年发现，至 2002 年已发掘 98 座墓葬，有船棺葬、木板葬、木椁葬、土坑葬，时代从战国早期至西汉中期偏晚不等。

该书简目如下：

第一章　绪论

第二章　墓葬概述

第三章　随葬品概述

第四章　墓葬分述
第五章　墓葬分期与年代
第六章　结语
附有登记表、分期图表共 3 种。

290.安宁河流域大石墓

作　者：四川省文物考古研究院、凉山彝族自治州博物馆、西昌市文物管理所　编著
出　处：文物出版社 2006 年版

该书为 16 开精装一册，是对四川省西南部安宁河流域（喜德县、冕宁县、西昌市、米易县等）已发掘的 47 座大石墓的考古详报。年代从春秋战国至东汉初不等。

简目如下：
第一章　安宁河流域的地理环境
第二章　大石墓分布的地理位置、地理环境及区域特点
第三章　墓葬发掘经过
第四章　墓葬形制介绍
第五章　出土器物
第六章　结语
附有“相关遗址介绍”“参考文献”及表格 4 种。

291.巴中石窟内容总录

作　者：四川省文物管理局、成都文物考古研究所、北京大学中国考古学研究中心、巴州区文物管理所　编著
出　处：巴蜀书社 2006 年版

该书为 16 开精装一册，系 2000 ～ 2001 年对四川广元和巴中境内佛教石窟进行考古调查的记录。该石窟始于梁魏时期，续镌于隋，盛镌于唐，在四川石窟中占有重要地位。

292.中江塔梁子崖墓

作　者：四川省文物考古研究院、德阳市文物考古研究所、中江县文物保护管理所　编著
出　处：文物出版社 2008 年版

该书为 16 开精装一册，为四川省德阳市中江县民主乡桂花村崖墓的考古发掘详

报。2002年发掘，共9座崖墓，均已被盗，遗物不多，但首次发现有画像、石刻新题材及大量仿木建筑雕刻，时代主要为东汉至六朝时期。

简目如下：

壹　绪言

贰　墓葬形制

叁　壁画、彩绘及雕刻

肆　随葬器物

伍　结语

附有“仿木结构建筑一览表”等表格3种及文章3篇。

293.成都十二桥

作　者：四川省文物考古研究院、成都文物考古研究所　编著

出　处：文物出版社2009年版

十二桥遗址位于成都市区西部，是1985年12月成都市干道指挥部在十二桥街之南的新一村修建综合大楼地下室时发现的，之后的考古发掘面积达1800平方米。该遗址北面延至成都中医药大学校内，南倚市文化公园，西邻四川省干休所，东与新一村地点相连。其范围东西长约142米，南北宽约133米，总面积达15000平方米以上。分六章介绍了十二桥遗址的发掘和研究成果，除第一章为遗址概况外，还分别介绍了遗址的文化堆积，商周时期文化遗存，战国、秦汉时期文化遗存，隋唐时期文化遗存，以及动植物与环境考古研究成果。

该书简目如下：

第一章　概况

第二章　遗址的文化堆积

第三章　商周时期文化遗存

第四章　战国、秦汉时期文化遗存

第五章　隋唐时期文化遗产

第六章　动植物与环境考古研究

294.绵阳龛窟：四川绵阳古代造像调查研究报告集

作　者：四川省文物考古研究院、绵阳市文物局　编著

出　处：文物出版社2010年版

该书为16开精装一册。分上、下编，上编收录“绵阳碧水寺摩崖造像”等调查

报告 9 篇，并附有“绵阳地区部分古代造像分布示意图”“绵阳龛窟统计表”。下编为研究论文，收有“碧水寺摩崖造像的相关问题”等文章 5 篇。据介绍，绵阳古代造像的时代涉及隋、唐、宋、清等朝代。

295.四川邛崃龙兴寺 2005 ~ 2006 年考古发掘报告

作　者：成都文物考古研究所、邛崃市文物管理局　编著
出　处：文物出版社 2011 年版

该书为 16 开精装一册，系唐宋时期龙兴寺遗址的考古发掘详报。

该书简目如下：

第一章　遗址概况
第二章　地层堆积
第三章　遗迹现象
第四章　出土遗物（一）——佛教造像类
第五章　出土遗物（二）——建筑材料及构件
第六章　出土遗物（三）——生活用器及其他
第七章　初步认识与研究
附有《龙兴寺遗址出土买地券》等文章 3 篇。

296.茂县营盘山石棺葬墓地

作　者：成都文物考古研究所、阿坝藏族羌族自治州文物管理所、茂县羌族博物馆　编著
出　处：文物出版社 2013 年版

该书 16 开精装一册，系四川省茂县城关营盘山石棺葬墓地的考古发掘详报。2003 年、2004 年、2006 年三次发掘，共发现、清理石棺葬、器物坑 190 余座（其中保存较好的 127 座），年代从西周晚期、春秋、战国晚期不等。

该书简目如下：

第一章　绪言
第二章　墓葬总述
第三章　甲类墓
第四章　乙类墓
第五章　丙类墓

第六章　其他墓
第七章　地层出土器物及采集品
第八章　分期与年代
第九章　相关问题的初步认识
附有登记表，及《营盘山及岷江上游石棺葬研究资料索引》等文章 3 篇。

297.金沙遗址考古发掘资料集（一）

作　者：成都文物考古研究所、成都金沙遗址博物馆　编
出　处：科学出版社 2013 年版

该书 16 开精装一册。收录了金沙遗址 1999 ～ 2003 年考古发掘报告。

金沙遗址位于成都市西郊青羊区金沙遗址路，2001 年发现，是 21 世纪第一项重大考古发现。这里有可能是从商代晚期至春秋时期蜀王国的都邑，现已探明遗址面积达 5 平方公里，现已发掘面积约 10 万平方米，出土了大量珍贵文物，如金面具、金带等，与三星堆遗址青铜面具造型风格大体一致。太阳神鸟金饰更是让人叹为观止。玉器、象牙器、青铜器、石器、漆木器等也不乏精品。成吨的象牙、数千件野猪獠牙、鹿角等，也引起了专家的关注。这里应是我国先秦时期最重要的遗址之一。

本书目录如下：

成都市黄忠村遗址 1999 年度发掘的主要收获
成都市金沙遗址“兰苑”地点发掘简报
金沙遗址蜀风花园城二期地点试掘简报
成都金沙遗址区“梅苑”东北部地点发掘一期简报
成都金沙遗址 2001 年黄忠村干道规划道路 B 线地点试掘简报
2001 年金沙遗址干道黄忠 A 线地点发掘简报
成都金沙遗址“置信金沙园一期”地点发掘简报
金沙遗址芙蓉苑南地点发掘简报
金沙遗址人防地点发掘简报

在正式考古发掘详报《金沙遗址：阳光地带二期地点发掘报告》出版之前，此书是研究金沙遗址的重要文字依据。文物出版社 2018 年出版的《金沙遗址祭祀区出土文物精粹》一书，可作为补充画册来看。

298.广汉二龙岗

作　者：四川省文物考古研究院、广汉市文物保护管理所　编著
出　处：文物出版社 2014 年版

该书 16 开精装一册，系四川省广汉市二龙岗秦汉时期墓葬的考古发掘详报。共发掘 27 座土坑墓、5 座砖棺墓。时代从战国晚期至西汉中期。此地属交通要道，墓葬表现出蜀文化、周文化、秦文化、楚文化等多种文化相互融合的风格。

299.金沙遗址考古发掘资料集（二）

作　者：成都文物考古研究所、成都金沙遗址博物馆　编
出　处：科学出版社 2014 年版

该书 16 开精装一册。收录了 2004 ～ 2008 年金沙遗址考古发掘报告。
目录如下：
成都市金沙遗址“春雨花间”地点发掘简报
金沙遗址“国际花园”地点发掘简报
成都市金沙遗址郎家村“精品房”地点发掘简报
成都市金沙遗址“西城天下”地点发掘
金沙遗址强毅汽车贸易有限公司地点发掘简报
成都金沙遗址人骨研究——黄忠小区工地出土人骨研究报告
金沙遗址星沙路西延线地点发掘简报
金沙遗址“龙嘴 B 延线”地点发掘简报
四川如阳实业发展有限公司商住楼地点古遗址发掘简报

贵州省

300.赫章可乐2000年发掘报告

作　者：贵州省文物考古研究所　编著

出　处：文物出版社2008年版

本书为大16开精装一册，文字共476页，约65万字，文后附黑白图版12版，彩色图版75版是贵州省赫章县可乐彝族苗族乡遗址的考古发掘详报。

赫章可乐分布有大量古夜郎时期的地方民族墓葬及汉式墓葬。一般认为，夜郎时期下限在西汉中期，横跨战国、秦汉时期。2000年秋贵州省文物考古研究所于此发掘了地方民族墓葬108座、汉式墓葬3座。其中地方民族墓葬中发现了以铜鼓、釜或铁釜套于死者头顶埋葬的“套头葬”习俗，这是国内外从未见有报道的特殊葬俗。出土的陶、铜、铁、玉等不同质地的随葬品也具有鲜明的地方特色。这为研究战国秦汉时期西南夷地区的历史，尤其是探讨古代夜郎地区的历史提供了十分重要的资料。

本书分概述、甲类墓综述、乙类墓综述、出土物检测及分析、墓葬资料分述、结语等六编对所有遗迹遗物进行了详尽的报道。甲类计3座为汉式墓，乙类为计108座民族墓。书末并附载赫章可乐20世纪70年代考古发掘的报告，便于研读者全面掌握相关的系统资料。

本书在各主要资料编之末，特别设有一个“发掘者说”的章节，用通俗语言概略解说发掘所获基本资料、相关信息以及发掘者的一些思考，力图为专业之外希望了解这批考古资料的读者开创一条便捷的途径，也使考古资料向社会的公布能真正尽到职责，收到更广泛效果。这对改进考古报告的编写体例是一次很有意义的尝试性探索。

杨勇先生有书评，见《考古》2009年第10期。

301.贵州董箐考古发掘报告

作　者：贵州省文物考古研究所　编著

出　处：文物出版社2012年版

该书为16开精装一册，前有李伯谦先生序。据介绍，董箐古遗址位于贵州省中西部北盘江下游贞丰县者相镇和镇宁苗族布依族自治州良田乡的两县交界处，2005年发现，同年进行了发掘，发现有富有当地特色的遗存，年代相当于魏晋至隋唐时期。

简目如下：

第一编　概述

第一章　地理环境

第二章　历史沿革

第三章　文物分布情况

第四章　董箐古文化遗址地理位置与工作情况

第二编　田脚脚遗址

第一章　地理位置及发掘情况

第二章　文化遗迹

第三章　文化遗物

第三编　小河口遗址

第一章　地理位置及发掘情况

第二章　文化遗迹

第三章　墓葬

第四章　文化遗物

第四编　文化性质及年代

第一章　文化性质

第二章　年代问题

302.贵州田野考古报告集（1993 ~ 2013）

作　者：贵州省文物考古研究所　编

出　处：科学出版社 2014 年版

该书16开精装一册，共收录各个历史时期考古发掘简报46篇，较为全面地反映了这二十年贵州省文物考古研究所的田野考古工作成果。

简目如下：

盘县大洞发掘简报

遵义市风帽山旧石器时代地点调查报告

贵州省惠水县和长顺县发现的两处旧石器时代洞穴遗址

贵州开阳打儿窝岩厦遗址试掘简报

龙里谷龙、哪嗙洞穴遗址调查

沿河小河口新石器时代遗址发掘简报

贵州威宁县鸡公山遗址 2004 年发掘简报
贵州威宁县吴家大坪商周遗址
贵州仁怀县商周遗址的清理
贵州贞丰县拉它先秦时期遗址发掘简报
贵州威宁县红营盘东周墓地
六盘水市钟山区石河村战国秦汉遗存试掘简报
贵州安顺市宁谷汉代遗址与墓葬的发掘
黄土坡汉代遗存清理
务川朱砂井汉代遗址调查及试掘简报
贵州贞丰县浪更燃山汉代石板墓
兴仁县交乐二十号汉墓清理简报
董箐田脚脚遗址调查报告
贵州黔西县汉墓的发掘
贵州金沙县汉画像石墓清理
平坝夏云汉墓清理简报
习水县陶罐乡小沟汉墓清理情况
务川县喻家汉墓发掘简报
黔西绿化乡汉墓发掘简报
贵州安顺宁谷灰滩汉墓清理简报
贵州兴仁县交乐十九号汉墓
贵州习水县东汉崖墓
贵州赤水市复兴马鞍山崖墓
赤水市万友号崖墓清理
开阳县打儿窝岩厦遗址上层历史时期墓葬
正安新州官田宋墓清理简报
贵州桐梓县马鞍山观音寺宋墓清理简报
沿河县沙沱水电站库区元、明墓葬发掘简报
贵州遵义市海龙囤遗址
遵义团溪明播州土司杨辉墓
遵义杨烈墓清理简报
贵阳市晒田坝明代墓葬清理简报
毕节明代蔡箐惠墓清理简报
贵阳市花溪区青岩明墓清理简报
黔西县空坟明墓发掘简报

水城马坝石棺墓葬发掘简报
乌江思林水电站（一期）墓葬清理简报
贵阳至遵义高速公路扎佐至南白段考古发掘简报
贵阳市花溪区高坡岩洞葬调查简报
贵州兴义府试院遗址清理简报
乌江葛闪渡遗址清理简报

科学出版社2015年出版有《2003～2013贵州基建考古重要发现》一书，分4章依时代介绍了相关的考古发现，可视为本书的姐妹篇。

303.仰望沅水：清水江考古记

作　者：胡昌国　著
出　处：贵州人民出版社2014年版

该书系王红光先生主编的“贵州文化遗产丛书”中之一种，32开平装一册。

清水江，是沅江的主源，发源于贵州省都匀市，全长459公里。在贵州省境内，主要流经贵州省东南部的都匀市、麻江县、凯里市、台江县、剑河县、锦屏县等16个县市。这些地区交通不便，不少地方人迹罕至，以往少有考古人员前往。经过几代考古人员的艰辛努力，已在清水河流域发现了不少先民遗迹、遗物。如2004年，为配合水库建设，对即将被淹没的地区进行了抢救性考古调查、勘探，取得了惊人的发现。共计发现古代遗存222处。其中史前遗址11处、战国秦汉遗址1处、宋明时期遗址2处、宋墓1座。居民庙宇及宗祠25处，还有大量的明清时期的桥梁、碑刻、古渡、古井等。对于这么一次仅仅是摸底性质的调查，其发现是巨大的。比如采集到的旧石器时代的遗物，是在农民烧砖取土时发现的。又如明末清初以来直到新中国成立初期，清水江流域苗、侗两族百姓在民间形成的“清水江文书”，据考察仅收集到的，就有18万件之多。这对研究当地经济、社会、文化等，无疑有着重大的价值，以至有学者提出要建立“清水江学”。

胡昌国先生以深入浅出的文笔，叙述了清水江流域这些引人入胜的考古发现，颇值一读。

304.大河上下：赤水河考古记

作　者：张改课　著
出　处：贵州人民出版社2014年版

该书系王红光先生主编的“贵州文化遗产丛书”中之一种，32开平装一册。

赤水河，系流经贵州、四川、云南三省的一条大河。考古人员经过多年努力，在赤水河两岸，发现了诸多有价值的先民遗址。时代包括新石器时代、商、西周、东周、汉代及晋等。初步构建起了赤水河流域从史前到汉晋时期的考古学年代序列，对于研究赤水河流域乃至贵州省的历史，都有重大价值。张改课先生用通俗易懂的语言，写下了沿赤水河的考古发现和考古发掘。此书出版后，2015 年贵州省文物考古研究所，又开展了一次沿赤水河谷旅游公路的大规模考古调查，动用了无人机，又有了一些新发现。这些新发现未及收入本书。

305.悠悠牂牁：北盘江考古记

作　者：杨　洪　著

出　处：贵州人民出版社 2017 年版

该书系王红光先生主编的“贵州文化遗产丛书”中之一种，32 开平装一册。

北盘江，发源于云南省乌蒙山区，流经云南、贵州两省，全长 449 公里。沿岸不少地方两岸悬崖绝壁、人烟稀少。以往考古工作者几乎从未涉足这一地区。直至 1978 年，贵州省博物馆才组织人员先后三次赴北盘江流域展开考古调查，此后又多次赴该地区展开工作。经过几代考古工作者的艰辛努力，取得了巨大的成就，有不少出人意料的发现。如在平坝县平寨村一处叫“牛坡洞”的先民遗址，考古发掘居然前后工作了三年，进行了 6 次发掘。一共出土了十多万件石器、100 多件骨器和一些残余陶片。时间跨度从旧石器时代一直延续到春秋战国时期。考古人员兴奋地把这里称之为“聚宝盆”。杨洪先生以清新可读的文笔，叙述了北盘江流域那些先民生活的遗迹、遗物，值得一读。

云南省

306.云南苍洱境考古报告（甲、乙编）

作　者：吴金鼎等　著；曾昭燏　编写
出　处：国立中央博物院筹备处 1942 年版

该书 16 开一册，分甲、乙两编。甲编为 1938 年至 1940 年云南大理苍山东麓及洱海周围文化遗址考古调查报告。分五章：总述、马龙遗址、佛顶遗址、龙泉遗址、白云遗址。其中详记各遗址的地理环境、发掘经过、文化层的情况，并对出土文物详加考察、分析、制图，对各遗址时代加以考证。乙编为 1938 年 11 月在云南大理地区遗址中发现的有字古残瓦研究报告，又名“点苍山下所出土古代有字残瓦”。报告分五节：发现与发掘经过，各遗址之位置、情形、史实及传说，有字残瓦之研究，同出之遗物，时代之审定。后附英文提要及文字瓦拓片百余张。

307.云南晋宁石寨山古墓群发掘报告

作　者：云南省博物馆　编著
出　处：文物出版社 1959 年版

该书精装两册，文字一册，16 开，图录一册，8 开，系云南省晋宁县石寨山古墓群的考古发掘详报。该墓群 1956 ～ 1957 年发掘，共发掘古墓 20 座，出土大量铜器、铁器、金银、陶器及石、玉、玛瑙、绿松石器、料珠等。这些遗物有的是从中原传来的，有的是仿制中原的，但也有当地制作的富有特色的实物。年代大致为西汉初叶或更早一些，下限为西汉晚期至东汉初中。

该书简目如下：

第一章　绪言
第二章　墓葬概说
第三章　随葬器物
第四章　结语

今有科学出版社 2018 年出版的《石寨山文化考古研究论文集》共三册，可参阅。

308.云南古长城考察记

作　者：于希贤、贾向云、于　涌　著
出　处：云南人民出版社 2001 年版

该书为 32 开一册，系作者对云南古长城的考古调查报告。

该书简目如下：

引言

一、机遇

二、石林古长城的首次发现

三、云南古长城能否揭示爨文化

四、从弥勒县的金子洞坡到大麦地

五、古滇国“创世女神”的发现

六、天生桥、溶洞、古道、古城堡与古长城

七、请教历史文物专家

八、云南古长城埂专家论证会

九、古滇文化的新发现

十、对云南古长城的初步认识

后记：探寻云南古长城之路

附有相关文章 3 篇。

该书页 144 云：“许多到现场的专家都认定，云南古长城的堆筑时代是从古滇文化时期开始，经爨文化时代至唐代。”

309.大理大丰乐

作　者：云南省文物考古研究所、大理市博物馆　编著
出　处：云南科技出版社 2002 年版

该书为 16 开一册，系云南省大理市凤仪镇大丰乐村东北大丰乐墓地的考古发掘详报。此墓地系一处以火葬为主的墓地，1993 年、1995 年进行了两次发掘。共发掘火葬墓 966 座，时代从唐至明都有，但以唐、宋墓为主。葬具有陶罐、瓷罐、铜罐。随葬品有铜片、铁片、铜钱、海贝、铜镜、陶俑、陶十二生肖、瓷瓶等。详报还探讨了云南火葬墓的起始年代、地方特点等问题。

310.曲靖八塔台与横大路

作　者：云南省文物考古研究所　编著
出　处：科学出版社 2003 年版

该书 16 开精装一册，系云南省曲靖市麒麟区八塔台、横大路两处古墓群的考古发掘详报。八塔台墓地 1977 年发现，1977 年、1979 年、1980 年、1981 年、1982 年共进行了七次发掘，包括青铜时代春秋初期至西汉末年墓葬和宋、元、明时期墓葬。横大路墓地 1982 年发现，1997 ～ 1998 年发掘，墓葬年代与文化面貌与八塔台墓地一致。

该书简目如下：

壹　绪论
贰　八塔台墓地
叁　横大路墓地
肆　结语

附有表格 5 种及《八塔台青铜时代墓葬出土金属器的分析鉴定》一文。

311.昆明羊甫头墓地

作　者：云南省文物考古研究所、昆明市博物馆、官渡区博物馆　编著
出　处：科学出版社 2005 年版

本书 16 开精装四册，是关于 1998 ～ 2001 年对昆明羊甫头墓地发掘的考古详报。该墓地共发掘滇文化、汉式墓葬、明清墓葬 846 座。

本书简目如下：

第一章　地理环境及概述
第二章　滇文化墓葬综述
第三章　滇文化大、中型墓葬介绍
第四章　滇文化典型小型墓葬介绍
第五章　滇文化墓葬的分期与年代
第六章　羊甫头墓地与周邻遗存的关系
第七章　汉式墓葬综述
第八章　汉式墓葬分类举例
第九章　汉式墓葬的分期年代与小结
第十章　采集的滇文化与汉式遗物
第十一章　结束语

据该书第715页，所谓“滇文化”可分四期，年代分别为战国中期、战国后期至秦汉之际、西汉初至公元前109年、公元前109年至西汉末。所谓“汉式墓葬”年代为西汉末到东汉中期。

312.云南考古报告集（之二）

作　者：云南省文物考古所　编
出　处：云南科技出版社2006年版

该书16开一册，收录云南文物考古所的相关成果，计简报15篇、调查报告2篇。简目如下：

曲靖市麒麟区潇湘平坡墓地发掘报告
玉溪刺桐关青铜时代遗址发掘报告
个旧黑玛井古墓群发掘报告
昭通水富县楼坝崖墓发掘报告
梁河曩宋八留地遗址发掘报告
新街——河口公路遗址考古发掘报告
威信瓦石棺木岩悬馆墓发掘报告
个旧王林寨小满坡墓地发掘报告
香格里拉居日河遗址发掘报告
大理下关苗圃山墓地、窑址发掘报告
蒙自瓦渣地墓地发掘报告
泸西县羊格黑明清哨所遗址发掘报告
昭待公路鲁甸双包坟墓地发掘报告
永善县务基乡青龙村汉墓发掘报告
永善县务基乡青龙村古城址勘探报告
龙陵县大田坝村彝族香堂人土法炼铅工艺调查及相关问题
永仁县勐连彝族俚颇支系的宗教信仰调查

313.云南边境地区（文山州和红河州）考古调查报告

作　者：云南省文物考古研究所、文山州文管所、红河州文管所　编著
出　处：云南科技出版社2008年版

该书16开一册，汇集了2005～2007年云南省文山州、红河州的考古调查成果。

计有古猿与古生物化石地点 11 处、旧石器时代遗址 9 处、新石器时代遗址 11 处（又采集点 10 处）、青铜时代遗址 3 处（又采集点 8 处）。考古人员还考察了崖画 5 处、古城址 1 处、古窑址 2 处、祭坛遗迹 1 处、石崇拜遗迹 1 处、石刻造像遗迹 3 处。

314.晋宁石寨山：第五次发掘报告

作　者：云南省文物考古研究所、昆明市博物馆、晋宁县文物管理所　编著
出　处：文物出版社 2009 年版

该书 16 开精装一册，是云南省昆明市晋宁县上蒜乡石寨村石寨山遗址 1996 年第五次发掘的考古详报。

简目如下：

第一章　绪论
第二章　墓葬综述
第三章　墓葬分述
第四章　结语

附有表格 10 种及相关报告等 6 种。

该书介绍了两座大型墓葬（M71、M69）及 34 座小型墓葬的资料，时代为春秋。而石寨山遗址的年代，大体为春秋、战国至西汉。

315.鹤庆象眠山墓地

作　者：云南省文物考古研究所、大理白族自治州文物管理所、鹤庆县文物管理所　编著
出　处：文物出版社 2009 年版

鹤庆象眠山墓地考古是云南省文物考古研究所为配合基建所进行的大规模田野发掘，取得了重要而丰富的考古资料。此次考古发掘墓葬约 2800 座，主要为云南大理国时期当地比较盛行的火葬墓，也有一部分土坑墓。火葬墓兴起于南诏时期、盛行于大理国时期，一直持续到明代中后期，年代跨度达千年之久；土坑墓的年代主要属明清时期。火葬墓是云南地区少数民族所特有的葬俗，与中国传统佛教在该地区的兴盛有着密切的关系。本报告为研究云南地区古代葬俗、历史文化提供了重要资料。

本书目次如下：

第一章　地理环境及概况

第一节　地理位置及环境
第二节　历史沿革
第三节　考古发掘概况
一、发掘经过
二、布方、墓葬分布及地层情况
第二章　火葬墓
第一节　综述
第二节　形制、葬俗
第三节　葬具
一、红（黄）陶葬具
二、绿釉陶葬具
三、灰陶葬具
四、黄釉葬具
五、其他类型葬具
第四节　随葬品
一、海贝
二、陶、瓷器
三、金属器
第五节　碑刻、符录
一、碑刻
二、符录
第六节　典型火葬墓
第七节　葬具的组合及演变
第八节　火葬墓的分期、年代与小结
第九节　瓮棺葬
第三章　土坑墓
第一节　综述
第二节　葬具
第三节　葬式
第四节　葬俗
第五节　随葬品
一、陶、瓷器
二、金属器

第六节　典型土坑墓
第七节　土坑墓的分期、年代与小结
第四章　结语
第一节　氐羌民族系统自古就有火葬习俗
第二节　具有佛教色彩的火葬习俗在中国的出现
第三节　云南地区有关火葬习俗的史料
第四节　云南其他民族的火葬习俗
第五节　具有佛教色彩的火葬形式
第六节　对于火葬的禁令
第七节　土坑墓葬俗的推广
附表一　火葬墓登记表
附表二　土坑墓登记表
附录一　采集品
附录二　《鹤庆碑刻辑录》摘抄
一、寿宗碑志
二、北胜州判官赵护墓志
三、故李氏墓碑志
四、鹤川杨现存生坟墓志
五、龟城弘农郡老宿杨公兼檄擢宾主墓志
六、故段氏墓碑志
七、孝子廉吏祀乡贤赵德宏墓碑志
八、敕赠七品孺人例赠淑人
后记
英文提要

316.耿马石佛洞

作　者：云南省文物考古研究所、中国社会科学院考古研究所、成都文物考古研究所、临沧市文物管理所、耿马傣族佤族自治县文化体育局　编著

出　处：文物出版社 2010 年版

该书 16 开精装一册，系云南省临沧市耿马傣族佤族自治县石佛洞遗址的考古发掘详报。1982 年发现，1983 年试掘，2000 年、2003 年两次发掘。时代为距今 3500 ～ 3000 年间，相当于史前至商代。

简目如下：

第一章　绪论

第二章　出土器物类型学研究

第三章　2003 年度发掘的遗迹和遗物

第四章　1983 年度发掘的遗迹和遗物

第五章　分期与年代

第六章　结语

附有鉴定报告等 7 种。

317.云南考古（1979 ～ 2009）

作　者：杨　帆、万　杨、胡长城　编著

出　处：云南人民出版社 2010 年版

该书 16 开精装一册，计 453 页，是 1979 ～ 2009 年云南地区考古调查和考古发掘的概述。云南地区在唐代以前，尤其是西汉以前，往往以“荒服地”称之，传世文献没有记载，当地土著又没有文字。所以复原云南历史，尤其是早期历史，只能依靠考古。本书名曰概述性著述，实际上是一本建立在坚实的考古学基础上的综合报告。

简目如下：

前言

第一章　新石器时代—青铜时代初期的遗址及墓葬

　第一节　金沙江（长江水系）流域考古材料

　第二节　南盘江（珠江水系）流域考古材料

　第三节　怒江、澜沧江流域考古材料

　第四节　红河流域考古材料

　小结

　认识与思考

第二章　青铜时代中期——两汉时期的遗址及墓葬

　第一节　滇池及滇中地区考古材料

　第二节　滇东地区考古材料

　第三节　滇东北地区考古材料

　第四节　滇西及滇西北地区考古材料

　第五节　滇西南地区考古材料

　第六节　滇东南地区考古材料

第七节　出土的早期铜鼓
小结
认识与思考
第三章　岩画
第四章　三国至初唐时期
第五章　南诏大理国时期
第六章　元明清时期
附有表格多种。

318.昭通田野考古之一

作　者：昭通市文管所　编著
出　处：云南人民出版社 2012 年版

该书 16 开平装一册，正文 247 页，汇集了中华人民共和国成立以来云南省昭通境内已发表的考古发掘报告以及未发表零星调查材料，是昭通市第一本考古资料集。该书不是依发表年而作考古发掘报告的汇编，而是重新加以整理、分类和编写。对读者来说，或许帮助更大。

简目如下：
第一章　商周
　第一节　考古发掘、清理简报
　　一、鲁甸野石山遗址
　　二、巧家小东门墓地
　第二节　调查发现的遗址及采集品
　　一、鲁甸马厂遗址
　　二、昭通闸心场遗址
　　三、昭通黑泥地遗址
　　四、昭通双龙井遗址
　　五、昭通过山洞遗址
第二章　战国—西汉
　第一节　考古发掘简报
　　一、昭通营盘墓地
　　二、水富张滩墓地
　第二节　调查发现的墓地及采集品

一、昭通白沙地墓地
二、昭通水井湾文家塥包墓地
三、巧家魁阁梁子墓地
四、绥江回头湾
第三章　东汉
第一节　梁堆砖室
一、白泥井东汉墓
二、桂家院子东汉墓
三、永善务基青龙汉墓
四、鸡窝院子汉墓
五、鲁甸县牛头寨清真寺梁堆墓
第二节　崖墓
一、小湾子崖墓
二、盐津燕儿湾崖墓
三、水富楼坝崖墓
四、得马寨佘家坡崖墓
五、大关岔河崖墓
六、象鼻岭崖墓
七、盐津干溪沟崖墓
八、大关县天星镇安乐村朝门口东汉崖墓
九、大关县岔河孙家沙坝汉代崖墓
第三节　城址
第四章　东晋
一、墓葬结构
二、壁画
三、几点认识
第五章　唐代
第一节　威信瓦石棺木岩悬棺墓
一、地理环境及悬棺分布
二、悬棺形制及棺内堆积
三、随葬器物
四、结语
第二节　昭通悬棺葬的调查与研究

一、相关调查
二、研究简史
三、骨骼特征及族属推断
四、陪葬品
五、年代
六、僰人消失之谜
七、结论
第六章　元明清
第一节　昭阳土城故址
第二节　鲁甸双包功墓地
一、地理位置及墓葬结构
二、火葬墓族属及年代
三、结语
第三节　永善务基青龙村古城址勘探
一、地理位置及城址勘探情况
二、结语
附录　调查材料
一、新石器时代
二、东汉
后记

319.华宁小直坡墓地

作　者：云南省文物考古研究所、玉溪市文物管理所、华宁县文物管理所　编著
出　处：云南人民出版社 2014 年版

该书 16 开平装一册，系对云南省玉溪市华宁县宁州镇王马村小直坡墓地的两次考古发掘的详报。共清理竖井土坑墓 346 座、火葬墓 22 座，出土保存较好的遗物 600 余件（套）。时代为青铜时代墓葬和明代墓葬。明代墓葬有竖穴土坑墓、火葬墓两类。

该书附有 48 页铜版纸彩色插页。

西藏自治区

320.古格王国建筑遗址

作　者：西藏工业建筑勘测设计院　编著
出　处：中国建筑工业出版社 1988 年版

该书 16 开精装一册，系关于西藏阿里地区古格王国王宫寺庙等建筑的考古考察报告。介绍了古格王国的地理环境、历史沿革、建筑遗址概貌、建筑特点等，附有彩色图版 88 页。

古格王国的年代，为公元 10 世纪中叶至公元 17 世纪初。

321.古格故城

作　者：西藏自治区文物管理委员会　编著
出　处：文物出版社 1991 年版

该书为 16 开精装上、下两册，上册为文字，下册为图版。

该书简目如下：

第一章　概说

第二章　建筑遗存

第三章　墓葬

第四章　遗物

第五章　佛教艺术的分类及研究

第六章　结语

附有《札达县现存的几处古格王国时期的遗址、寺院》等计 8 篇。

公元 10 世纪中至公元 17 世纪初，古格王国雄踞于西藏西部。

今有张建林先生《秘境之国：寻找消失的古格文明》（西北大学出版社 2019 年版）一书，可参阅。

322.青藏铁路西藏段田野考古报告

作　者：西藏自治区文物局、四川大学考古系、陕西省考古研究所　编著
出　处：科学出版社 2005 年版

本书 16 开精装一册，其内容为 2003 ～ 2004 年青藏铁路基本段沿线考古调查中发现的 36 处文物点的系统资料及初步研究。

该书简目如下：

前言
第一章　概况
第二章　石器地点与石器遗址
第三章　古代墓葬
第四章　古代祭祀遗址
第五章　古代建筑遗址
第六章　其他遗址
第七章　结语

据介绍，遗址涉及时代包括石器时代、吐蕃时代、蒙古准噶尔部入侵西藏时代等。附有《那曲祭祀坑的动物遗存》《柳吾乡拉觉墓地陶片观察》《西藏那曲古代祭祀人骨》三文。

323.皮央·东嘎遗址考古报告

作　者：四川大学中国藏学研究所、四川大学历史文化学院考古学系、西藏自治区文物事业管理局　编著
出　处：四川人民出版社 2008 年版

该书为 16 开精装一册，是西藏阿里地区札达县皮央·东嘎遗址的考古发掘详报。该遗址 1992 年发现，1994 ～ 2001 年共进行了 7 次发掘。详报称，该遗址的遗存可分为早、晚两个时期：早期有墓葬、房屋、岩画等遗存，晚期为古格王国时期的佛教石窟、佛寺、佛塔等。书后附有人骨、藏文佛经残卷等的研究报告，另有“壁画菩萨名号藏汉文对照表”。

一般认为，古格王国的年代为公元 10 世纪中叶到公元 17 世纪初，相当于中原地区宋代至清代。

陕西省

324.西行日记

作　者：陈万里　著
出　处：北京朴社1926年7月初版

该书为22开一册，系北京大学研究所国学门实地调查报告，记述陕西邠州（今彬州市）大佛寺、泾州（今泾川）王母宫等北魏石刻、甘肃敦煌千佛洞、安西万佛峡石窟的壁画及泥塑、甘肃省唐代古城的发掘工作。胡适先生题写书名，书前有朱乐之题诗，沈兼士、马叔平、顾颉刚诸先生序，作者自序，李有行《万里向安西》和《敦煌120n洞北魏图案及塑像》两图。书后附敦煌千佛洞三日间所得之印象、泾川石刻校释及考证、万里校碑录、官厅调查表、旅程表、国学周刊读者赐函。

325.陕西调查古迹报告

作　者：徐炳昶、常　惠　著
出　处：国立北平研究院出版部1933年10月初版

该书为16开一册，仅17个页码。分关于周之古迹、关于秦之遗迹、秦以后之古迹三部分，介绍陕西省各地古迹遗址的考察情况。书前有省内古迹图片十余幅。

326.沣西发掘报告：1955～1957年陕西长安县沣西乡考古发掘资料

作　者：中国科学院考古研究所　编著
出　处：文物出版社1963年版

该书为16开一册，分精装、平装两种，是1955～1957年对陕西省长安县沣河西岸客省庄和张家坡遗址的考古发掘详报。客省庄距西安市约20公里。客省庄二期是流行于渭河流域一种富有特色的新石器时期文化，晚期应已进入历史时期。张家坡距客省庄约1.5公里，主要为西周、东周遗存。

该书简目如下：

壹　1955 ~ 1957 年沣西发掘概述

贰　客省庄居住遗址

叁　张家坡居住遗址

肆　张家坡和客省庄的两周墓葬

伍　张家坡的西周车马坑

附有“客省庄第二期文化”的兽骨鉴定、“张家坡西周居住遗址陶瓷碎片的研究”、“张家坡和客省庄的西周墓葬登记表”“客省庄的东周墓葬登记表”“器物插图、图版及说明索引表”。

据介绍，发掘遗址为客省庄和张家坡两个地点。客省庄遗址包括仰韶文化、“客省庄第二期文化”、西周和战国的遗存。张家坡遗址主要是西周遗存。两处共发掘180 余座西周墓、70 余座东周墓，张家坡还发掘了 4 个西周车马坑。

求是写有书评，见《考古》1964 年第 12 期。

327.陕西铜川耀州窑

作　者：中国科学院考古研究所　编辑

出　处：科学出版社 1965 年版

该书 16 开一册，分精装、平装两种。铜川耀州窑以铜川市黄堡镇为中心，东北距铜川市约 20 公里，1959 年进行发掘，证实是一处从唐代开始生产，北宋靖康年间以前大发展，其后逐渐衰落，直至元初仍在烧制的古代瓷窑遗址。

该书简目如下：

前言

第一章　铜川黄堡镇古瓷窑遗址

第二章　铜川立地坡古瓷窑遗址

第三章　铜川上店村古瓷窑遗址

第四章　结语

后附宋元丰七年“德应侯碑”。

详报对发掘资料的研究结果证明：黄堡镇是一处从唐代已开始的陶瓷生产遗址，北宋靖康年间以前大发展，其后逐渐衰落，直到元初仍在烧制；立地坡、上店村是两处金、元时代的瓷窑遗址。本报告为北宋青瓷工艺技术发展史的研究提供了重要资料。

今有王锐先生《中国耀州瓷艺术研究》（中国书籍出版社 2014 年版）一书，可参阅。

328.陕南考古报告集

作　者：陕西省考古研究所、陕西省安康水电站库区考古队　编

出　处：三秦出版社 1994 年版

该书 16 开精装一册，介绍了李家村遗址、何家湾遗址、阮家坝遗址、马家营遗址、白马石遗址等陕南安康地区古代遗址的考古发掘情况。涉及史前及夏商时期。

该书简目如下：

壹　李家村遗址
　第一章　概述
　第二章　老官台文化李家村类型遗存
　第三章　龙山文化遗存
　第四章　结语
贰　何家湾遗址
　第一章　概述
　第二章　老官台文化李家村类型遗存
　第三章　仰韶文化半坡类型遗存
　第四章　仰韶文化庙底沟类型遗存
　第五章　龙山文化遗存
　第六章　结语
叁　阮家坝遗址
　第一章　概述
　第二章　老官台文化李家村类型遗存
　第三章　仰韶文化半坡类型遗存
　第四章　仰韶文化庙底沟类型遗存
　第五章　夏商时期遗存
　第六章　结语
肆　马家营遗址
　第一章　概述
　第二章　老官台文化李家村类型遗存
　第三章　仰韶文化半坡类型遗存
　第四章　仰韶文化庙底沟类型遗存
　第五章　夏商时期遗存
　第六章　结语

伍　白马石遗址
　第一章　概述
　第二章　第一期文化遗址
　第三章　第二期文化遗址
　第四章　结语

329.扶风案板遗址发掘报告

作　者：西北大学文博学院考古专业　编著
出　处：科学出版社 2000 年版

此书为 16 开精装一册，是关于扶风案板遗址的考古发掘详报。该遗址涉及仰韶、龙山、西周及汉代等不同历史时期。简目如下：

第一章　地理位置与发掘经过
第二章　地层堆积与文化分期
第三章　第一期遗存
第四章　第二期遗存
第五章　第三期遗存
第六章　西周墓葬
第七章　汉代墓葬
第八章　案板遗址新石器时代遗存研究
后附有表格 5 种，附录 2 种。

330.西安长安区韩家湾墓地发掘报告

作　者：陕西省考古研究院　编著
出　处：三秦出版社 2000 年版

该书 16 开精装一册，系对陕西省西安市长安区韩家湾墓地的考古发掘详报。墓葬时代从东汉至明清。出土遗物中，隋代透影白瓷杯、白瓷盂等，初步定为隋代邢窑出品。出土的重要墓志，志主有北周右车骑大将军纥豆陵曦、唐令狐楚家族成员、西魏重臣王思政后裔王怜等。有的墓还有精美壁画。

该书简目如下：
第一章　概述
第二章　东汉至西晋时期墓葬

第三章　北周隋唐时期墓葬
第四章　宋明清时期墓葬
第五章　结语
附有《西安韦曲出土《王怜墓志》探赜》等文4篇。

331.城固宝山：1998年发掘报告

作　者：西北大学文博学院　编著
出　处：文物出版社2002年版

该书为16开精装一册，系陕西省城固县宝山遗址的考古发掘详报。前有李学勤先生序。

该书简目如下：
前言
第一章　文化层堆积和分期
第二章　仰韶文化遗存
第三章　龙山文化遗存
第四章　商时期遗存
第五章　汉代遗存
结语
附有登记表、统计表、分布表等8种。

332.慈善寺与麟溪桥：佛教造像窟龛调查研究报告

作　者：西北大学等　编著
出　处：科学出版社2002年版

该书16开精装一册，系中、日联合考察团对陕西省麟游县的考察研究报告。从1998～2000年，共进行了三次考察。麟游县位于关中，距西安150公里。隋唐时期的夏宫——仁寿宫、九成宫即位于此地。慈善寺的石窟，计3座，摩崖造像龛10个。开凿于北周，隋及唐武周以前，已是地位显赫的皇家寺院。麟溪桥造像龛21个，开凿于盛唐至中唐时期，系民间所为。

该报告分为调查报告篇与调查研究篇。调查报告客观描述了两处佛教圣地的现状，调查研究篇集中了相关的研究成果。

333.陕西兴平侯村遗址

作　者：陕西省考古研究所　编著
出　处：三秦出版社 2004 年版

该书为 16 开精装一册，系陕西省兴平县侯村遗址的考古详报。1992 年为配合西安—宝鸡公路建设进行了抢救性发掘。该书分为上、下两编：上编介绍了秦汉建筑遗址的范围、遗迹、出土遗物、陶文等，重点介绍了“黄山宫”的地理位置、创建年代等；下编介绍了仰韶晚期、客省庄二期及周文化遗迹和遗物。附有“黄山宫建筑材料索引”“黄山宫遗址颜料的分析”及统计表等。

334.高陵张卜秦汉唐墓

作　者：陕西省考古研究所　编著
出　处：三秦出版社 2004 年版

该书为 16 开精装一册，系陕西省高陵县张卜村墓地的考古发掘详报。2000 年，为配合西安—阎良公路建设进行了发掘，共清理、发掘战国秦墓 14 座、西汉墓 20 座、东汉墓 13 座、唐墓 14 座。

335.立地坡·上店耀州窑址

作　者：耀州窑博物馆、陕西省考古研究所、铜川市考古研究所　编著
出　处：三秦出版社 2004 年版

该书为 16 开精装一册，是 2002 ~ 2004 年陕西省铜川市立地坡、上店、明秦王府琉璃厂等三处窑厂遗址的考古发掘详报，附有古瓷元素组成的核分析研究及相关碑石文献等。耀州窑延烧的时间很长，一般认为从五代至宋、金、元各代均有烧制。

336.陇县原子头

作　者：宝鸡市考古工作队、陕西省考古研究所　编著
出　处：文物出版社 2005 年版

该书为 16 开精装一册，系 1991 ~ 1992 年陕西省陇县县城西北 1.5 公里原子头遗址的考古发掘详报。

该书简目如下：

第一章　绪论
第二章　遗址文化层堆积及基本内涵
第三章　前仰韶时期文化遗存
第四章　仰韶文化遗存
第五章　龙山文化遗存
第六章　周文化遗存
第七章　汉代文化遗存
第八章　唐代文化遗存
第九章　宋、金、元、明、清墓葬
第十章　结语

附有登记表、统计表 6 种。

详报称，1991 年、1992 年，考古人员对位于陇原县县城西北 1.5 公里处的原子头遗址进行了两次发掘，收获颇丰，共清理发掘新石器时代房址 40 座、陶窑 3 座、墓葬 1 座，新石器时代及汉代灰坑 126 个、汉代窑址 1 个，汉、唐时墓葬 56 座。最为突出的是仰韶文化中半坡、史家、原子头（含东庄村）、庙底沟、福临堡、西王村（含半坡晚期）各种类型遗存于一处发现，这在过去从未有过。唐墓出土的大量银箔饰片也十分珍贵。

337.旬邑下魏洛

作　者：西北大学文化遗产与考古学研究中心、陕西省考古研究所　编著
出　处：科学出版社 2006 年版

该书为 16 开精装一册，系陕西省旬邑县下魏洛遗址 2004 年考古发掘的详报。

该书简目如下：

第一章　前言
第二章　A 区发掘报告
第三章　B 区发掘报告
第四章　C 区发掘报告
第五章　D 区发掘报告
第六章　结语

附有统计表两种、《旬邑县几个遗址的调查》《旬邑下魏洛村民居调查报告》以及人骨、动物骨骼鉴定报告等。

据介绍，遗址包括仰韶文化、龙山文化及周、汉文化遗存，对研究陕甘交界处

的文化特征，认识关中与甘青文化圈之间的交流、龙山文化的发展走向及周秦文化的起源等，均有重要价值。

338.华县东阳

作　者：陕西省考古研究所、秦始皇兵马俑博物馆
出　处：科学出版社 2006 年版

该书为 16 开精装一册，系 2001 ～ 2002 年陕西省华县东阳乡周、秦、汉墓地及墓地周边相关遗迹的考古发掘报告。报告公布了 116 座墓葬的全部资料，为研究关中西部地区周、秦文化，提供了第一手的资料。

该书简目如下：

第一章　概述
第二章　周墓
第三章　周墓区其他遗迹及遗物
第四章　秦墓
第五章　与秦墓群相关的遗迹及遗物
第六章　汉墓
第七章　东阳古墓地发掘的意义
附有表格 5 种，鉴定报告等文章 3 篇。

339.宝鸡建河墓地

作　者：陕西省考古研究所　编著
出　处：陕西科学技术出版社 2006 年版

该书为 16 开精装一册，系 2001 年宝鸡建河、毛家庄墓地的考古发掘详报。此次考古共清理秦墓 39 座、西汉墓 2 座、晋墓 3 座、北周墓 1 座、北宋墓 1 座。详报介绍了这批古墓的墓葬结构、葬俗、随葬品、分期与年代等。附有表格 6 种及人骨、动物骨骼鉴定报告。

340.法门寺考古发掘报告

作　者：陕西省考古研究院、法门寺博物馆、宝鸡市文物局、扶风县博物馆编著
出　处：文物出版社 2007 年版

该书 16 开一函两册，系陕西省扶风县法门寺的考古发掘详报，涉及北周、唐、宋、

金、明、民国等历代遗迹、遗物。该书下册全部为彩照。

上册简目如下：

第一章　发掘概况

第二章　塔体建材中和寺院内所见刻铭砖、碑碣及刻石

第三章　塔身所出造像和经卷

第四章　地宫出土遗物

第五章　结语

附有“唐代法门寺地宫出土遗物一览表”等表格 10 种，《陕西扶风法门寺唐代地宫考古大事记》《法门寺文献要目》等文 3 篇。

李志荣先生写有书评，载《文物》2008 年第 2 期，指出此书尚存在“图文错乱、注释缺漏，文、图粗糙等问题”。

341.西岳庙

作　者：陕西省考古研究院、西岳庙文物管理处　编著

出　处：三秦出版社 2007 年版

该书为 16 开精装一册。西岳庙是古代谒祭华山的场所，位于陕西省华阴县岳庙镇。1996 ~ 2002 年，配合修复工程对其进行考古发掘，发现两汉遗存、南北朝遗存、隋代遗存、唐代遗存、五代遗存、宋代遗存、金元遗存、明代遗存、清代遗存、民国时期遗存。本书报道发掘所获资料，总结发掘收获与认识。正文后有附表 7 种。附文章 3 篇：1. 历代修庙碑文及修碑记，2. 其他碑文与秦玉版文，3. 西岳庙古琉璃建筑材料测定报告。

342.梁带村芮国墓地：2007 年度发掘报告

作　者：陕西省考古研究院、渭南市文物保护考古研究所、韩城市景区管理委员会　编著

出　处：文物出版社 2010 年版

该书为 16 开精装一册，系陕西省渭南市韩城市东北梁带村芮国墓地的考古发掘详报。该墓地共发现大、中、小型墓葬 1300 多座，2005 年开始发掘，2007 年度共发掘清理墓葬 36 座、车马坑 2 座。

该书简目如下：

第一章　绪论

第二章　北区墓
第三章　南区墓
第四章　西区墓
第五章　结语
书后附有人骨、木材鉴定报告及登记表等。据介绍，北区墓的时代为西周晚期，南区墓的时代为春秋早期，西区墓的时代为春秋早期偏晚。

343.商洛东龙山

作　者：陕西省考古研究院　编著
出　处：科学出版社 2011 年版

该书 16 开精装一册，计 184 页。系 1997 ~ 2002 年对陕西省秦岭南麓商洛东龙山遗址 6 次考古发掘的详报，涉及仰韶文化、龙山文化、夏早期、夏晚期、商、周共 6 个历史时期，尤以龙山文化、夏早期和商代遗存最为丰富。该遗址夏文化早期遗址与二里头一、二期遗存大同小异，商代遗存与二里冈商代遗存基本相同。但周代遗存与关中同时期遗存差异甚大。
该书简目如下：
第一章　概述
第二章　层次关系与文化内涵
第三章　仰韶文化遗存
第四章　龙山文化遗存
第五章　夏代早期遗存
第六章　夏代晚期遗存
第七章　商代遗存
第八章　周代遗存
第九章　结语
有关于人骨、动物遗存的文章作为附录。

344.李家崖

作　者：陕西省考古研究院　编著
出　处：文物出版社 2013 年版

该书为 16 开精装一册，系陕西省清涧县李家崖村古代遗址的考古发掘详报。

1982年至1991年，考古人员在当地进行了5次发掘，发现有龙山文化、商周文化、秦文化等文化遗存。

简目如下：

第一章　前言

第二章　龙山文化遗存

第三章　李家崖文化遗存

第四章　东周、秦代文化遗存

第五章　结语

附有表格两种及鉴定报告6种。

345.周原汉唐墓

作　者：陕西省考古研究院、宝鸡市周原博物馆　编著

出　处：科学出版社2014年版

该书为16开精装一册，系2005年陕西周原纸白墓地、七里桥墓地秦汉、隋唐时代墓葬的考古发掘详报。

该书简目如下：

第一章　概述

第二章　纸白墓地

第三章　七里桥墓地

第四章　其他地点秦汉墓葬

第五章　结语

附有表格3种，铜器分析报告1篇。

346.凤翔孙家南头：周秦墓葬与西汉仓储建筑遗址发掘报告

作　者：陕西省考古研究院、宝鸡市考古研究所、凤翔县博物馆　编著

出　处：科学出版社2015年版

该书16开精装一册。凤翔县孙家南头，在古代是一处非常重要的地点，“蕲年宫”遗址就是在此地发现的。在配合当地基建过程中，又发现了先周与西周墓葬35座、春秋时期墓葬和车马坑91座、宋元时期墓葬9座。西汉时期规模巨大的仓储建设遗址的发现，是又一重大收获，可见此地是一处历史内涵非常丰富的地方。

该书简目如下：

绪言
第一章　孙家南头周墓
第二章　孙家南头秦墓
第三章　汉代仓储建筑遗址
第四章　宋元明墓葬
第五章　结语
附有表格 6 种、文章 4 篇。

甘肃省

347.庆阳北石窟寺

作　者：甘肃省文物工作队、庆阳北石窟寺文管所　编著
出　处：文物出版社 1985 年版

该书为 16 开精装一册，系甘肃省庆阳北石窟寺的考古发掘详报。
简目如下：
一、北石窟寺的发现与勘察经过
二、北石窟寺的地理位置、窟龛分布及其概况
三、关于北石窟寺的名称、创建与分期
四、北石窟寺造像题材的考证
五、北石窟寺各代造像的艺术特色
最后附有“庆阳北石窟寺内容总录”。

348.永昌西岗柴湾岗：沙井文化墓葬发掘报告

作　者：甘肃省文物考古研究所　编著
出　处：甘肃人民出版社 2001 年版

该书为 16 开精装一册，系甘肃省永昌县 1979 年发掘的西岗墓地和 1981 年发掘的柴湾岗墓地的考古发掘详报，两地共计 565 座墓葬。附录有《甘肃永昌沙井文化人骨种属研究》一文。

一般认为，沙井文化流行于河西走廊东段，从时间上看，上接齐家文化，应相当于中原地区的西、东周时期。

349.敦煌莫高窟北区石窟

作　者：敦煌研究院　编著
出　处：文物出版社 2004 年版

该书为 16 开精装，已出版一、二、三共三卷，每卷介绍若干石窟。如第二卷介

绍北区1395窟至13156窟以及462、4656窟的考古资料。此套书的附录学术价值较高。如第二卷附有《莫高窟北区出土回鹘文献译释研究（一）》等文，第三卷附有《莫高窟北区出土西夏文文献释读研究》等文。

350.西汉水上游考古调查报告

作　者：甘肃省文物考古研究所、中国国家博物馆、北京大学考古文博学院、陕西省考古研究院、西北大学文博学院　编著

出　处：文物出版社2007年版

该书为大16开精装一册。

考古人员于2003年至2004年上半年对甘肃礼县所在的西汉水上游地区各类遗址进行了大面积的考古调查，其中仰韶时期文化遗址61处，龙山时期文化遗址51处，周代遗址47处。该报告是对此次调查成果的一个总结，对于总体把握早期秦文化在西汉水上游的分布具有一定的学术价值，是进一步探索早期秦文化以及开展更深入工作的重要参考资料。

本书简目如下：

第一章　前言

第二章　遗址介绍

第三章　对西汉水上游考古学文化及相关问题探讨

一、史前时期考古学文化的发展序列及相关问题

二、商周时期的文化和秦早期都邑

351.临洮战国秦长城山丹汉、明长城调查报告

作　者：甘肃省文物局、甘肃省文物考古研究所　编著

出　处：甘肃人民出版社2007年版

该书16开精装一册，讨论了秦长城的修筑年代、起点、走向、类型、修筑方法、称谓、分布特点、功能及保护等，介绍了残存的汉代、明代长城。报道了长城的现状以及壕堑、烽燧、城障的调查资料。廖北远先生作序。有附录、参考文献及后记。

简目如下：

第一章　临洮战国秦长城

第二章　山丹汉代长城
第三章　山丹明代长城
第四章　几个相关的问题

352.水帘洞石窟群

作　者：甘肃省文物考古研究所、麦积山石窟艺术研究所、水帘洞石窟保护研究所　编著

出　处：科学出版社 2009 年版

该书为 16 开精装一册，正文 172 页，文后附有彩色图版 20 幅、黑白图版 28 幅。

水帘洞石窟群始建于十六国时期的后秦，经北魏、北周、隋、唐、五代、元，历代均有修建。该石窟群位于甘肃省东南部古代陆上丝绸之路重镇天水市武山县境内，是渭河上游仅次于麦积山石窟的重要石窟。该书介绍了水帘洞石窟群的发现、考察研究及其历史背景、现存内容与分期、制作技艺与周边石窟的比较、学术价值等方面的情况，较为全面、系统地反映了水帘洞石窟群的概况与研究成果，为研究我国古代陇右一带佛教和佛教文化的发展提供了十分重要的实物资料。

本书对于历史、美术、佛教等相关专业研究，均有重要参考价值。

本书简目如下：

绪论
　第一节　水帘洞石窟群的重新发现、勘察与研究概况
　第二节　水帘洞石窟群调查报告的编写缘起与启动
第一章　水帘洞石窟群的位置、分布与沿革
　第一节　武山的地理位置及其历史沿革
　第二节　水帘洞石窟群的位置与分布
　第三节　水帘洞石窟群的历史沿革
第二章　水帘洞石窟群各单元内容
　第一节　水帘洞石窟
　第二节　拉梢寺石窟
　第三节　千佛洞石窟
　第四节　显圣池石窟
　第五节　水帘洞石窟群零散文物
第三章　水帘洞石窟群的创建与分期

第一节　水帘洞石窟群的创建
第二节　水帘洞石窟群的分期与年代
第四章　水帘洞石窟群造像与壁画的制作技艺
第一节　造像类型与制作技
第二节　壁画题材与绘制技艺
第五章　水帘洞石窟群与麦积山等石窟的关系及其在学术研究上的地位与价值
第一节　水帘洞石窟群与麦积山石窟及周边的关系
第二节　水帘洞石窟群在学术研究上的地位与价值
附录
水帘洞石窟群大事记
水帘洞石窟群造像、壁画内容现状示意图
鲁班山石窟简报

353.甘肃省基本建设考古报告集（一）

作　者：甘肃省文物考古研究所　编
出　处：文物出版社 2020 年版

该书收录 14 篇考古简报，从新时代时期、商周时期到汉代、魏晋南北朝时期都有。

简目如下：
序言
岷县维新乡坪上遗址发掘简报
兰州市红古区下旋子遗址发掘简报
陇西县梅家嘴新石器遗址 2011 年发掘简报
岷县维新乡卓坪遗址发掘简报
陇西县梁家坪遗址汉墓 M1 发掘简报
陇西县南坡营遗址两座汉墓发掘简报
玉门市白土梁汉晋墓 2010 年发掘报告
玉门市白土梁汉晋墓 2005 年发掘简报
酒泉市野猪沟墓地 2010 年发掘简报
酒泉市三坝湾魏晋墓 2013 年发掘报告
瓜州县十工山墓群 2014 年发掘简报

敦煌市祁家湾墓群2013年发掘简报
玉门市全鸡梁西晋、前凉墓2013年发掘报告
敦煌市佛爷庙湾墓群2014年发掘简报
后记

青海省

354.青海柳湾——乐都柳湾原始社会墓地

作　者：青海省文管处考古队、中国社会科学院考古研究所　编著
出　处：文物出版社 1984 年版

该书为 16 开精装上、下两册，上册为文字，下册为图版。青海省乐都县柳湾墓地，是黄河上游规模最大、保存较好的一处氏族公共墓地，1974 ～ 1978 年发掘。详报包括了发掘的 1500 座墓葬的全部资料，其中马家窑文化半山类型 257 座、马厂类型 872 座、齐家文化 366 座、辛店文化 5 座。出土遗物 3 万余件。从时间上看，已经跨越了史前和夏商时期。

梁岩先生写有书评，载《考古》1986 年第 6 期，书评中写道："以柳湾为代表的黄河上游原始氏族，用辛勤的双手为我们留下了一份宝贵的遗产。报告揭示了在这里定居将近千年的半山、马厂、齐家、辛店等不同类型的人们，都有着鲜明的民族风格与丰富多彩的生活，充实了我们古老民族悠久的历史文化。报告所发表的详尽材料和书末所附墓地人骨研究，说明甘青地区的远古居民与华北地区先民有非常密切的关系。"

355.西宁朱家寨遗址

作　者：（瑞典）安特生　著　刘竞文　译
出　处：青海人民出版社 1992 年版

该书为 32 开一册。朱家寨遗址位于青海省西宁市，是一处含有马家窑文化、齐家文化、卡约文化的新石器时代和青铜时代遗址，发掘发现有居住遗址、49 座墓葬，出土有陶器、石器、骨器等。该书原以外文出版，这是第一次译为中文出版。

安特生（1874 ～ 1960 年），瑞典地质学家、考古学家，对中国仰韶文化尤有兴趣，多次前往中国西北地区进行考察。

356.上孙家寨汉晋墓

作　者：青海省文物考古研究所　编著
出　处：文物出版社 1993 年版

该书为 16 开精装一册，系 1973 ～ 1981 年对青海省大通县上孙家寨汉晋时期墓葬的考古发掘详报。该墓地共发掘墓葬 182 座，出土的简牍有重要学术价值。

简目如下：

第一章　绪言

第二章　墓葬形制及葬俗

第三章　随葬品

第四章　墓葬的分期与年代

第五章　结语

附表 1 种、文两篇。

据介绍，该墓地的年代从西汉昭帝前后延续到魏晋初期，中间没有明显缺环，从而为建立青海地区汉晋墓葬时间序列提供了资料。这批墓葬的特点是既有汉文化因素，又有地方文化特色，等级划分也不严格。

357.民和核桃庄

作　者：青海省文物考古研究所等　编著
出　处：科学出版社 2004 年版

该书为 16 开精装一册，系青海民和县核桃庄遗址的考古发掘详报。该遗址 1978 ～ 1980 年发掘，共出土 367 座辛店文化墓葬。该书介绍了 567 件精美的彩陶及铜器、石器、骨器等遗物。

简目如下：

第一章　绪言

第二章　墓葬概述

第三章　墓葬分述

第四章　分期与布局

第五章　关于葬俗及社会人口问题

第六章　结束语

附有《民和核桃庄史前文化墓地人骨研究》一文。

一般认为，辛店文化的年代，大致相当于中原地区的西、东周时期。

宁夏回族自治区

358.须弥山石窟

作　者：宁夏回族自治区文管会、中央美术学院美术史系　编著
出　处：文物出版社 1988 年版

该书为 16 开精装一册，系 1982 年对须弥山石窟的考察报告。书中第一次全面介绍了这一石窟，收录了《须弥山石窟》《须弥山石窟内容总录》等文。全书依洞窟重新编号，有图版 191 幅，每幅图版均有简单说明。

一般认为，须弥山石窟的时代，为北朝至隋唐时期。

359.宁夏灵武窑

作　者：马文宽　著
出　处：紫禁城出版社 1988 年版

该书为 16 开精装一册，系 1983 ～ 1986 年考古人员对宁夏灵武窑调查与发掘的详报。书中介绍了发掘出土的西夏、元代瓷器 160 余件，阐述了灵武窑的年代、产品的特点、装饰技法、烧制工艺等问题。

360.宁夏灵武窑发掘报告

作　者：中国社会科学院考古研究所　编著
出　处：中国大百科全书出版社 1995 年版

该书 16 开精装一册，系 1984 ～ 1986 年对宁夏灵武县磁窑堡窑址的考古发掘详报。计发现西夏窑址 3 座、作坊 8 座，元代作坊 1 座，清代窑炉 1 座。出土瓷器、工具、窑址等 3000 多件及大量瓷片。该窑的时代，应该是始于西夏中期，元代继续生产，明清时衰落。所生产的瓷器，受到定窑系、磁州窑系的很大影响，但造型和纹饰，又带有西夏党项族的特点。

此前西夏及我国西北地区的瓷窑生产材料十分匮乏，此报告是一部填补空白

的力作。

简目如下：

第一章　遗址简介与工作概况

第二章　地层与遗迹

第三章　遗物

第四章　分期与年代

第五章　制瓷工艺

第六章　结语

附有“探方摆位、遗迹分期表”“器物分期一览表”“出土钱币统计表”及“各地出土的西夏瓷器”等。

361.原州古墓集成

作　者：宁夏回族自治区固原博物馆、中日原州联合考古队　编著

出　处：文物出版社 1999 年版

该书 16 开精装一册，系 20 世纪 80 年代以来宁夏原州数十座春秋战国、秦汉墓葬和十余座北朝、隋唐墓葬的考古发掘详报。附有《北朝、隋唐时期的原州墓葬》《原州文化在古代东西文化交流中的地位》《北周墓葬形制》《西方系凸雕玻璃器的系统与传播》等论文。

362.固原开城墓地

作　者：宁夏文物考古研究所　编著

出　处：科学出版社 2006 年版

该书为 16 开精装一册，是 2001 年对宁夏固原市原州区开城乡开城村墓地的考古发掘详报。

该书简目如下：

第一章　概述

第二章　南区墓葬形制和出土遗物

第三章　北区墓葬形制和出土遗物

第四章　开城墓地出土人骨

第五章　墓葬分类及葬俗、随葬品综述

第六章　墓葬时代与分期

第七章　结语

据介绍，该墓地共发掘元至明初墓葬 73 座，该书认为，此墓地是汉族、蒙古族居民的丛葬地。

363.吴忠北郊北魏唐墓

作　者：宁夏文物考古研究所　编著

出　处：文物出版社 2008 年版

该书为 16 开一册，为《吴忠西郊唐墓》一书的姐妹篇。

2005 年 3 月～ 2006 年 11 月，考古人员在吴忠市北郊发掘了 16 座北魏墓、107 座唐墓，出土了一批随葬品。报告汇集了这批墓葬的全部考古材料，为研究吴忠市北魏、唐代社会生活、墓葬习俗等提供了重要的实物资料。

364.固原南塬汉唐墓地

作　者：宁夏文物考古研究所　编著

出　处：文物出版社 2009 年版

该书为 16 开精装一册，系宁夏固原市南塬墓地的发掘详报。

该书简目如下：

第一章　绪言

第二章　汉墓

第三章　北区隋唐墓

第四章　南区隋唐墓

第五章　结语

计收汉墓 3 座，隋唐墓 40 座。

365.固原九龙山汉唐墓葬

作　者：宁夏文物考古研究所　编著

出　处：科学出版社 2012 年版

该书 16 开精装一册，系 2004 年宁夏固原市九龙山汉、唐墓的考古发掘详报，主要介绍了 15 座汉墓、4 座隋唐墓的资料。

该书简目如下：

第一章　概述
第二章　汉墓
第三章　隋唐墓葬
第四章　结语

附有《2013 年发掘的两座汉墓》《固原西郊汉墓》《固原西郊汉墓出土摇钱树相关问题研究》3 篇文章。

366.彭阳海子塬墓地发掘报告

作　者：宁夏文物考古研究所、彭阳县文物管理所　编著
出　处：上海古籍出版社 2013 年版

该书为 16 开精装一册，系宁夏彭阳县新集乡姚河村海子组东北黄土塬墓地的考古发掘详报。2010 年考古人员在此地进行了抢救性发掘，共清理墓葬 26 座（其中空墓 2 座），包括北魏 1 座、隋 1 座、唐 14 座、宋 1 座、清 1 座，出土了一批较为重要的遗物。

该书简目如下：
前言
第一章　绪言
第二章　北魏墓
第三章　隋墓
第四章　唐墓
第五章　宋墓
第六章　清墓
第七章　人骨研究
第八章　结语
附有登记表。

新疆维吾尔自治区

367.斯坦因西域考古记

作　者：（英）斯坦因　著　向　达　译

出　处：中华书局 1936 年 9 月初版，1941 年再版，1946 年 8 月 3 版

该书为 26 开精装一册，分 21 章，记述作者四次探险的经过。其中包括亚洲腹地的鸟瞰、中国之经营中亚以及各种文明的接触、在沙漠废址中的第一次发掘、古楼兰的探险、古代边境线的发现、沿着古代长城发现的东西、千佛洞的石窟寺、秘室中的发见、千佛洞所得之佛教画、吐鲁番遗址的考查等章。附录四篇，载“斯坦因黑水获古纪略”等文章。书中有大量文物、木简、壁画、古文书和遗址照片。

海外出版有《古代和田：中国新疆考古发掘的详细报告》一书，山东人民出版社 2009 年出版有中译本，共两册，重点介绍了斯坦因 20 世纪初期在塔里木盆地南部及和田地区所做考古工作，可参阅。

368.罗布淖尔考古记

作　者：黄文弼　著

出　处：国立北平研究院史学研究所、中国西北科学考察团理事会 1948 年版

该书为 16 开精装一册，系作者 1930 年、1934 年赴罗布淖尔考察报告。分两部分。第一部分 4 篇：第一篇绪论；第二篇工作概况；第三篇器物图说，每件文物均附图参照叙述；第四篇木简考释。书后附罗布淖尔出土器物分布表、罗布淖尔考古记图版索引。第二部分为图版，包括器物、简版共 11 种。书内插有该地区地形图和中西交通图、古址图、考察路线图等。

369.塔里木盆地考古记

作　者：黄文弼　著

出　处：科学出版社 1958 年版

该书 16 开一册，系作者 1928 ~ 1929 年在塔里木盆地进行考古调查的结晶。作

者介绍了塔里木盆地古代城镇、寺庙、沟渠、屯戍遗迹，提供了绘画、泥塑、陶范、木雕、织品、钱币及石器、陶器、铜器等遗物，图版多达120幅。涉及的时代，以汉、唐两代为主。简目如下：

壹　考察经过

贰　遗物说明

附有“塔里木盆地出土器物分布表”。

370.新疆考古发掘报告（1957 ～ 1958)

作　者：黄文弼　著

出　处：文物出版社 1983 年版

该书为 16 开一册，汇集了中国社会科学院考古研究所黄文弼先生 1957 ～ 1958 年在新疆考古的资料，包括在哈密、伊犁、焉耆、库车等地调查和发掘的新石器晚期、金石并用时期墓葬，魏晋至元时期的城址，佛教寺庙遗址、石窟，以及乌孙、突厥人的墓葬等。该书简目如下：

第一章　哈密地区

一、哈密焉不拉村遗址墓葬的调查试掘

二、伊吾盐池乡遗址调查与试掘

三、巴里坤古城及遗址调查

第二章　伊犁的调查

一、古城

二、寺庙

三、古塚

四、石雕像

第三章　焉耆地区

一、焉耆的调查与试掘

二、明屋遗址的调查与试掘

三、库尔勒、尉犁考古调查

四、婼羌考古调查

第四章　库车地区

一、龟兹城的查勘

二、明田阿达古城的调查与试掘

三、大黑汰沁古城的调查与试掘

四、苏巴什遗址的调查与试掘

五、哈拉墩遗址的发掘

该书编后记说："考古调查，自1957年9月20日至1958年9月底，持续了一年的时间，共调查了五个专区，两个自治州，两个市，二十四个县，行程达一万四千余公里。踏勘了古城、寺庙等各类遗址一百二十七处（内有古城五十八座），同时还在哈密、焉耆、库车等地进行了试掘和发掘工作，发现遗物颇多。"1966年12月黄先生去世前，已整理出部分初稿，未完成的工作，由同事协助完成。

371.新疆克孜尔石窟考古报告（第一卷）

作　者：北京大学考古学系、克孜尔千佛洞文物保管所　编著

出　处：文物出版社1997年版

该书为16开精装一册，是1989～1990年新疆克孜尔石窟的考古详报。共分四编：

第一编：克孜尔石窟概况与本卷的编写

第二编：第1窟至第6窟

第三编：第14窟至第19窟

第四编：第20A窟至第23A窟

附有《德国人研究克孜尔石窟的概况》和宿白先生《克孜尔部分洞窟阶段划分与年代等问题的初步探索》等文。

克孜尔石窟坐落于悬崖峭壁之上，绵延数公里。它是我国开凿最早、地理位置最西的大型石窟群，大约开凿于公元3世纪，在公元8～9世纪逐渐停建，延续时间之长在世界各国也是绝无仅有的。克孜尔石窟群（千佛洞）修凿的年代开始于东汉，结束于唐末。历代龟兹王对这项工作都极为重视。公元7世纪，龟兹王国的佛教达到极盛，甚至连龟兹王宫都装饰得同寺庙一般。其间历代龟兹国王对克孜尔千佛洞石窟群的建造，更没有停止。《大唐西域记》载，龟兹有佛寺100余所，僧尼5000多人。每年秋分时节，都要举行迎像大会十余日。

372.新疆考古记

作　者：（瑞典）沃尔克·贝格曼　著　王安洪　译

出　处：新疆人民出版社1997年初版、2013年新版

该书16开精装一册，计397页。早在1910年，就有人发现在罗布泊中有一片巨大的墓地。1934年，瑞典考古学家贝格曼沿着一条无名小河到达了这一墓地，这一

片墓地，也就被贝格曼命名为“小河墓地”。1939 年，贝格曼发表《新疆考古研究》一书，对小河墓地进行了详细的介绍。该墓地宏大的规模、奇特的葬制及所代表的当地文明，立刻引起了极大的关注。此书中译本，改名为《新疆考古记》。

该书简目如下：

前言

第一部　新疆史前考古发现

第一章　史前遗存

第二章　彩陶遗址

第三章　无彩陶遗址

第二部　历史时期的罗布泊地区

第一章　历史概况

第二章　塔里木河下游水文地理概况

第三章　“小河”沿岸的古代遗存

第四章　库姆河三角洲的古墓

第五章　罗布沙漠中的废墟

第六章　罗布沙漠的零散发现

第七章　营盘

第三部　罗布泊北缘考古发现

第一章　库鲁克塔格岩画

第二章　兴地

第三章　苏盖提布拉克

第四章　肖尔查干的墓葬

第五章　喀拉沙尔地区的古代遗址

第六章　库米什遗址

第七章　柴窝堡独石柱

第四部　罗布泊南缘考古发现

第一章　车尔臣

第二章　瓦石峡

第三章　米兰

第四章　结论

附录一：对 34、66 号丝绸条上面文字的解读

附录二：文物的显微镜及化学检验结果

附录三：参考书目

该书最前面，有“出版说明”，宿白先生的《新疆考古发现与西域文明》一文，马大正先生的《中国边疆研究年与西域探险考察》、杨镰先生的《‘小河’之谜与新疆考古探险》以及斯文·赫定的原序。该书最后，是“编译说明”。

需要说明的是，2002年，考古人员赴小河墓地进行了调查。小河墓地位于罗布泊地区孔雀河下游河谷南约60公里的荒漠之中，东距楼兰故城175公里。墓地中140座以上墓葬已遭严重破坏。实际上，当年贝格鲁所见的小河墓地，就已非“原生态”了。小河墓地的年代，贝格鲁推断“早于中国统治楼兰王国时期”，大致应在距今3800年左右。但《新疆考古记》所涉及的历史时期，应从史前直至青铜时代。

373.交河故城：1993、1994年度考古发掘报告

作　者：新疆文物事业管理局、新疆文物考古研究所　编著
出　处：东方出版社1998年版

该书为16开精装一册，是1993年、1994年交河故城的考古调查、试掘详报，涉及佛寺、民居、城门、古井及城周边的墓葬、遗址等。交河故城，是吐鲁番地区旧石器时期、北朝至隋唐时期遗址。

简目如下：

第一章　四号台地旧石器地点
第二章　一号台地墓地
第三章　西北小寺的考古调查与发掘
第四章　地下寺院遗址
第五章　东城门（瓮城）遗址
第六章　二号居民遗址
第七章　一号居民遗址

374.新疆察吾呼：大型氏族墓地发掘报告

作　者：新疆文物考古研究所　编著
出　处：东方出版社1999年版

该书为16开精装一册，系1986～1989年新疆和静县察吾呼五处大型氏族墓地的考古发掘详报。前有张文彬先生序。

据介绍，所谓“察吾呼文化”，分布范围北起天山南麓，南达且末县，东至和静县，西至库车以西。年代约为公元前1000年即商代末年至西汉前后。

375.中国新疆山普拉：古代于阗文明的揭示与研究

作　者：新疆维吾尔自治区博物馆、新疆文物考古研究所　编著

出　处：新疆人民出版社 2001 年版

该书为 16 开精装一册，系 1983 ～ 1995 年新疆山普拉古墓群的考古发掘详报。该墓群共发掘 68 座墓葬，2 座殉马坑，出土的丝、毛、棉、麻等质地纺织品值得重视。

山普拉墓地位于新疆和田地区洛浦县城西南，年代约为公元前 217 年至公元 283 年，属古代于阗国遗存。

376.中国新疆的建筑遗址

作　者：（俄）G.M. 杜丁　著　何文津、方久忠　译

出　处：中华书局 2006 年版

该书 16 开一册，正文仅 88 页，有插图 91 幅，系俄国人杜丁所著，记录 1914 年前往新疆焉耆、吐鲁番等地调查古代建筑遗址情况。附有考察时拍摄照片、绘制的洞窟、佛寺平面图等。

今有清华大学出版社 2018 年版《新疆古建筑地图》一书，可参阅。

377.新疆古佛寺：1905 ～ 1907 年考察成果

作　者：（德）格伦威德尔　著　赵崇民、巫新华　译

出　处：中国人民大学出版社 2007 年版

格伦威德尔（1956 ～ 1935 年）是德国著名画家、佛教美术史家、中亚考古学家，国际敦煌学研究的先驱者，也是 20 世纪初德国探险家。他先后三次带领德国考察队员到新疆进行考古工作，其著作有《1902 ～ 1903 年冬季在高昌故城及周边地区的考古工作报告》《新疆古佛寺》等。

由于新疆古佛寺遗迹毁坏严重，且遗物被盗，这部 1905 ～ 1907 年的考察报告就成为研究新疆辉煌文化的珍贵读本。本书图文并茂，详细介绍了库车、克孜尔、柏孜克里克、亦力湖、七康湖、高昌故城等地各个洞窟的构造、壁画情况及其反映的文化。书中近 700 幅插图尤其精美，均为作者手绘，给人印象直观而深刻。

本书简目如下：

第一章　位于库车西南偏西方向河边的库木吐拉（千佛洞）遗址

第 1 号峡谷的洞窟
第 2 号峡谷的洞窟
第 3 号峡谷的洞窟
第二章　克孜尔
第 1 区
1 号河谷
第 2 区
第 3 区
第三章　基利什以北遗址
第四章　硕尔楚克遗址
第五章　吐鲁番以北的山前古建筑
第六章　亦力湖
第七章　柏孜克里克寺庙
第 1 号建筑群
第 2 号建筑群
第 3 号建筑群
第八章　七康湖洞窟群
第九章　连木沁
第十章　吐峪沟麻札
第十一章　高昌故城周边地区
附录　译名及术语对照表

378.丹丹乌里克遗址：中日共同考察研究报告

作　者：中国新疆文物考古研究所、日本佛教大学尼雅遗址学术研究机构　编著
出　处：文物出版社 2009 年版

该书为 16 开精装一册，系自 2002 年开始的“中日共同丹丹乌里克遗址学术研究项目”的成果报告集，附有和田地区策勒县达玛沟佛寺遗址的发掘与研究资料。

尼雅遗址位于民丰县北尼雅河下游，1901 年由英国斯坦因首次发现，1959 年中国考古人员曾对遗址中东汉墓葬等进行了发掘。1995 ~ 1997 年，中、日考古人员又对遗址进行了大规模调查与发掘，发现有公元 3 ~ 4 世纪的墓地、古城遗址等。2002 年以来又持续进行了发掘，所发现遗存自汉代至魏晋时期不等。

379.新疆下坂地墓地

作　者：新疆文物考古研究所　编著

出　处：文物出版社 2012 年版

该书为 16 开精装一册，系新疆喀什地区塔什库尔干塔吉克自治县班迪乡下坂地墓地的考古发掘详报。该墓地 2003 ~ 2004 年发掘，共发掘墓葬 178 座（只有 150 座有墓室或遗物，其他 28 座仅有封土），时代涉及青铜时代、汉唐和明清。

该书简目如下：

第一章　绪言

第二章　墓葬概述

第三章　墓葬分述

第四章　文化特征与年代

第五章　结语

附有“下坂地墓葬登记表”。

380.新疆萨恩萨伊墓地

作　者：新疆文物考古研究所　编著

出　处：文物出版社 2013 年版

该书为 16 开精装一册，是新疆乌鲁木齐市萨恩萨伊墓地的考古发掘详报。1989 年发现，2006 年 ~ 2008 年发掘，实际发掘墓葬 161 座，出土陶器 70 余件，铜、石、骨器等近 800 件，时代上至青铜时代，下至汉唐时代。曾被评为 2009 年中国重要考古发现之一。

该书简目如下：

第一章　绪言

第二章　墓葬概述

第三章　墓葬分述

第四章　萨恩萨伊墓地初步研究

附有表格 2 种及文章 5 篇。

381.古代和田：中国新疆考古发掘的详细报告

作　者：（英）斯坦因　编
出　处：山东人民出版社 2013 年版

该中译本 16 开精装一册，正文 802 页，图片 300 多幅。详细介绍了斯坦因在新疆塔克拉玛干沙漠的考古发现，在昆仑山的地理勘测。和田这一位于塔克拉玛干沙漠南部腹地的遗址，当年应有着辉煌的文明。

该书简目如下：

第一章　从克什米尔到帕米尔
第二章　萨里库勒和喀什噶尔的道路
第三章　关于喀什噶尔的历史记载
第四章　喀什噶尔的古代遗迹及莎车和叶城绿洲
第五章　叶城至和田之路：古代地形和遗迹
第六章　和田绿洲：地理和人口
第七章　关于和田的历史记载
第八章　和田绿洲的古代遗址
第九章　丹丹乌里克遗址
第十章　丹丹乌里克到尼雅河
第十一章　尼雅河尽头以远的古遗址
第十二章　安迪尔废墟
第十三章　喀拉墩及搜寻玄奘的媲摩
第十四章　阿克斯皮尔与热瓦克废墟
第十五章　离开和田

附有“古代和田：中国新疆考古发掘的详细报告（第二卷）目录”和“和田及毗连地区地图”等。

382.新疆文物考古资料汇编

作　者：新疆文物考古研究所　编
出　处：新疆人民出版社 2013 年版

该书 16 开精装上、中、下三册，计 1964 页。收录了 1997 ～ 2009 年计 12 年间所有相关的考古调查报告、发掘报告等，按地区排列，使用便利。

383.拜城多岗墓地

作　者：中国社会科学院考古研究所、新疆维吾尔自治区阿克苏地区文物、拜城县文物局　编著

出　处：文物出版社 2014 年版

该书为 16 开精装一册，系新疆拜城县亚吐尔乡都干买里村多岗墓地的考古发掘详报。1999 年进行抢救性发掘，发掘 100 座墓，时代从公元前 10 世纪至公元前 4 世纪不等。

该书简目如下：

第一章　墓地概述

第二章　墓葬分述

第三章　遗物

第四章　墓葬分期

第五章　多岗墓地人骨的研究

第六章　多岗墓地出土铜器、石器研究

第七章　结语

附有登记表、鉴定表。

384.中日、日中共同尼雅遗迹学术调查报告书（第二卷）

作　者：中日、日中共同尼雅遗迹学术考察队　编

出　处：编者 1999 年自刊

该书 16 开两册，一册文字，一册图版。系新疆和田地区民丰县尼雅遗址的考古调查报告。

该书简目如下：

第 I 部　调查报告编

　第一章　遗址的位置、环境和调查经过

　第二章　分布调查的成果

　第三章　发掘、清理调查及其成果

　第四章　文物的研究

　终章　1994、1995、1996、1997 年度调查的成果和课题

第 II 部为“研究论文编”，收录相关论文 18 篇。文字部分同时以日文出版。

香港特别行政区、澳门特别行政区、台湾省

385.台湾省浊水溪与大肚溪流域考古调查报告

作　者：张光直　编

出　处：台北“中央研究院历史语言研究所”1977 年版

该书为 16 开精装一册，系台湾省中部山区浊水溪、大肚溪流域的考古调查报告，共 436 页。内容涉及考古、民族、地质、地形、动物、植物等学科，涉及多个历史时期。

386.南丫岛深湾——考古遗址调查报告

作　者：秦维廉　编

出　处：香港考古学会 1978 年版

该书为 16 开精装一册，系香港特别行政区南丫岛考古发掘详报。论及聚居源流及民生情况、遗址环境及形成经过、遗址的发掘、文化层、文化特征、年代测定、出土遗物及本地区文化系统等。其时代约为晋至唐。

387.十七世纪荷西时期北台湾历史考古研究成果报告

作　者：台湾“国立历史博物馆”历史考古小组　编著

出　处：台湾“国立历史博物馆”2005 年版

该书 16 开平装上下两册，共分 6 章。第一章为“绪论”；第二章为“研究区域背景”，介绍了相关区域的自然环境与人文环境；第三章为“文本回顾与考古学研究之发展史”，重点介绍了北台湾地区考古工作沿革；第四章为“地表调查”；第五章为“考古发掘”，重点介绍了对旧社遗址、社寮岛遗址、埤岛桥遗址、下圭柔山二期遗址的考古发掘工作；第六章为“结论与探讨”。有引用书目。

下编　考古简报

北京市......234
天津市......239
河北省......244
山西省......272
内蒙古自治区......295
辽宁省......317
吉林省......349
黑龙江省......372
上海市......406
江苏省......411
浙江省......435
安徽省......460
福建省......474
江西省......491
山东省......512
河南省......563
湖北省......647
湖南省......765
广东省......788
广西壮族自治区......817
海南省......826
重庆市......829
四川省......854
贵州省......914
云南省......920
西藏自治区......936
陕西省......946
甘肃省......1013
青海省......1033
宁夏回族自治区......1039
新疆维吾尔自治区......1043
香港特别行政区、澳门特别行政区、台湾省......1083

1.中国西安、洛阳汉唐陵墓的调查与发掘

作　者：黄展岳

出　处：《考古》1981 年第 6 期

西安、洛阳是中国古代的两个著名城市，秦汉隋唐建都的地方。这些朝代的皇帝陵墓，绝大多数遗留在当时的都城附近。中国历代的官方史书、私家著录，以及有关的舆地志、地方志，对此都有所记载，这给考古工作带来不少方便。1949 年以来，考古工作者在前人著录的基础上，对遗留在西安、洛阳的秦汉隋唐陵墓作过多次勘查，同时发掘了其中的一部分殉葬墓、从葬坑，取得一定成绩。仅据西安、洛阳两地的粗略统计，发现秦汉隋唐墓不下一万座，已发掘的也有三四千座。

简报分为：一、秦代陵墓；二、汉代陵墓；三、魏晋陵墓；四、唐代陵墓，共四个部分。

据介绍，秦代陵墓首先应提到的是秦始皇陵。勘查工作是从 1962 年开始的，1974 年进行了复查，并发掘了陵园东边的兵马俑坑和一部分殉葬墓、从葬坑。简报称，秦始皇陵的勘查工作并不顺利，发表的考古报告说法也前后不一。以秦始皇陵的朝向为例，原来一直认为朝北，后来又认为是朝东。兵马俑坑中战车、战马等均面向东方，但似乎也还有疑问。

殉葬墓在陵园东边偏南处，共发现 17 座，南北单行排列，已发掘 8 座。有洞室墓和竖穴墓两种，都带斜坡墓道，有棺有椁，随葬一般常见陶器和铜器。单人葬。死者大多是身首分离或肢解入葬，有男有女，年龄都在 20 ～ 30 岁之间。推测是二世时被赵高诛杀的诸公子、公主。从葬坑紧靠殉葬墓的东边，发现九十多个，南北三行排列。已发掘 37 座，都是平面呈长方形的土坑。坑内放置生马一匹，或陶俑一个，或马、俑同坑，并且都放有陶罐、陶盘、陶灯、铁斧等器物。马头向西，俑面向东，放陶俑的土坑内加设木椁。这种从葬坑的设置，应是商周以来牲殉制度的沿用，只不过把生人改为俑人罢了。兵马俑坑已发掘三个坑的一部分，如果按照出土的兵马俑排列形式复原，这三个坑的武士俑应有 7000 个，战车（一车配四马）应有一百多辆。推测第一号坑应是战车、步兵相间排列的军阵，二号坑应是战车和骑兵为主的军阵，三号坑应是统帅第一、二号军阵的指挥部。

简报称，除了对秦始皇陵的勘查与兵马俑坑的部分发掘以外，西安地区发掘的秦墓（包括战国晚期的秦墓）不下几百座。它们以随葬陶制的鬴、盂、瓮、茧形壶等生活用器为特色。随着统一战争的推行，秦以生活用器和模型器随葬的习俗便很快影响于新统治区，例如四川、鄂西、豫西等巴蜀楚晋故地，大约在战国末西汉初就流行秦人的这一套葬俗，而东周天子所在地的洛阳，要到西汉中期才逐渐流行起来。

简报介绍说，西汉 11 个帝陵，有 9 个在渭河北岸的咸阳原上。但是，咸阳原上的坟丘有五百多，要确定哪 9 个是西汉帝陵并不是一件简单的事。清乾隆时，陕西巡抚毕沅曾对一批高大的坟丘作过考查，把考查的结果立碑刻字于所考定的坟丘南边。现在看来，毕沅的考定讹误甚多。《陕西通志》《咸阳县志》以及近人著述，又一再将错就错，或错上加错。1962 年以来，考古工作者进行多次实地勘查，结合古籍的有关记载，排除了咸阳原上有西周陵墓的可能性；确定了西汉九陵的方位及其排列顺序。自西向东为：武帝茂陵、昭帝平陵、成帝延陵、平帝康陵、元帝渭陵、哀帝义陵、惠帝安陵、高祖长陵、景帝阳陵。均未发掘，只发掘了一些从葬坑及陪葬墓。如杨家湾 4、5 号墓，为长陵陪葬墓，可能是周勃、周亚夫父子之墓。

东汉迁都洛阳，12 座帝陵除了献帝禅陵在河内郡山阳外，其他 11 座均在洛阳。现能确定的只有光武帝原陵，其他都还不能肯定。

曹魏、西晋、元魏的陵墓，考古工作做得比较少。这是因为曹魏陵和西晋陵都是“因山为体，无封树”，不容易勘查；而元魏陵区在几十年前就遭到严重破坏。现只能说确定了魏晋及元魏皇陵的大致区域所在。汉魏故城东边的首阳山是魏晋帝陵所在；瀍河中游两岸是元魏陵和元魏王室贵族所在。

唐代21 个皇帝，除了武则天合葬于乾陵，唐末的昭宗陵在河南渑池、哀帝陵在山东菏泽以外，其他18 个皇帝的陵墓都在西安渭河以北，分布于咸阳和渭南两个专区所属的六个县境内，西起高宗乾陵，东止玄宗泰陵，绵亘一百多公里。1953 年以来，考古工作者在普查唐十八陵的基础上，重点勘查了昭陵、乾陵、桥陵、建陵和武则天之母杨氏的顺陵。勘查的结果表明，过去对唐陵的有关记载基本上是符合实际情况的，但需作一些改正和补充。唐陵的陪葬墓已发掘了18 座。简报称，据粗略统计，西安发掘的隋唐墓有两千多座，数量居全国第一。其中置有墓志的达二百多座。洛阳隋唐墓惨遭破坏，发现较少，主要集中在唐城南郊（今关林），发掘三百多座。

简报指出，隋唐时代是中国封建社会的鼎盛时期，西安、洛阳又是处在这个时期的顶峰上，反映在贵族墓中的随葬器物也最为丰富多彩。各式各样的金银器、三彩器、瓷器的大量出土，为隋唐高度发达的工艺技术的研究提供了极为珍贵的实物资料。玻璃器、玛瑙器、外国钱币，以及陶俑服饰、壁画内容，使得可供研究的范围更为广泛。

2.晋豫鄂三省考古调查简报

作　者：北京大学考古专业商周组、山西省考古研究所、河南省安阳、新乡地区文化局、湖北省孝感地区博物馆　邹　衡等

出　处：《文物》1982 年第 7 期

1979 ~ 1981 年，北京大学考古专业商周组毕业实习时，与山西、河南、湖北三省有关文物考古单位合作，共同调查（复查）并试掘了一批遗址，获得了比较丰富的资料。

简报分为：一、山西省翼城、曲沃两县的调查；二、河南濮阳、修武和温县的调查；三、湖北省安陆、孝感、大悟三县调查；四、主要收获与问题的探讨，有照片、手绘图。

简报介绍了山西翼城、曲沃的翼城—苇沟—北寿城遗址（龙山文化、二里头文化、西周早期、东周）、翼城南石遗址（龙山、二里头文化）、翼城天马—曲城遗址（仰韶、龙山、晋文化、西周、东周）。介绍了河南省濮阳县马庄遗址（龙山、商、汉）、修武县李固遗址（龙山、先商、早商、东周、汉、南北朝）、武涉县赵庄遗址（仰韶至汉）、温县北平皋村遗址（仰韶、二里头、西周、东周）。介绍了湖北省安陆县夏家寨遗址（屈家岭文化）、安陆县晒书台遗址（早商、西周）、孝感县碧公台遗址（龙山文化）、聂家寨遗址（早商、西周）、白莲寺遗址（西周）、涨水庙遗址（早商、西周）、四姑墩遗址（屈家岭、西周）等。

简报还探讨了晋国早期都城、河济之间夏商文化等问题。

北京市

3.北京怀柔城北东周两汉墓葬

作　者：北京市文物工作队　郭　仁

出　处：《考古》1962 年第 5 期

1959 年冬至 1960 年春，考古人员在怀柔城北进行了考古钻探及发掘工作。简报分为：一、东周墓葬；二、西汉墓葬；三、东汉墓葬；四、结语，共四个部分，有手绘图、照片。

据介绍，钻探工作自 1959 年 10 月 24 日开始，至 11 月 25 日结束，共探出古墓 79 座。由于墓地中间有怀柔师范学校相隔，故将其分为第一、第二两区。第一区 66 座（墓 1 ～ 66），第二区 13 座（墓 101 ～ 113）。出土遗物有陶器、铜器、铁器、钱币等。

简报称，北京地区自春秋至东汉的墓葬形制及出土遗物在很大程度上与河南洛阳、郑州及陕西关中一带是一脉相承的，然而在时间上却比上述地区要晚一些。如随葬陶器放在人架头部的生土二层台上，是洛阳等地西周墓葬中的一种普遍现象，而在北京地区这种二层台的形式则晚至春秋时代。又如以鼎、盒、壶为组合的随葬陶器，以及与其相适应的盘口壶或胆形壶，在洛阳郑州等地战国晚期的墓葬中已经出现，而在北京地区则迟到西汉中期。再如圆头陶灶本来是关中地区西汉墓中常见而富有地方色彩的器物，但在北京地区则出现在东汉中期的墓葬中。方头陶灶出现在洛阳西汉晚期的墓葬中，而北京地区在东汉晚期的墓中才出现。简报指出，这一时期北京地区墓葬中的遗物除与上述各地相同外，也有一定程度的地方色彩。如春秋战国时代的夹砂红陶鬲，战国至东汉时代涂有云母粉末的陶器，西汉时代的活耳鼎等，都是其他地区不曾多见的。

4.北京房山县考古调查简报

作　者：北京市文物工作队　郭　仁

出　处：《考古》1963 年第 3 期

1962 年房山县的调查工作是分两个阶段进行的，自 3 月至 6 月，调查了房山县南部的良乡、长阳、葫芦垡、交道、官道、琉璃河、窦店、长沟等八个公社及天开、城关两公社的一部分。在这次调查中，新发现遗址 14 处，复查了已发现的遗址 4 处。其中有殷周时代及其以前的遗址 7 处，东周至汉代遗址 11 处。

简报分为：一、殷周时代及其以前的遗址；二、东周至汉代遗址，共两个部分，有照片、手绘图。简报重点介绍了刘李店遗址、丁家洼等殷周时代及其以前遗址、黑古台、广阳城、窦店土城、长沟土城等 11 处东周至汉代遗址，认为汉之广阳县城、汉之西乡县城均位于今天的房山。

5.北京昌平白浮村汉、唐、元墓葬发掘

作　者：北京市文物工作队　苏天钧

出　处：《考古》1963 年第 3 期

白浮村位于昌平镇南 3.5 公里龙山脚下，著名的元代水利工程“白浮堰”就在这里，古代墓葬区分布在该村北部。1959 ~ 1960 年 2 月底，考古人员在该地共钻探出 73 座墓葬，清理汉墓 46 座，唐墓 3 座，元墓 4 座，其他明、清两代墓葬未予清理。简报分为：一、汉墓，二、唐墓和元墓，三、结语，共三个部分，有照片、拓片。

据介绍，汉墓 36 座均属于中小型墓，分为土坑竖穴墓、砖室墓、瓮棺墓三种。皆为南北向，人骨架头向北，由于地下水离地表较浅，棺椁及骨架多已腐朽。随葬品以陶器为主，其他有少量的铜器、钱币以及铁带钩、封泥等。时代分西汉初期、西汉中期、新莽前后两个时期。唐墓 3 座。元墓 4 座，应属元代初期。

6.北京昌平半截塔村东周和两汉墓

作　者：北京市文物工作队　苏天钧

出　处：《考古》1963 年第 3 期

半截塔村位于昌平镇西南 30 公里，村南有一台地，约 60 平方米，台地南端存有金代所建的砖塔一座，上端已倒塌，仅存半身，该村因而得名。1960 年考古人员在该村进行调查时，共探出古墓 24 座。简报分为：一、东周墓，二、西汉墓，三、东汉墓，四、小结，共四个部分，有手绘图等。

据介绍，东周墓 2 座，编号为 5、24，两座墓葬皆为长方形土坑竖穴墓。人骨架均保存完整，为仰身直肢葬。随葬器物有陶器和铜器，年代简报推断为春秋时期。西汉墓 16 座，皆为长方形土坑竖穴墓，分单人葬与双人葬两种。单人葬墓 12 座，编号 2、4、8 ~ 10、12 ~ 15、18、22、23。双人葬 4 座，编号 6、16、19、20。随

葬品主要为陶器，年代有西汉早期、西汉中期。东汉墓5座，皆为长方形砖室墓，编号为1、3、7、11、17。随葬品以陶器、铜器为主，年代为东汉较晚时期。

7.北京西郊出土古代铁口木臿

作　者：张先得

出　处：《文物》1983年第7期

1975年北京市海淀区紫竹院公园管理处在院内施工时，于距地表5.5米的黄沙层中发现一件铁口木臿。简报配以照片予以介绍。

据介绍，出土时满附水锈，除锈后木质部分呈深褐色，木纹清晰，饱含水分，保存完整。木质似为柞木，铁口因有水锈覆盖，锈蚀较轻，刃部仍很锋利，仅在木叶宽肩一侧磨损偏斜，这应是因宽肩一侧常着力所致。此臿现藏首都博物馆。和铁口木臿伴出的，有泥质灰陶罐底残片及一块厚4.5厘米的残砖，其时代均不早于东汉。简报初步推断铁口木臿的时代为东汉末至北朝时期。

8.介绍几件北京出土的陶瓷器

作　者：北京市文物工作队　赵光林、郭建成

出　处：《文物》1983年第11期

简报配以照片，介绍了北京地区出土的陶瓷器，计4件：一为1977年密云县沿村出土的唐三彩罐，为北京首次出土；二为1979年海淀区二里沟明墓出土明珐花罐；三为1981年海淀区太平庄出土明万历民窑产青花盏托；四为晚明民窑所出仿制青花罐。

9.北京市发现一批古遗址和窖藏文物

作　者：赵光林

出　处：《考古》1989年第2期

20世纪80年代末，北京市文物部门组织力量在1958年文物普查的基础上，对本地区的文物又进行了一次复查工作。复查中发现了岩居、寺观、古墓葬、铸造遗址和各种碑刻、石雕、造像以及各种窖藏文物。其中的一部分简报配以拓片、照片予以介绍。

据介绍，铸造遗址有2处：其一为1982年，怀柔县龙山东坡下修建马路时，发

现的一处汉代钱币铸造遗址。其二为 1984 年 4 月，延庆县千家店乡河南村发现的一处元代铸造遗址。遗址年代初步定为元代。

出土文物有：1986 年 4 月，延庆县刘斌乡大关头村农民取土时，出土元代瓷器两件；1984 年 10 月，房山区官道乡富庄窑厂取土时，发现铜鎏金牛角杯一对（一件破碎）；1985 年 7 月，房山区南窖村一村民在房后取土时，发现金代篆刻“都统”印一方；1981 年，怀柔县庙城乡农民取土时，挖出金代六錾铁锅一口，内装金代铜镜一面，同时伴出的还有金代铁叉等兵器两件；1986 年 9 月，门头沟区东斋堂的农民在山坡上取土时，挖出汉代铁杆铜镞一百多枚。由于长期在地下腐蚀，铁杆多已残破不全；1985 年 3 月，丰台区卢沟桥北一公里的永定河里，出土唐代铁犀牛一，重 35 公斤；1986 年，海淀区上庄的河里，出土一件唐代铁犀牛，重 27 公斤。

此外，从 1979 年至 1986 年，在怀柔县城、延庆城关乡米家堡、房山区南韩继和石楼乡、密云大城子乡后张庄先后发现战国“明刀”，在通县张家湾、顺义沿河乡、密云十里铺乡岭东村发现汉代五铢钱。

10.北京市拒马河流域考古调查

作　者：北京市文物研究所　叶学明、陈　光

出　处：《考古》1989 年第 3 期

1959 年，考古人员在房山县拒马河流域发现了一些西周、战国、汉代遗址，1986 年 5 ～ 6 月，考古人员对这一流域再次进行调查。简报分为：一、概况，二、主要收获，三、结语，共三个部分，有手绘图、照片、“拒马河流域古遗址登记表”。

据介绍，此次调查填补了多项空白。如镇江营遗址，填补了京南地区新石器时代的空白，当地土著文化年代，可早至夏代。西周时房山属燕国，当地土著文化影响仍很大。战国时遗存，多存在于与军事有关的制高点。燕国文化在当地的影响，或许要延续到西汉早期。

11.1995 年琉璃河唐—明代居址发掘简报

作　者：北京市文物研究所、北京大学考古学系　袁进京、楼朋林等

出　处：《文物》1996 年第 6 期

1995 年琉璃河遗址居址区的发掘主要包括上、下两部分堆积，下层为西周早期—西周晚期文化层，上层为唐—明清时期文化层，前者已在《1995 年琉璃河周代居址发掘简报》一文中报道，本次发掘所获得的唐—明清时期遗物简报分为：一、文化

层堆积；二、各时期遗物；三、结语，共三个部分，有照片。

据介绍，根据层位关系和器物特征，遗存分为三期，即唐辽、金元及明清。各时期遗物分别为：1. 唐辽时期：有陶器、瓷器、骨笄、骨梳。2. 金元时期有陶器、瓷器。3. 金元时期有陶器、瓷器、铁剪、铜镜。

简报称，遗址中唐—明清文化层中所出遗物多为民间生活用品，陶瓷器大多较粗糙。瓷器均属北方窑系的民窑系统，器物类型在北京地区较常见；陶器可能产于本地民间窑。日用瓷器占多数，但陶器数量也占相当比例，一些陶器加工精细，说明陶器在日常生活中未被瓷器取代。根据地层叠压关系，在陶瓷器的类型上反映出一些规律，如器足由假圈足、璧形足到圈足这一早晚关系。

天津市

12.渤海湾西岸古文化遗址调查

作　者：天津市文化局考古发掘队　韩嘉谷
出　处：《考古》1965 年第 2 期

1956 年冬，天津市东郊张贵庄发现战国墓后，引起了各方面的关注。这一发现，为研究渤海湾西部海岸线的变迁和天津地区的历史提供了重要资料。简报分为三个部分介绍了后续的调查、发掘和清理工作，有手绘图。

据介绍，在渤海湾西岸，全长 150 余公里、宽约 80 公里的狭长地区内，共发现古文化遗址五十余处，其中战国、汉代遗址 43 处。这些遗址的文化面貌基本相同，堆积情况也大体类似。战国遗址共发现 31 处，多数坐落在贝壳堆积上。除部分地点仅采集到零星遗物，未见文化层外，一般遗址文化层厚 0.3 ~ 1 米，面积 600 ~ 20000 平方米不等。采集遗物以陶器最多，另有铜、铁、角、蚌器等。陶器以泥质灰陶居多。掺有石英、云母等碎粒的粗红陶（俗称“鱼骨盆”或“星星瓦”）显示了东周时期燕国文化的地方特色。另有少量泥质红陶和夹砂灰陶等。纹饰以绳纹为主，多以横划纹间断；部分器物上有刻划文字或戳记。器形有鬲、釜、鼎、豆、壶、罐、瓮、盆、盂以及纺轮、网坠、砖瓦等。鬲很少见，鼎仅见于张贵庄战国墓，其余器物皆常见。汉代遗址共发现 20 处，包括古城址 1 处，多数和战国遗址共存。除宁河、黄骅地区的个别遗址堆积较丰富外，余皆十分贫乏。采集遗物主要亦为陶器，铜、铁器少见。陶器以泥质灰陶居多，亦有混入杂质的石英、云母等碎粒的粗红陶和灰陶。纹饰有弦纹、绳纹和划纹等，个别器物上也有戳记。器形有鼎、盆、壶、罐、盂、瓮、釜以及灶、猪圈、网坠、纺轮、砖瓦等。

简报附有登记表，详记各遗址名称、位置、地理环境、遗迹和遗物、时代等。

13.天津宝坻县牛道口遗址调查发掘简报

作　者：天津市历史博物馆考古队、宝坻县文化馆　梁宝玲
出　处：《考古》1991 年第 7 期

1979 年秋，宝坻县牛道口农民在烧砖取土时，发现一批石器和玉器。考古人员

前往调查。遗址距牛道口村西北一百多米，是高于四周平地1米多的一个土丘，俗名“高家坟”，总面积约5000平方米。由于历年挖土烧砖，遗址遭到严重破坏，于1980年做了抢救性发掘。发掘面积约2000平方米，共发现灰坑9个、墓葬27座。

简报分为：一、地层堆积情况，二、第一文化层遗存，三、第二文化层遗存，四、第三文化层遗存，五、墓葬，六、采集遗物，七、结语，共七个部分予以介绍，有手绘图。

据介绍，出土的石、玉器年代，简报推断为公元前4715年左右。第一层文化层约相当于龙山文化时期。第二、第三文化层应已进入商周时期。墓葬多属东周时期。随葬品十分贫乏。

14.天津军粮城海口汉唐遗迹调查

作　者：天津市历史博物馆考古部　纪烈敏

出　处：《考古》1993年第2期

历史时期以来海河口一直是我国北方的重要出海口，但由于海岸线不断迁移，海口位置也随着变化。位于天津东郊军粮城至南郊泥沽一线的贝壳堤，是战国至宋代的海岸线遗迹。这里的海河口是这一时期泒、沽等河流的入海地点。1949年以来，在这一地区不断发现与海口活动有关的古文化遗存。1987年文物普查时，考古人员在此作了重点调查，又发现了几座遗址。

简报分为：一、西南坔遗址，二、务本二村城址，三、务本三村遗址，四、刘台城址，五、白沙岭唐代墓葬，六、结语，共六个部分，有手绘图。

据介绍，白沙岭唐代墓葬区在今军粮城正北，刘台城址在今军粮城城西。务本二村、务本三村、西南坔三处遗址，均在军粮城南及铁路以南的海河北岸。简报指出，务本二村西汉古城是这次调查的重要发现。此城规模明显小于一般县城，或是“邑”一级的建制。西南坔遗址坐落在紧临海岸的贝壳堤上，在此出土了“王门大吉”“千秋万岁”等瓦当，值得注意。饰有“千秋万岁”圆瓦当的建筑，一般级别较高，非民间所有。“王门大吉”半瓦当，更是过去未见，可能和王府有关。西汉时期的海河口能出现如此级别的建筑，应有其原因。在渤海湾西岸各大河口，都发现有大型建筑分布。在漳河入口处的黄骅县南部有汉武帝望海台；在滹沱河入海口处的北大港区沙井子村，亦有一台，即《水经注》所记南北二座汉武帝望海台中的北台，都是当年汉武帝东巡海上祭祀名山大川留下的遗迹。海河在西汉时是泒河、滱河、沽河的入海尾闾，此三河皆属大川之列，亦当属祭祀对象，河口的这些建筑极可能和汉武帝活动有关。刘台古城为唐城。白沙岭唐墓或与此唐城有关。唐朝以

后，宋辽对峙，海河成为界河，海口经济活动大为减少，这个时期的文化遗存发现不多。公元1048年黄河迁此入海，海岸线迅速东移，军粮城一地作为海口的历史亦至此结束。

15.河北静海东滩头发现宋金墓

作　者：苏茂盛
出　处：《考古》1995年第1期

1982年7月，静海县东滩头村民发现古墓。墓葬位于该村东500米，共10座，其中东汉墓7座，宋墓2座，金墓1座。简报介绍了其中的宋、金墓，有手绘图。

据介绍，两座宋墓，一座平面呈圆形，另一座呈长方形。圆形墓编号M3，长方形墓编为M4。出土有釉器、铜钱等。M10墓室为椭圆形，为夫妇合葬，当为金墓。

简报称，清理时发现在宋墓上面覆盖有一层40厘米厚的细黄土，质地纯净，呈水平状分布，这层黄土在静海一带分布较广。据考证，是北宋政和七年（1117年）河决时留下的遗迹。

16.天津地区出土的古代铜镜

作　者：天津市历史博物馆　王玉平、邸　明
出　处：《北方文物》2000年第1期

简报配以拓片，对天津历史博物馆馆藏的天津地区出土的两汉、唐、宋、金、元、明等不同历史时期的27面铜镜进行了介绍。这些具有考古学依据的铜镜，对于传世铜镜的断代，以及以铜镜为依据判断相关文物的年代，对于了解天津地区的历史，都有一定的价值。

据介绍，计有两汉时期铜镜5件、唐代铜镜3件、宋辽金元铜镜8件、明代铜镜4面。简报称，不少铜镜系零散出土，从未报道，另外，天津地区两汉、唐、宋金元、明等历史时期铜镜在县郊不均匀分布，间接反映出天津地区的一些历史情况。两汉时期铜镜出土于蓟县、武清、静海三县，当与汉代设置的右北平、渔阳、渤海三郡有关。唐时期铜镜出土地点以由宝坻、武清扩大到东丽区，由此可以看到，海上运输兴起带来的海口经济发展。金元明时期铜镜出土地点多为沿运河的武清、西青、津南三处，这与金元政府建都和内河漕运粮食有着密不可分的关系。

简报称，此批铜镜虽小，却传递了很多的历史信息。

17.天津市武清县兰城遗址的钻探与试掘

作　者：天津市历史博物馆考古部　纪烈敏
出　处：《考古》2001年第9期

兰城遗址位于天津市武清县高村乡兰城村南。永定河故道凤河自西北来，从遗址西南面流过。整个遗址近似一规整的方台，面积约30万平方米。地面布满战国、汉代砖瓦碎片。遗址东侧与东干渠相隔，是汉代墓地，面积约10万平方米，曾发现数百座中小型砖室墓。1973年出土东汉雁门太守鲜于璜墓碑一通，1977年天津市考古队发掘了此墓。20世纪70年代考古人员又曾踏查该遗址，根据地理位置和地面采集遗物，推测其与东汉雍奴县治相当。20世纪80年代《北京市历史地图集》编绘组成员两次现场考查此城，提出“兰城是西汉雍奴县故城”的观点。上述几次调查，都局限于地面考察，对该遗址的范围、全貌、年代和文化性质都缺少确切的资料。1991年10月4日至11月26日、1992年10月15日至25日，考古人员又对该遗址进行了全面钻探和试掘，总面积349平方米。

简报分为：一、勘探，二、地层堆积，三、遗迹，四、遗物，五、结语，共五个部分，有手绘图、拓片、照片。

据介绍，以地层叠压关系为基础的四组器物群，代表了遗址发展的四个阶段。简报推断，第一阶段的器物群，形制都属战国晚期；第四阶段独有的器物亦较多，其上限为东汉晚期，下限或已进入三国时期；四段之间的二、三段相当于汉代，其分界约在两汉之际。

简报称，与遗址紧邻的是兰城墓地，出土鲜于璜碑记。鲜于璜世系上溯至西汉晚期，下延至东汉末年，世代为官，当为一大家族，与遗址的规模相称，简报推测此遗址可能就是鲜于璜家族居地，渔阳雍奴县为鲜于璜故里。

18.宝坻秦城遗址试掘报告

作　者：天津市历史博物馆、宝坻县文化馆　纪烈敏、张俊生等
出　处：《考古学报》2001年第1期

秦城遗址位于天津宝坻县石桥乡辛务屯村南1华里，潮白新河从西北来，流经城南。古城尚存东、北城墙和南城墙东段，西南城角已湮没在潮白河河床内，地上部分在修筑河堤时被挖平，成为河滩地。西城墙在修县火葬场时被夷平。城内地面散布较多战国、汉代遗物，曾采集到燕国明刀币、秦印范、汉半两钱、铜矛、铜镞等，并在城墙坡上发现数座儿童瓮棺葬。此城于县志称秦城，《读史方舆纪要》记

“相传秦始皇并燕，筑城置戍”。唐人李益在诗中也提到秦城的名字，说明“秦城”之称由来已久。1977 年考古人员在此进行了钻探，1989 年秋和 1990 年又对该城进行试掘，解剖了四面城墙断面、两个城门口，了解了城内文化堆积状况并发现夯土台基 2 座，灰坑 1 个，不同时期的儿童瓮棺葬 47 座，土坑木椁墓 8 座，基本摸清了该城址的年代和性质。

简报分为：一、地层堆积和文化内涵，二、战国至秦文化遗存，三、汉代文化遗存，四、汉代地层中的商周遗物，五、辽代文化遗存，六、结语，共六个部分予以介绍，有照片、手绘图。

据介绍，此城兴建于战国晚期，面积达 50 多万平方米，形状不规则，规模和形制都有别于一般汉代县治，与郡治一级城址接近。简报认为此城为燕国所设北平郡故城（约在公元前 270 年）。秦国于公元前 226 年攻下燕蓟都，次年设右北平郡，但直到公元前 222 年才灭燕。简报推测，极可能在此段尚未灭燕的战争时期，秦沿用此城作为右北平郡郡治，至秦灭六国，分天下为三十六郡，全面推行郡县制时，才将右北平郡郡治迁离此城，因此才有秦印范出土。所出印范分别为范阳和泉州二县的官印，城内还出土具有秦印特征的石印范一枚。这些遗物虽然不多，但已透露出此城与“秦始皇所筑”的传说具有某种联系，反映了和秦的密切关系。

简报称，此城至西汉时期已经废弃。城东门内发现的西汉儿童瓮棺葬破坏了战国时期的路土，表明此进入东门的道路到西汉时期亦已废弃不用。城内北高南低，地势低洼，除北部几块高地外，存有一层黑色黏土，厚 20 ~ 150 厘米，经天津地矿所鉴定，为静水池沼环境，当是汉代后期一度被水浸淹所致。

简报指出，此城在城门口外修建有曲尺形城墙，无疑具有早期瓮城的性质。城墙顶上和城墙一体的土埂，可视为早期女墙的雏形。所有这些都为战国时期城垣防御设施的研究提供了重要资料。

河北省

石家庄市

19.无极甄氏诸墓的发现及其有关问题

作　者：孟昭林
出　处：《文物》1959 年第 1 期

无极甄氏为望族，自汉至唐位列三公、封侯赐爵者，屡见不鲜。然甄氏墓地所在直至 1957 年发掘了甄氏诸墓才为人知。

简报分为：一、无极北苏乡古墓群及其出土物，二、无极北苏乡古墓群即甄氏诸墓，三、甄琛、甄邯墓存疑，共三个部分，有手绘图等。

据介绍，1957 年春，无极县北苏乡史村发现了古墓群，当地农民称这些墓丘为“大圪瘩”“二圪瘩”“狐子圪瘩”“南圪瘩”等，据称原有 36 座墓，大半遭到不同程度破坏，分布在北苏村东南、南苏村东北、史村西南这一三角地带。考古人员清理了甄谦、甄凯等三墓，搜集到几十件遗物。甄谦墓为东汉墓，有买地券，中多缺文，没有确切纪年。甄凯墓有墓志，简报录有志文全文，推知此墓为北魏正光六年（525 年）建。甄凯为甄琛之子，甄琛《魏书》有传。

20.河北石家庄市赵陵铺镇古墓清理简报

作　者：河北省文物管理委员会　敖承隆
出　处：《考古》1959 年第 7 期

赵陵铺镇原为获鹿县地，位于石家庄市车站西北约 6 公里处。北距滹沱河约 6 公里，该镇的北面有条运粮河，是冶河的支流。1955 年 10 月间，在运粮河的北岸向东北开辟了一条泄洪渠，工程进行中发现了古墓，考古人员进行了清理。由 10 月 14 日至 11 月 15 日止，清理了汉、北齐、唐、宋、金墓葬共 45 座。

简报分为：一、西汉墓，二、东汉墓，三、北齐墓，四、唐墓，五、宋、金墓，共五个部分，有照片、手绘图。

据介绍，西汉墓5座，可分洞室、砖室两种，简报推断为西汉中、晚期墓。东汉墓4座，均为砖室墓，大多被盗，应属东汉晚期墓。北齐墓1座，为单室砖墓，已遭破坏。唐墓10座，出土有三彩尊形瓷罐等。宋墓24座，计砖室墓2座、土洞墓22座。应为一般贫民墓葬，随葬品不多或无随葬品。金墓仅一座，中葬三人，应为二次葬。

21.河北正定天宁寺凌霄塔地宫出土文物

作　者：刘友恒、樊子林

出　处：《文物》1991年第6期

全国重点文物保护单位天宁寺凌霄塔，在河北省正定县城内大众街。天宁寺原为正定城内八大寺院之一，目前殿宇大都无存，仅凌霄塔仍巍然屹立。凌霄塔为八角九级砖木混合结构的楼阁式塔，当地俗称“木塔”，可供登临。高41米。塔顶置铸铁塔刹。塔室内四层以上保留着对稳定塔身极为有利的中心柱结构，是我国现存木塔中罕见实例。为保护这一古塔，1981年国家文物局批准修缮。河北省古建研究所于1982年开始测绘，1983年正式开工，1986年竣工。1982年9月进行勘测时，于塔基中部发现地宫，随即进行了清理。

简报分为：一、地宫的结构，二、出土文物，三、小结，共三个部分，有照片、拓片。

据介绍，地宫平面呈圆形，为一座砖砌直壁穹隆顶建筑。底部中间置石函处为土面，四周以绳纹条砖铺墁。地宫壁上作砖砌假梁，梁以上起砌穹隆顶，顶内壁为清水砖平直做法，外壁逐层叠涩收进。中央留一长方形顶口，适置四块长37厘米、宽18厘米、厚6.5厘米的青砖陡立并列。砖间夹一铁钩向下垂悬，钩柄部穿有18枚“大观通宝”铜钱，下端钩悬一面“福寿满堂”铜镜。青砖上覆一长45.5厘米、宽44.5厘米、厚12厘米的青石，石距塔基地表98厘米。地宫内出土文物共57件，现均存正定县文物保管所。简报称，此塔在北宋崇宁二年（1103年）曾重修过，地宫内原有宋或稍早的文物或曾取出，待修缮完毕后又放入。简报将地宫文物称为“唐宋时期”遗物。

22.河北鹿泉市西龙贵墓地唐宋墓葬发掘简报

作　者：四川大学历史文化学院考古系、上海大学艺术研究院美术考古研究中心、河北省文物研究所、石家庄市文物研究所、鹿泉市文物保护所　罗二虎、邓　林、格日勒图、吕千云等

出　处：《考古》2013年第5期

该墓地位于河北石家庄市区西边鹿泉市寺家庄镇西龙贵村。为配合国家重点工

程南水北调中线水渠的建设，考古人在该市南部发现一处古代墓地。为免受砖厂取土破坏，于 2009 年 7 月至 2010 年 1 月对该墓地位于水渠建设范围内的墓葬进行了勘探和抢救性发掘。

据介绍，该墓地的墓葬分布较密集。其北部汉代墓葬与宋代墓葬交错分布，南部主要为宋代墓葬。一般都是数座墓同向并排形成一组，各墓多仅间距数米，各组的间隔为 10 余米至 100 米。发掘区域均位于南水北调水渠施工的范围内。共清理汉墓 29 座、陶窑 2 座，唐墓 1 座，宋墓 20 座，清墓 1 座，另有 2 座墓葬时代不明。墓葬多遭到盗掘或不同程度的破坏。

简报分为：一、概况，二、唐代墓葬，三、宋代墓葬，四、结语，四个部分，仅将唐墓和宋墓的发掘情况进行介绍，有彩照、手绘图。

据介绍，所发掘唐墓（M125）为晚唐时墓，墓主可能是当地较富裕的平民；宋墓 20 座，从北宋前期到北宋晚期都有，有可能是若干家族的家族墓地，墓主应为一般平民。

简报说，部分宋代墓葬中死者头枕板瓦，这或许象征死者在阴间有房屋居住，而随葬铜钱和其他随葬品，则应象征死者在另一世界拥有的财富和使用的生活用品。另外，M124 死者头枕板瓦上有朱书“定”字，文字面朝下。M40 出有 3 件砾石，分别置于墓内东、西、北三壁下方。在砾石的一面分别有朱书“魁星居左”“太白居右”“□星”等文字，有文字的一面均朝向墓壁，这可能是与镇墓驱邪相关的镇墓石。这种特殊的朱文板瓦和镇墓石的出现，应与该地当时流行的民间道教信仰有关。

简报指出，河北地区宋代墓葬的发现数量不多，集中在同一墓地的较大规模发掘更少。这 20 座宋墓虽遭到不同程度的破坏，但大多数墓葬的下半部保存较好。因此，这批墓葬对于深入了解河北地区的宋代墓葬制度、葬俗及宋代社会情况具有一定的意义。

唐山市

23.河北玉田县发现新石器和青铜时代遗址

作　者：马洪路

出　处：《考古》1983 年第 5 期

燕山南麓的河北省玉田县，地处京、津、唐的三角地区中心，考古人员发现了几处新石器时代晚期和商周时期的文化遗址。简报配以照片、手绘图予以介绍。

据介绍，新石器时代晚期遗址主要分布在该县北部，其中以城关的东蒙各庄遗址较为典型。1982 年 7 月，中国社会科学院考古研究所在收到当地中学教师张忠勋先生的来信反映后，即派人前往调查。该遗址内涵丰富，既有新石器时代晚期的红山文化遗存，也包含着时代更晚的夏家店下层文化以及商代和战国秦汉时期的遗物，其中以夏家店下层文化为主。类似该遗址的其他地点，有城关公社的上坎、富乐村，八里铺公社的周庄砖厂，另外在唐自头、虹桥、散水头等地点也有零星发现。夏家店下层文化在此地发现，为探讨这一文化的分布和特点提供了新的材料。一般认为，夏家店下层文化的年代大致相当于夏商时期。

24.河北遵化县出土周、汉遗物

作　者：常力军

出　处：《考古》1989 年第 3 期

1986 年 11 月，河北省遵化县新店子乡西峪村农民在村西耕地时发现了铜鼎、铜戈、陶罐各一件，伴出的还有陶鼎、陶豆等，已被打碎。还有一些碎人骨。与此同时，西峪村农民在住房后院发现了铁鼎、铁盘各一件，同时还有 12 个椭圆形铜片。铁鼎、铁盘重叠放着，旁边还有 4 个瓷盘、2 个瓷碗、1 个瓷罐，均被打碎，还有一些碎人骨和一些方砖与大型石板等。从现象看，简报推断前三件是西周墓中随葬品，后二件当为东汉砖墓随葬品。简报配有手绘图、照片。

25.河北唐山市丰润区施家营遗址考古发掘报告

作　者：河北省文物研究所、唐山市文物管理处、丰润区文物保护管理所
张晓峥等

出　处：《北方文物》2013 年第 1 期

为支持锦郑输油管道建设，考古人员于 2011 年 8 ~ 9 月，对施家营遗址进行抢救性考古发掘。施家营遗址位于唐山市丰润区王官营镇施家营村南 200 米处台地，西邻丰董公路，南侧为一条季节性时令河；地形所属为燕山山脉东麓山前山间盆地，地势由北向南倾斜，该遗址位于河流北侧台地，地势较高，中部较四周略高，地表为平整农田，种植玉米、花生等农作物。此次共揭露遗址面积 600 平方米，发现灰坑 21 座，房址 11 座，出土陶、瓷、铁、石等一批生活用具和生产工具，遗物种类有陶鬲、陶瓮、陶盆、瓷碗、瓷盘、陶罐、陶盆、铜钱、石球等。施家营遗址文化内涵包括大坨头文化、东周、元代 3 个时期文化遗存。

简报分为：一、地层堆积，二、大坨头文化时期遗存，三、东周时期文化遗存，

四、元代文化遗存，五、结语，共五个部分，配有彩照和手绘图。

在“结语”部分，简报认为此次发掘的大坨头文化遗存的时代应为早商时期；东周文化遗存应为春秋晚期至战国时期；元代文化遗存的时代大致为元代早、中期。

简报指出，元代文化遗存发现10座半地穴式房址，是冀东地区乃至东北地区金元时期典型居址，形制基本一致，南北向布局，房址排列密度较大，为一处元代时期古人类聚落，为研究冀东金元时期房址的演变提供了重要实物资料；元代村落平面布局和结构基本廓清，对研究金元时期古代聚落结构及其周围生态环境具有重要意义。而此次发现的大坨头文化时期房址F11，是近年来冀东地区夏商时期重要考古发现；该遗存的发现为研究夏家店下层文化与燕山东麓地区大坨头文化之间文化交流，探索围坊三期文化起源，构建冀东地区夏商时期文化编年、体系提供了重要实物资料。

秦皇岛市

26.河北青龙县发现古代官印

作　者：宁　克
出　处：《考古》1988 年第 9 期

1986 年 11 月，河北省青龙县文保所征集到一方鎏金铜印。该印是青龙县西双山乡乔丈子村农民在地里干活时发现的，因怀疑质料是金的，曾将此印的边缘稍加取样进行鉴定，其余部分保存完好。简报配以拓片予以介绍。

据介绍，印面呈正方形。印面白文篆书“威烈将军印”五个字，其他部位无款识。

该印印文极为草率，印文格局也未精心安排，可能是战争期间临时派遣的武官印，即过去金石印章学家常称的急就章。年代不详。

邯郸市

27.观台窑址发掘报告

作　者：河北省文化局文物工作队　刘来成、罗　平、倪仲玉、柴俊林
出　处：《文物》1959 年第 6 期

观台是邯郸市峰峰矿区的一个镇，在峰峰西南约 28 公里，西北两面均靠漳河，

南面丘陵起伏，东面是一片滩地。相距 20 公里的河南省属安阳水野村盛产釉子土。这一切给发展瓷器工业提供了雄厚的原料，所以，从宋到元，这里一直是最大的窑场之一。

1957 年冬，因邯郸市修渠，渠身通过部分遗址，考古人员配合这一工程进行了清理，从 1957 年年底到 1958 年 4 月，先后发掘 100 平方米，发现瓷窑址两座，石灰窑址一座，炼焦炉址三座。出土瓷器较完整的有 552 件，料器 3 件，铜钱 71 枚。收集了零散瓷器较完整的 2034 件，其他还有陶、铁、骨器等多件。简报配以照片予以介绍。

简报介绍，因为工程紧急，未能作更多的发掘，但挖出的遗物基本相同，都是以白釉瓷器为主。仅以第七探沟为例分述。第七探沟是八条当中最西边的一条，西距漳河岸断崖约 50 米，地层共分七层，这些层的器物相同的是各层都出碗、盘等器物（只第三层稍异），而且皆是以白釉瓷器为主，胚子都是浅灰色的；不同的是，器物口沿的撇直、底的大小和高低、胎子的厚薄、釉子颜色的深浅、花纹的变化、有无字记等。前者足以说明进行生产在同一个地方，用相同的原料，技术又是一脉相传的；后者说明层次的上下，可能是时代的早晚，每个时代的社会经济状况不同、社会风尚的不同。

根据这七层所出的器物、货币互相比较，简报初步推断，一、二两层相当于元代，三层是金代，四层是北宋或宋金之际，其余三层全是北宋的。从货币上看，六、七两层的相对年代，最早不会超过宋神宗元丰年间。

另在这里发现的两座瓷窑，虽然残破，简报也举例予以说明。五号窑仅存在东、南两面的壁窟及窑底残痕，但可以看出窑的平面为长方形，简报推断这座窑可能是金代；六号窑在漳河岸，是一座就地挖成的土窑，简报推断此窑可能属于元代。

28.河北磁县讲武城古墓清理简报

作　者：河北省文物管理委员会　敖承隆等

出　处：《考古》1959 年第 1 期

1957 年，在配合京汉线改建过程中，考古人员在讲武城北垣处共清理古墓 56 座。简报分为“汉墓”“北齐墓”“唐墓”“宋墓”“结语”等几个部分予以介绍，有照片。

据介绍，汉墓共 49 座，其中西汉墓 17 座，包括长方形竖穴无墓道墓 5 座，长方形土洞墓 12 座。东汉墓 32 座，包括长方形土洞墓 17 座，砖室墓 15 座，砖室墓除一座外全被盗过。北齐墓 2 座，其中一座出土有墓志，知下葬年为北齐太宁二年

（562 年），也被盗过，简报未录墓志全文。唐墓 2 座，出土墓志三合，知其中一座为尚登宝与其妻李氏合葬墓，下葬时间为唐贞观二十三年（649 年），另一墓志为尚登宝之孙尚袁的墓志，下葬时间为唐开元二十四年（736 年）。简报均未录志文全文。宋墓 3 座，具体年代不详。

29.河北磁县讲武城调查简报

作　者：河北省文物管理委员会　敖承隆
出　处：《考古》1959 年第 7 期

磁县县城西南 10 公里处，有一座名叫“讲武城”的古城遗址。1957 年考古人员前往调查。

简报分为：一、讲武城；二、讲武城村龙山文化遗址；共两个部分予以介绍，有照片、手绘图。

据介绍，讲武城尚存残破城垣，东南隅有一村，名讲武村，村中发现有龙山文化遗存。讲武城应为战国至汉时武城遗址，至少在唐代已废弃，但在宋代，又被讹传为讲武城。这或许是因为人们相传城北北齐坟冢为曹操疑冢，而武城就被传成曹操所筑讲武之城了。

30.河北武安县午汲古城中的窑址

作　者：河北省文物管理委员会　孟　浩
出　处：《考古》1959 年第 7 期

午汲古城位于武安县午汲村北，距午汲村约半公里多地。全城略呈长方形。现在在地面上仍可以看到夯土城墙和城门豁口。城内的堆积，自春秋至东汉时代的都有，现存在地面上的夯土墙则是属于东汉时代的。考古人员于 1956 年 11 月间在城内的西半部进行了探掘，计发现陶窑 21 座，春秋、战国的墓葬 26 座，土路、石子路面、窖穴、井以及居住址等。

简报分为：一、春秋、战国时代陶窑，二、战国末至西汉时期的陶窑，三、西汉晚期至东汉陶窑及“小结”四个部分，有照片。

据介绍，经钻探共发现了战国、西汉、东汉各个时代的陶窑共 25 处，清理了 21 座。其中春秋战国时期的窑址仅 2 座，余下的都是汉窑。

简报称，窑的形制一般是早期体小，多圆形，而较晚的体大、多方形。从其各个组成部分来比较，早期的窑门无砖，火膛多呈椭圆形，相对的是浅而小的。床沿多为弧线形。烟道和烟囱多是一个。战国时代的小型窑仍保存着火道，这种火道是明火道，也就是在窑床上的沟，它与某些龙山文化和商代的窑床成箄形，火道在窑床下面的暗火道（如山东龙山镇城子崖的龙山窑和河北邢台曹演庄的商窑）有所不同。它与火膛相连着，而使火膛与窑床的界限不太分明。晚期的（自西汉以后）窑已用砖筑封砌，窑床的边沿多是直的，最明显的是烟道由 1 个增多为 2 个至 3 个，其横断面呈半圆、扇面、长方形等，出烟口（烟囱）也多是三个，且与烟道合而为一。从窑的性质来分，早期多为烧陶器或烧瓦的，而晚期出现烧砖的窑。遗物方面：早期的有鬲、豆、甑、釜、盆、碗、壶、罐等生活用具，其中有不少带有印记的陶片。建筑材料多为板瓦、筒瓦和瓦当，瓦的里面多无纹饰，而外部为通身绳纹。无砖。晚期的普遍发现有五铢、剪边五铢、货泉等，还出土了大型瓮、罐和盆、釜等残片。筒瓦变得厚重，表面有弦纹或斜条纹，里面的纹饰繁多，有布、点、小方格等。除此以外有不少绳纹砖出现。

另据同刊同期报道，1956 年 7 月间，考古人员在午汲城内清理了周、汉墓葬 25 座，在城外清理了 1 座汉墓。此外，发现古城的西郊也有战国和汉代的墓葬。南郊发现东汉晚期的砖室墓葬群。据介绍，这批墓葬可分为 5 类，时代从春秋早期、战国中期不等，仅有一座瓮棺葬为汉墓，其余的均为东周时期墓。可见午汲古城在东周时仍在使用。

31.1957 年邯郸发掘简报

作　者：北京大学、河北省文化局、邯郸考古发掘队

出　处：《考古》1959 年第 10 期

1957 年秋，考古人员在邯郸一带进行了考古发掘。简报分为：一、涧沟，二、龟台，三、齐村、百家村，共三个部分，有手绘图。

据介绍，涧沟村东距邯郸市约 9 公里，遗存包括龙山文化、商文化和东周、汉文化。其中龙山文化发现灰坑 7 个、房基 1 处、陶窑 2 座、水井 2 口、埋葬处 4 处。房基下有人头骨 4 具，有砍伤、剥皮痕。埋葬处为丛葬坑。龟台为西周文化遗址，发现灰坑 31 个，出土有陶器等。齐村、百家村位于邯郸市区以西 5 公里处，发掘战国墓 32 座以及东汉墓 1 座、时代不明墓 3 座。战国墓都是竖穴木椁墓，年代从战国初至战国末年不等。

《考古》1961 年第 4 期，登载了涧沟村后续的发掘简报。发现有窑穴、窑址、灰坑、墓葬、沟渠等，出土遗物 1574 件及大量陶片。时代涉及龙山文化、殷商文化。

32.邺城调查记

作　者：俞伟超
出　处：《考古》1963 年第 1 期

古代邺城相传始筑于春秋齐桓公时，此后历曹魏、后赵、后燕、东魏、北齐各代，皆建为都城。自明嘉靖《彰德府志》与顾炎武《历代帝王宅京记》中均辟专章叙述邺都古城设置情况后，数十年来，刺取文献记载而探考其规划布置及其在我国古代都市设计史上的地位者，不乏其人。唯亲临其地，专作实地勘查者，则自元代以后，仅新中国成立前北平研究院史学研究会考古组曾派人前往调查。1957 年冬，考古人员前往调查。

简报分为：一、调查概况，二、地面台基，三、建筑附饰，四、采集砖瓦与陶片，五、北城城垣复原，共五个部分予以介绍，有手绘图等。

据介绍，邺城遗址位于河北省临漳县和河南省安阳县的交界处。曹魏所建北城，大部分在今日漳水北，属临漳县辖地；东魏所建南城在漳水南，属安阳县辖地。1957 年 12 月 19 日，考古人员从邯郸出发，乘京广线火车至磁县南双庙车站下车，东南行 2.5 公里至讲武城，勘察古城遗迹一日，作古城城垣遗迹草图。21 日，离讲武城又东南行 7.5 公里至临漳县邺镇。传铜爵台台基在镇西北 0.25 公里许。漳河在镇南东流，在传铜爵台东三台村以北有大片沙地，东西绵延，当为浊漳水故道。

33.磁县下潘汪遗址发掘报告

作　者：河北省文物管理处　唐云明
出　处：《考古学报》1975 年第 1 期

下潘汪村在磁县西南 18 公里的岳城镇西边。1959 年，为配合岳城水库的建设工程，了解水库淹没区内的古代文化遗存，考古人员于同年九十月间，沿漳河两岸，自岳城至观台镇长达 12.5 公里的范围内进行过两次调查。共发现古遗址六处，古城址一处，古墓群二处，古瓷窑址四处。同年冬，选定下潘汪遗址进行发掘。简报分为：一、遗址概况和文化层堆积，二、仰韶文化，三、龙山文化，四、商代，五、西周，六、东周，七、汉代，八、小结，共八个部分。有照片、手绘图。

据介绍，下潘汪遗址仰韶文化遗存中最重要的发现是轮制陶器的发现。龙山文化遗存中最重要的发现是提供了距今 4050±95 年这一时间。商代遗存很少。西周遗存的年代大约为西周末期。战国的铁镬范和汉代的铁齿轮是这里铁器中的两项值得注意的发现。过去在兴隆古洞沟燕国遗址中曾发现铁范 40 副 87 件，与下潘汪遗址发掘的同时，在距离此地不远的处阳城也发现几件铁范，说明在战国时代，不仅燕国有技术很高的铸铁，赵国的冶铸技术也达到同样的水平。汉代铁齿轮是在我国古代机械工程方面的发明上对齿轮系的高度应用，过去在河南南阳、福建崇安以及河北的武安午汲古城、保定东壁阳城、唐县灌城等地都发现过，形式大小完全相同，说明这种齿轮的使用是相当普遍的。

34.磁县下七垣遗址发掘报告

作　者：河北省文物管理处　孙德海、罗　平、张　沅等
出　处：《考古学报》1979 年第 2 期

下七垣在磁县西南漳河北岸，距城 17.5 公里。遗址在村西南台地上。沿河一带西有上七垣、岳城、下潘旺，东有武吉、朝冠、讲武城等村，北是公社所在地时村营，南与河南安阳隔河相望。1966 年 12 月，开挖民有渠南干渠时，在村西南台地的地面下 8 米挖出一批商代青铜器，事后考古人员在调查铜器出土地点时发现这处遗址。该遗址南自漳河北岸，北至京广路老路基以南，西自台地边，东至村内直至东南角，断断续续，面积有 2 万余平方米。为配合农田建设，1974 年 7 月至次年 4 月考古人员在此进行了发掘。

简报分为：一、发掘过程，二、文化层与分期，三、下七垣第四层（二里头文化），四、下七垣第三层（商代早期），五、下七垣第二层（商代中期），七、下七垣第一层（商代晚期），八、结语，共八个部分，有照片、手绘图。

据介绍，此次发掘发现了商墓 23 座、战国墓 6 座、灰层中散存人骨架 19 具，牛、鹿、猪骨架 5 具，陶窑 4 座，灰坑 104 个，出土石器 481 件，骨器 354 件，陶器 304 件，蚌器 274 件，角器 34 件，卜骨、铜镞等 124 件。简报认为，下七垣遗址共分四层，叠压关系清楚，遗物特征明显，为河北省商文化的分期提供了可靠的地层根据。第四层为二里头文化；第三层二里头文化为早商文化；第二层相当于商代中期；第一层相当于商代晚期。

35.河北邯郸市区古遗址调查简报

作　者：邯郸市文物保管所　陈光唐
出　处：《考古》1980 年第 2 期

1970 年冬季，在城市基本建设动土工程中，于地层深处普遍发现战国及汉代的文化遗物，经过调查，发现现在市区的地下，是一处大面积的古城遗址。考古人

员从赵王城附近至现市区进行了古墙址的勘探。简报分为四个部分予以介绍，有手绘图。

据介绍，1972 年 9 月起，考古人员对地下夯土墙址进行了钻探调查。经过十几个月的工作，共探出地下夯土墙址 8000 余米（长度），证明今邯郸市区外围的地下都有夯土墙址存在。墙址为不规则的长方形，东西宽约 3000 米，南北长约 4800 米。墙址内多为遗物丰富的战国汉代遗址。此遗址简称大北城遗址，以区别于赵王城遗址。简报初步认为，大北城遗址是春秋战国以至汉代邯郸城的主要组成部分，而俗称的赵王城，仅是战国赵都宫殿区而已。过去一般认为，邯郸城的演变，是由西南向东北发展的，即赵王城被毁坏后，赵王城西北地区（即现在梳妆楼及市区一带）才逐渐发展起来，其主要依据是公元前 208 年“章邯引兵至邯郸，皆徙其民河内，夷其城郭”（《史记・张耳陈余列传》），以及市区西北梳妆楼一带发现汉代砖、瓦等遗物。上述古遗址的发现，却证明邯郸的演变并非如此。

此次还发现有战国至汉代炼铁渣遗址 3 处、陶窑 4 座及战国时制骨作坊、石器作坊等遗迹。

36.邺城考古调查和钻探简报

作　者：河北省临漳县文物保管所　乔文泉

出　处：《中原文物》1983 年第 4 期

曾为曹魏、后赵、前燕国都的邺北城和曾为东魏、北齐国都的邺南城，统称为邺城。其遗址在河北省临漳县境内西南，距县城约 18.5 公里，南距安阳市约 15 公里。1976 年 8 月至 1977 年 12 月，考古人员对古邺城进行调查和钻探，1979 年新成立的文物保管所继续进行这项工作。

简报分为：一、邺南城城垣，二、邺北城第一探区的文化层面貌，三、采集和发掘出土的文物，共三个部分，有照片、手绘图。

据介绍，邺南城城垣地面以上毫无踪迹，全部埋在地面下。经过一年多的钻探，基本上搞清了它的范围：西城墙距东城墙为 2602 米，南城墙距北城墙为 3454 米。文献记载：“邺南东西 6 里，南北 8 里 60 步。”以西晋尺 24 厘米计算，当时的 1 里合 432 米，6 里合 2592 米，8 里 60 步合 3542 米，钻探实测的数据和文献记载基本相符。采集和出土的文物有石饰、石祭案、瓦当、柱础等。简报还引用载有邺城方位的唐墓志四方，来验证邺城的地望。

今有牛润珍先生《古都邺城研究：中世纪东亚都城制度探源》（中华书局 2015 年版）一书，可参阅。

37.河北武安洺河流域几处遗址的试掘

作　者：河北省文物管理处、邯郸地区文物保管所、邯郸市文物保管所　许玉林、高洪珠

出　处：《考古》1984 年第 1 期

洺河属滏阳河的支流，在临洺关上游分支两路，一条在县城北部，称为“北洺河”，另一条从县城南、东两面向北流去，为“南洺河”。南洺河发源于列江公社，经由管陶、阳邑、徘徊、磁山、庄晏、午汲、宋二庄、清化等公社在紫泉村附近汇入北洺河，经永年等地注入滏阳河。

1979 年，考古人员对南洺河流域进行了一次调查，在调查的过程中，对几处遗址作了小型试掘。其中有西万年遗址、城二庄遗址和东万年遗址，共开探沟 8 条。另外 1977 年，在牛洼堡（原称南岗）遗址试掘的两条探沟，这次一并报道。4 处遗址共清理灰坑 9 个，出土文物 220 件。

简报分为：一、牛洼堡遗址，二、西万年遗址，三、城万庄遗址，四、东万庄遗址，五、小结，共五个部分，有手绘图、拓片、照片。

据介绍，这次在洺河两岸的试掘，了解到洺河流域新石器时代文化的分布。早期遗址多数分布在靠近河流的台地上，一般比河床高20 米以上。磁山文化和仰韶文化都在红土文化层内，出土的遗物与磁山遗址第一、二文化层的文化内涵是一致的。

简报推断，西万年二区文化遗存属“后岗”类型，在武安赵窑、磁县界段营、下潘汪诸遗址中均有发现。城二庄遗址出土的彩陶片，为“大司空村”类型，邯郸百家村、磁县界段营、下潘汪等遗址均有发现。东万年遗址应属新石器时代晚期到青铜器时代。

38.河北省磁县观台磁州窑遗址发掘简报

作　者：北京大学考古系、河北省文物研究所　秦大树、马忠理等

出　处：《文物》1990 年第 4 期

磁州窑系是宋元时期在我国北方活跃着的一个巨大的民窑体系，它分布广泛，特征鲜明，影响深远，为世人瞩目。河北省磁县观台窑址是磁州窑系的一处中心窑场遗址。

简报称，早在 20 世纪 50 年代初期，著名古陶瓷学家陈万里先生已经发现了这座窑址。1958 年，观台镇兴修引漳灌溉工程，考古人员配合工程对窑址进行了小规模发掘，发表了简报。这次发掘根据地层堆积情况和各地层中出土的铜钱，将观台窑的遗存分为四期，时代分别为元代、金代、宋末金初和北宋元丰以后，从而也说

明观台窑创烧于北宋神宗元丰以后，终于元代。可惜发掘面积较小，简报过于简单。1960 ~ 1961 年，为配合岳城水库工程，考古人员再次对观台窑址进行了大规模的发掘，在 1962 年 12 月 18 日的《光明日报》上作了报道。这次发掘面积达 2100 平方米，发现了一些瓷窑和作坊，出土了丰富的遗物，但至今未见简报或报告发表。1964 年，故宫博物院李辉柄先生又对观台、冶子、东艾口三个窑址进行了调查，发表了调查报告。在这些工作的基础上，国内外许多学者对磁州窑进行了初步的总结和专题研究。1987 年 3 月 24 日～ 7 月 25 日，北京大学考古系与河北省文物研究所联合对观台窑址再次进行了发掘。发掘历时 4 个月。发现了窑炉 9 座，其中 6 座保存相当完好；发现加工原料的大型石碾槽 1 座，出土各种完整的或可复原的瓷器 2000 多件，瓷片数十万片。发掘工作由北京大学考古系宿白教授任领队。

简报分为：一、发掘情况及典型地层，二、分期及出土遗物，三、典型遗迹，四、结语，共四个部分，配以照片、手绘图，介绍了 1987 年的发掘情况。

据介绍，观台窑址坐落在漳河岸边，距磁县县城约 40 公里。遗址为一舌形台地，当地人称之为西岭，从观台二街村一直伸入岳城水库，南高北低，高差约 40 米。漳河从遗址西、北两面流过，南边是新修的公路。

简报认为，观台窑创烧于北宋初年或稍早，停烧于元代末年到明初；根据出土的纪年材料和其他考古材料，可将其分为七段。简报初步总结了各期段器物的类型、装饰特点和装烧技法，此次简报所揭示的仅是发掘出土材料的十之一二，详细的整理工作正在进行，对各期段的器物将进行理化分析，对窑炉等遗迹将作进一步的研究。

39.河北省永年县何庄遗址发掘报告

作　者：邯郸地区文物保管所、永年县文物保管所　张　沅、王立军

出　处：《华夏考古》1992 年第 4 期

何庄遗址位于河北省永年县临洺关西南约 15 公里的何庄北。何庄遗址是 1987 年在文物普查中发现的，面积约 3 万平方米。由于当地农民烧砖取土，对遗址的破坏非常严重，因此，1988 年 8 月 9 日至 9 月 12 日，考古人员对该遗址进行了抢救性发掘。共清理商文化灰坑 6 个，战国时期的墓葬 8 座，汉代房基址、灰坑各一座，同时出土了大量的陶片、石器，以及少量的铜器、铁器、骨器等文化遗物。

简报分为：一、地层堆积，二、先周文化遗存，三、战国墓葬，四、汉代遗存，五、结语，共五个部分，有照片、手绘图。

据介绍，何庄遗址包括了成汤灭夏之前的先商文化。商代文化遗存丰富，表明这一区域商人居住时间长且十分密集。何庄战国墓葬中的甲类墓墓主人的社会地位

稍高于一般平民，其时代应与百家村等地墓葬的时代基本相同，即相当于战国中晚期。这次发现的一座汉代房基址的墙体是用自然石块筑砌的，其周围的残筒瓦和板瓦很可能是屋顶的建筑材料。

40.河北磁县境内牤牛河两岸考古调查

作　者：邯郸地区文物保管所　张　沅、王立军
出　处：《华夏考古》1993 年第 2 期

牤牛河发源于太行山南段东侧的峰峰矿区一带，由西向东，从林坦村进入磁县北部，向东汇入南北流向的滏阳河，全长约 15 公里。1989 年初，为配合河北省查遗补漏的文物复查工作，对牤牛河两岸进行了专题性考古调查。调查于 2 月 27 日开始，至 3 月 8 日结束，历时 10 天，共发现古遗址 5 处。

简报分为：一、袁家坟遗址，二、贺兰东南园遗址，三、洛子川遗址，四、严村西遗址，五、贺兰高园地遗址，小结，共六个部分予以介绍，有手绘图、拓片。

据介绍，根据 5 处遗址的采集标本，简报推断：袁家坟和贺兰东南园遗址属于冀南、豫北一带的“涧沟型”龙山文化遗存；洛子村遗址的“绝对年代约相当于成汤灭夏以前”；严村西遗址年代为战国中期、晚期以至延续到西汉上半期；贺兰高园地遗址与严村西遗址的时代相当。

简报称，牤牛河两岸的考古调查，为研究当时人们的生活习惯及其分布规律提供了可靠的依据；特别是袁家坟与洛子村遗址文化遗存之间的联系，为探讨商族在这一带的活动情况增添了新的素材。

41.磁州窑观台遗址出土的瓷枕

作　者：张子英
出　处：《华夏考古》1995 年第 1 期

磁州窑是我国北方著名的民间瓷窑，在国内外享有盛名，观台遗址是古磁州窑烧造场所之一。1987 年 3 月，考古人员在观台遗址进行了考古发掘，出土大小残器达数十万件（片）。其中宋、金两 2 个朝代的地层中出土瓷枕 37 件，枕模具 7 件，枕片数百块。

简报分为：一、北宋时期的瓷枕，二、金代瓷枕，三、模具，共三个部分，有图。

据介绍，出土文物计有北宋瓷枕 3 件、金代瓷枕 27 件以及 7 件瓷枕模具。瓷枕模具以往少见。

42.河北临漳县邺城遗址北吴庄佛教造像埋藏坑的发现与发掘

作　者：中国社会科学院考古研究所、河北省文物研究所、邺城考古队　朱　磊、何利群、李存倍等

出　处：《考古》2012 年第 4 期

2012 年 11 月，考古人员在河北省邯郸市临漳县习文乡北吴庄邺城遗址抢救发掘了一处佛教造像埋藏坑，获得一批重要的学术资料。简报分为：一、发掘概况，二、出土造像，三、学术意义，共三个部分，有彩照。

据介绍，这批佛教造像数量众多、工艺精湛、造型精美，时代跨越北魏、东魏、北齐、隋和唐代，纪年明确，时代衔接。简报认为这批文物是研究北朝晚期至隋唐时期邺城地区佛教造像类型和题材的可靠标本。

邢台市

43.1958 年邢台地区古遗址古墓葬的发现与清理

作　者：河北省文化局文物工作队

出　处：《文物》1959 年第 9 期

1958 年邢台地区的考古发掘工作是从 9 月份开始的。发掘区在市西、西南和西北的前炉子村、南大汪村、东董村、尹郭村、贾村五个地方，先后清理和试掘了新石器时代遗址 1 处，商代遗址 2 处，战国墓 138 座，汉及以后墓葬 48 座。简报配以手绘图、照片予以介绍。

据介绍：一、前炉子村古墓群。前炉子村在邢台市西南约 5 里，古墓分布在该村西南耕地上。这次共清理了 41 座，大部都被盗毁，遗物已成碎片，经整理粘对后较完整的共 433 件。

二、南大汪的遗址和墓葬。南大汪在邢台市西北八里许，该村西南一里的西南岗分布着一处新石器时代遗址和古墓群。这次共清理了战国墓 7 座、汉墓 1 座，出土物 617 件，在新石器时代遗址试掘了一条面积 100 平方米的探方。

三、东董村古墓群：东董村在邢台市西约 8 里，墓群很大，位置在该村东一华里。本次清理的主要是战国墓，汉及唐、宋墓也清理了 7 座。

四、贾村商代遗址：贾村在邢台西南约 10 里，1957 年冬季曾在这里做过试掘（参看《文物》1958 年第 10 期）。这次出土陶鬲、罐、盆、簋、石镰、骨笄、卜骨

等566件及圆形居住址3座、窖穴两座。在一个浅窖穴里发现一俯身人骨架，屈肢，两手外扬，下有一兽骨，在人架东侧放有半个陶鬲，西侧有半个陶鬲，很可能是有意识的埋葬。此外还发现平面呈椭圆形和圆形的陶窑4座。

五、尹郭村商代遗址。尹郭村是邢台西约20里，靠近冯山北麓的一个村庄，1957年曾发现了两处商代遗址（南北两区），并都做了试掘。出土物共352件，但陶器能复原的太少，其他如石器、骨器、蚌器等均与试掘中发现的大略相同。出土石器有192件之多。

44.邢台尹郭村商代遗址及战国墓葬试掘简报

作　者：河北省文化局文物工作队　唐云明
出　处：《文物》1960年第4期

河北省文化局自1957年9月开始，在邢台地区展开全面调查工作。从10月13日至11月17日在尹郭村进行了试掘，共试掘商代遗址两处，清理战国墓两座。简报分为“商代遗址”“战国墓”两部分予以介绍，但言明重点是商代遗址，战国墓不过是附带的且出土遗物不过是战国中晚期墓常见之物，有手绘图。

据介绍，尹郭村位于邢台市西北约20里，遗址和墓葬在村的南北两面。根据这些遗存发现的先后和分布情况，把首先发现在村东北约半里的编邢、尹、北区遗址，面积约15万平方米，后来发现在村西南的编为邢尹、南区遗址，面积约26万平方米。两处遗址相隔约二里，中间是一处战国遗存（遗址、墓葬）。商遗址出土有石器、陶器、骨角器、铜器及甲骨21片。遗址年代可分为三期：早期为商代早期，中期为商代中期，晚期为商代晚期。

45.河北邢台地上文物调查记

作　者：刘慧达
出　处：《文物》1963年第5期

邢台、邯郸位于华北大平原西缘，傍太行山麓。自郑洛北行，邢、邯为必经之地，是自古以来的都邑所在，所以这些地方都保存了许多遗迹遗物。1957年秋，北京大学历史系考古专业同学在邯郸进行生产实习，部分教师工作之余，在实习地区附近作短途旅行，在邢台、邯郸、武安等城市及其近郊发现了不少自唐宋以降的地上文物，包括唐宋塔、幢，金元碑刻和清代琉璃建筑等。简报分为“开元寺”“天宁寺”“龙兴观，唐道德经石台”“净土禅院”等几个部分予以介绍，有手绘图。

据介绍，开元寺在邢台旧城内东北隅，元代所建，明清两代略有修整。天宁寺位于邢台旧城西北隅，现存晚唐石幢、元代墓塔及元建清修的大殿。龙兴观位于开元寺西北，已废，现存唐道德经石台，道经、德经分开，经文用大字，注文用小字。天宁寺东北有净土寺，现有宋碑、元塔各一。

46.河北临城县补要村遗址北区发掘简报

作　者：北京大学考古文博学院、河北省文物局、邢台市文物管理处、临城县文化旅游局　王　迅、常怀颖、朱博雅、郭　婷、邢志丹等

出　处：《考古》2011 年第 3 期

补要村遗址位于临城县东镇补要村东南，地处镇内至楼底的公路南北两侧的农田中，西距临城县城约 5 公里，跨太行山约 15 公里。2006 年，南水北调中线工程文物保护工作启动，考古人员对补要村遗址进行较大规模的田野调查钻探。2007 年 7 月至 2008 年 1 月，对南水北调干渠穿过该遗址的部分进行了发掘，发现大量仰韶文化晚期、先商文化时期、中晚商时期及汉唐时期遗存。

简报分为：一、地层堆积，二、仰韶文化时期遗存，三、中晚商时期遗存，四、结语，共四个部分，介绍了遗址北区仰韶文化时期及中、晚商时期的遗存，有彩照、手绘图。对于北区其他时期的遗存，将另文予以介绍。

据介绍，遗址北区的仰韶文化晚期遗存具有自身特色，与周邻的雪山一期文化、仰韶文化大司空类型存在明显差别。中、晚商时期遗存年代序列完整，自洹北商城阶段延续至殷墟第四期，对进一步完善冀中地区中晚商时期考古学文化的编年体系、了解当时的社会性质具有重要价值。

简报还指出，遗址北区祭祀坑、冶铸作坊活动面等遗迹和青铜容器残件、青铜觚铸范的发现，表明这里在中、晚商时期不应只是一般的村落，当有高等级人群居住，并且有宗教活动和冶铸工业作坊，是一处值得特别重视的遗址。

保定市

47.河北曲阳县涧磁村定窑遗址调查与试掘

作　者：河北省文化局文化工作队　林　洪

出　处：《考古》1965 年第 8 期

曲阳县涧磁村古代瓷窑址，过去有人调查证实它是北宋五大名窑之一的定窑主

要遗址，并且认为该窑址的时代上限可以早到晚唐。关于它的下限，有的认为定窑到北宋末年就停止了生产，有的认为可能会晚到元末才废弃，由于缺乏发掘资料的依据，无法定论。考古人员对该窑址做了深入的调查，并进行了小规模的试掘，为涧磁村定窑烧瓷时代上下限的看法以及定窑产品各时期造型等方面的演变，都提供了一些可靠的资料。试掘工作从 1960 年底开始，到 1962 年 5 月底结束。总共试掘面积为 420 平方米。另外，在调查工作中，对涧磁村定窑遗址的地形、范围也进行了实测。

简报分为：一、前言，二、调查情况，三、试掘情况，四、出土遗物，五、结语，共五个部分，有手绘图。

据介绍，《曲阳县志》记载，该县始自唐、宋，即属定州管辖，所以这里的瓷窑，历代都习称为定窑。涧磁村位于曲阳县城北 30 公里，窑址主要位于村东与村西，规模相当大，这一带用水、用煤、交通、瓷土原料等均具备。

简报称，试掘地点位于村东北 1.5 公里处，在调查中，共获得上自晚唐，下迄金、元的遗物 35 件。在试掘中，前后出土遗物 216 件，其中瓷器 123 件，工具与窑具 26 件，铜钱 67 枚。简报认为此地是五代开始发展，北宋进入大发展和创新时期，北宋末年因战争而衰落。

今有《中国定窑》（河北美术出版社 2003 年版）上下两册，收录近 2000 幅照片。

48.河北曲阳涧磁村发掘的唐宋墓葬

作　者：河北省文化局文物工作队　林　洪

出　处：《考古》1965 年第 10 期

1960 年底至 1961 年底，考古人员在曲阳涧磁村进行了古窑址的试掘（见《考古》1965 年第 8 期），试掘遗址的同时，还清理了 17 座古代墓葬。由于这些墓葬皆为小型结构，并且都已被盗掘，所以出土遗物贫乏。第 12 ～ 17 号墓随葬物已全部无存。根据各墓随葬物的不同特征并与遗址出土各个时期遗物相比较，这些墓葬包括晚唐、五代、北宋和金、明各个时代。

简报分为：一、晚唐墓，二、五代墓，三、北宋墓，四、金墓，共四个部分，配以手绘图、照片，先行介绍。

据介绍，晚唐墓计有 M1、M2、M3，均被盗过。五代墓有 M4、M6 等，也均被盗过。北宋墓 M7 一座，也被盗过。金墓为 M8、M9 两座，都被盗过。出土遗物有劫余的瓷器等，对研究定窑等或有一定帮助。M10 ～ M14 为明墓，与定窑无关，从略。

49.1964 ~ 1965 年燕下都墓葬发掘报告

作　者：河北省文化局文物工作队
出　处：《考古》1965 年第 11 期

自 1964 年 4 月至 1965 年 4 月一年间，考古人员在燕下都范围内配合农业生产发掘了一些古墓。这些古墓大部分是在燕下都遗址范围以内：在东斗城有春秋晚期至战国早期土坑墓；在郎井村有战国早期土坑墓；在东沈村发现的都是西汉早期土坑墓；在高陌村北至东北有秦代带龛土坑墓及西汉末、东汉末的砖室墓；在东贯城有东汉砖室墓。在所发掘的 15 座墓中，春秋至战国的两座，秦代一座，西汉 7 座，东汉 4 座，时代不明的（可能为西汉）一座，墓葬编号系根据燕下都遗址古墓调查顺序，由墓 29 ~ 43。简报分为：一、春秋晚期至战国早期墓，二、战国早期墓，三、秦墓，四、西汉墓，五、东汉墓，共五个部分予以介绍，有拓片、手绘图。

据介绍，春秋晚期至战国早期墓只有墓 31 一座，位置在郎井村南 250 米。为长方形竖井墓，出土有铜鼎、铜戈、陶器等。战国早期墓仅墓 29 一座，位于东斗城村东南约 0.5 公里处，为长方形竖井土坑墓，出土有陶器等。秦墓只有墓 39 一座，位于高陌村北，为长方形竖井土坑墓，出土有陶器、铜器、玉器、玛瑙环等。西汉墓 7 座，另有一座近似西汉墓，早期墓 5 座（32 ~ 36），均位于东沈村东，均为长方形竖井土坑墓。晚期墓 2 座（40、41），为砖室墓，位于高陌村北，近似一墓也在此。东汉墓四座（30、37、38、42），墓 30 有三个墓室，余皆为单室砖券墓。

50.河北易县龙兴观遗址调查记

作　者：河北省博物馆、河北省文物管理处　郑绍宗
出　处：《文物》1973 年第 11 期

易县龙兴观是我国唐代北方著名道教寺院之一，历经宋、元、明各代，屡有兴废。据当地人介绍，直到辛亥革命时期尚存有一部分殿宇和碑碣，后因年久失修而逐渐废弃。1964 年秋，考古人员对该观遗址现状、散存碑碣情况进行了调查。简报分为三个部分予以介绍，有照片、拓片等。

据介绍，龙兴观遗址位于易县南城，北近民舍，南临城垣，东西两面与耕地相接，系一南北长 120 米、东西宽约 100 米的岗阜之地。北面土丘高起，似为大型殿宇基址所在，东西两面为近世农田削去，断面披露出厚约 1 米的瓦砾层，其中有唐

代的细直纹砖、莲花纹瓦当，宋金时代的勾纹砖、平瓦，元代“仙”字瓦当，明代琉璃瓦、平瓦及瓦片等。根据遗址南面的明正统八年（1443年）“龙兴观宗支恒产图形”碑，可以窥知明时龙兴观布局：自南而北包括道德经幢、十师殿、左右天师殿、真官堂，中为三清殿和东西方丈，后为玉皇殿。现今遗址上面凸凹不平，地形大体可以复原明代以来的基址情况。明代以前的变化情况，从现存元至正十一年（1351年）“易州龙兴观宗支恒产记”所录，知元时龙兴观之规模比明略大。元以前不明。现在，在遗址南面发现有石柱础、八角形莲花础石，东南民居中有宋金时代石经幢座，东侧发现有原建筑用石材和元代龟趺以及元明以来的残砖断瓦等。其中唐代道德观经已被列为省级保护单位。与道教有关的元、明碑文，也十分重要。

51.河北易县涞水古遗址试掘报告

作　者：拒马河考古队　卜　工、朱永刚、吴东风等

出　处：《考古学报》1988年第4期

易县、涞水在河北省中部，太行山东麓。两县南北相依，地势相似，自西而东分别是太行山区、丘陵山地和华北平原。西面过紫荆关可入蔚县盆地和山西省境，北通长城地带达燕山南麓，南依太行山而下与中原交往，东面俯瞰华北平原，地理位置十分重要。1985年春，考古人员在易县、涞水两县进行为期两个月的实地调查。共发现新石器时代至战国时期的遗存33处，并试掘易县北福地、下岳各庄和涞水县庞家河、富位、炭山五处遗址。

简报分为：一、北福地遗址，二、下岳各庄遗址，三、庞家河遗址，四、富位遗址，五、炭山遗址，六、结语，共六个部分介绍了相关情况，有照片、手绘图。

简报指出，这次调查、试掘所得资料，基本上反映了该地区战国以前古代文化的发展情况。调查试掘的遗存分为八个阶段，其年代序列如下：（1）北福地遗址一期，（2）富位遗址一期，（3）北福地遗址二期，（4）下岳各庄遗址一期，（5）富位遗址三期，（6）北福地遗址三期，（7）炭山遗址二期，（8）下岳各庄遗址三期。（1）至（3）段分别相当于前仰韶、仰韶早期和仰韶晚期。其余五段依次为夏、早商、晚商、西商和战国时期。其中（1）、（4）、（5）段的遗存，尚能划分为不同的年代组，其演进变化和发展线索比较清楚。简报指出，直至西周时期，此地文化结构仍很复杂，既有商文化的遗留，又有周文化的影响，而本地土著文化还游离于西周燕文化之外，保持着自己的文化传统。

52.河北涞水北封村遗址试掘简报

作　者：河北省文物研究所、保定地区文管所、涞水县文保所　吴东风、徐浩生、朱学武

出　处：《考古》1992 年第 10 期

1987 年春，考古人员对京广铁路以西的涞水、定兴、徐水三县进行了调查与试掘，获得了一批不同时期的考古资料。简报分为：一、地层堆积，二、第一期文化遗存，三、第二期文化遗存，四、第三期文化遗存，四、结语，共四个部分予以介绍，有手绘图，介绍涞水县北封村遗址试掘的情况，其他遗址的材料将另文报道。

北封村属明义乡，位于涞水县城西南约 5 公里。遗址分布在村东南大约 200 米的阶地上，秋兰河从遗址西边流过，遗址高出河床约 2 米，断崖上可清晰地看到文化层。遗址地表平坦，散布着不少陶片。还清理灰坑一座（H8）。

据介绍，试掘结果表明，北封村遗址比较重要的有三个时期的文化遗存。

第一期文化遗存的陶器，以灰陶占绝大多数，素面陶较多，篮纹次之，器形有斝、甗、鼎、罐、盆、圈足盘等。因此，它的年代简报推断应相当于龙山文化时期。

第二期文化遗存中的高领鬲，口沿下有一周附加堆纹，在裆部往往也有泥条装饰。具有这种特征的遗存，在长城沿线多有发现，分布在保北地区的同类遗存有易县北福地、房山县塔照、安新县辛庄克等，其南界不过保定。这类遗存与商文化的陶器共存，简报推断其年代应为商代。

第三期文化遗存同样也有两种鬲共存，一种为商式鬲，另一种鬲口沿下有附加堆纹，只是堆纹的位置向上移，应与第二期同类鬲有嬗变关系。根据与之共存的商式鬲的特征分析，简报推断其年代可能已进入商周时期。

53.河北曲阳县考古调查简报

作　者：史云征、李兰珂

出　处：《考古》1994 年第 4 期

曲阳县位于冀中偏西的太行山东麓，太行山至此走向偏西，县境就坐落在山脉转弯的南面。境内有大沙河、孟良河、三会河、通天河四大水系。县城北部均为山区，城南为平原地貌。为配合《中国文物图集》的出版工作，1990 年秋冬之交，考古人员在此进行了详细的田野考察工作，新发现古文化遗址 37 处。择其四处早期遗址，简报分为：一、北关遗址，二、田庄遗址，三、沟里遗址，四、董家马西遗址。

据所得标本，简报认为北关遗址是一个包括仰韶、龙山两个时期的文化遗存；田

庄遗址文化面貌与北关遗址在时代上差别不大，当属仰韶晚期遗存；沟里遗址是一处新石器晚期与商代早期共存的文化遗址；董家沟马西遗址为仰韶、龙山和二里头文化二期。

简报称，新石器文化和夏商文化在冀中地区分布较广，且密集。这里是中原与北方文化交融地区，各地文化在此产生不同程度的影响和渗透，同期遗存表现出的文化面貌极其复杂，除共性外还在一定程度上表现出地域性的差异。

54.河北易县发现一批石造像

作　者：易县文物管理所、中国艺术研究院美术研究所　张洪印、金　申

出　处：《文物》1997 年第 7 期

1992 年 8 月，河北省易县财政局建筑工地在县政府西南角深挖楼基时，在距地表 1.5 米处发现一批残损的石造像共 20 余件。考古人员立即前往清理。简报配以照片、拓片予以介绍。

据介绍，此批出土的石造像残损较甚，全部失去头部，从残存躯干部分可看出有佛、菩萨、弟子、护法武士等，从风格判断，除一件带有北魏和平六年（465 年）题记的交脚菩萨外，其余为唐、五代或辽所造。简报指出，这批造像风格虽仍存唐风，但已向宋辽时写实风格过渡。另外，这批造像明显是被人为击碎致残，所有造像的头部、手臂易损之处均被锤击失落，这显然不是兵燹天灾所致。佛教史上曾有数次灭佛事件，所谓“三武一宗”的法难，与此时代最为接近的是后周世宗显德二年（955 年）灭法之举。这批佛教造像的残损或与这类事件有关。

55.河北唐县南放水遗址 2006 年发掘简报

作　者：吉林大学边疆考古研究中心、河北省文物局、唐县文物保护管理所　朱永刚、段天璟等

出　处：《考古》2011 年第 4 期

南放水遗址位于河北省唐县东北 15 公里，南距高昌镇 2.5 公里，西依太行山余脉庆都山，北面隔放水河与北放水遗址相望，西南距淑闾遗址不足 5 公里。这是冀中平原北部地区一处重要的古文化遗址。2003 年由河北省文物研究所调查时发现，次年复查并试掘。鉴于南水北调京石段工程紧迫，2006 年 4 ~ 7 月，对施工范围内的该遗址进行了大规模勘探和发掘，发现了夏、西周和东周三个时期的遗存，共清理灰坑 171 座、墓葬 12 座、灶坑 2 座、灰沟 3 条。出土遗物丰富，包括大量陶片和

可复原陶器，以及石器、骨角器、蚌器、铜器等各类人工制品。

简报分为：一、地层堆积，二、夏时期遗存，三、西周时期遗存，四、东周时期遗存，五、结语，共五个部分予以介绍，有彩照、手绘图。

据介绍，夏时期遗存的文化特征多元。西周时期遗存的年代为西周中期至晚期。东周时期遗存属于春秋晚期至战国时期。

简报指出，通过分析遗址中诸多遗迹现象，深化了对该地区西周时期聚落形态的认识。另外，太行山东麓的西周文化是周人向东扩张后在原商人领地上发展起来的，与关中地区典型的周文化存在着地域差别。简报称，南放水遗址的发掘对于认识西周时期周人与商遗民的关系、解读冀中平原北部地区西周时期考古学文化的演进和特征等问题具有重要意义。

56.河北曲阳县涧磁岭定窑遗址A区发掘简报

作　者：河北省文物研究所、北京大学考古文博学院、曲阳县定窑遗址文保所
秦大树、李　鑫、高美京

出　处：《考古》2014年第2期

定窑窑址位于今河北省曲阳县灵山镇境内，集中分布在涧磁村、北镇村和东、西北川村及野北村两个区域。2009年在北镇村、涧磁岭、涧磁西、燕川村4个地点清理各类遗迹94处，其中窑炉11座、作坊12座、房基3座、灰坑45个、灶7座、墓葬2座、沟6条、界墙8道，出土了数以吨计的各时期的瓷器和窑具，其中完整或可复原标本数千件。

定窑遗址涧磁岭A区的发掘简报分为：一、窑址环境及地层堆积，二、重要遗迹，三、出土遗物，四、分期及年代，共四个部分，有彩照、手绘图。

据介绍，根据地层堆积和出土遗物的器类、造型、胎、釉、装饰、烧造工艺等各方面的不同特点和时代变化，将涧磁岭A区窑址分为四期六段。第一期前段的年代为北宋建国以前的唐末、五代时期，即10世纪前半叶或稍早；第一期后段的时代为北宋前期，即北宋建国至北宋真宗天禧元年以前（960～1017年）；第二期时代推定为北宋中期，即真宗天禧元年（1017年）至神宗元丰八年（1085年）；第三期时代从哲宗元祐元年（1086年）到钦宗靖康二年（1127年）；第四期前段时代为金代前期，即从北宋灭亡（1127年）至金海陵王正隆五年（1160年），四期后段年代为金代中后期，即从金世宗大定元年（1161年）到兴定三年（1219年）。

张家口市

57.蔚县考古纪略

作　者：张家口教研队　孔哲生、张文军、陈　雍

出　处：《考古与文物》1982 年第 4 期

蔚县考古继 1979 年筛子绫罗、庄窠和三关遗址大规模发掘后，1980 年再次发掘了三关遗址。考古人员于 1981 年在县内 18 个公社进行了专题调查，发现遗址 47 处，选择西合营公社四十里坡、黄梅公社琵琶嘴、代王城公社大水门头、吉家庄公社东水泉、南杨庄公社饭坡、白乐公社前堡等 6 处遗址进行了试掘，又一次发掘了三关和庄窠遗址。试掘和发掘面积共计 1405 平方米。简报分为三个部分予以介绍。有手绘图。

据介绍，计发现相当仰韶文化时期遗存二种，以及相当龙山时期文化遗存、夏家店下层文化遗存、二里岗上层早商遗存等。

蔚县壶流河流域早商以前的考古文化，按时间早晚编年如次：

1. 以四十里坡下层为代表的，文化面貌与年代近于后岗一期文化的遗存；
2. 以三关下层为代表的，文化面貌与年代近于庙底沟类型的遗存；
3. 以筛子绫罗下层为代表的，年代早于后岗二期文化的遗存；
4. 以大水门头、东水泉等为代表的，年代与东下冯类型相近的遗存；
5. 以庄窠、四十里坡中层等为代表的，年代大约相当二里岗下层文化阶段的遗存；
6. 以庄窠、四十里坡上层等为代表的二里岗上层文化遗存。

58.张家口市白庙遗址清理简报

作　者：张家口市文物事业管理所　陶宗冶等

出　处：《文物》1985 年第 10 期

白庙遗址位于河北省张家口市庞家堡区白庙乡白庙村北约 300 米处的台地上。1983 年 1 月考古人员在此调查时，见到遗址南部因砖场多年取土所形成的一条高于现河床 3 至 4 米的东西向断崖，当年 4 ～ 5 月对遗址西部进行了抢救性清理，同时在遗址东部清理了残墓 3 座（M2、M3、M4）。清理工作简报分为三个部分，有手绘图、照片。

据介绍，遗址的文化堆积层分布不匀，主要集中在遗址西部，东部很少，出土遗物有陶器、铜器、铁器等。简报附有“白庙遗址墓葬登记表（瓮棺葬除外）”，时代可分为夏商时期、早商较晚阶段（下限不会晚于殷墟早期）、战国中期以后、战国中晚期等不同的时间段。

59.河北张家口市考古调查简报

作　者：陶宗冶
出　处：《考古与文物》1985 年第 6 期

张家口市辖六区一县（宣化县），北依坝上高原，南临小五台山脉，中部为洋河河川盆地。源于山西、内蒙古地区的桑干河、洋河由西至东纵贯全境，后经怀来县汇入永定河。1984 年春天，考古人员对这一地区的古文化遗址进行了一次考古调查。调查共发现古文化遗址 20 处。简报配以手绘图予以介绍。

简报重点介绍了从仰韶文化到西汉时期的 8 处遗址；指出依据此次调查资料，可组成张家口市仰韶—西汉前期的考古文化序列，初步揭示出本地区西汉以前几种不同系统的考古文化面貌，从而体现了这一地区与周邻地区的考古文化关系。

60.河北怀来官厅水库沿岸考古调查简报

作　者：张家口考古队　刘建忠、贺　勇
出　处：《考古》1988 年第 8 期

官厅水库位于永定河上游的妫水河、洋河和桑干河交汇处，在河北省怀来县境。该县地处冀西北山间盆地的东部，其东、南与北京市的延庆、昌平毗连。县境北界是燕山，南为军都山，南北群山起伏，中部平原百里，妫水河东西横贯全县中部，这一宽谷盆地，亦称“怀来盆地”。这里具备古代居民理想的生活和居住条件，是塞外草原衔接河北平原的交通孔道。

国家于 1951 年 10 月在此兴建水库，1954 年水库竣工期间，考古人员曾先后到水库南岸的大古城村，对古城遗址作过调查。尔后，至 1979 年全区文物普查前一直没有进行过野外调查。为了搞清官厅水库沿岸（即指原妫水河流域现未被水库淹没地区）古遗址分布情况，考古人员于 1981 年 4 月 6 日至 5 月 30 日对水库沿岸进行了田野考古调查。

这次调查的主要范围，是分布在官厅水库沿岸的董庄子、东花园、小南辛堡、官厅、桑园、狼山、土木、北辛堡共 8 个公社，共发现古遗址 21 处。遗址大多离库区较近，有的分布在略高出周围地面的土岗上。就文化性质来区别，大致可归纳为仰韶文化遗址 1 处，龙山文化遗址 3 处，夏家店下层文化遗址 1 处，春秋战国遗址 8 处，汉代遗址 5 处，唐代遗址 3 处。

简报将具有代表性的6处古代遗址按类分为：一、仰韶文化遗址，二、龙山文化遗址，三、夏家店下层文化遗址，四、春秋、战国遗址，共四个部分介绍，有手绘图、照片。

据介绍，仰韶文化遗址主要有三营遗址；龙山遗存以彭大崖、马站遗址较为典型；夏家店下层文化主要是焦庄（康家圪垯）时代，大致相当于夏、商时期；春秋、战国遗址主要有洪沟梁遗址、小古城遗址。

61.河北怀来县大古城遗址1999年调查简报

作　者：李维明、郗志群、宋卫忠、张秀荣

出　处：《考古》2001年第11期

大古城遗址位于河北省怀来县小南辛堡乡大古城村北约1000米处，位于官厅水库南岸。1954年1月、1954年6月考古人员进行过考古考查，1981年4月和1985年夏至1986年秋，做了补充调查，但总体说来以往公布的材料相当简略。为配合北京史涉及燕国至秦汉时期上谷郡地望探讨，首都师范大学历史系师生借1999年开设的考古学课程之机，于5月和10月分别对大古城遗址进行了三次田野考古调查实践活动。

该城现状及采集遗物报告简报分为：一、城址，二、遗物，三、结语，共三个方面，有手绘图、拓片。

据介绍，大古城遗址自东周至今，人类活动一直延续不断，其最为繁荣时期在战国中、晚期至秦汉时期，北朝时期较为萧条冷落，隋以后沦为一般村落。由于大古城始建年代可早至战国中、晚期，考古调查表明这座城址是这一地带同时期诸城址中规模较大的一座，简报判断，大古城为战国晚期燕国所置上谷郡治所在地的可能性很大。

承德市

62.河北滦平县后台子遗址发掘简报

作　者：承德地区文物保管所、滦平县博物馆　沈军山等

出　处：《文物》1994年第3期

1983年5月初，河北滦平县金沟屯镇西村砖厂用推土机清除后台子耕地表土时，发现一处重要的新石器时代遗址。地表暴露出古代房址、灰坑等30余座，以及大量的陶器碎片、石器、石人雕像等遗物，遗址破坏严重。考古人员到现场进行调查，并对地表暴露的遗物和流散文物进行了清理和征集。5月下旬至6月上旬，对该遗址

进行了抢救性发掘。

简报分为：一、地貌和文化层堆积，二、下文化层遗存，三、上文化层遗存，四、结语，共四个部分，有照片、拓片、手绘图。

据介绍，出土有妇女石雕像，多为裸体孕妇，或坐或蹲。还有陶器、骨器等。后台子下层遗址距今7000年左右。后台子遗址上层遗存的年代上限至商代，下限可到战国中早期。

另据《文物》1985年第2期介绍，滦平县虎什哈乡营坊村，还曾发现过一件兽面石人，为夏家店上层文化遗物。

63.河北承德县白河口遗址调查

作　者：承德县博物馆　刘　朴

出　处：《考古》1998年第1期

白河口遗址位于承德县上板城镇上板城村东50米，东距滦河500米，南距白河300米，为两河交汇处的高台地。遗址的北、东两侧分别有京承、承锦铁路通过。遗址东西长约500米、南北宽约300米，面积约为15万平方米。

1990年4月以来，考古人员先后三次对该遗址进行调查。遗址西侧断面暴露文化层，厚度平均50厘米。层内夹杂陶片、灰土等，还可见墓葬和灰坑。1996年4月，考古人员在该遗址内进行了勘探，简报配以手绘图予以介绍。

据介绍，上板城村周围滦河、白河两岸，遍布早期遗址。白河口遗址南面1.5公里处，就是被列为省级重点文物保护单位，相当于红山文化的白河南遗址。在这些遗址中，白河口遗址面积较大，遗物较丰富，延续时间长。从遗址中采集的类似磁山文化中陶支脚形的石器和红色耳形器较为罕见。简报推断，该遗址的年代早到红山文化，晚到汉代，跨越数千年。

沧州市

64.河北省隆化县土城子城址2005年试掘简报

作　者：河北省隆化县文物管理所　刘　朴、王晓强

出　处：《北方文物》2008年第1期

土城子城址位于河北省隆化县隆化镇下洼子村，面积41万平方米，是北魏、辽、

金、元时期州城，文化遗存十分丰富。此次发掘面积为110平方米，发现房址、灰坑、窖藏多处，出土瓷器、骨器、陶器、铁器等文物30余件，其中的白瓷男性生殖器、骨柄植毛刷、大型文字缸等殊为珍贵。城址内发现的大量红烧土说明这里在元末明初曾有大的战事，引发火灾，使该城毁于一旦。

简报分为：一、地层堆积，二、文化遗存，三、结语，共三个部分，有手绘图、照片等。

据介绍，该城址辽代至元代为全盛期，元末明初毁于战火，当地有“火烧城”的传说。此后沦为牧马场。值得注意的是，本次发掘出土了几件较为特殊罕见的器物。例如白瓷男性生殖器，造型奇特，想象丰富，在截至目前的所有考古发现中，似乎还未见报道。该器恐怕不是某个瓷器匠人心血来潮做来玩的，因为它有细孔整体贯通，从上面的葵口到侧面的阴茎龟头形成一直角。它的真正作用尚有待于进一步的考古发现和研究。又如骨柄植毛刷的发现，观其形状，与现代牙刷无异，此前在内蒙古地区已有发现，简报认为其作用就是牙刷。

廊坊市

65.河北大厂回族自治县大坨头遗址试掘简报

作　者：天津市文化局考古发掘队　韩嘉谷

出　处：《考古》1966年第1期

大坨头遗址位于河北省大厂回族自治县大坨头村村东。1964年4月，考古人员进行了试掘。简报分为：一、夏家店下层文化灰坑，二、西周文化灰坑，三、汉墓，四、结语，共四个部分，有手绘图。

据介绍，遗址是鲍邱河西岸的一处黄土高地，距河400米，高出四周平地1米余，面积6000 ~ 7000平方米。由于长年水土流失，地表破坏较严重，目前仅剩下一些灰坑。根据地面土色的不同，即可大体看到灰坑的分布情况，估计有30 ~ 40个左右。试掘中，共清理了灰坑3个，其中属夏家店下层文化的2个，西周文化的1个，另外还清理了3座汉墓。夏家店下层文化和西周文化在同一遗址中发现，目前还较少见，这对研究这两个文化的关系具有一定意义。至于汉墓，为长方形有椁、棺葬，两墓为仰身直肢葬，一墓为侧身屈肢葬，出土遗物不多，有陶器、铜器、铁器、五铢钱。

一般认为，夏家店下层文化的年代，大体相当于中原地区的夏商时期。

衡水市

山西省

66.山西娄烦、离石、柳林三县考古调查

作　者：晋中考古队　卜　工、陈冰白、许　伟等

出　处：《文物》1989 年第 4 期

吕梁山区素以商代北方青铜器的发现而受到考古界的关注。1982 年和 1983 年春季，考古人员先后两次进入吕梁山区，在娄烦、离石和柳林三县进行专题考古调查，基本上认识了这一地区新石器时代至商代古遗存的面貌和特征。简报分为三个部分，配以照片、手绘图，介绍了 1982 年、1983 年这两次考古调查的情况。

据介绍，考古人员在娄烦县新发现遗址 15 处，其中童子崖、河家庄两处还进行了试掘。在离石、柳林重点考察了后赵、吉家村、马茂村、乔家沟、高红等遗址。这些遗址的年代从新石器时期延续至商代，中间有缺环。

太原市

67.晋阳古城勘察记

作　者：谢元璐、张　颔

出　处：《文物》1962 年第 4、5 期合刊

古晋阳是我国历史上负有盛名的一个城市，它的遗址在现在山西太原市西南原晋阳县。一般认为，晋阳古城始建于春秋时期周敬王二十三年（前 497 年），北宋太平兴国七年（982 年）被焚毁。1961 年 6 月，考古人员前往勘察，简报配以照片、手绘图予以介绍。

据介绍，勘察从一些有历史意义的地名开始。晋源县西南一公里处，有一叫“南城角”的村庄，在这里果然发现了一段古城遗迹。由此开始探掘，发现这座古城南北长约 4500 米，这样就把现在晋阳县、晋阳堡、古城营村的一半和古城营附近古城遗址完全包括了进去。简报认为这就应是东周时期的古晋阳城，后世或许曾利用前代古城墙又起新城，这一带从汉代、北齐到隋唐、宋，都有城址。

68.太原小井峪宋、明墓第一次发掘记

作　者：解希恭
出　处：《考古》1963 年第 5 期

小井峪在太原西郊 5 公里处，位于西山脚下。1956 年初，考古人员在小井峪村东进行了钻探与发掘工作，历时四个月，发现墓葬 490 座，第一次择其重点发掘了 67 座，其中有宋墓 49 座、明墓 12 座及时代不明的 6 座。这些墓葬一般分布较密集，深度均在 2 米以下，有些墓底已接近地下水面。其中除两座为砖室墓外，其余皆系土洞墓，且洞室大半倒塌。遗物多系陶、瓷器，还有买地券、石像等。

简报分为：一、宋墓，二、明墓，两个部分，配以照片、手绘图，先行介绍了宋、明两个时代的墓葬。

据介绍，宋墓共 49 座，分土洞与砖室两类。共出土遗物 300 余件，多为瓷器，陶器较少，仅占 30%。这次发掘的 49 座小型墓葬中，仅墓 8 出土有“买地券”，纪年为北宋仁宗天圣十年（1032 年）。但从这批墓葬的形制及遗物来分析，均应属宋代。

明墓 12 座，均系土洞墓室。有 5 座为单人葬，两座为夫妇合葬，一座葬 5 人，中间一人为男性，四周 4 人或系迁葬。有 4 墓骨架已朽。随葬品有瓷罐 15 件、货币 16 枚等。此批明墓的年代，简报推断为明代初期。

69.太原西南郊清理的汉至元代墓葬

作　者：山西省文物管理委员会　代尊德
出　处：《考古》1963 年第 5 期

1956 年 4、5 月间，在太原西南郊义井、黄坡、寨沟、北堰、石庄头等村附近地区，发现一批汉至元代的墓葬，由山西省文物管理委员会重点清理了其中的一部分。

简报分为：一、汉墓，二、隋唐墓，三、宋墓，四、元墓，共四个部分，有拓片、手绘图。

据介绍，这次清理了汉墓 9 座（编号为墓 6、7、9 ～ 11、14 ～ 16、18）。除墓 16 位于黄坡村东 0.5 公里外，其余各墓分布在义井村西之高地上。其中墓 6、16 为砖室墓，其余 7 座皆为土墓。出土遗物主要为陶器，也有小件铜器。隋唐墓共 7 座（墓 1 ～ 3、5、8、12、13），其中墓 12 为隋代土洞墓。位于义井村西约 0.25 公里，为土洞墓，夫妇合葬。墓 13 位于寨沟村北，为隋唐之间墓，其余 5 座均为唐墓，墓 1、2、5 位于石庄头村东约 0.5 公里，墓 3、8 位于北堰村西 0.5 公里，5 墓年代应为初唐。宋墓一座（墓 4），为北宋末叶墓。元墓一座（墓 17），位于黄坡村东 0.5 公里，出圆锥形六边形砖筑单室墓。夫妇合葬，无棺，死者仰身直肢，并置于棺床上，头向东。

随葬器物有黑釉带盖瓷罐及鱼水纹铜镜各一件。瓷罐盖上里沿墨书有“元大德十年五月初一日魏四汉家记”，大德十年为1297年，可知为元墓。

70.孟家井瓷窑遗址

作　者：杨芝荣

出　处：《文物》1964年第9期

太原市东30华里孟家井村，是古代盛产瓷器的一个地方。1959年5月间，考古人员根据有关线索，曾前往该村进行勘查，发现了此遗址。1962年5月，考古人员作了第二次调查了解，两次获得了不少实物资料。简报配以手绘图、照片予以介绍。

据介绍，遗址主要分布在村北的台地上和村西大道东侧。村北以烧造黑、白、青釉器为主，村西大道东侧主要烧造白釉印花器。地表的瓷片很多，面积2000余平方米。村西和村西南，以及小河南岸等处系近代或现代遗址，窑址尚未发现。另外，村东北有“伯灵庙”废墟一处，现存石柱十五根，明代石碑两通，其中弘治三年“重修伯灵庙记”碑有该地烧造瓷器的记载。从遗址堆积观察，此地所出瓷器，主要以碗、碟为多，同时也有罐、钵、灯、枕、瓯等。釉色以黑、白釉为主，青、紫釉次之，但青釉器则具有一定的地方特点。简报推断，孟家井烧造瓷器自宋代已经开始，且以后一直是当地三百余家的主要经营业，到明清两代又有了进一步的发展。

71.山西太原郊区宋、金、元代砖墓

作　者：代尊德

出　处：《考古》1965年第1期

1956年7月至1963年11月，考古人员在太原西郊和西南郊寨沟、义井、小井峪、瓦窑、西流等村附近地区，清理了宋、金、元代砖室墓葬5座。

简报分为：一、寨沟村宋墓，二、小井峪金墓，三、义井村金墓，四、西流村金墓，五、瓦窑村元墓，共五个部分，有拓片、手绘图。

据介绍，寨沟村位于太原西南13公里的西山脚下，墓在村东的百米处，1956年9月21日清理。墓室狭小，简报估计可能是火葬。随葬品有白釉碗24件、白釉碟25件、黄釉碟4件、绿釉碟3件、黑釉小碗3件、白釉小碗9件，以及铜钱、有字铜板等。

小井峪金墓位于小井峪村东0.5公里处，1957年清理。墓室为八角形，有彩绘、砖雕。葬具葬式不详，出土有瓷器少许，简报推断为宋末金初墓。

义井村金墓位于义井村北0.25公里处，墓室为八角形，有壁画，墓门上有墨书

题记，知此墓建于金大定十五年（1175 年）。

西流村位于太原西郊 6 公里处，金墓在村西 0.25 公里处，1956 年清理。为砖砌单室墓，随葬品有陶器 2 件、瓷器 1 件。

瓦窑村位于太原西郊约 4 公里，墓位于村西南约 0.5 公里，1957 年 9 月清理。此墓与前述小井峪、义井、西流村砖室墓结构基本相同，有壁画、墨书题记。据墓中题记，可知此墓为元仁宗延祐七年（1320 年）所建。墓中葬三人，可能系一男二女，置于棺床上，无棺，人骨已被扰乱，头向不明。随葬品有素铜镜、小白瓷罐和白瓷碟各一件，均置于棺床中部。

72.龙山石窟考察报告

作　者：张明远

出　处：《文物》1996 年第 11 期

龙山石窟是我国重要的道教石窟，位于太原西南 20 公里的龙山东巅，古昊天观的所在地。周围群山环绕，松柏苍翠，灌木丛生，环境幽静。当地岩质属灰白色砂岩，易雕凿，也易风化。石窟规模不大，共有洞窟 9 个，现存雕像 65 尊。20 世纪以来，龙山石窟作为我国北方地区开凿最早的道教石窟重新被发现，由此引起了国内外学者的重视。20 年代，日本常盘大定、关野贞等人曾对该窟群进行过较为详细的调查，并在 1937 年出版的《支那文化史迹》一书中，刊登了其中 8 窟的雕像、题记的照片和洞窟记录。20 年代中期，石窟遭到严重破坏，窟内大部分头像被盗。中华人民共和国成立后，我国学者王子云、曹齐、杨伯达、陈少丰等人在各自的著述中也论述了龙山石窟的艺术价值和历史价值。张明远先生在前人基础上对龙山石窟作了更深入的考察。简报分为第 1 窟～第 9 窟及结语共十个部分，有照片、手绘图。

据介绍，龙山石窟大规模营建是在宋元之交蒙古窝阔台期间，而引发主持人宋披云开凿动机的，是先前就有的“二古洞”。在“二古洞”缺乏史籍记载的状况下，根据洞窟的形制、雕像组合与题材、台座、雕像样式等考古类型学方面的排比，可看出龙山 9 窟有早晚二期的区别：第一期洞窟为第 4、第 5 窟，此二窟处于整体窟群的中心位置，简报认为应为唐代遗存，或即为古人所称“二古洞”。第二期洞窟开凿于宋元之交，从龙山石窟第 1、2、6、7 窟的题记可知，开凿的绝对年代为 1234 年至 1239 年，主持人为宋德方及其弟子秦志安与李志全。此期雕刻是围绕着第一期石窟规划营建的，1、2、3 窟位于 4、5 窟之西，分上、中、下三层有序排列，靠外部建筑登临其内，6、7 窟位于 4、5 窟之东，随崖面转而向北，面东开凿，由此形成了团团相抱之势。考察结果表明，在窟群顶端原建有高大殿阁，其屋檐、廊柱向南延伸至第 8 窟顶端。8、9 窟开凿在整体建筑的外围。

简报指出，龙山石窟不仅为后人了解唐、元时期的道教提供了形象性资料，同时也为研究该两期道教石窟与佛教石窟的联系与区别提供了珍贵的实物。

73.岩香寺石窟调查报告

作　者：太原市文物管理局　韩　革

出　处：《文物》1999 年第 4 期

岩香寺石窟位于太原市清徐县城西南的屠谷山山腰间，距著名的晋祠风景区 14 公里。这里灌木丛生，岩石属灰色砂岩。石窟规模不大，仅 5 个洞窟，分上下两层，但方向不同。其中下层在东西长约 12 米的崖面上，有坐北朝南的两窟，本文称 1 窟、2 窟。窟前正东有石蹬，沿石蹬上行，崖岩之上是一片空地，在南北长约 11 米的崖面上，有坐东朝西的三窟。本文称 3、4、5 窟。4 窟上有残存摩崖造像，窟前尚可见石柱及石碑 3 通，为寺院遗存之物。窟因寺而名。据清光绪八年（1882 年）《清源县志》及现存明嘉靖二十一年（1542 年）“重修慈云禅寺”碑记载，寺始建于元代，初名慈云禅寺，清代改名为岩香寺。1986 年，岩香寺石窟被公布为山西省第二批重点文物保护单位。简报分为：一、岩香寺石窟现状，二、石窟开凿年代及特征，三、结语，共三个部分，配以照片、手绘图，介绍了 1996 ～ 1997 年对该窟的调查情况。

第 1 窟也称千佛洞，包括前廊和后（主）室。前廊面宽 720 厘米、进深 150 ～ 180 厘米、高 220 厘米，四根八角抹棱石柱支撑崖面。西面三根石柱与石窟方向同，最东一根侧向东南方。据观察，石柱为后代所加。前廊后壁开三个长方形窟门，其中左右两门已用条石垒砌封堵。正中一门高 160 厘米、宽 80 厘米、深 20 厘米，门槛高 25 厘米，门两侧各残存雕像一尊，风化严重。东门左侧倚崖斜凿一坐像，头残，现高 160 厘米，风化严重。西门右侧已无雕像痕迹。

主室（后室）平面略呈马蹄形，平顶，面宽 710 厘米、进深 310 厘米、高 340 厘米。三壁前设坛，坛基宽 495 厘米、高 40 厘米。坛上雕一佛二弟子四菩萨（骑狮、象菩萨，二立菩萨）一铺七身造像。佛像均为圆雕，上傅彩。窟内加 5 根红色棱石柱以支撑顶部，其中 4 根立于坛基之上。

据介绍，岩香寺石窟所在地，古属清源。唐代清源为并州辖地之一。这里在地理位置上接近晋阳，与当时晋阳文化一脉相承而又独具特色。天龙山石窟的开凿，影响了周围众多小型窟龛的开凿，这种影响当然也波及清源。唐高宗、武周时期，崇佛之风日盛，开窟建寺普遍，第一窟即千佛洞正是在这种情况下开凿的。而唐末的会昌灭佛又使第二窟开凿中断。乡民为保护洞窟封了洞。宋元祐三年（1088 年）七月十五日

石窟塌出，得以重见天日。于是在上层的崖面上又开凿了三窟，这时已为北宋末年。

简报指出，岩香寺石窟虽说规模小，仅有5窟。但千佛洞在目前太原已知洞窟中面宽为最大者，而且造像内容丰富，又有许多自己独特的特点。

大同市

朔州市

74.山西朔县秦汉墓发掘简报

作　者：平朔考古队　信立祥、雷云贵、屈盛瑞等

出　处：《文物》1987年第6期

山西省朔县境内，分布着大批汉墓。自1982年10月以来，为了配合中美合资经营的中国平朔露天煤矿等单位的工程建设，考古人员在朔县境内进行了大规模的钻探和发掘。四年多来，共发掘古代墓葬近2000座。其中在朔县城北平朔露天煤矿生活区煤炭部物资供应公司及其南面的公路和地下管道工程区，铁路取土场区，朔县城西的照什八庄区，发掘了秦汉墓葬1285座。这批墓葬，年代从秦到东汉末，自成发展序列，具有强烈的地方特色。根据墓葬形制和随葬品特点，大体分为六期：第一期为秦至西汉初期，第二期为西汉前期，第三期为西汉中期，第四期为西汉晚期，第五期为西汉末至东汉初期，第六期为东汉中晚期。其中第二期又划分为前后两段。

简报分为：一、秦至西汉初期墓葬，二、西汉前期墓葬，三、西汉中期墓葬，四、西汉晚期墓葬，五、西汉末至东汉初墓葬，六、东汉中晚期墓葬，七、结语，共七个部分，并配有拓片和照片。

简报指出，朔县在秦汉时期为雁门郡马邑县，它遥控长城，外连大漠，是当时北方军事重镇。这批墓葬，从一个侧面清晰地勾画了马邑城在秦汉四百余年的兴衰，反映了雁北长城沿线地区在这一历史时期的政治、经济、文化面貌。秦至西汉早期的墓葬，规模都很小，而且相当多的墓无任何随葬品。这除了受当时薄葬风气的影响，更主要的当与不安定的战争环境所造成的当地经济衰败的局面有关。西汉中期墓葬在规模和随葬品方面的两极分化，反映了一方面经过汉初的休养生息，当地经济已经有了一定程度的发展，另一方面汉武帝穷兵黩武的对外用兵政策，使边郡的一般居民仍然挣扎在贫困之中。宣帝时期，匈奴呼韩邪单于内附，北方边郡地带获得了

一个较长时间的安定，史称当时“边城晏闭，牛马布野，三世无犬吠之警，黎庶无干戈之役”。西汉晚期至东汉初的墓葬一般规模较大、随葬品较多，反映了这一地区在较安定局面下经济、文化的发展。东汉中晚期墓葬数量较少，固然与一墓合葬几代人的葬俗有关，也反映了东汉时期城市经济的衰落；随葬品中不见中原东汉墓中流行的陶仓和陶楼，则应是当地农业和畜牧经济并取、地主庄园还没有发展为壁垒森严的封建坞堡的反映。这批墓葬中屈肢葬的流行，动物形铜牌、贴塑水波纹陶罐的发现，使我们看到秦文化和北方草原文化的影响。

此外，这批墓葬还为秦汉马邑故城地理位置和建筑年代的确定提供了重要线索。这次发掘的一千余座秦汉墓主要分布在朔县城北，特别是北旺庄至贺家河一带分布极为密集。根据所发现的大量“马邑市”戳印陶文，这片墓地应与秦汉马邑城有直接关系，很可能就是马邑县城居民集中的墓葬区。据《水经注》所载，马邑城始建于秦，而这次发掘到的最早墓葬就是秦墓，当非偶然。秦汉邑故城今已无迹可寻。杨守敬认为马邑川即是恢河，当不误。在恢河之北而又与贺家河至北旺庄墓葬区相接近的地方，只有今朔县城关一带。这一带正好有一周长约 4.5 公里的方形土城垣，今朔县城位于土城东南隅。据清雍正时所修《朔州志》记载，土城是北齐天保八年(557 年）所修的朔州城，今朔县包砖城垣建于元末明初。在土城外，均有汉墓分布，而土城内则未发现一座秦汉墓。因此，简报认为，秦汉马邑故城就在今朔县城关一带，北齐朔州土城就是在秦汉马邑城旧址上扩建而成的。

简报强调，朔县秦汉墓的发掘和研究，为北方长城沿线地区的秦汉考古树立了一个可靠的断代标尺。

忻州市

阳泉市

75.山西平定宋、金壁画墓简报

作　者：山西省考古研究所、阳泉市文物管理委员会、平定县文物管理所　商彤流、袁盛慧

出　处：《文物》1996 年第 5 期

1991 年 11 月底，平定县城关镇姜家沟村南砖厂在爆破取土时，炸毁两座古代砖

室墓，因墓室内壁尚存彩绘人物壁画，考古人员遂赴现场清理，并在当地收集到另一座已毁墓葬的壁画残块30余件，以及部分房木构件砖雕残块，可惜已不能复原墓葬全貌。1994年4月中旬，平定县城关镇西关村北石圪叠山坡东侧，因建房挖土发现古代砖室墓一座，考古人员在清理此墓的同时，又在其近旁钻探发掘出另一座同期墓葬（早年被毁）。两座墓皆有彩绘壁画。两次清理发掘工作的情况简报分为：姜家沟壁画墓；西关村壁画墓；结语，共三个部分，有照片。

据介绍，姜家沟村壁画墓为砖砌单室墓，坐北朝南，在打破此墓的晚期棺木中，发现1具男性尸骨。墓室内仅清理出8枚铜钱，皆已锈蚀不堪，可辨识的有“皇宋通宝”“熙宁元宝”“绍圣元宝”各1枚，余者皆不可辨。现存壁画尚清晰，在砖厂取土的陡崖下，堆积很多墓砖残块。西关村壁画墓紧依平定县城西侧，位于嘉河北岸二级台村，M1为砖砌单室墓，坐北朝南；M2墓室早年被毁，但墓室结构尚存，也是砖砌单室墓，墓内八面砖壁上皆绘人物，保存完好。随葬器物M1有陶罐5件、瓷碗1件、铜镜1件；M2有陶罐5件、瓷钵3件、瓷枕2件、铜镜1件。简报推断：姜家沟砖室墓年代为北宋时期，西关村砖室墓时代为金代。

简报称，姜家沟宋墓壁画《乐舞图》绘制精美，其壁画已揭取，今存于平定县文管所。西关村金墓所在处应是当地豪绅的葬地。其中M1为迁葬，以《杂剧图》为代表的墓室壁画保存完整，描画细腻，生动传神。其墓室已就地保存。

晋中市

76.山西寿阳出土一批东魏至唐代铜造像

作　者：晋　华、吴建国

出　处：《文物》1991年第2期

1986年7月，山西寿阳县水利局在修建宿舍时，发现一批金铜佛造像。考古人员前往调查清理。金铜佛出土地点在县城北1.5公里处，现场已被破坏。据施工工人反映，金铜佛像出自一圆形窖穴中，窖穴口径约0.5米，距地表深1.3米。现绝大部分流散佛像已被收回。计有佛及菩萨像62件，力士像3件，护法狮子3件，发愿文碑5件，四足床8件，残座、床、床足、背光、头光9件，共90件。其中佛及菩萨像62件。造像中有铭文的27件，有纪年的24件，完好的56件，残损的6件，造像最大的高20.8厘米、最小的高5.7厘米。简报配以照片、拓片，重点介绍了有纪年铭的24件。

据介绍，这批铜佛造像的铸造工艺，分为整体铸造和分铸合体两种。武定六年、开皇四年铭造像，皇建二年、开皇二十年发愿文碑及诸多元铭造像上，都保存着连接造像各部分的部件，如插榫和插孔等，说明它们是分别铸造，然后再连接成一个整体的。有的造像头后或身后有小榫，插入身后背光的方孔中。有的覆莲座或须弥座下有榫，表明佛像已不完整，部分构件遗失，说明一尊造像的主像、佛座、背光以及其他较小造像，是分铸后合插一体的。至于这批铜佛造像的雕刻技法，背光及头光，一般多用线刻纹，少数用浅浮雕和镂空透雕，平直刀法，造像圆雕。伴出的铜发愿文碑，十分罕见，是研究佛教史的珍贵资料。

简报指出，从出土情况分析，这批铜佛造像当属窖藏，显然为当时佛教徒有意埋藏的。其埋藏在盛唐，可能与唐中期的安史之乱有关，不可能迟至唐武宗灭佛时。

77.灵石旌介发现商周及汉代遗迹

作　者：山西省考古研究所　刘永生等

出　处：《文物》2004 年第 8 期

山西省灵石县位于山西晋中盆地南端，南邻霍州，或依太岳山脉，西靠吕梁山脉。旌介村位于灵石县东北部，太岳山山麓，与介休县毗邻。1985 年在这里发掘了商代墓葬，1986 年山西省考古研究所组织对灵石旌介商代遗址再次进行了勘探，钻探面积 4 万平方米。发现从商代至汉代的土坑竖穴墓 54 座，其中不规则墓葬 14 座，砖室墓 5 座。当年冬季，钻探区域内发生墓葬被盗事件。1987 年 4 ~ 6 月考古人员对钻探的墓葬区内部分墓葬和遗迹等进行了抢救性发掘。

简报分为：一、西周时期粮仓，二、商代墓葬及车马坑，三、结语，共三个部分，有照片、手绘图。

据介绍，钻探资料表明在墓葬区的东南部，距 1985 年发掘商代墓葬东南 150 米处 40 米见方的范围内，分布有 6 座圆形粮仓（LC1 ~ LC6）。粮仓呈十字形式排列，南北并列 4 座，东西各 1 座。直径相似，为地穴式。简报仅介绍了其中 1、2 号两座粮仓。另发掘商代晚期小型土坑竖穴墓一座（M5），50 岁男性死者口含贝 5 枚，手中执贝 8 枚。M4 为残存的车马坑，简报推测坑内原有 1 车 2 马，另有殉人 3 人。

简报称，西周时期的粮仓，2004 年时还没有大规模的发现报告。商代的粮食窖穴在河南郑州、辉县和河北邢台、藁城等地早商遗址和殷墟的晚商遗址都有大量发现。山东临淄和山西侯马都发现有大批东周时代的粮仓。灵石旌介粮仓的发掘为我们提供了西周时期粮仓的形制，为研究西周时期的政治、军事、经济提供了重要资料。

吕梁市

78.山西石楼发现的三方官印

作　者：杨绍舜

出　处：《考古》1986 年第 2 期

简报配以拓片介绍了石楼发现的三方官印：

一为肥乡县尉朱记。1982 年秋天，西卫公社刘家塔村一村民，在耕地时发现一方铜印。印为长方形，重 275 克。印面阳刻篆文“肥乡县尉朱记”六字。肥乡县在河北省南部。汉列入县，春秋时晋地，七国时属赵。三国时分置肥乡县。东魏并入临漳县，隋复置。现属河北省邯郸地区管辖。石楼出土的这方铜印，从形制和印文的篆法以及特有“朱记”这类专用名称来看，此印当属于宋代遗物。

二为提控之印。1980 年春季，义牒公社村民在地里劳动时发现了一方古印，印为铜质，正方形，重 950 克，印背上方有一“上”字。印面阳刻九叠篆书，从右而左，分两行曰“提控之印”四字。印的左右两侧原有阴刻铭记，现只存凿毁痕迹，右边隐约为“□□崇□□庆□□”等字样，左边已模糊不清。当为金代印。

三为都统之印。1981 年 7 月 16 日，龙交公社下属河大队吉家垣村村民在村东劳动时发现铜印一方，印为正方形，重 575 克。纽顶刻有“⊥”符号，以正印文。印面阳刻九叠文“都统之印”四字。从形制和印文内容看，此印时代应属金代末期无疑。

79.山西汾阳、孝义两县考古调查和杏花村遗址的发掘

作　者：晋中考古队　陈冰白、卜　工、许　伟等

出　处：《文物》1989 年第 4 期

汾阳县和孝义县地处太原盆地南部，南北接邻，汾河纵贯两县东境。孝义县在南，境内大部为吕梁山东麓山地、山前浅丘和缓坡地。汾阳县境内西部亦多为山前浅丘和缓坡地，东部为河谷平原。两县地势倾斜，海拔高度自西南向东北渐降。一些小河流、干沟横穿两县山前地带，东会汾河。古文化遗址多分布在海拔 800 米左右的缓坡地带，在较低的东部河谷平原未发现古文化遗址。简报配以照片、手绘图，介绍了晋中考古队 1982 年在上述两县的工作收获。

据介绍，考古人员共调查了段家庄、杏花村、任家堡、临水、峪道河共 5 处遗址。

这5处遗址基本上反映了汾阳、孝义两县从新石器时代的仰韶文化、龙山文化到夏、商代考古文化的编年序列。美中不足的是这一序列中缺乏段家庄遗存即庙底沟类型以前的诸阶段遗存。

80.2008年山西汾阳东龙观宋金墓地发掘简报

作　者：山西省考古研究所、汾阳市文物旅游局　王　俊等

出　处：《文物》2010年第2期

汾阳市位于山西晋中盆地西缘，西倚吕梁山，东濒汾河水，属于低山平原地区。东龙观墓地位于今汾阳市境内西南部。2008年6～12月，考古人员对汾阳至孝义一级公路建设的途经地带进行为期7个月的考古发掘，发现并发掘了东龙观、西龙观、团城、团城南四个墓地，其中以东龙观家族墓地规模最大（27座墓）、保存最好、时间延续最长、研究价值较高。

简报分为：一、墓地位置与历史沿革，二、墓葬形制及随葬器物，三、结语，共三个部分先行介绍了东龙观墓地的发掘情况，有彩照、手绘图。

据介绍，该地共发掘墓葬27座，应分属两个家族。从墓葬形制、壁画内容、发现的随葬品及买地券持纪年来看，这批墓葬的时代为北宋晚期至金代中期。东龙观墓地的发掘为深入了解和研究宋金时期山西中部独特的丧葬习俗提供了新资料。

长治市

81.山西长治市分水岭古墓的清理

作　者：山西省文物管理委员会　畅文斋等

出　处：《考古学报》1957年第1期

长治市北城墙外，有一高出地面10米左右，面积达30余万平方米的台地，名曰“分水岭”。1953年、1954年，考古人员两次在此调查，1954年冬至1955年春、夏之际，进行了发掘。

简报分为：一、引言，二、墓葬形制，三、随葬遗物，四、结语，共四个部分予以介绍，有照片。

据介绍，共发掘12座墓葬，包括10座长方形竖穴墓，均无墓道。只有两座（12号、14号）较大，8座为小型墓。另有土坑墓2座。出土遗物1906件，以铜器、陶器为主，还有铁制生产工具。这12座墓中，13、16、17号墓为西汉墓，其余均为战国墓。

82.山西沁县发现了一批石刻造像

作　者：郭　勇
出　处：《文物》1959 年第 3 期

晋东南沁县城北 60 里南湟水村的东北土台上，曾出土过古代石刻造像。1957 年，考古人员再次在此地发现了一批石刻造像。简报配以照片予以说明。

据介绍，此地出土的石刻，种类多，历时长，保存差。如按出土后的块数计，约有近千件。经复原后有石塔造像约 50 座，单身造像约 200 尊，造像碑、文字碑不多，造像碑上多有北朝纪年。文字碑有北魏神龟元年碑、唐咸通九年碑、宋天圣四年碑。可知此批石刻造像的年代从北魏延续到宋代。这批石刻造像为何会出现在此地，为何保存如此差，简报未予讨论。

今有文物出版社 2005 年版《中国早期佛教造像研究》一书，可参阅。

83.山西潞城县潞河东周、汉墓

作　者：长治市博物馆、晋东南文物工作站　侯艮枝
出　处：《考古》1990 年第 11 期

1986 年 8 月，为配合山西省公路管理局长治分局勘探长邯公路复线工程，考古人员在潞城县潞河村公路地段发现一批古墓。1987 年 9 月，进行了发掘清理。

简报分为：一、墓地位置，二、东周墓葬，三、汉代墓葬，四、结语，共四个部分予以介绍，有手绘图、照片。

据介绍，这次发掘的 6 座东周墓、6 座汉墓，主要集中在潞河村的一段公路上。东周墓葬均为长方形土坑竖穴墓，6 座墓共出土随葬器物 52 件。汉代墓葬均为土圹墓，6 座汉墓共出土各类随葬品计 6 件，铜钱 7 枚。简报从墓葬形制与随葬器物分析，将其时代大致分为春秋战国和西汉时期。

84.平顺荐福寺遗址出土的佛教石造像及龙门寺部分造像

作　者：长治市博物馆、平顺县博物馆　崔利民、刘　林、宋文强
出　处：《文物》2004 年第 11 期

山西省平顺县位于太行山南端，长治市东部，其东南与河北、河南交界。平顺境内古代建筑众多，数量居长治地区之首。荐福寺遗址位于平顺县西南 30 公里的北社乡东禅村。该寺创建年代不详，目前仅存一处面积约 660 平方米，总高 10 余米的

斜坡土台。1987年当地村民在土台斜坡处挖窖，于纵深3米处发现一处面积约4平方米的土坑遗址。坑内堆放石刻造像11件及部分石像残块。县文物部门闻讯后，在当地公安部门的协助下，将石造像收回入藏。简报配以照片、拓片予以介绍。

据介绍，荐福寺遗址出土的11件石造像，包括佛头像、单体佛坐像和背屏式佛坐像。5件底部有题记，其中包括4件纪年题记。除1件为细砂石质外，其余均为青石质。

龙门寺位于平顺县东北65公里的石城镇源头村北，创建于北齐，历代均有修缮。现存最早建筑为五代时的三间配殿，有唐代造像。龙门寺为全国重点文物保护单位，简报认为荐福寺出土的石造像除1件细砂石造像似为北朝作品外，其余也应属唐代造像。两寺造像均有残缺，当与唐武宗灭佛有关。

85.山西壶关县上好牢村宋金时期墓葬

作　者：山西省考古研究所、长治市文物旅游局、壶关县文体广电局　杨林中、王进先、畅红霞、王　伟、李永杰

出　处：《考古》2012年第4期

2010年5月10日，山西省壶关县上好牢村村民在耕种时发现了遭到盗掘的古墓。考古人员前往调查，并于5月17日至6月8日联合进行了抢救性发掘。

简报介绍说，此墓地位于壶关县上好牢村，相距不远分布着3座南北向的墓，编号为一至三号墓。一号墓与三号墓为仿木结构砖室墓，二号墓则为竖穴土洞墓。一号墓规模较大，保存较好。三号墓毁坏程度严重，原来墓室内镶嵌有砖雕，但是已经全部缺失。

一、三号墓情况简报分为：一、一号墓，二、三号墓，三、结语，共三个部分予以介绍，有彩照、手绘图。

据介绍，其中一号墓和三号墓墓室均有精致的仿木结构。两墓室内都经过粉饰并绘有色彩和种类丰富的彩画，墓室四壁都绘有不同题材的壁画。

从仿木结构和壁画题材等分析，简报推断两座墓的时代应在宋代晚期或金代初期。

晋城市

临汾市

86.侯马地区东周、两汉、唐、元墓葬发掘简报

作　者：山西省文管会侯马工作站　杨富斗、张守中
出　处：《文物》1959 年第 6 期

自 1956 年末成立至 1958 年秋一年多的时间里，为配合侯马市基本建设工程，考古人员在铁路东西两侧，共发掘清理了历代墓葬四十余座。现在随着库房的清底工作，整理发掘材料，简报配以照片予以介绍。

据介绍，这次发掘清理了春秋墓葬 8 座、战国墓 7 座、西汉墓 2 座、东汉墓 7 座、唐墓 3 座、元墓 1 座。出土器物简报附有“东周墓大小及出土器物登记表”等。简报称春秋早期墓为土圹竖穴墓，墓室较深，随葬品以陶器为主。春秋晚期墓随葬陶器增多。战国早期墓较春秋时期浅，战国晚期出现洞室墓。西汉为大墓道、小洞室。东汉为小墓道、狭长墓室。

87.山西襄汾赵康附近古城址调查

作　者：山西省文物管理委员会侯马工作站　杨文斋
出　处：《考古》1963 年第 10 期

山西省襄汾县赵康镇（原太平县施庄村），镇东有一古城址，有近 5 平方公里大。当地人称“古晋城”。1960 年考古人员前往调查，简报配以手绘图、照片予以介绍。

据介绍，现存一些城垣（当地人叫“金殿台”“娘娘台”），系一大城套小城古城址，小城约一平方公里。位于大城北部正中间。大城外，有护城河遗址。古城的年代，上限可至春秋时期，下限可至汉代。简报怀疑此地即晋国古城“绛”。汉初时的临汾县县治。

88.晋西南三县市古文化遗址的调查

作　者：张文君、高青山
出　处：《考古与文物》1987 年第 4 期

侯马市、曲沃县、翼城县位于山西省的西南隅。1985 年，考古人员历时 4 个月对此三市、县的古文化遗址进行了调查及复查。考古人员对每处古文化遗址都作了草测、绘图和文字记录，采集了许多实物标本，有的还进行了小规模试掘。这次调查和复查发现的古文化遗址共 77 处，每处都包含有两种甚至多达 5 种不同类型的古文化遗存。除方城和侯马的晋国遗址外，范围较大、内涵丰富、保存较好、有发掘价值的遗址有太秦、西白集、东许、下高、贯上堡、西石桥、北撖、南垣等多处。

简报分为：一、仰韶文化，二、庙底沟二期文化，三、中原龙山文化，四、二里头文化遗存，五、两周文化器物，六、结语，共六个部分予以介绍，有照片、手绘图。

据介绍，计有仰韶文化遗址 19 处，庙底沟二期文化遗址 8 处，中原龙山文化遗址 25 处，二里头遗址 29 处，两周文化遗址 40 处。调查表明，这一地区是人类连续不断活动的地区之一。

89.山西侯马上马墓地发掘简报（1963 ~ 1986 年）

作　者：山西省考古研究所　吴振禄、滕铭予等

出　处：《文物》1989 年第 6 期

山西侯马上马墓地曾于 1959 年和 1961 年进行过两次发掘，主要收获已分别作了简要报道。1963 年 9 月，在上马墓地西侧又清理墓葬 1 座，编号为 63H18M15。1973 年秋，对墓地进行了全面的勘察，对墓地的范围、墓葬的分布有了更深入的了解。同时，在墓地及其附近还发现了新石器时代遗存和周代遗存。1973 年冬季开始对墓地进行有计划的发掘，按照规划将墓地划分成 6 个发掘区。至 1986 年末，发掘面积已达 150000 平方米，占墓地总面积的 80% 左右。共清理周代墓葬 1390 余座。其中车马坑 3 座，马坑、牛坑各 1 座。

简报分为：一、墓葬形制，二、随葬器物，三、几点认识，共三个部分，有照片、手绘图。

据介绍，墓葬均为长方形土坑竖穴墓，没有发现墓道和腰坑。墓圹四壁较平直，大多数墓的口底大小相等，部分墓的口底大小不等。墓内填土均经夯实，墓葬规模越大，夯实程度越高。少数墓壁设一壁龛，内置随葬品。个别墓填土中埋有人、狗或马的骨架。木质葬具大都已腐朽，仅存板灰痕迹。据痕迹观察，多数墓置一棺，个别墓为重棺，部分墓有椁，极少数墓无葬具。出土遗物有铜器、陶器、玉石器等万余件。

简报称，上马墓地上起商周之际甚或更早，其间经历了西周早期、西周中期、西周晚期、春秋早期、春秋中期、春秋晚期、战国早期一直到战国中期，前后共计 9 个阶段。在长达近 700 年的时间里，这里一直是一处连续使用的墓地。上马墓地时

间跨度大，墓葬数量多且分布稠密，却极少发现有打破关系，表明当时的墓葬有专人管理，并极有可能已有地面标志。

随葬品中，出土的贝应引起注意。一般认为，贝是我国最早的实物货币之一，远在夏代就已开始流通使用。到春秋时期，金属铸币如空首布、刀币等都已在各地较广泛地流通。空首布是三晋两周地区铸行的货币，约在春秋中叶开始流通，但是否还有其他类型的货币与之同时使用，一直是钱币学家注意的问题。上马墓地出土铜贝2100余枚、骨贝1200余枚，出土贝的墓多的一墓出1000余枚，少的一墓出3～5枚，多散置椁底。说明当时铜、骨贝不仅作为财富的标志，有可能还作为货币与空首布等金属铸币同时使用。

90.侯马市东阳呈遗址调查简报

作　者：侯马市博物馆　田建文、周　忠

出　处：《考古与文物》1990年第6期

东阳呈遗址位于侯马市西南5公里外的浍河南岸台地上。20世纪50年代末，考古人员在晋南调查二里头文化遗址时，发现西阳呈村东北分布着一处二里头文化与仰韶文化共存的遗址，面积250米×400米，称为西阳呈遗址。1955年10月，在晋西南三县市调查时又复查了该遗址。根据这些线索，自1986年以来，侯马市博物馆多次对该遗址进行复查。简报配以手绘图予以介绍。

据介绍，调查发现，这是一处包含有仰韶文化庙底沟类型、龙山文化陶寺类型、二里头文化东下冯类型和春秋时期晋国文化等几个时代几种文化类型的堆积的遗址。文化层堆积厚达3米以上，面积达25万平方米，因东阳呈村西北文化堆积丰富，故称为“东阳呈遗址”。遗物均采自断崖上，发现遗迹有灰坑和陶窑。东阳呈遗址面积大，包含物丰富，为侯马地区以往所不多见。

91.1990年山西侯马战国、西汉墓发掘简报

作　者：山西省考古研究所侯马工作站　李永敏、谢尧亭等

出　处：《文物》1993年第7期

1990年7月、11月，考古人员在配合侯马市区的基建工程中，先后在侯马市内燃机配件厂和冶金部地质勘测队侯马515分队发掘战国墓2座、西汉墓2座、唐墓1座和金墓2座。墓葬编号：侯马市内燃机配件厂战国墓为90H4M1，侯马515分队战国墓为90HOM3，汉墓为90HOM2、90HOM4，分别简称M1、M3、M2、M4。

简报分为：一、墓葬形制，二、出土器物，三、结语，共三个部分予以介绍，有照片、拓片。

据介绍，战国墓均为长方形竖穴土坑墓。出土有陶器等。年代简报推断为战国初期。西汉墓 M4 为土洞墓，M2 为砖室墓，均有墓道。出土有陶器、铜钱等。年代简报推断 M4 为西汉中期，M2 为西汉晚期。

92.山西曲沃县广福院发现宋金（齐）佛经

作　者：赵冬生

出　处：《文物》1994 年第 7 期

广福院位于曲沃县城东北约 5 公里的东凝村西门外，据《曲沃县志》记载，建于金大定二年（1162 年），惜于 1962 年拆毁。在拆毁的过程中发现了一批宋、金（齐）时期的刻经和写经。简报分为四个部分，配以照片予以介绍。

据介绍，1962 年 7、8 月间，曲沃县东凝村农民为了使用木料和砖瓦，将广福院拆毁。在拆毁的过程中，从正殿的一座高两丈多的佛像腹内，发现了一批佛经和一直径约七八寸的铜镜。东凝村的一位爱好美术和文物的农民秦正来听说后，立刻赶到现场，将散乱的佛经用一块布包起来，交给了当时在曲沃县文化馆搞美术工作的牛介阜先生。牛介阜先生是一位爱好文物的美术工作者，原在曲沃县中学任美术教员，后调该县文化馆，为各乡、村培训美术工作人员（秦正来就曾在牛先生办的美术培训班学习过）。“文化大革命”中牛介阜先生怕这批经卷被毁掉，将其藏在用砖瓦砌的废烟筒内。1978 年 8 月间成立县图书馆时，这批珍贵的文物又转交给了县图书馆。当时从佛像腹内发现了多少卷经，秦正来已记不清了。经查，现藏在县图书馆的刻经有 8 卷，写经 2 卷，计 10 卷。以后山西省图书馆等又陆续征集到若干卷。

简报称，这批北宋、金初及伪齐时期所刻印佛经，有的久已失传，有的系时代久远，十分珍贵。在经卷末的题记中，记载了宋、金、齐时期一些寺庙名称、施板者籍贯地名，有的还有明确的刻（写）年月、刻经地点、雕印工匠姓名等，都是十分珍贵的史料。

93.山西隰县七里脚千佛洞石窟调查

作　者：山西省古建筑保护研究所、山西隰县文管所　郑庆春、王　进

出　处：《文物》1998 年第 9 期

千佛洞石窟坐落在山西省隰县城北 7 公里七里脚村之城川河东岸。由于洞窟所

处位置地势偏低，约在20世纪40年代即被山上冲刷下来的泥沙所掩埋。1984年5月，考古人员在七里脚重新发现了这处石窟，并作了清理工作。1986年，千佛洞石窟被列为山西省重点文物保护单位。1995年考古人员又对该石窟材料进行了复查。简报分为五个部分介绍了清理和调查情况，有手绘图。

据介绍，千佛洞石窟共有两个洞窟，南北并列，窟口均西向，窟内造像70余躯。在清理时，洞窟前尚存清代所砌三孔石窟洞，其中二孔与窟口相接。窑洞均已倾圮，已清理拆除。造像涉及北朝、隋唐时期。从石窟本身看，千佛洞既受到平城云冈石窟、洛阳地区龙门与巩县石窟的影响，也与陕西关中长安地区佛教造像有密切关系。这与其所处地理位置有关。

94.山西侯马市虒祁墓地的发掘

作　者：山西省考古研究所侯马工作站　范文谦、田建文、谢尧亭、王金平

出　处：《考古》2002年第4期

虒祁墓地是虒祁遗址的一部分，虒祁遗址位于侯马市高村乡虒祁村西北约1.5公里，北距台神古城约2公里。遗址总面积约80万平方米，从东至西由夯土建筑、墓地、祭祀遗址三部分组成。为配合侯马冶炼厂生活区基本建设，考古人员于1995年冬进行大面积考古勘探时发现虒祁遗址，并从1996年8月至2000年11月对该遗址进行了五次大规模的科学发掘，清理古墓葬1260余座，祭祀坑1600余座，陶窑3座及部分夯土墙基。出土铜、铁、陶、玉、石、骨器等5000余件，时代从春秋晚期至汉代，为研究晋都新田废弃前后的文化发展提供了极为珍贵的资料。

考古人员已清理的1260余座墓葬大部分分布于墓地的西部，形制可分为竖穴墓和洞室墓两类。长方形土圹竖穴墓约占墓葬总数的四分之一，时代从春秋晚期至汉初。洞室墓约占墓葬总数的四分之三，时代从战国中晚期到汉代。目前这批资料尚未进行全面的整理，仅就东周及秦汉时期的10座墓葬进行报告。

简报分为：一、墓葬形制与随葬品，二、墓葬分期与年代，三、余论，共三个部分，有手绘图、拓片。

据介绍，根据上述墓葬形制和陶器组合，结合墓葬内出土器物的特征，简报将10座墓葬分为三期。简报推断：第一期M2303的时代推定为战国早期（前453年～公元前376年），第二期暂定为秦汉之际，第三期的时代相当于西汉文、景、武帝时期。

简报称，在M2237出土的陶器上发现戳印“降亭”“市亭”和“市”字陶文，它们共存于同墓之中，这对于研究战国晚期的手工业作坊管理制度具有重要意义。

95.1994 年山西省曲沃县曲村两周墓葬发掘简报

作　者：山西省考古研究所　孟耀虎、王　俊、畅红霞等

出　处：《文物》2003 年第 5 期

1994 年 4 月晋侯墓地发掘前夕，曲村砖厂在取土时发现一批墓葬。墓葬位于曲村西北部，为西周至春秋墓葬 17 座、战国墓葬 2 座、属 I1 区，与 1986 年 I2 区发掘的最后一座墓葬 M5226 相接，墓葬编号为 M5227 ~ M5255。其中 M5243、M2545、M2547 ~ M5250、M5253、M5255 没有发掘。

简报分为：一、墓葬形制，二、随葬器物，三、结语，共三个部分，有照片、手绘图。

据介绍，这批墓随葬遗物不多，有陶器、石器、玉器等。M5227 出土的覆面为首次发现。年代从西周中期成王时、西周中晚期、西周晚期至春秋早期、春秋中晚期、战国早期不等。

96.山西吉县挂甲山摩崖造像调查简报

作　者：山西省考古研究所、吉县文物管理所　闫雅梅、王　俊等

出　处：《考古》2010 年第 11 期

挂甲山摩崖造像位于山西省临汾市吉县县城西南、洲川河南岸台地上。摩崖造像保存基本完好，是省级文物保护单位。2007 年，考古人员对挂甲山摩崖造像进行了调查。

简报分为：一、龛窟介绍，二、结语，共两个部分予以介绍，有彩照、手绘图。

调查发现，挂甲山造像分布密集，范围不大，保存较好。雕凿手法有高浮雕、浅浮雕和线雕。龛窟可分为五组：第一组有 3 个龛和 1 个题记，第二组有 3 个龛和 4 个题记，第三组有 1 个龛和 3 个题记，第四组有 2 个龛和 4 个题记，第五组有 2 个龛和 2 个题记。根据造像的特点等推断，其年代为北齐至宋、金对峙时期。

运城市

97.山西闻喜汀店新石器及周代遗址

作　者：山西省文物管理委员会、山西省考古研究所　邓林秀、丁来普

出　处：《考古》1961 年第 5 期

1959 年 4、5 月间，在晋南闻喜县汀店村南发现了一处古文化遗址。经考古人员于 10 月间进行清理，此次共试掘探沟 15 个。

简报分为：一、地理环境与地层情况，二、文化遗物，共两部分予以介绍。

据介绍，汀店村在闻喜县城东北约 7.5 公里，遗址在村南约 100 米，北部是梯形台地，南部紧临涑水河。遗址就分布在距河床约高 5 米的台地上。文化层第一层为耕土，第二层为周代层，第三层为仰韶文化层，周代文化遗物有生产工具和生活用具两类，另外还有陶环、圆球等；仰韶文化遗物有生产工具和生活工具，另有陶器 3 件、骨器 2 件和纺轮。

98.晋西南地区新石器时代和商代遗址的调查与发掘

作　者：中国科学院考古研究所山西工作队　张彦煌、张子明、陈存洗
出　处：《考古》1962 年第 9 期

1958 年春至 1960 年冬，考古人员对晋西南地区又进行了两次调查和三次发掘。1958 年春芮城县东庄村遗址的发掘，揭露面积 1180 平方米；1958 年秋芮城县南礼教村遗址的发掘，揭露面积 300 平方米；1960 年春芮城县风陵渡西王村遗址的发掘，揭露面积 375 平方米；1959 年涑水流域的调查，发现和复查了古文化遗址 89 处；1960 年秋汾河新绛以南的调查，发现古文化遗址 37 处。简报分为：一、仰韶文化，二、龙山文化，三、商文化，四、结束语，共四个部分，有手绘图等。

据介绍，仰韶文化、龙山文化各类及商代三期遗存，并不全是单独存在的，有不少是在一处共存三种文化。其中仰韶文化最稠密，多达 62 处。龙山文化某些器物与商代早期很接近。商代遗存可划分为早、中、晚三期。

99.山西垣曲龙王崖遗址的两次发掘

作　者：中国社会科学院考古研究所山西工作队　张岱海
出　处：《考古》1986 年第 2 期

龙王崖位于垣曲县城东南 10 公里，属长直公社。南临亳清河，东靠原峪河，地处两河交汇之处的断崖上。崖高约 80 米，故亦习称高崖村。遗址内涵有仰韶、庙底沟二期、中原龙山、二里头以及东周文化遗存。1982 年 9 月至 10 月和 1983 年 9 月至 10 月，考古人员在这里先后做过两次发掘，清理房址两处，灰坑 8 个，墓葬 2 座，复原陶器 40 多件。

简报分为：一、地层堆积，二、仰韶文化，三、龙山文化，四、东周文化，五、结语，共五个部分，有手绘图。

据介绍，龙王崖遗址，从调查时所采集的标本来看，有仰韶文化、庙底沟二期文化、

中原龙山文化、二里头文化和东周文化。分布特点也比较清楚，仰韶文化遗存在台地最高处，庙底沟二期文化次之，龙山文化遗存最低。这从一个侧面反映了当时人们逐水而居，由高处向低处迁徙的历史情况。1982 年、1983 年的两次发掘，以龙山文化遗存最多，庙底沟二期文化遗存次之，东周文化遗存最少，其他未见。庙底沟二期文化的陶器特征是色不纯正，褐陶比例较大，灰陶亦常常间有褐斑，红陶亦较多见，绳纹比例却比较小。这里的炊器主要是釜灶和鼎，这两种器物的残片很多；其次是夹砂缸和单耳罐。龙山文化陶系中灰陶仅占 55.31%。生产工具中石铲、石刀和石锛比较多见，在一定程度上反映了当时农业和手工业的发展水平。而遗物中数量最多、更引人注目的还是多种多样的石、骨、蚌镞，反映了当时人们除了从事农业、手工业的生产外，狩猎也是一个重要的生产部门。

100.黄河古栈道的新发现与初步研究

作　者：山西省考古研究所、山西大学历史系　张庆捷、赵瑞民

出　处：《文物》1998 年第 8 期

1997 年春季至秋季，配合黄河小浪底水库建设工程，考古人员对三门峡以东的黄河北岸做了详细的考古勘查，在山西平陆、夏县、垣曲三县沿河一百余里地段内，发现古代黄河栈道遗迹 40 处，累计长 5000 余米。栈道依山傍河，时断时续，气势雄伟。栈道上残存的壁孔、底孔、桥槽、历代题记与立式转筒等遗迹类型繁多，数量丰富。这批实物资料对研究古代黄河漕运史、交通史、工程技术史及其在社会经济文化中的作用，均有重要价值。

简报分为：一、黄河古栈道的残存情况，二、栈道上的壁孔和底孔，三、立式转筒与历代题记，四、对黄河古栈道遗迹的初步研究，共四个部分，有照片。

据介绍，这次发现的 40 处黄河栈道遗迹由西向东依次分布在 20 个村庄厂矿内，现存栈道所有木构件已无存，只有各种壁孔和底孔残留于通道岩石上。共发现大小方形和长方形壁孔 1000 余个（统称方形壁孔）、牛鼻形壁孔 600 余个、立式转筒 21 处。历史题记和石刻线图共发现 20 余处，分布在垣曲、夏县和平陆三县栈道岩壁上，题记多者 200 余字，少者只有一个字。

简报指出，黄河栈道与漕运的盛衰是同步的，具体说，西汉是开创期，东汉是推广期，唐代是最盛期，唐以后走向式微。历代凿修栈道的根本原因是它关系到黄河漕运的成败和效率。黄河漕运比陆运有运输量大、时间短、耗费少等优点，故被历代统治者重视。社会对漕运的需求，自然带动了历代对栈道的改进。

101.山西垣曲县宁家坡遗址发掘纪要

作　者：山西省考古研究所　薛新民、宋建忠
出　处：《华夏考古》2004 年第 2 期

垣曲县宁家坡遗址，20 世纪80 年代为配合水利建设进行调查时发现，1996 年至 1999 年进行了考古钻探和考古发掘。

简报分为：一、仰韶文化遗存，二、庙底沟二期文化遗存，三、商代遗存，四、初步认识，共四个部分，有手绘图。

据介绍，此地发现的仰韶文化遗存，似乎正处于前仰韶时期向仰韶时期过渡的临界点上。庙底沟二期文化分布广泛，遗存丰富，但此后似乎再没有成为人类长期的聚居地。

102.山西夏县辕村遗址发掘简报

作　者：中国国家博物馆田野考古研究中心、山西考古研究所、运城市文物保护研究所　王月前、洪　梅、戴向明等
出　处：《考古》2009 年第 11 期

辕村遗址位于山西省运城市夏县裴介镇辕村南部，是一处以新石器时代和夏商时期遗存为主体的古代聚落遗址。2005 年春季，考古人员对辕村遗址及周边地区进行详细的全覆盖式调查。2006 年 10 ～ 12 月，辕村遗址发掘正式展开，共发现房址 4 座、窑址 1 座、灰坑 39 个、沟 8 条、墓葬 3 座，出有大量不同时期的陶、石、骨、角器等遗物和运动骨骼。本次发掘所获资料并不是遗址区内所有时代的遗存，只有仰韶文化中期、二里头、二里岗、汉代与宋代五个时期。

简报分为：一、遗址概况与发掘地点，二、聚落分布与文化堆积，三、仰韶文化中期遗存，四、二里头文化遗存，五、二里岗文化遗存，六、汉代遗存，七、宋代遗存，八、结语，共八个部分予以介绍，有彩照、手绘图。

据介绍，出土陶器、石器、骨器、角器等遗物，分别属于仰韶文化中期、二里头文化、二里岗文化、汉代与宋代等时期。其中动物骨骼较为丰富，计有 2464 块，参见简报后附“夏县裴介辕村遗址出土的动物骨骼”一文。

简报指出：该遗址的发掘，对于探索本地域的古代文化面貌及聚落形态演变等具有重要的意义。

103.山西夏县宋金墓的发掘

作　者：运城市河东博物馆、夏县文物旅游局　邹冬珍

出　处：《考古》2014 年第 11 期

1998 年、2007 年和2010 年，山西省夏县在基建和农业生产过程中先后发现了4 座砖室墓，其中有宋代纪年墓1 座，金代墓3 座。墓葬结构各具特色。

简报分为：一、上牛宋墓，二、西阴金墓，三、上冯金墓，四、结语，共四个部分，有彩照、手绘图。

据介绍，根据上牛宋墓的题记，简报推断此墓为北宋嘉祐元年（1056 年）七月二十八日建，墓主人后代为牛铎；西阴墓、上冯墓时代应为金代前期，属同一家族。

内蒙古自治区

104.内蒙古西北部秦汉长城调查记

作　者：内蒙古大学蒙古史研究室　唐晓峰

出　处：《文物》1977 年第 5 期

秦汉时期的长城，是当时的中央封建政府为维护和发展统一事业，在同匈奴进行的战争中修筑的。近年来，考古人员对内蒙古自治区西北部的秦汉长城遗迹进行了多次调查，初步摸清了秦汉时期在这一带修建长城的实际情况。

简报分为“关于秦始皇时期的长城”“关于汉武帝时期的长城”两个部分，有照片、手绘图。

据介绍，考古人员共调查了内蒙古西北部数百公里的秦汉长城遗迹。考古人员在对汉武帝“外城”遗迹进行调查的时候，得到了在两道汉长城之间出土的汉代五铢钱，这些钱币出土时有一、二升之多，其周围还有木盒腐烂的痕迹，很可能是商业交换的遗物，说明当时长城内外是互通有无的。长城的修筑也是因地制宜的，草原上的长城大都是土筑的，现仅残存半米多高。在一些山丘上的长城，是先用较大的岩石垒作两壁，中间再填充碎石而筑成。由于年久也已倾塌。其残迹的底部约有 2 米厚，残墙高约 1 米。长期以来，在这条缓缓隆起的长城遗迹上，因为冬不积雪，夏不积水，被往来于大漠南北的人们作为道路来使用。考古人员调查时乘车所走过的公路，有些就在长城遗迹上。

105.内蒙古阴山山脉狼山地区岩画

作　者：盖山林

出　处：《文物》1980 年第 6 期

阴山山脉横亘在内蒙古中部，群山起伏，连绵千里。狼山在山脉的西段，乌拉山在中段，大青山在东段。狼山地区山势巍巍，峡谷深邃，南麓靠近河套，山外平川广野，沃地万顷。根据史书记载，我国古代北方民族，诸如匈奴、突厥、回鹘、党项、蒙古等，都在这里有过较长时间的活动。他们中间的匠师和画家，于游猎放牧所到之处，祭祀祈祷聚会之地，高及山巅，低近沟畔，在一些平整的崖壁或石块上面，深深浅浅，大大小小，凿刻了许多颇为生动的岩画。岩画最密集的地段，满山遍谷，比比皆是，使人眼花缭乱，宛若进入一座画库。这些粗拙简朴的画面，真实地记录了当时人们生活中的所见、所闻、所期、所得，给我们留下了形象的“史料”，留下了极为珍贵的古代文化遗物。

早在5世纪，我国著名地理学家郦道元就已经在狼山一带发现了岩画，《水经注·河水》里提到的“画石山”“石迹阜”即是指此。此后千百年狼山又默默无闻，直至1976年考古人员前往调查，这座艺术宝库才又再次进入人们视野。简报配以照片、手绘图予以介绍。

据介绍，狼山地区的岩画分布在西起阿拉善左旗，中经磴口县、潮格旗，东至乌拉特中后联合旗，东西长约300公里，南北宽约40至70公里的一条狭长地带。据不完全统计，发现的岩画已在千幅以上。可以分为：

一、动物图像。狼山地区岩画上的动物，种类很多，有马、牛、羊、鹿、麀子、罕达犴、狐狸、野驴、骆驼、狼、狗、虎、豹、龟、蛇、雁等。刻得最多的是与牧民们生活关系最密切的羊、马、牛、鹿，刻得最少的是飞禽。鱼类没有见到。

二、行猎图；有一幅行猎图，高1.12米，宽0.90米，这么大的行猎图是很少见的。

三、放牧图。

四、车骑图。

五、舞蹈图。

六、人头像、圣像、神灵图。

七、征战图，仅在乌斯太沟的支沟格和撒拉南岸发现一幅。这幅征战图敲凿在山脚约1米高的石壁上，保存较好。这幅画对胜败双方都刻得很清楚。胜者一方，士兵们披坚执锐，挽弓搭箭，向敌人前后夹攻。他们都头留双辫，有些人头上还插着长长的羽毛（可能是军事首领），所用武器，有刀、箭之类。败者一方，光头居多，或属于不同的部族。有的已死于弓箭之下，有的已身首分离，有的正在逃奔。他们的武器，也只有腰刀一种。整个画面胜败对比鲜明，很可能是某一部族为纪念一次战争胜利特意刻下的一幅纪功画。

八、其他图形。在岩画中，还发现古代北方民族的文字、原始数码、人类手印、动物足迹以及若干族徽符号。有些图形尚不明其意。

岩画的时代，简报推断为早到战国以前，迟至秦汉时期。

无独有偶，《文物》1984年第2期，曾载文报道了内蒙古白岔河流域的岩画调查结果。白岔河是西拉木伦河两大源流之一，全长140公里。考古人员在此发现了9处48组岩画。比较集中的地点有昭乌达盟克什克腾旗的芝瑞公社永兴大队、板石房

村等。岩画延续时间长，应是生活在这里的山戎、东胡、乌桓、鲜卑、契丹、蒙古等游牧民族留下的遗迹。

呼和浩特市

106.和林格尔县土城子古墓发掘简报

作　者：内蒙古自治区文物工作队

出　处：《文物》1961 年第 9 期

1960 年 1 月，内蒙古和林格尔县土城子古城附近干渠内发现古墓 4 座，连同在发掘土城子古城时发掘的 7 座古墓，计 11 座。

简报分为：一、墓葬位置及形制，二、壁画，三、出土遗物，四、结语，共四个部分予以介绍，有照片、手绘图。

据介绍，和林格尔县土城子古城位于呼和浩特南约 40 公里，和林格尔县城北 10 公里，古墓在古城北墙外约 200 米。这次发掘的 11 座古墓，聚集一地，均为砖室，除第 4 号墓为砖砌方形盒状（骨灰葬）外，其余 10 座均为圆形墓室，均有壁画，但都保存不好。出土遗物有陶器、釉陶器、瓷器、铜器、铁器、银手镯等 80 件。

这批墓的年代，简报推断上限为晚唐，下限为辽初。这批墓应为家族墓，其中 5、6 号墓内无人骨、无骨灰，有可能是战死沙场而尸骨未归，家人所建的衣冠冢。

107.内蒙古呼和浩特市的两座塔

作　者：朱希元

出　处：《文物》1961 年第 9 期

简报分为：一、万部华严经塔，二、五塔召金刚宝座塔，共两个部分，有照片。

据介绍，万部华严经塔在呼和浩特市东郊，白塔村的西南，原有寺院已废。塔为楼阁形砖塔，平面八角形，每边长 6.05 米，高七层，共 61.45 米，每层均设腰檐和平座，其形式和河北涿县智度寺塔极为近似。惟塔顶部残破甚重，塔刹现已无存。传说建于辽圣宗时，金代及以后各代修葺过。五塔召位于呼和浩特旧城平康里南，又名慈灯寺，金刚宝座塔为该寺现存主要建筑之一，是在崇伟华丽的台座上，建造了五座密檐塔。此塔为清雍正五年（1727 年）造，道光、光绪年间又修补过。

今有内蒙古人民出版社 2014 年出版的《内蒙古古塔》一书，可参阅。

108.呼和浩特市附近出土的外国金银币

作　者：内蒙古文物工作队、内蒙古博物馆　盖山林、陆思贤
出　处：《考古》1975 年第 3 期

我国与萨珊朝波斯和拜占庭的人民在中古时期有频繁的友好往来，当时中西经济文化交流非常发达，盛况几乎空前，在我国各地出土的拜占庭（东罗马）金币及萨珊朝银币，便是这方面的实物证据。简报配以拓片、手绘图介绍了在内蒙古呼和浩特市附近新出土的拜占庭金币和波斯萨珊朝银币。这些金、银币的发现，不仅对研究古代土默特川的交通有重要意义，也为研究中西交通史增添了新资料。它是中古时期我国与西方经济往来的见证物。简报指出，以前的发现大多在“丝绸之路”上，而这次却出土在远离这条商道的内蒙古土默特，这种发现，无疑能更多地说明东西交通方面的问题。

包头市

乌海市

赤峰市

109.内蒙古敖汉旗孟克河上游的遗址调查

作　者：内蒙古自治区昭乌达盟文物工作站　王兆军
出　处：《考古》1963 年第 10 期

1960 年 6 月 24 日，考古人员沿孟克河两岸进行考古调查，工作至 7 月 5 日结束，共 12 天。简报配以手绘图予以介绍。

据介绍，孟克河是敖汉旗的一条较大的河流，发源于敖汉旗境内南部、青沟梁北坡，河水曲折向东北流去，穿过该旗中部，流入哲里木盟奈曼旗孔春庙泡子。遗址分布在一些台地和丘陵地面上，在平川未发现有遗址。自北至南，遗址有大南营子、石羊石虎子、南窑、扎采营子、七家、小西沟、喇嘛沟、横道子等。以上调查的各地点大都发现类似夏家店下层和上层两种文化的遗物，横道子、喇嘛沟和南窑三地发现战国至汉代的遗址，而南窑、城子山和七家三地点，还有更晚的遗存。

110.宁城县南山根的石椁墓

作　者：辽宁省昭乌达盟文物工作站、中国科学院考古研究所东北工作队

出　处：《考古学报》1973 年第 2 期

1963 年宁城县南山根百姓耕地时发现一座墓葬，简报分为：一、墓葬形制，二、随葬器物，三、结语，共三个部分予以介绍，有照片、手绘图。

该墓随葬品丰富，时代简报推断为西周晚期到春秋早期，墓主人应为一奴隶主。为研究当地夏家店上层文化提供了实物资料。

111.赤峰蜘蛛山遗址的发掘

作　者：中国社会科学院考古研究所内蒙古工作队　徐光冀等

出　处：《考古学报》1979 年第 2 期

蜘蛛山属辽宁省昭乌达盟赤峰市，遗址位于市区的北部边缘。过去有不少人在此地点作过调查。考古人员自 1959 年以来，也曾在这里作过几次调查。1963 年夏季，考古人员对蜘蛛山遗址进行发掘，发现红山文化、夏家店下层文化、夏家店上层文化和战国—汉初四种文化的堆积层，明确了这四种文化的相对年代，同时也增加了对赤峰地区的战国汉初遗存的了解。

简报分为：一、遗址的位置和文化层堆积，二、红山文化遗物，三、夏家店下层文化遗存，四、夏家店上层文化遗存，五、战国汉初遗存和结束语，共六个部分予以介绍，有照片、手绘图。

据介绍，阴河与锡伯河在赤峰市西北汇成英金河，向东流入老哈河。遗址位于阴河与锡伯河汇流处、英金河南岸的一个山岗上，百姓称之为蜘蛛山。山岗上大部分为市区建筑所占，赤峰桥的南端桥基，建在山岗的东侧。从地面观察，遗址东西长约 200 米，南北宽 100 米。

简报称，红山文化遗存甚少，有些自身特色。夏家店下层文化已进入铜器时代，距今约 4080 年至 3900 年左右。夏家店上层文化亦属铜器时代，与夏家店下层文化有显著区别。战国—汉初堆积破坏严重，遗迹有 10 座窖穴，其中一座发现排列整齐的一千余枚铁镞，说明这里在战国—汉初军事上的重要性。刻有始皇诏书的陶量和印有“亭印”的陶文十分引人关注。

简报引《史记・匈奴列传》曰：春秋时期，“燕北有东胡山戎”，可知燕与东胡山戎是南北相邻的。当时东胡山戎相当强盛，山戎曾越燕伐齐，对燕造成很大的威胁。至战国时期，燕与东胡之间亦有战事，如《史记・匈奴列传》：“燕有贤将秦开，为质于胡，胡甚信之。归而袭破走东胡，东胡却千余里。……燕亦筑长城，自造阳至襄平。置上谷、渔阳、右北平、辽西、辽东郡以拒胡。”燕将秦开破东胡，东胡退却千余里，或许不无夸张，但说明占有东胡大片地域，并在这个地域内筑长城，置五郡（参照有关文献，属于东胡的地域，可能只包括上谷、渔阳、右北平、辽西四郡之地）。赤峰地区应属右北平郡或辽西郡。在燕将秦开破东胡前，这个地域为东胡占有，由此也可推知东胡南境大约在今河北省北部、辽宁省西部地区。秦开破东胡，《史记》系其事于赵武灵王北破林胡、楼烦，筑长城、置三郡之后，因司马迁系国叙事，燕、赵北伐在时间上应是相近的。秦开这次破东胡，当在公元前 4 世纪末至公元前 3 世纪初。东胡、山戎的地域和年代，与夏家店上层文化的分布地域和年代颇有相合之处。战国、汉初的遗存，叠压在夏家店上层文化的堆积上，表明在赤峰地区夏家店上层文化之后是战国时期的遗存，这是战国时燕国势力到达这里的见证。这些现象，暗示夏家店上层文化可能与东胡、山戎有关，可据此为线索，进一步探索。公元前 222 年，燕亡。秦始皇统一中国，“分天下以为三十六郡”，其中亦有上谷、渔阳、右北平、辽西、辽东五郡。刻有始皇廿六年诏书的秦代陶量的发现，是秦始皇统一度量衡的物证，同时，也证明秦承袭燕国辖境，其政令也在此有效行使。

112.内蒙古宁城县南山根 102 号石椁墓

作　者：中国社会科学院考古研究所东北工作队　安志敏、郑乃武

出　处：《考古》1981 年第 4 期

内蒙古昭乌达盟宁城县南山根，因位于坤都河上游的南岸山下而得名。村后是高约 500 米的山坡，山坡的下部已辟为耕田，这里有大面积的古代遗址。1958 年春季，在遗址的东部发现 71 件青铜器。1961 年考古人员进行了调查，判明这里主要是夏家店下层文化和夏家店上层文化的两种遗存，发现灰坑 14 座，墓葬 9 座，个别地方还有战国—汉代的绳纹陶片。1963 年夏季，在 1958 年发现青铜器地点的西边 80 ~ 100 米处，又发现了大批青铜器。同年 9 月，考古人员根据这一线索前往调查发掘，判明系一大型石椁墓，清理的结果，出土大小青铜器达五百多件，编号为 101 号墓。接着在该墓的西边约 120 米处，又发现一处小型石椁墓，编为 102 号墓，出土一批青铜器和刻纹骨板等。

简报分为：一、发现经过，二、墓葬形制，三、随葬器物，四、结语，共四个部分予以介绍，有手绘图等。

据介绍，102 号墓的结构与 101 号墓相同，也是在长方形竖穴土坑内用砾石叠砌

成四壁，上部用小石板铺砌成椁盖，但底部未见小石板铺底。葬具、人骨已朽，仅有头骨及上肢骨，葬式可能为仰身伸直葬。随葬品数量不多，以青铜器为主，包括小型工具，装饰品和马具等，也有个别的石、骨、角器，但不见容器一类大型器物。计五十余件。

简报称，101、102 两墓应属夏家店上层文化，相当于西周晚期到春秋早期。从遗物看，既有浓厚北方草原地区青铜文化因素，又与中原地区青铜文明有着密切联系。102 号墓出土的刻纹骨板，是一种珍贵的古代艺术品。骨板上的人物狩猎和车马图像，刻纹流利，朴实生动，反映了当时人类生活的部分景象，是我国较早的写实画面。这种骨板的用途还不甚清楚，由于出土时压在右壁骨之下，画面也向下，可能是缚在手臂上的装饰品。

简报提到，夏家店上层文化的年代，历来看法不甚一致，大体可归纳为下列几种：一是相当于秦汉，即公元前 3 至公元前 2 世纪；二是早于战国；三是大体相当于西周初期、春秋，也可能晚到战国时期；四是相当于战国；五是西周晚期春秋早期，约当公元前 9 世纪中叶到公元前 8 世纪初叶或稍晚；六是上限应在春秋以前；七是西周至春秋时期，下限晚到战国等。简报以此处遗址为例，认为应相当于西周晚期至春秋早期，至于这个文化的上限，可能早到商末周初，但它的下限不可能晚于春秋。

113.内蒙古敖汉旗发现的青铜器及有关遗物

作　者：邵国田

出　处：《北方文物》1993 年第 1 期

1990 年前后，在内蒙古敖汉旗陆续出土了一批青铜器及陶器、石器，在山湾子、热水汤等地的夏家店上层文化的墓葬中，还成组地出土了曲刃短剑等资料。

简报分为：一、山湾子墓地出土的青铜兵器和陶器，二、热水汤夏家店上层文化墓葬出土的铜器，三、东井墓葬出土的遗物，四、零星出土的直刃剑和铜刀，五、小结，共五个部分予以介绍，有手绘图。

据介绍，尽管敖汉旗所出土的这批青铜器和有关遗物，均不是科学清理发掘品，但仍有其价值。敖汉旗出土青铜器的地点已近 20 处，几遍及全旗。这些青铜器大部分应是墓中的随葬品。在时间上，早到商或周初，晚的到春秋。这批遗物在文化面貌上出现了多种因素，既反映出地域的差别，也反映出时间早晚的差别。

简报认为：这些青铜器及相关材料的发现，对系统地认识这一地区的青铜文明的发展及其与周围的关系是有一定价值的。

114.宁城小黑石沟石椁墓调查清理报告

作　者：赤峰市博物馆、宁城县文物管理所　项春松、李　义

出　处：《文物》1995 年第 5 期

1985 年 4 月初，宁城县甸子乡小黑石沟村民在高约 6 米的土坎上取土时，因坍塌露出古墓。乡政府追回了分散的文物，并报告了上级文化部门。4 月上旬，考古人员对墓地进行了勘查，并清理发掘了这座墓葬，获得了一批极其珍贵的考古资料。

简报分为：一、自然环境，二、墓葬结构，三、清理前部分随葬器物出土及组合情况，四、随葬器物，五、结语，共五个部分予以介绍，有彩照、手绘图。

据介绍，此次发掘共出土遗物 400 余件（组），其大宗为礼器。其中既有北方东胡民族的特有器皿，又有中原文化系统的礼器。其中刻有铭文的许国铜器的出土值得注意。许国活动地域主要在今天的许昌、南阳一带。该铜器似不像掠夺而来，而是出于某种政治原因传入塞北。

此墓的年代简报认为属夏家店上层文化，相当于中原西周中后期至春秋时期。墓主人应为东胡族人。

115.内蒙古白岔河沿岸新发现的动物岩画

作　者：赤峰市博物馆　张松柏

出　处：《北方文物》1996 年第 1 期

白岔河流域是内蒙古东部地区的岩画宝库。自 20 世纪 70 年代起，考古人员在当地陆续发现一批古代岩画。1981 年对分布在河两岸的岩画进行过专项调查，共发现 48 幅岩画。随着文物普查工作的全面开展，又有一些岩画陆续被发现，1992 年第二次对新发现的岩画地点进行了补充调查。简报配以手绘图，介绍了 1992 年新发现的 53 幅岩画。

据介绍，白岔河位于内蒙古赤峰市克什克腾旗南部，属于西拉木伦河上游的主要支流。岩画位于克旗南部芝瑞乡、昌义乡、万合永乡。岩画内容有鹿、虎、狼等，尤以鹿为多。

简报认为：此处遗址其时代有可能属于夏家店上层文化期，相当于中原地区晚商至春秋中期。这些岩画分布地点在古代很可能是鹿群经常出没之地。每当狩猎成功之后，猎人们便将狩猎场面真实地刻划在岩石上，或者刻划鹿的形象作为狩猎标记以指导狩猎者注意鹿的出没活动。

今有国家图书馆出版社 2002 年版《内蒙古岩画的文化解读》一书，可参阅。

116.赤峰发现鄂尔多斯式铜鍑

作　者：王　刚

出　处：《北方文物》1996 年第 2 期

1988 年 12 月，林西县文物管理所在整理文物库房时，发现铜鍑 2 件。据调查了解，这两件铜鍑分别出土于林西县十二吐乡和大营子乡，南距西拉木伦河 40 公里，简报配以照片予以介绍。

据介绍，铜鍑之一有圆形双耳，大口圆腹，圜底，板形足，底部有烟熏痕迹。口径 10 厘米，腹径 12 厘米，通高 14 厘米。另一件铜鍑已残。耳呈长方形，大口长圆腹，圜底，圈足镂孔。上半截为铜铸，下半截为铁铸。通高 67 厘米。这里出土的铜鍑造型与内蒙古西部地区伊克昭盟补洞沟匈奴墓和鄂尔多斯经常发现的铜鍑造型相似，此类铜鍑在二兰虎沟和札责诺尔也有发现。但在内蒙古东部地区发现较少，在西拉木伦河以北的林西县尚属首次发现。鄂尔多斯铜器时代相当于从夏商至春秋时期。此两件铜器因无伴出遗物，更具体的年代尚难确定。

117.内蒙古敖汉旗大哈巴齐拉墓地调查

作　者：敖汉旗博物馆　邱国彬

出　处：《北方文物》1996 年第 3 期

1992 年秋季，敖汉旗克力代乡大哈巴齐拉村村民在村西敖包山北坡挖鱼鳞坑、修经济沟时，发现两座夏家店上层文化墓葬（编号 M1、M2），并将墓内随葬品送交旗博物馆。同年 11 月，考古人员到实地进行了调查。

简报分为：一、墓地与墓葬，二、随葬品，共两个部分予以介绍，有手绘图。

据介绍，墓地位于敖汉旗所在地新惠东南约 40 公里的克力代乡大哈巴齐拉村西北约 1 公里的敖包山北坡地上。坡下为一西东走向的鸡爪形山水冲沟，当地人称之为西沟，M1 和 M2 就发现于西沟南侧的一条较大沟岔的断壁上。据当地村民反映，在这些冲沟中时常发现有人骨、陶器等。M1 和 M2 方向一致，排列整齐，相距仅 2.5 米，应是一处墓地。这两座墓为长方形土坑竖穴墓，西北—东南排列，相距 2.5 米。M1 长 3 米、宽 1.2 米、深 3 米；M2 长 2.5 米、宽 1 米、深 3 米。墓穴上半部被冲毁，仅存墓底。葬式为仰身直肢葬。出土遗物 M1 有铜羊首刀、四羊铜头饰、骨镞、箭囊、石斧、绿松石珠、陶纺轮、铜泡等。M2 仅出土 1 件石斧。

夏家店上层文化时期大致相当于晚商至春秋中期。

118.内蒙古喀喇沁旗大山前遗址 1996 年发掘简报

作　者：中国社会科学院考古研究所、内蒙古自治区文物考古研究所、吉林大学考古系赤峰考古队　朱延平、郭治中、王立新

出　处：《考古》1998 年第 9 期

大山前村属内蒙古自治区赤峰市喀喇沁旗永丰乡。大山前遗址共有 6 个地点，编号为KD1 ~ KD6，前5个地点主要是夏家店下层文化的遗存，关于这些地点的大致情况，在《内蒙古赤峰市半支箭河中游 1996 年调查简报》中已有介绍。为了解这类遗址的性质，并为夏家店下层文化遗址的保护与研究提供基础性资料，考古人员于1996年7 ~ 10月，重点发掘了大山前第 1 地点，同时在第 2 地点和第 4 地点进行了试掘和清理。

此次发掘的主要收获作，简报分为：一、第 1 地点发掘区概述，二、第 1 地点夏家店下层文化遗迹，三、夏家店下层文化遗物，四、结语，共四个部分予以介绍，有手绘图。

据介绍，通过 1996 年的发掘，第 1 地点夏家店下层文化的上限较之上述三段中的前段可能还要早些；简报推测第 2 地点是以一般性房址为主的集中居住区，占地面积很大，而第 1 地点所处位置较第 2 地点突出，第 1 地点是颇具特殊性的；另将这类地点与一般性居址严格区分开来也是该地区夏家店下层文化聚落中较为普遍的现象，简报认为其起源当从当地新石器时代诸文化中去寻找。

119.内蒙古赤峰地区 1999 年区域性考古调查报告

作　者：赤峰联合考古调查队　滕铭予、郭治中、朱延平

出　处：《考古》2003 年第 5 期

内蒙古赤峰（原昭乌达盟）地区，地处长城地带西拉木伦河流域的南部，经过考古工作者多年的努力，已知遗留在这片土地上的先后有兴隆洼文化、赵宝沟文化、红山文化、小河沿文化、夏家店下层文化、夏家店上层文化、燕文化以及辽代的遗存。赤峰市西南部是西拉木伦河南支老哈河流经的重要地区，自北向南有召苏河、阴河、半支箭河、锡伯河 4 条河流于赤峰市区附近汇成英金河，再汇入老哈河。上述 4 条河流流经的地带，很可能是历史上各时期人类活动频繁的地域。在该地区以往曾有过对阴河流域的两次调查和对半支箭河中游的调查，并对一些遗址进行过重点发掘，已经建立了自新石器时代至辽代的诸考古学文化的序列与编年，并对红山文化、夏家店下层文化和夏家店上层文化有了比较深入的研究。在此基础上，1999 年 7 月考古人员完成了对锡伯河下游和半支箭河下游的调查工作。1999 年完成了在半支箭河和锡伯河两河之间，以及锡伯河以东和半支箭河以西的部分地区内除现代村镇和河

床以外其他所有地段的田野调查。已调查过的地域约160平方公里。简报是对1999年工作的报告。由于1999年的工作只是赤峰全面区域性考古调查项目计划的一部分，所获资料及结果尚不具备对其进行深入的考古学解释的基础，因此，简报重点介绍工作方法并客观地报告调查结果，分为一、田野工作方法，二、室内工作方法，三、调查结果，共三个部分予以介绍，有手绘图。

据介绍，1999年，在半支箭河下游和锡伯河下游约160平方公里的范围内，考古人员调查了兴隆洼文化、赵宝沟文化、红山文化、小河沿文化、夏家店下层文化、夏家店上层文化、战国至汉代及辽代各时期的遗址共计414处，做采集点793个。简报称，在进一步的工作中，不仅要完成对整个赤峰地区的田野考古调查，还将获取有关这一地区自然环境的各种信息，如气温、降雨量、海拔高度、坡度、土壤类型、农业生产率等，以期为实现该项目的最终目的提供翔实的第一手资料。

120.内蒙古喀喇沁旗大山前遗址1998年的发掘

作　者：中国社会科学院考古研究所、内蒙古自治区文物考古研究所、吉林大学边疆考古研究中心、赤峰考古队　彭善国、朱延平、郭治中、王立新等

出　处：《考古》2004年第3期

1996年至1998年，赤峰考古队在调查半支箭河古代遗址的基础上，重点发掘了位于喀喇沁旗永丰乡的大山前遗址。其中1996年的调查和该年度对大山前遗址第1地点的发掘已作过简要报道。1998年7～11月，发掘了大山前遗址第4地点，揭露夏家店下层文化至战国时期的各类遗迹500余个，出土遗物非常丰富。

简报分为：一、大山前遗址第4地点，二、夏家店下层文化遗存，三、夏家店上层文化遗存，四、结语，共四个部分，介绍了1998年的发掘情况，有照片、手绘图。

据介绍，夏家店下层文化是第4地点的主要内涵，发现有近百处房址，层层相叠，多系在同一地点连续修建，发现的十余座灰坑形制大体相近，分布也有一定的规律，不同灰坑的出土物能够相互拼接，说明这些灰坑大体在同一时期被使用和废弃。此类灰坑的堆积内容也有一些共同特征，如都出土了大量的陶器；所发现的多寡不等的尸骨或经砍斫或经烧灼，均系非正常死亡；坑内多有乱石块或草木灰烬等，表明此类灰坑应是与祭祀有关的遗存。

至于夏家店上层文化的彩陶也是这次发掘的重要收获之一。烧前施于罐、盆、豆、钵之上的主要是红彩，色泽浓淡不一，施绘技法粗疏。彩陶纹饰以宽窄不等的横条带纹最为常见，多施于陶器口沿内外。此外，还有梯形色块、波浪线、圆点、网格、奔鹿及横竖条带组合而成的纹样。这些彩陶是研究夏家店上层文化内涵的新资料。

121.2005年赤峰市三座店古库区考古调查记

作　者：吉林大学边疆考古研究中心　李雨生、于焕金、陈国庆、张全超

出　处：《北方文物》2006年第4期

2005年夏，为配合内蒙古赤峰市三座店水利枢纽工程建设，考古人员对上机房营子遗址进行了抢救性发掘。

简报分为：一、前言，二、遗址简介，三、遗物，四、小结，共四个部分予以介绍，有手绘图。

据介绍，本次调查的范围自三座店村沿河上溯约5公里的阴河两岸淹没区，共调查现今阴河两岸5个自然村的10个地点，包括阴河北岸的上机房营子、康家湾、肖家地、喇嘛旗沟和阴河南岸的半支箭等遗址。遗物应分属三个不同的文化时期，即兴隆洼文化、夏家店下层文化和夏家店上层文化。

简报称，此次调查发现，库区内的夏家店下层文化石城址都是隔河相对分布，一般位于阴河两岸向阳的山坡合地上，而且遗址的分布密度要比现今村寨的分布密度大得多。南北两岸的石城址建筑用料、营造方式及地表遗物大体相似。简报指出，库区内的石城址并不是孤立存在的，而是一个由大、中、小三级结构组成的体系。以往调查的池家营子石城址在库区内应属最大规模的城址，面积在8万平方米以上；上机房营子石城址属中等规模的石城址，面积约4万平方米；其他一些小城址规模较小，面积在3万平方米以下。这种三级结构作为一个整体相互依赖，形成一个以一座或数座大、中城为中心，若干小城依附于大城的军事防御体系，这为研究夏家店下层文化石城址的性质以及功用提供了可参考的资料。

一般认为，兴隆洼文化的年代为距今8400至7000年；夏家店下层文化的时代约相当于夏商时期；夏家店上层文化的时代约相当于两周时期。

通辽市

122.内蒙古库伦旗胡金稿古墓葬清理简报

作　者：郝维彬

出　处：《北方文物》2002年第3期

墓葬位于内蒙古通辽市库伦旗胡金稿自然屯的屯西和屯北，故分为北区和西区。北区面积较大，面积为1万平方米，清理的3座墓均为土坑竖穴墓，出土器物有罐、

盆、杯、鬲、罍、玦等，属夏家店下层文化类型墓葬；西区出土器极少，仅在 M2 中出土 1 件陶罐，属夏家店上层文化类型墓葬。

简报分为：一、地理位置和地理环境，二、墓葬形制与葬式，三、出土器物，四、结语，共四个部分予以介绍，有手绘图。

据介绍，1998 年 10 月，据百姓反映，库伦旗有一群古墓葬被当地村民挖毁。经现场探查得知，整座墓群已被毁之殆尽，于是决定当即对其进行抢救性清理。由于经费有限，只清理了两个区域中的 6 座墓葬。共出土文物 13 件，其中，北区 M2 出土 12 件，西区 M2 出土 1 件，计有陶器、玛瑙玦、骨玦、贝币等。

简报称，胡金稿古墓葬分处两个区域。从墓葬的葬式、葬俗及出土器物上看，这两个区域的墓葬是分属两个不同时期、不同民族的墓葬。从葬式上看，北区 M2 的葬式为侧身直肢，头北足南，面朝东方。据当地盗掘者讲，该区的所有墓葬都是采用这种葬式，与西区的侧身屈肢，头偏西北，面朝西方有明显不同。从葬俗上看，北区的随葬品不与墓主人同穴，而是随葬在墓主人头上方另挖的一个土台上。北区在随葬品的填土中还掺入朱砂。北区的墓葬中没发现动物骨骼随葬。西区 M2 的随葬品少且与墓主人同穴，随葬品的存放位置也与北区相反，是存放在墓主人足下方，并且在西区的墓葬中多有动物骨骼出土。另外从出土器物上看，北区 M2 中出土的陶器工艺精细，以黑灰陶为主，器形以三足器为主，同夏家店下层文化器物完全一样。因此北区应为夏家店下层文化时的定居民族，而西区则为夏家店上层文化时的游牧民族，应属东胡人墓葬。定居民族在前，游牧民族在后。一般认为，夏家店下层文化相当于夏商时期，夏家店上层文化相当于两周时期。

123.内蒙古南宝力皋吐鲜卑墓地发掘简报

作　者：内蒙古文物考古研究所、通辽民族博物馆　吉　平

出　处：《华夏考古》2010 年第 2 期

2006 年，内蒙古通辽市国道 304 线改扩建工程配套专线施工时，在南宝力皋吐村发现一处鲜卑墓地。2007 年，对该墓地进行了抢救发掘。发掘面积 1000 平方米，清理同时期鲜卑墓葬 34 座，出土少量陶器。

简报分为：一、墓葬形制，二、随葬遗物，三、结语，共三个部分予以介绍，有照片、手绘图。

据介绍，发掘地点位于通辽市扎鲁特旗道老杜乡南宝力皋吐村。计发掘墓葬 34 座，均为土坑竖穴墓，人骨保存不好。随葬品极少，仅出土陶器、石器等不足 20 件，其中陶器 10 余件，石器 5 件。根据清理情况分析判断，这一处墓地的大部分墓葬被翻

动过，填土内含有人骨碎块和铁钉，从墓圹保存较完整这一点来看，被盗掘的可能性不大，只有可能是被迁移走了。简报认为这批墓葬的时代为公元2世纪至3世纪中叶，相当于中原东汉至西晋时。墓主人应为鲜卑人。

鄂尔多斯市

124.内蒙古伊盟达拉特旗瓦窑村的新石器时代遗址

作　者：汪宇平

出　处：《考古》1963年第1期

内蒙古伊克昭盟中部，从南往北有罕太沟。沟北口距包头市约30公里，距达拉特旗旗政府所在地树林召约15公里。沟口的东方有瓦窑村。村南为鄂尔多斯台地，高出地面约30米。在台地的北侧边缘，有一处大规模的新石器时代文化遗址（遗址位置请参看《关于内蒙古中南部旧石器文化问题》文中图一，载《考古》1962年第11期第601页）。这个遗址南北最宽处约150米，东西长约1.5公里。遗址的西半部老乡叫作“庙梁”，东半部老乡叫作“棱畔”。新石器时代文化遗物，有些散布在黄砂表面，有些散布在小砂堆上。其间还有居住遗迹。

简报分为：一、居住遗迹，二、遗物，三、陶片，共三个部分予以介绍，有手绘图等。

据介绍，该遗址发现火塘、灰坑等遗迹，石器、陶片等遗物，年代简报推断从细石器文化一直延续到汉代。

125.秦汉广衍故城及其附近的墓葬

作　者：内蒙古语文历史研究所　崔　璿

出　处：《文物》1977年第5期

1975年夏，考古人员在准格尔旗西部沿犊牛川进行了考古调查，对勿尔图沟两侧被沟水冲刷和风沙剥蚀的墓葬做了一些清理、试掘工作。1976年秋，又对整理墓葬资料中提出的问题做了补充调查。

简报分为：一、广衍故城，二、广衍故城周围的墓地与墓葬，三、八垧地梁与圪赖梁的随葬品，四、出自上塔和古圪旦葬地的器物，五、结语，共五个部分予以介绍，有手绘图等。

据介绍，广衍故城位于准格尔旗川掌公社勿尔图沟注入犊牛川的南岸第一台地上。台地距现今河床约 30 ~ 40 米，东北依山，西北临牸牛川与勿尔图沟，东南为辗坊渠环抱，依山傍水，形势险要，古城连同它所在的台地已经大部分被牸牛川冲塌掉，仅剩下不完整的东墙和一段北墙以内的部分。现在古城所在的台地，皆为农田，地面散布的陶片较为密集，尤其是田畔堆积着很多破碎的瓦当、瓦片。另外还清理了 18 座墓葬。简报推断，广衍古城最早建立于公元前 328 年归秦统治之后，18 座墓葬大多为秦墓，另有部分汉墓。

简报指出，秦汉时期的广衍县，是统一多民族的秦汉王朝北方接近匈奴等我国古代北方民族的一个县。墓里随葬大小半两钱和五铢钱，而不见其他，表明当时该地只流行秦汉的统一货币。随葬品中的漆器和小件铜器上附着的丝织品痕迹，说明同秦汉王朝境内的其他地区交通方便，交往关系密切。同时在随葬品中也显示出带有畜牧经济的特点，诸如用牛首、牛蹄和牛羊肉作为祭品随葬，是这批墓葬的普遍现象。

126.内蒙古准格尔旗玉隆太的匈奴墓

作　者：内蒙古博物馆、内蒙古文物工作队　田广金

出　处：《考古》1977 年第 2 期

1974 年冬，内蒙古博物馆征集保管组于准格尔旗北部玉隆太村征集了一批铜器。为详细了解这些文物出土情况，1975 年 8 月，考古人员前往调查，确定了出土铜器的地点为一座古墓。该墓位于大路公社西南方的玉隆太村，西南距谢家圪坦约 3 公里，距钟家滩约 5 公里，距老山沟大队所在地约 8 公里。简报配以手绘图予以介绍。

据介绍，该墓已残，随葬品以铜器为主，计 35 件，还有铁器、骨器、石珠等。简报推断其为战国至汉时的匈奴墓葬。简报称，匈奴人过着以游牧为主兼营狩猎的经济生活。这时候，马不仅用于骑乘，而且驾驭的车子也是不可缺少的交通工具，车饰件的出土及马佩饰的讲究均可说明这点。而车子的出现，尤其是车軎、铺首、铁铤、铜镞等，又表现了与汉族文化相互影响更加深刻。铸铜、冶铁等手工业可能已有专门的分工。各种动物形饰件，形象生动，没有专门的工匠是难以达到的。

127.内蒙古朱开沟遗址

作　者：内蒙古文物考古研究所　田广金等

出　处：《考古学报》1988 年第 3 期

朱开沟遗址在内蒙古自治区伊克昭盟，位于鄂尔多斯高原东部，伊金霍洛旗纳林塔乡正北 10 公里的朱开沟村。遗址分布在沟壑纵横的朱开沟沟掌处。在东西长 2

公里、南北宽约1公里的范围内，断断续续均有遗迹分布。该遗址是1974年发现的，于1977年进行首次发掘。1980年、1983年和1984年又进行了三次发掘。遗址堆积保存较好的地方，依地形划分为七个区（Ⅰ～Ⅶ区）。

除Ⅶ区发现的相当于仰韶文化晚期遗存的资料将另行发表外，简报分为：一、文化层堆积和分期，二、第一段（龙山晚期）遗存，三、第二段（夏文化早期）遗存，四、第三段（夏代中期）遗存，五、第四段（夏代晚期）遗存，六、第五段（商代早期时期）遗存，七、结语，共七个部分简要介绍了朱开沟遗址Ⅰ至Ⅵ区的主要考古收获。有照片、手绘图。

据介绍，四次发掘先后揭露面积约4000平方米，共发现居住房址87座、灰坑207个、墓葬329座、瓮棺葬19座，出土陶器（可复原）500余件，石器、骨器和铜器800余件。

简报指出，如同朱开沟这样文化层较厚，延续时间较长的古代遗存，以往少有发现，其在考古学和历史学研究中的地位作用，将愈显突出。

呼伦贝尔市

128.内蒙古新巴尔虎右旗哈乌拉石板墓

作　者：郝思德

出　处：《北方文物》1988年第4期

1975年5～6月，考古人员前往呼伦贝尔盟西部牧业四旗和新巴尔虎右旗进行田野调查。在近2个月的时间里，发现各类遗址、墓群和古城址计60余处。其中，在达石莫古乡发现一处规模很大的哈乌拉石板墓地，分布有100余座墓葬。

在考古调查后期，限于时间关系，仅有选择地试掘了墓地中的4座石板墓，虽然出土随葬品甚少，但通过实地调查和试掘，初步认识了墓地分布特点、石板墓的形制结构及某些葬俗等情况，这次调查和试掘的收获简报配以手绘图予以介绍。

据介绍，新巴尔虎右旗地处呼伦贝尔草原西部，行政上隶属内蒙古呼伦贝尔盟。近年，在哈乌拉墓地附近只发现德乌拉和达林础鲁两处石板墓群，前者有80余座，分两个墓区，后者有120多座。简报称，由于调查和试掘材料的不足，还不能全面地了解哈乌拉墓地的文化内涵、特征、葬制及具体年代等问题。重视对石板墓的发掘和研究工作，对进一步探讨古代北方少数民族的文化发展不无意义。

事实上，据《考古》1965年第6期报道，早在1963年，考古人员即在呼伦贝尔

盟陈巴尔虎旗清理过4座古墓，出土有陶器、石器、骨器、铜器、铁器及海贝、丝绸、珊瑚枝等。墓内有牛、马、狗等动物骨骸。有一座墓中人骨架26副与兽骨杂乱地埋入一坑，这一习俗尚有待研究。

129.内蒙古新巴尔虎左旗出土青铜镞

作　者：殷焕良

出　处：《北方文物》1997年第4期

1996年2月，在新巴尔虎左旗达赉湖北岸一采沙场放炮采沙过程中，出土了112件青铜镞。该地位于新巴尔虎左旗嘎拉布尔苏木，东距嵯岗镇约90公里，西500米处，即为达兰鄂罗木河与达赉湖的交口处。由于沙场采取放炮采沙，因此现场破坏较为严重，经过对现场地面调查发现，地表散落有人头骨、马骨、棺板等。此处应有古墓葬存在，但因墓葬均遭破坏，故青铜镞与墓葬的关系不明。简报配以照片、手绘图，先行介绍出土的青铜镞。

据介绍，这批青铜镞，器形一致，大小不一，均为三翼型。青铜浇铸，表面有绿色锈蚀。三翼均带有较锋利的刃，刃部经过打磨大都为直线形，也有少部分为弧线形。三翼交接部为一圆孔，圆孔直径在0.8～1.2厘米之间，靠近交接部的三翼上均有长方形穿。这批青铜镞重量约在50～200克之间不等。镞身最长18.1厘米，最短7厘米。该批青铜镞器形较为独特，以前未见报道，有几点值得注意：一是数量较大；二是从其重量看，如果作为射击兵器用，非人力所能及；三是插木挺的圆孔没有使用过的痕迹；四是现场没有弓、梃、弩等器物出土。由此可知，虽然该批青铜镞从直观上看应为兵器，但也不能排除冥器的可能性。关于其年代，目前说法不一，差别较大，还有待于进一步的科学考证。该批文物现存满洲里市文物管理所。

巴彦淖尔市

130.阴山岩画新发现

作　者：巴彦淖尔市文物工作站、巴彦淖尔市博物馆　赵占魁等

出　处：《文物》2008年第10期

2007年10月，考古人员对阴山山脉默勒赫图沟区进行了较为科学细致的普查，在对原已发现岩画进行复查的基础上，又发现许多新的岩画，取得了阶段性重要收获。

简报分为：一、默勒赫图沟岩画地理位置及分布范围，二、新发现岩画的内容、制作方法及时代，三、部分新发现岩画，共三个部分，就此次普查新发现的岩画地点及岩画的情况作一介绍，有彩照、手绘图。

据介绍，默勒赫图沟岩画区位于内蒙古巴彦淖尔市磴口县西北约 60 公里的阴山山脉狼山西段，系沙漠边缘一条大沟。岩画主要集中在此沟中段大约 5 公里长的山崖立壁上。岩画内容涉及人物、动物、神灵、生活、生产、天体、符号等。年代跨越史前时期及夏商西周和春秋时期。简报对其中一些岩画进行了解说，如：

三人齐舞图。横 15 厘米，纵 20 厘米。位于第七地点北山山顶一立石上。画面表现 3 人并排齐舞，线条流畅，姿态优美。约为青铜时代的作品。

生殖崇拜图。交合图，横 25 厘米，纵 45 厘米，位于第七地点北山顶部。画面上方为二人头向相反，两腿交叉，卧姿，作交媾状。下方为一行走的动物，右上为一弓箭。约为青铜时代的作品。女阴图，横 20 厘米，纵 35 厘米，位于第七地点北山顶部。画面右为一女性生殖器，周围刻放射状线条数道，刻画十分形象、逼真。其左为一圆圈，应为女阴符号。约为青铜时代的作品。

简报指出，阴山岩画以其数量多、分布面积广、题材内容丰富、制作精美，以及年代跨越久远而闻名于世，2006 年已被国务院公布为第六批全国重点文物保护单位。

乌兰察布市

131.内蒙古乌盟南部发现的青铜器和铜印

作　者：盖山林

出　处：《考古》1986 年第 2 期

内蒙古自治区乌兰察布盟南部托克托县和凉城县出土了一些青铜器和铜印等遗物，简报配以照片、拓片予以介绍。

据介绍，这批文物计有四类：

一为凉城县崞县夭公社出土的青铜器。1967 年，凉城县崞县夭公社前德胜大队农民发现铜壶、牌饰、当卢各一件，已送交内蒙古文物工作队保存。

二为托克托县新忽拉圪乞出土的青铜器。1965 年 10 月，距托克托县北 9 公里的五十家子公社忽拉圪乞大队新忽拉圪乞村的村民，在该村南约 1 公里的沙滩处掘出汉代青铜盘、钫、熏炉各一件，出土于距地表 50 厘米的地方，青铜盘盖在另外两件器物之上。发现后即送交托克托县文化馆，后又转送内蒙古文物工作队。

三为凉城县出土的四方铜印。1971年底凉城县三苏木公社五苏木大队小学发现一方铜印，印上有长方把，把顶刻一“上”字。印背刻字两行，右为“大安三年三月”，左为“礼部造”。印右侧有“勾当公事日字号之印”一行。印文篆字，文与左侧所刻相同。另三方出土于凉城县天成公社，皆有长方形把，顶上刻一“上”字。一方通高4厘米、边长9.8厘米、厚1.1厘米，印文九字最后两字为“所印”。一方印背刻字两行，右为“河东北运司造”，左刻“贞祐四年四月日”。印文为“副统之印”，通高5.7厘米、边长6.1厘米、厚1.7厘米。另一方印背右侧刻“都统所印”四字。这几方铜印中，有两方有纪年，一为“大安三年”，辽金均有大安年号，辽道宗大安三年为1087年，金卫绍王大安三年为1211年。另一方为贞祐四年，是金宣宗年号，四年为1216年。其他两方，从印文和形制看来，也应是金代的官印。除了以上的铜器和铜印外，还在和林格尔县新店子汉墓采集到两种汉代方砖，一种上有“富乐未央”“子孙繁昌”等铭文和图案花纹。另一种上有“宜子孙”“富繁昌”“乐未央”等铭文和图案花纹。

132.内蒙古凉城县岱海周围古遗址调查

作　者：乌盟文物站凉城文物普查队　富占军

出　处：《考古》1989年第2期

岱海，位于阴山南麓，内蒙古凉城县境内。东西长30公里、南北宽20公里，是内蒙古高原上最大的淡水湖之一。1986年8～11月，考古人员对岱海周围进行了重点考古调查，共发现新石器时代、青铜时代的遗址30余处。

简报分为：一、狐子山遗址，二、王墓山遗址，三、大坡遗址，四、板城西山遗址，五、元子沟遗址，六、敖包梁祭祀遗址，七、大庙坡遗址，八、马鞍桥山遗址，九、小结，共九个部分，有照片、拓片、手绘图。

据介绍，这些遗址以岱海为中心，分布于岱海周围的沿山地带海拔1200米左右的第二级台地上，依山傍水，密集分布，形成庞大的遗址群。由于文化内涵不同，又自然地形成不同的文化区域。岱海东、南地区的遗址相当于仰韶时期，其中狐子山遗址的文化面貌与阿拉善一期遗存比较相似。大坡、黄土坡遗址的文化遗存与托克托县海生不浪遗存有相似之处。岱海西、北地区的大批遗址则相当于龙山文化时期，与老虎山遗址文化面貌相似。在龙山文化时期遗址分布的区域中，还分布着属于夏、商时期的遗存。在岱海东部地区，这些遗址彼此交错地分布在一起，相隔甚近。大庙坡、板城等遗址发现的石墙遗迹与老虎山遗址的石墙相似。

简报指出，岱海周围新石器时代、青铜时代遗址的发现，为研究内蒙古早期文化增添了新的资料。

133.内蒙古兴和县沟里头匈奴墓

作　者：崔利明

出　处：《考古》1994 年第 5 期

1988 年 8 月，兴和县石湾乡刘家村农民在村西沟里头取土时，在距地表 50 厘米深处发现一座古墓。古墓虽遭破坏，但形制清楚。同年 6 月至 9 月兴和县文物普查时对墓地进行了调查并清理了这座残墓。简报配以手绘图、照片予以介绍。

据介绍，沟里头匈奴墓位于内蒙古兴和县西北 30 公里，东南距石湾乡所在地 1.5 公里，刘家村西 300 米处。墓葬为长方形竖穴土坑墓。在清理过程中，又发现马骨、羊碎骨。人骨保存完好，仰身直肢葬，头向西北，胸骨上有一铜头，骨架周围散置随葬品，共出土 13 件完整器。该墓虽遭扰乱，但从清理中发现的马、羊骨骼的情况判断，其葬俗大约与桃红巴拉匈奴墓类似，这也是草原游牧民族普遍流行的葬俗。这里出土的青铜短剑和带扣与西沟畔匈奴墓发现的相似，尤其是三棱骨镞是战国至汉普遍流行的型式，在内蒙古地区战国至汉代遗址中较常见。

134.内蒙古乌兰察布盟石虎山遗址发掘纪要

作　者：内蒙古文物考古研究所、日本京都中国考古学研究会、中日岱海地区考察队　杨泽蒙

出　处：《考古》1998 年第 12 期

石虎山遗址位于内蒙古自治区乌兰察布盟凉城县天成乡双古城村东南约 2 公里，西距凉城县海城镇约 18 公里，地处王墓山北坡岱海南岸山地丘陵的顶部，遗址北距岱海约 2.5 公里，西距新石器时代王墓山坡上遗址约 500 米，南距明代长城仅百余米。石虎山遗址 1993 年发现，并于同年试掘，1995 年再次试掘。为了弄清该遗址的分布范围及遗迹的分布情况，考古人员于 1996 年 7 月又对遗址所在地区进行了普遍钻探。1996 年 8 月，中日考古学家重点对石虎山遗址进行了考察和清理发掘工作。中日联合考察工作结束后，9 月，进行了清理和收尾工作。清理发掘工作历时约 2 个月，发掘面积约 2800 平方米，发现围沟 1 条、房址 20 座、灰坑 36 个、墓葬 1 座，出土各类遗物约 400 件。

发掘情况简报分为：一、石虎山 Ⅰ 遗址，二、石虎山 Ⅱ 遗址，三、结语，共三个部分予以介绍，有手绘图。

据介绍，通过发掘、钻探及地面调查可知，石虎山遗址至少包含四种文化面貌、性质各不相同的文化遗存，时代分别相当于新石器时代中期、晚期和春秋战国时期。

由于它们各自都有不同的分布范围，彼此区域分割、互不相连，应是相对独立的四处遗址。简报称，中日合作开展“岱海地区文明起源和发展”的考古学研究项目，对石虎山遗址进行的综合考察和发掘，发现了众多重要的遗迹现象，出土了大量实物资料，对于更深入、系统地开展对这类遗存的探讨和研究工作，具有十分重要的价值。

兴安盟

锡林郭勒盟

135.内蒙古北部地区发现的新石器

作　者：刘志雄

出　处：《考古》1980 年第 3 期

1977 年 5 ~ 10 月，内蒙古地质局勘探人员在门德勒索木采集到一些标本，引起考古人员重视。简报配以手绘图予以介绍。

据介绍，门德勒索木位于内蒙古自治区东苏旗达日罕乌拉公社门德勒索木村南西 1 公里左右。地点南侧有公路通过，地点北侧为花岗岩构成的山梁，花岗岩中多有石英脉穿入，是制作石器的好原料，采集石器包括细石器、打制石器和磨制石器。具体时代暂难推断，只能给出一个参考年代：新石器晚期至青铜器早期为其下限。简报最后指出，我国北部草原地区新石器时代文化是深深地扎根在我国中原地区的，内蒙古北部边疆发现的新石器时代文化遗物再次证实了这一观点。

阿拉善盟

136.内蒙古黑城考古发掘纪要

作　者：内蒙古文物考古研究所、阿拉善盟文物工作站

出　处：《文物》1987 年第 7 期

黑城遗址位于内蒙古自治区阿拉善盟额济纳旗达赖湖波镇东南 25 公里的荒漠上，蒙古语称为哈拉浩特。由于地处巴丹吉林沙漠边沿，气候干燥，水源短缺，遗址内

埋藏的大量有机质文物得以长期保存。1908 ~ 1909 年，俄人科兹洛夫率领探险队首次在这里挖掘，获得大量西夏文文书，引起国际上的注视。英人斯坦因等外国探险者相继而来，多次进行挖掘，致使大量文书等珍贵文物流散于世界各地。1949 年后，额济纳旗先后隶属于甘肃省和内蒙古自治区。甘肃省博物馆和内蒙古自治区文物考古研究所曾多次派员前往黑城调查，内蒙古自治区人民政府于 1964 年公布黑城为自治区级重点文物保护单位。考古人员于 1983 年 9 ~ 10 月和 1984 年 8 ~ 11 月间，两次在黑城进行考古发掘。总计发掘面积约 1.1 万千平方米，虽仅占全城总面积的十分之一，但已基本揭露了城内主要部分的建筑遗址，取得了这座城址建置沿革和城市布局的考古资料，出土了大量文书和其他文物。简报分为五个部分，配以照片、拓片予以介绍。

据介绍，黑城南临额济纳河下游的干涸河床。额济纳河古称弱水或黑水。额济纳为亦集乃的音转，而亦集乃就是西夏语黑水的意思。这条河发源于祁连山，自西南向东北流，古代注入黑城东北方的大泽——居延海。后来，由于额济纳河下游改道西移，居延海断绝水源而缩小为一个小湖泊，今名金斯淖尔。黑城及其附近一带，是一片较为平坦的沙地，当额济纳河流经此地时，曾是一片绿洲。古代各族在这一带屯垦定居。河水改道后，各族居民迁徙别处，屯垦区被废弃，地表完全沙化，城郭沦为废墟，城内及其附近地方成为戈壁，城内东北角流沙聚积，几乎高达城墙顶部。这次考古发掘的首要任务，是弄清西夏和元代城垣的关系，元代对西夏城的改建或修缮情况，以及城内文化层的堆积等问题。发掘查明，黑城遗址为早、晚两座城址叠压在一起。外围大城是元代扩建的亦集乃路故城，也就是我们现今所见黑城的规模。小城被圈围在大城内东北隅，东、北两面墙体压在大城城垣之下，修筑大城时作为基础使用；西、南两面城垣被元代居民改造利用，分解为不相连属的数段，为西夏城垣。城内未见汉代地层，证明此城不是汉代居延城。黑城的废弃，也不是明军屠城的结果，而是北元投降后人心离散，水道绝流所致。

简报称，目前黑城出土文书编号已至 3000。城址内出土的大量文书和其他文物，涉及考古学、历史学和语言文字学，以及文学、艺术、古籍校勘、宗教、民族、交通、农业、纺织等许多方面。过去黑城出土的文书，除确有元代年款的外，都断为西夏时期，并据此而演绎出若干西夏历史。但这次发掘所得文书，据地层和文书上年款、地名、人名等判断，多为元代和北元遗物，西夏时期的印本流传到元代的不多。这将使以前黑城出土文书的考释得以订正。

今有孙断民先生《黑水城出土文书研究》（甘肃文化出版社 2021 年版）一书，可参阅。

辽宁省

沈阳市

137.沈阳伯官屯汉魏墓葬

作　者：沈阳市文物工作组　郑　明、沈长吉
出　处：《考古》1964年第11期

1963年10月11日～11月20日，考古人员在沈阳市东郊伯官屯地区清理了6座汉魏时期的墓葬，另发现3座瓮棺葬，也一并进行了清理。

简报分为：一、地理位置，二、墓葬形制，三、随葬品，四、瓮棺葬，五、结语，共五个部分予以介绍，有照片、手绘图。

据介绍，上伯官屯和下伯官屯介于沈阳、抚顺中间，西距沈阳市中心区15公里，北距浑河2公里。上伯官屯西距下伯官屯1公里。墓1、2在上伯官屯村东，墓3在村西南角，墓4～6在下伯官屯村内。上伯官屯的所在是一个汉代城址，土城痕迹已不明显，中心和稍东均有遗物，耕地表面散见细泥灰、红陶片、残砖瓦及铁器等。经初步调查，上伯官屯汉魏墓群向东延续1公里到抚顺市的刘尔屯。再往东2公里的四方台，往西7公里的石庙子，西南10公里的古城居民都有墓葬和遗物。可见上伯官屯城址周围沿浑河两岸均有当年的村落。

简报称，瓮棺葬的年代应为战国晚期至西汉。墓2、墓3为长方形砖室墓，应为东汉中期或稍后墓葬。墓1、墓4、墓5、墓6应为魏晋时期墓葬。

138.沈阳新乐遗址试掘报告

作　者：沈阳市文物管理办公室　曲瑞奇、沈长吉等
出　处：《考古学报》1978年第4期

横贯沈阳市区北郊，有一条自东向西的黄土岗，高程为49.6米，相对高度5～10米。土岗南面有沈浦灌区总干渠，又叫新开河。在这条土岗上下，西自塔湾，经北

陵到东陵，地表上常常可以采集到新石器时代遗物。有素面陶片，也有带花纹的陶片；有磨制石器，也有打制精细的细小石器。1973年6月，考古人员对北陵附近地区作了一次调查，发现5处文化堆积，明确它的分布，初步了解该地存在两种文化类型，并在新乐工厂宿舍院内找到了有两种文化叠压关系的地层。为此，10月15～31日进行了一次试掘。

简报分为：一、遗址分布，二、新乐遗址，三、第一、三、四地点遗物，四、第五地点遗物，五、结语，共五个部分予以介绍，有照片、手绘图。

据介绍，遗址在北陵地区新开河两岸，已发现5个地点，相互间的距离，东西约2.7公里，南北约2.5公里。这次调查和试掘，判明在第二地点（新乐）存在着两种不同文化类型的叠压关系。其余一、三、四、五地点，均出有与第二地点上层文化相同的陶器群，应属“新乐上层（第一期）文化”类型，其上层，可暂名为“新乐上层（第二期）文化”；其下层，可暂名为“新乐下层（第一期）文化”。第一期文化当属新石器时代，第二期文化的上限可至殷周，下限可至春秋燕秦之前。

遗物中第一期所出的煤精制品，是一新发现。据抚顺市从事煤精工艺的老工人说，近世煤精工艺只不过有一百年的历史。遗址所出煤精制品，经辽宁省煤田地质勘探公司切片鉴定，并与抚顺现代煤精进行对比，确系煤精无疑。故无论其为实用品或装饰品，都将把我国的煤精工艺史提前了几千年，从而也把用煤的历史大大推前了。

139.沈阳肇工街和郑家洼子遗址的发掘

作　者：中国社会科学院考古研究所东北工作队　安志敏、郑乃武

出　处：《考古》1989年第10期

肇工街遗址位于辽宁省沈阳市铁西区肇工街（原属铁西区郑家洼子村），郑家洼子遗址位于沈阳市于洪区郑家洼子村（原属铁西区），后者在前者的南面，相距约1500米。1958年在肇工街发现青铜短剑等27件遗物，1962年在其以南500米处，又发现青铜短剑1把。1963年在肇工街和郑家洼子一带做了调查，并在1965年5月28日至6月7日进行了小规模的发掘。1965年8月，考古人员在郑家洼子遗址又发掘了14座青铜器时代的墓葬，有了丰富的收获。

简报分为：一、肇工街遗址，二、郑家洼子遗址，三、文化性质和年代，共三个部分予以介绍，有手绘图、照片。

据介绍，肇工街遗址的上下两层，可称为一期、二期。肇工街一期简报推断当属于新石器时代晚期的遗存。肇工街二期的陶器特征，与郑家洼子一期相同，结合

过去在这里发现青铜短剑等27件器物，简报推断无疑属于青铜器时代的遗存。郑家洼子遗址根据地层堆积可分为三期：一期的年代简报推断可能相当于春秋末叶。郑家洼子二期以瓮棺葬为代表，据陶罐的形制特征可知，约相当于西汉初期。郑家洼子三期系金元以来的扰乱层，虽包含若干早期遗物在内，但它的时代下限较晚。

简报指出，通过肇工街和郑家洼子的发掘，结合近年来沈阳地区的考古发现，从新石器时代到青铜器时代的发展，大体可以分为下列的三个阶段：

以新乐一期为代表的属于新石器时代稍早的遗存，碳-14年代约为公元前4600～4100年（树轮校正：5200～4800年）；

以肇工街一期为代表的遗存似稍早于高台山二期，后者的碳-14年代为公元前1420±90年（树轮校正：1670±135年），当属于新石器时代晚期；

以郑家洼子一期和肇工街二期为代表的遗存，大体相当于春秋时期，而未必会晚到战国时期。

简报认为，以上的遗存，大体代表了沈阳地区从新石器时代到青铜器时代文化发展中的基本序列。

140.辽宁康平县赵家店村古遗址及墓地调查

作　者：张少青、许志国

出　处：《考古》1992年第1期

1988年5月上旬，小城子镇赵家店村百姓在南坨子放牧，发现一座被破坏的古墓。考古人员当即到现场调查，并于1988年5月20日至22日对破坏的古墓进行了清理。

在清理墓葬过程中，发现墓葬周围有原始文化遗存，并同小城子镇文化站长降雨田对赵家店村遗址先后进行了4次调查。在第四次调查中，发现一处墓地，地面上人碎骨、人牙齿成堆，约有几十处，陶片满地，俯拾皆是。8月15日，考古人员对赵家店村遗址、墓地进行了第五次调查。

简报分为：一、遗址及墓地的发现，二、遗址、墓地的地理位置，三、遗物，四、初步认识，共四个部分予以介绍，有手绘图、拓片。

据介绍，赵家店村位于小城子镇西南4公里。西、南部与内蒙古哲盟后旗毗连。遗址、墓地处于赵家店村南部的荒漠沙丘地带。有4个地点比较集中，按当地居民所称有馒头山、苇塘、白沙沟、茨榆坨子。遗址统一编号为A20。赵家店村遗址破坏严重，遗址未发现地层关系，各时代遗物混杂，墓制葬俗不清，而且采集的大多遗物的原出土单位不明，因而确定文化类型及墓葬分期存在一定的困难。赵家店村遗址4个地点与一处墓地的遗存，文化特征有明显的区别。

141.辽宁康平县老山头遗址调查报告

作　者：张少青、武家昌

出　处：《北方文物》1996年第3期

1980年以来，通过文物普查及复查，在康平县境内发现80多处青铜时代遗址。其中郝官屯乡刘家屯村老山头遗址比较典型，自发现后曾多次复查。

简报分为：一、遗址的地理位置及现况，二、遗迹与遗物，三、对老山头遗址的初步认识，共三个部分予以介绍，有手绘图。

据介绍，该遗址发现有人骨、房址、窖坑等遗迹，以及动物骨头、鱼骨头、陶片、石器等遗物。房址为半地穴式，其中发现的人骨，从人骨的脊椎骨扭曲、腰椎骨火烧、腿骨折断叠压的现象分析，死者曾做过极为痛苦的挣扎，这种迹象或许表明死者为残害致死。该遗址年代跨度大，上限自商周或更早，下限至西汉或更晚，简报称，这是该遗址乃至辽北地区青铜时代遗址中最为突出的特点。

142.辽宁沈阳市石台子高句丽山城第二次发掘简报

作　者：沈阳市文物考古工作队　李晓钟、李龙彬、赵晓刚

出　处：《考古》2001年第3期

1997年5月中旬至11月下旬，考古人员对沈阳市石台子高句丽山城进行了正式发掘，确认了该山城是一座石筑城墙体的闭合式山城，同时发现了10座形制有别的马面，基本确认了城门址、涵洞等遗迹的位置，还对Ⅰ区T105、T302、T303内遗迹进行了清理。为进一步研究城门结构、排水设施状况、城内水源以及确认南门门址等问题，1998年4月下旬至10月下旬，对该山城进行了第二次发掘。这次发掘是在4处门址及其内外布探方进行清理发掘，总计发掘面积为450平方米。发现的遗迹有西北门内外排水设施、东门址及东门址内外排水设施、南门门址、西南门址等。出土铁器、铜器、石器、骨器等遗物234件，另外还有兽、畜、禽、鱼类等的骨骼。

发掘工作及收获简报分为：一、遗迹，二、遗物，三、结语，共三个部分，有手绘图、照片、拓片。

据介绍，经过发掘，发现该山城曾被烧毁过两次。除西北门址所见第一次建筑的门址路面有经火烧烤的现象外，在东门址内沉井南壁与护坡墙上部也发现了曾经被火烧过、表面已变成红褐色的楔形石被夹砌在未经火烧过的石材之中。简报认为，第一次砌筑的山城曾被火烧过，而第二次砌筑的山城是在第一次砌筑的山城基础之上略有改变，并利用了第一次山城所用的部分石材而重建的。出土的遗物中，除青

铜时代遗存外，就高句丽时期遗物而言，应有两个不同建城时期的文化遗存。

简报称，山城小而精，虽经战火，弃而不舍，使用多年，可见所在之处为一要害之地。

143.沈阳市老城区大舞台工地文物勘探报告

作　者：沈阳市文物考古钻探队　刘焕民

出　处：《北方文物》2001 年第 2 期

大舞台工地位于沈阳市老城区内西部，东临正阳街，与沈阳故宫博物院隔路相对，西至西顺城内街，南接居民区（原清代肃王府）及羊尾巷，北靠干石桥和石头市巷。考古人员于 1996 年 3 ～ 4 月配合施工进行了勘探。

简报分为：一、地理位置及勘探范围，二、地层堆积，三、遗存和遗物，四、结语，共四个部分予以介绍，有手绘图。

据介绍，本次勘探，探明辽代碳化谷物遗存一处，获铜钱两枚，石碑一通及辽至清各时期陶、瓷片等标本。谷物遗存证实此处是辽代沈阳城里一处重要的仓储地。石碑系清代光绪三十三年（1907 年）碑，碑文记述了该地区历史沿革、四至范围及一场长达十年官司的结束。简报录有碑文全文。

144.辽宁沈阳八家子汉魏墓葬群发掘简报

作　者：沈阳市文物考古研究所　刘焕民、赵晓刚、沈彤林

出　处：《北方文物》2004 年第 3 期

八家子汉魏墓葬群，是在沈阳市八家子棚户区改造工程的文物勘探过程中发现的，位于沈阳老城区宫后里汉城址与东陵上伯官汉城址之间。它的发现与发掘对研究沈阳地区汉魏时期历史与葬俗具有重要意义。

简报分为：一、地理位置及地层，二、墓葬分布与形制结构，三、出土遗物，四、结语，共四个部分予以介绍，有手绘图。

据介绍，该墓葬群于 2001 年施工中发现，当年 10 ～ 11 月进行了清理，共清理了 18 座墓葬，均为砖砌墓。可分为长方形墓、“T”形墓、“L”形墓三种，其中长方形墓又可分为有明器台的、双室的、有尸床的三种。从埋葬方式看，可分为单人葬、双人合葬和多人合葬三种。墓葬因破坏严重，所存遗物不多，主要有陶器、串珠、指环和青铜饰件，共 72 件。此外，在墓葬填土中，还出土有夹砂红陶片和绳纹瓦残片。墓葬群的年代简报推断当在东汉晚期至魏晋时期之间。此次发掘中于 M7、M8 中出现的多人合葬，很可能是拣肢葬，再有 M6、M8 中用犬骨陪葬，这些埋葬习俗是否同当地少数民族有关，尚有待研究。

145.沈阳市石台子山城高句丽墓葬 2002 ~ 2003 年发掘简报

作　者：辽宁省文物考古研究所、沈阳市文物考古研究所　李龙彬、苏鹏力、朱寒冰等

出　处：《考古》2008 年第 10 期

2002 年 5 月 ~ 2003 年 10 月，考古人员对石台子山城周围进行了较大范围的考古调查，发现山城周围分布有石砌墓葬，初步认定这些墓葬为高句丽时期（公元前 37 ~ 公元 668 年）。因墓葬多数已被基建或盗墓者破坏，遂组织人员对该批墓葬进行了抢救性发掘。共清理墓葬 62 座。

简报分为：一、墓葬地理位置与分布情况，二、墓葬形制，三、随葬品，四、结语，共四个部分予以介绍，有彩照、手绘图。

据介绍，遗址位于沈阳市棋盘山水库北岸，发现并清理高句丽墓葬 60 余座。墓葬为封土石室墓，分铲形、刀形、梯形和长方形。以铲形墓居多，且多数墓葬存在二次葬现象。墓葬所出遗物有陶器、银器、铜器、铁器等。初步认定为石台子山城的附属墓葬，为全面研究石台子山城提供了新的实物资料。

146.沈阳市道义镇郭七遗址发掘简报

作　者：沈阳市文物考古研究所、吉林大学边疆考古研究中心　霍东峰、刘焕民、张全超、邵会秋等

出　处：《考古》2013 年第 4 期

郭七遗址位于沈阳市沈北新区道义（镇）街道办事处郭七村西北部，遗址东部为农田，南至沈阳工程学院北墙，西距沈阳航空工业学院东墙 90 米，北距蒲河约 1000 米。2006 年冬季，考古调查时首次发现郭七遗址，2007 年 4 ~ 5 月复查和试掘该遗址。2007 年 7 ~ 10 月，考古人员对该遗址进行了大规模的调查与发掘，其中调查资料已发表在《辽宁省博物馆馆刊》第 3 辑。共清理灰坑 75 个、房址 2 座、墓葬 2 座、沟 16 条。出土遗物较为丰富，包括陶器、石器、骨器、铜器、铁器等。

简报分为：一、地层堆积与分期，二、第一期文化遗存，三、第二期文化遗存，四、结语，共四个部分予以介绍，有彩照、手绘图。

据介绍，遗址中出土的遗存可以分为两期。第一期遗存的遗迹主要有房址、灰坑、墓葬等，属于新乐上层文化，年代为商末周初；第二期遗存的遗迹有灰坑、灰沟等，属于汉文化，年代为西汉。

简报称，新乐上层文化房址遗迹仅见于此次发掘和千松原遗址中，平面均呈圆角长方形，为半地穴建筑。从建筑方法上来看，新乐上层文化房址是在地面先挖一

房址基槽，然后在基槽内垫土、压实，然后再在其上铺垫一层灰褐色土作为居住面。简报特别指出，郭七遗址 F1 东南角的垫土中出有 1 件小陶罐，这是在房屋修建过程中有意埋置，可能是当时人们修建房屋的一种风俗。

简报指出，郭七遗址的发掘不仅丰富了对新乐上层文化的内涵与特征的认识，而且对解读辽河平原地区晚商至汉代考古学文化的演进、特征和社会性质具有重要的意义。

大连市

147.旅大市营城子古墓清理

作　者：许明纲

出　处：《考古》1959 年第 6 期

为配合道路建设，考古人员于 1954 年 8 月至 10 月，清理贝墓 41 座、砖墓 9 座、石板墓 2 座等计 54 座古墓。1957 年，营城子农民拉土时，又发现一座石板墓，并将西后室拆除了一米多。

简报分为“46 号墓”“47 号墓”“52 号墓”三个部分予以介绍，有照片、手绘图。

据介绍，这三座石板墓，应为一个时代遗存，从出土的陶器、铜钱、花砖、铜镜等看，简报推断为东汉末期到高句丽初期（魏晋时期）的墓葬。

148.旅大市长海县新石器时代贝丘遗址调查

作　者：旅顺博物馆　许明纲、于临祥

出　处：《考古》1962 年第 7 期

长海县位于旅大市东南约 40 公里的黄海里，是由许多岛屿组成的，其中最大的有大长山岛、小长山岛、广鹿岛、獐子岛、海洋岛和石城岛等。考古人员于 1957 年前往调查，1959 年 6 月复查（发现贝丘遗址 5 处，这次调查已有报导，见《考古》1961 年 12 期），1960 年再次复查。经过几次调查与复查，先后在各岛共发现贝丘遗址 15 处。在遗址中采集有大量的陶器残片、骨角器、石器、兽骨、鹿角等。遗址分布甚广，贝壳堆积层深厚。这一带遗址对研究辽东半岛及山东半岛的文化关系有着重要的价值。简报分为 6 个岛予以介绍，有照片等。

据介绍，长海县贝丘遗址大都分布在各岛的近海不过 1.5 公里的山脊丘陵地带。贝丘是原始人类在各岛居住时将吃剩下的海产牡蛎、鲍鱼、蛤子、海螺等各种贝类

介壳堆积而成。贝丘中杂有灰土、石器、陶器、骨角器和兽骨、兽牙等。贝丘的深厚说明原始人类在各岛已经过着聚居生活，并留下了极为丰富的文化遗物。遗址的年代应属于新石器时代晚期，其下限应已到战国。长海县贝丘遗址的陶器，从器形、纹饰、陶质、颜色等几方面，可分为两大类：一类以黑、褐色划纹陶为主，带有龙山文化特征；另一类以红、红褐色陶篦纹平底筒形钵或罐为主，为另一种文化的特征。

149.大连新金县乔东遗址发掘简报

作　者：旅顺博物馆　苏小幸、刘俊勇

出　处：《考古》1983 年第 2 期

1975 年 6 月，原旅大市引碧（碧流河）工程淹没区调查队在新金县双塔公社乔东北场中节地采集到石斧、石刀、石镞、石锥、夹砂黑褐花纹陶片、红烧土块等，确定为一处古遗址。其面积约为 30 × 50 平方米，发现三座房址。同年发掘居北的一座（LBF1），1976 年发掘靠南的一座（LBF2），两者相距 50 余米。简报分为“1 号房址”“2 号房址”两个部分予以介绍。

据介绍，两房址各 20 多平方米。1 号房址距今 4000 年左右，2 号房址距今 3000 年左右。此次发掘，为研究当地原始文化提供了新资料。

150.辽宁大连新金县碧流河大石盖墓

作　者：旅顺博物馆　刘俊勇

出　处：《考古》1984 年第 8 期

1975 年 7 月，为了配合碧流河水库工程，考古人员曾与工程部门配合，对水库淹没区文物古迹进行了普查，并且确定了发掘地点。1976 年 3、4 月间，清理了淹没区内的部分遗址、墓葬。

简报分为：一、墓葬结构，二、随葬遗物，三、小结，共三个部分予以介绍，有手绘图、照片。

据介绍，大石盖墓共清理了 11 座，其中 5 座（M14 ~ M18）坐落在安波公社刘屯西山和东山上；6 座（M19 ~ M24）坐落在双塔公社乔屯地中，三处相距约 0.5 公里。从发掘的 11 座大石盖墓观察，大部分墓内骨骼不存，个别墓仅存零星碎骨，而且经过火烧。11 座墓陶器保存下来很少，仅复原 3 件，另有石器及玉斧。大石盖墓既不同于石棚，又有别于石棺墓、积石墓。这种葬俗，大连过去尚未见到。大石盖墓埋藏简报推断当为西周至春秋，即与青铜短剑墓相当或稍早。

151.大连发现元明铁炮和铜火铳

作　者：苏小幸、王嗣洲

出　处：《考古》1991 年第 9 期

考古人员于 1983 年 10 月 18 日在旅顺口区水师营镇，1987 年 9 月 7 日在旅顺三涧乡小墨石村附近海域分别发现 3 尊铁炮和 1 尊铜火铳。简报配以照片予以介绍。

据介绍，水师营出土的铁炮是由水师营村农民在乡政府院内基建施工时发现的。据发现者说，3 尊铁炮距现地表 1.20 米深，并列横放，炮口方向不一。这 3 尊铁炮，炮身粗短，多箍厚膛，平冠形尾。明代在旅顺设有南北二城。3 尊铁炮的出土很可能与此二城有关。但铁炮并非出于城址中，而是出在距城东北约 5 公里的水师营镇。估计 3 尊铁炮为明代制造，后被清代沿用镇守水师营。

铜火铳发现于水墨石村附近海域，是由旅顺工人包树元先生打捞的。据打捞者说，铜火铳是在小墨石村东北距海岸约 100 米，深 6 米的海底发现的。上无铭文。从形制和构造特点看，其年代上限为元代，下限不晚于明初。

今有刘旭先生《中国古代火炮史》（上海人民出版社 1989 年版）一书，可参阅。

152.辽宁瓦房店市马圈子汉魏晋墓地发掘

作　者：大连市马圈子汉魏晋墓地考古队　许明纲、刘俊勇、吴青云

出　处：《考古》1993 年第 1 期

马圈子汉、魏晋墓地是 1981 年在文物普查时发现的。墓地位于辽宁省瓦房店市老虎屯满族镇马圈子村东北的平地上。墓地面积约 9 万平方米。20 世纪 70 年代末至 80 年代初，因在此地取土烧砖，致使数以百计的石板墓遭到破坏。1989 年，沈（阳）大（连）高速公路施工经过墓地中心地段。考古人员对工程范围内的石板墓进行了抢救性的清理发掘。发掘工作自 5 月 30 日开始，6 月 14 日结束，共清理了 4 座墓葬，编为瓦马 M1 ~ M4。

简报分为：一、墓室结构，二、随葬器物，三、结语，共三个部分予以介绍，有照片、手绘图。

据介绍，4 座墓葬均以较为规整的泥质板岩石板构筑，石板一般长 30 ~ 40 厘米，宽 20 厘米，厚 10 厘米左右。其中 M1 为四室墓，其余 3 墓均为双室墓。M1 因被盗无随葬品，其他各墓随葬品有陶器、钱币等。

简报认为，马圈子墓地的年代当在东汉末期至魏晋。M3、M4 要晚于 M1、M2。

153.辽宁大连市郊区考古调查简报

作　者：刘俊勇、王　瑽

出　处：《考古》1994 年第 4 期

大连市郊区，包括旅顺口、甘井子和金州三个区。因金州区系近年由原金县改为市辖区，故本文调查材料不包括金州区。1980 年考古人员对上述两郊区境内的文物古迹进行了全面普查，发现数十处古文化遗址（附表）。

本文择其较重要的 6 处遗址，简报分为：一、新石器时代遗址，二、青铜时代遗址，三、结语，共三个部分予以介绍，有手绘图、照片、拓片。

据介绍，这次调查的大连市郊区新石器时代遗址可以分为三个类型。

第一类型有王家屯、文家屯 A 类陶器、大潘家村 A 类陶器等。这一类型与郭家村下层一致，简报推断其年代在距今 5000 年以上。

第二类型有文家屯 B 类陶器、石灰窑村 A 类陶器等。这一类型陶器在瓦房店市长兴岛三堂村遗址下层和交流岛马路村遗址多有发现，具有一定的代表性，当介于郭家村下、上层之间，简报推断其年代在距今 4500 年左右。

第三类型有文家屯 C 类陶器、大潘家村 B 类陶器等。这一类型与郭家村上层一致，简报推断其年代在距今 4000 年以上。

这次调查的青铜时代遗址也可以分为三个类型。

第一类型为小黑石砣子 A 类陶器。这一类型陶器以夹砂黑褐陶为主，也有少量的黑皮陶。这一类型与双砣子一期文化、于家村下层一致，其年代在距今 4000 ~ 3600 年之间。

第二类型为小黑石砣子 B 类陶器。这一类型陶器以泥质磨光黑陶为主，多见轮制。这一类型与双砣子二期文化一致，陶器并可补其不足，其年代当在距今 3400 年左右。这组陶器与山东岳石文化同类陶器十分相像，说明受到岳石文化深刻的影响。

第三类型以大砣子遗址为代表。这一遗址保存较好，采集标本比较单纯，仅个别磨光黑陶豆、盂属于第一、二类型。以夹砂灰褐陶为主，还有部分夹砂黑褐陶。这一类型与双砣子三期文化、于家村上层一致，其年代在距今 3000 年左右。

154.大连长兴岛西礓坡墓地发掘简报

作　者：大连市文物考古研究所　张翠敏、张志成、刘金成、姜宝宪

出　处：《北方文物》2011 年第 3 期

2010 年 5 月，考古人员对西礓坡墓地进行了抢救性发掘，共清理墓葬 5 座，其

中砖室墓1座、石板墓4座，周围有多座石板墓已被完全破坏。墓葬随葬品较少，以陶器为主，有白陶瓮、陶房、陶鼎、釜、罐、盆、耳杯，以及玻璃耳珰等。此外有的墓葬还发现有动物骨骼。年代在东汉末至魏晋时期。

简报分为：一、砖室墓(M1)，二、石板墓，三、结语，共三个部分予以介绍，有手绘图。

据介绍，西疃坡墓地规模小，墓葬普遍较小，形制简单，被破坏严重。以石板墓为主，仅发现一座砖室墓。墓葬分布比较随意，不整齐，墓向不一，未发现葬具。墓葬内人骨保存普遍不好，头向不一致，从残存人骨分析，多为夫妻合葬。墓葬随葬品少而简单，以陶器为主，有的墓葬仅随葬一件陶器，有的墓葬没有随葬品，说明该墓地应为一般平民墓地。

简报推断该墓地时代为东汉末年至魏晋时期。M3、M5随葬梅花鹿，尤其是M5随葬完整梅花鹿个体，在大连地区同时期墓葬中少见，为研究东汉末年至魏晋时期长兴岛人们的葬俗提供了新资料。

鞍山市

155.辽宁岫岩城南遗址

作　者：鞍山市岫岩满族博物馆　卜常盛

出　处：《北方文物》2009年第2期

为配合基建，考古人员分别于1988年、1997年、1998年清理了岫岩县城南的4处遗址，面积共47平方米。发现了灰坑、灶址等遗迹，以及大量的陶器、铜镞、铁农具等遗物，在陶器当中泥质灰陶器占绝大多数。可以看到这一遗址既具独特的地域性特点，又与周边文化有密切联系。年代应在战国晚期至西汉初期。简报分为四个部分并配以手绘图手以介绍。

据介绍，城南遗址位于岫岩县城南县技工学校内，基建时发现。岫岩城南遗址陶器大部分为泥质灰陶，火候不高，器类少而单纯。出土15件铁器，说明铁已泛应用于生产之中。岫岩城南遗址出土实物证明，在战国晚期至西汉初期，中原汉人源源不断来辽东（包括岫岩地区）进行垦荒屯田，与辽东地区的燕人后裔及各族人民共同创造了华夏文化。

简报称，岫岩城南遗址的发现，为东北边疆考古和东北地方史研究增添了新的实物资料。

抚顺市

156.辽宁抚顺市前屯、洼浑木高句丽墓发掘简报

作　者：王增新

出　处：《考古》1964 年第 10 期

前屯、洼浑木两地，均位于抚顺市东郊浑河北岸沿河平地上。前屯西北距章党车站 7 公里。洼浑木在前屯东北 7 公里，两村之间隔一道山冈和西沙窝村。这一带是浑河中、上游的丘陵地带。这两个村都面向浑河，背靠着山冈。就在山冈前面，分布有高句丽墓葬。1956 年 9 月上旬至 10 月中旬，考古人员对上述两地的高句丽墓葬作了发掘。前屯发掘了 13 座，洼浑木发掘了两座。1957 年 10 月上旬，又继续在前屯发掘了 4 座。两次总共发掘 19 座，出土遗物七十多件。这两群墓葬早经破坏，葬式、葬具多不明了，出土遗物也较少，有的只存残片。

简报分为：一、前屯高句丽墓；二、洼浑木高句丽墓；三、小结，共三个部分予以介绍，有手绘图、照片。

据介绍，在前屯两次总共发掘 17 座，分为平盖顶墓（6 座）和叠涩顶墓（9 座）两类。洼浑木共发掘两座，葬在村西北的山根前面，两墓间距为 70 米，均部分遭到破坏，从现状看均属叠涩顶石筑单室墓，构造及用材与前屯叠涩顶墓相同。

简报称，墓葬虽然分布在前屯和洼浑木两个地点，但结构以至建筑用材都是相同的。随葬器物如泥质陶器、釉陶器和装饰品的质料、制法、式样和纹饰，也都具有相同的特点。这些情况表明它们虽然分属两个葬地，但是属于同一系统的遗存。在葬式上，叠涩顶墓中埋葬人骨多则三架，少则一架。平盖顶墓墓室都很窄小，当都是葬单人的。人骨都作仰卧平伸姿势，夫妻合葬的男在右，女在左。人骨的头向绝大多数是向南的。其中头向墓门的葬法，显然和其他地区头向后壁的葬法有所不同。这可能是当时当地流行的一种葬俗。随葬品很少以至没有，器物类型简单，除少数墓随葬有一两件装饰品外都是陶器，可以看出这批墓葬大多是一般百姓的墓葬。

至于对这批墓葬年代的估计，简报认为，总的看来，它们可能为高句丽中期到晚期，即相当于南北朝到隋唐之际的一段时期的。

今有郑永振先生《高句丽渤海靺鞨墓葬比较研究》（延边大学出版社 2003 年版）一书，可参阅。

157.辽宁抚顺高尔山古城址调查简报

作　者：抚顺市文化局文物工作队
出　处：《考古》1964年第12期

1956年考古人员对高尔山古城址进行了调查，1963年夏季又复查了一次，采集和收集到不少遗物。

简报分为：一、地理位置，二、山城形制，三、城内出土遗物，四、小结，共四个部分予以介绍，有照片、手绘图。

据介绍，古城址位于抚顺市北的高尔山上，距浑河北岸2公里。高尔山的东、西、北三面皆为绵亘的山岭，东有抚西河，从北来经山城北、东向南流入浑河。高尔山南面0.5公里许即抚顺城（老抚顺），西南距将军堡2公里。由抚顺至铁岭的公路从山城中南北穿过。这座山城居高临下，正扼浑河沿岸的交通要道，形势相当险要。高尔山高出地面70～140米，东、西、北三面皆为蜿蜒的山脊，在中部又有一支北从将军峰起向南伸延的山脊，形成了东西两个深阔的山谷。山城主要占据了东面的山谷，利用山势的有利条件，沿山脊上筑起土壁，平面略近椭圆形，城垣周长约4公里，有东、南、北三门。城壁轮廓基本清楚，现存高度一般为2～5米。入南门大约170米处有一水泉，应是当时城内使用的水源。城内地面散布很多遗物，有灰、红板瓦、莲纹瓦当，瓦片遍地皆是，也常发现绳纹长方砖、铁器、铜钱、箭头等。1963年曾在西坡出土了一批铁器，包括铧、犁镜、斧、矛、镞、马镫、车辖、锅等。在南门前面的围墙里，也散布有一些砖瓦陶片，但不如主城内多。在西面山谷里没有发现遗物，可能与西面山谷的北段围墙和主城不是同一时期所建有关。简报推断该城为高句丽时期所建，具体始建时间不详。

158.辽宁清原县近年发现一批石棺墓

作　者：清原县文化局、抚顺市博物馆　王运至、徐家国
出　处：《考古》1982年第2期

1972年以来，在辽宁省清原县四个公社农田基本建设中发现一批石棺墓。考古人员调查了出土经过并回收了出土文物。这些墓虽因遭到破坏，未能做完整的清理，但所出文物很珍贵，对我们了解辽东地区古代文化有着重要意义。简报配以照片、手绘图予以介绍。

据介绍，这批石棺墓由于遭到破坏，墓室结构都不十分清楚，就残存的墓葬观察，应是先挖一个长方形墓圹，在圹内用稍经修整的石板立于墓圹四壁，上下也用石板铺盖。

土口子中学石棺墓出土于县镇东北40公里的土口子中学。1972年6月学校平整运动场时，在距地表30厘米处出土石棺墓一座。石棺是用6块石材稍经修整成板状立于墓圹四壁，棺上下皆铺盖石板。石棺长约1.8米、宽约0.8米，出土物收回3件，计黑陶壶1件、石斧1件、石锛1件。

湾甸子公社小错草沟石棺墓出土地位于县镇东南38公里。1974年7月，村民在小错草沟口的一块台地上取土积肥，在距地表35厘米处出土石棺墓1座。石棺结构与土口子中学石棺墓相同。棺长2米、宽0.6米、高0.55米。棺内淤满积土，回收石剑两把。

北三家公社李家卜石棺墓出土地在县镇西北35公里。1975年10月，在卜西附近耕地里清理残破石棺墓一座。棺长2.45米，东南宽0.94米，西北宽0.63米，高0.9米。人骨架已腐朽，出纺轮2件，夹砂黑褐色陶片7片。1978年5月，在李家卜东北1公里的大葫芦沟又发现石棺墓4座。其中3座已毁，另1座出土青铜剑、青铜矛、青铜钺共4件。夏家卜公社马家店石棺墓出土地位于县镇北25公里。1976年1月发现，出土黑陶壶、石刀各1件。

简报称，这批石棺墓的出土，使我们得知远在两千多年前，像辽东这样偏远的深山老林中也有我国少数民族活动的足迹。关于这批石棺墓的时代，由于都未经发掘，对墓室结构、葬式、随葬遗物分布都不十分清楚，又没有可供明确断代的伴存物，故对其确切年代目前尚难肯定。

159.抚顺地区早晚两类青铜文化遗存

作　者：抚顺市博物馆考古队　王秀嫣

出　处：《文物》1983年第9期

抚顺地区1975年发现了伴存有商代青铜环首刀，以夹砂红褐陶三足器为特征的望花遗址，继又发现了具有同一特征出土有大型筒式鬲的小青岛遗址，以及清原、新宾、市郊区等地的青铜短剑墓遗存。1980年以来在新宾县和抚顺郊区开展的文物普查中，发现了属于战国以前的早期文化遗址74处。其中以夹砂红褐陶三足器为特征的文化遗址52处。通过这些材料的整理分析，发现在秦汉以前，抚顺地区曾存在着早晚两类青铜文化遗存。

简报分为：一、以夹砂红褐陶三足器为特征的青铜文化遗存，二、以曲刃短剑为特征的青铜文化遗存，共两个部分予以介绍，有照片、手绘图。

据介绍，第一类青铜文化遗存主要分布在浑河及其支流苏子河、东洲河、太子河的两岸，分布比较密集的是浑河北岸的河北、前甸、碾盘等公社和高湾种畜农场一带。在已发现的50多处这类遗址中，比较重要的有抚顺望花、施家东山和位于大伙房水库西南的小青岛3处。第二类青铜文化遗存，是以曲刃青铜短剑为主要内涵。

近年抚顺、清原、新宾都发现了一批这样的剑，大多为墓葬出土，有的还与陶器共存。这类遗址中比较重要的有抚顺大甲邦石棺墓、清原门脸石棺墓、清原李家堡石棺墓、清原小错草沟石棺墓、抚顺市将军堡针织一厂出土青铜短剑、新宾大四平马架子石棺墓等。据简报推断，第一类青铜文化的时代，大体相当于中原的商周之际；第二类青铜文化的时代从春秋至战国晚期，个别的可能晚至汉初。

160.辽宁抚顺大伙房水库石棺墓

作　者：佟　达、张正岩

出　处：《考古》1989 年第 2 期

在抚顺地区 1982 年的文物普查中，于大伙房水库祝家沟等地点发现了一组保存较好的石棺墓。简报分为四个部分予以介绍，有手绘图等。

据介绍，石棺发现地点有抚顺市东约 35 公里的大伙房水库南岸小青岛、东岸八宝沟、北岸祝家沟，计 6 座墓。新宾县县城红山、南杂木镇西山、大四平乡、汤图乡河西村均有石棺墓。清原县斗虎屯白灰厂、土口子乡、甘井子乡大庙村、南八家乡吴家堡子、南口前乡、夏家堡乡等均有石棺墓。抚顺市区、抚顺县丹东路、碾盘乡茨沟、顺城区塔峪乡、兰山农场、李家乡莲花堡等，也都有石棺墓。这些石棺墓的年代，简报推定为战国早、中期至战国晚期、汉初不等。

简报指出，抚顺区石棺墓遗存是具有浓郁地方特色的文物，上承本区早期青铜文化，下及燕汉文化到达本地区之时。

161.赵家坟石棚发掘简报

作　者：辽宁省文物考古研究所、抚顺市博物馆

出　处：《北方文物》2007 年第 2 期

2003 年 6 ～ 9 月，考古人员对抚顺市关山水库库区内的赵家坟石棚进行了抢救性清理，清理出壶、罐、佩饰等随葬品 8 件，文化性质属于双房类型，年代大体在西周中期到春秋时期。

简报分为：一、地理位置，二、石棚结构，三、遗物，四、结语，共四个部分予以介绍，有手绘图。

据介绍，石棚位于抚顺县救兵乡关门村一队赵家坟，故称赵家坟石棚。石棚是用大石立砌而成，裸露于地表面。共出土随葬器物 8 件，有陶壶、陶罐、管饰、佩饰等。有人头骨残片等，说明此石棚为墓葬。

162.辽宁抚顺李石开发区四号路墓群发掘简报

作　者：辽宁省文物考古研究所、抚顺市博物馆　高振海、徐韶钢、赵少军
出　处：《北方文物》2013 年第 4 期

2008 年辽宁省抚顺市李石开发区四号路建设工地上发现 4 座古墓葬，其中 1 座为绳纹小砖券拱砖室墓，券拱用绳纹小砖，并以绳纹小砖铺底；其余 3 座为子母砖券拱砖室墓，券拱用楔形子母砖，用方形地砖铺底。4 座墓葬共清理出 102 件陶器，包括罐、壶、盆、耳杯、灶、樽等。墓葬年代分别属于东汉中期、东汉末期至曹魏两个时期。

简报分为：一、M1 及出土遗物，二、M2 及出土遗物，三、M3 及出土遗物，四、M4 及出土遗物，五、结语，共五个部分予以介绍，有手绘图。

据介绍，20 世纪 60 年代以来，在包括李石开发区在内，沈抚交界处面积 20 多平方公里的区域内，曾多次发现西汉至魏晋时期的墓葬，沈阳市文物考古研究所、抚顺市博物馆已做过许多工作。简报根据以往的工作推测这一区域内应有数以千计的汉至魏晋时期的墓区，简报认为此次发掘的 4 座墓仅仅是沧海一粟，也是本地区同时期比较典型的墓葬。

本溪市

163.本溪地区太子河流域石器至青铜时期遗址

作　者：本溪市博物馆　齐　俊
出　处：《北方文物》1987 年第 3 期

太子河发源于辽东山区，其中一个源头出于本溪县境内。它流经本溪县及本溪市区的大部分地区。经过几年的考古调查，发现太子河沿岸分布着密集的古文化遗址。其中较为典型的有碱厂九龙头遗址、南甸南阳后台子遗址、北甸三角洞遗址、马城子老砬背山洞遗址、山城子乡庙后山遗址、泉水乡蜂蜜砬子遗址、小市马平沟遗址、小市通江峪遗址、小市谢家崴子水洞遗址、偏岭老虎洞遗址、牛心台卧龙绢纺东山坡遗址等三十余处。这些古文化遗址，为研究本溪地区太子河上游新石器时期至青铜时期古遗址的特点、类型及其特征，提供了宝贵的实物材料。

简报分为：一、文化遗址，二、文化类型，三、结语，共三个部分予以介绍，有手绘图。

据介绍，这些遗址从用途看大致可分为几类：一是石器加工地点；二是洞穴古人居住地点；三是洞穴墓地。洞穴墓地多无墓坑，无葬具，以火葬为主，可分就地火葬、

二次迁移火葬（或乱骨葬）、仰身直肢葬等，常见骨架旁随葬有猪骨、鹿骨等现象。这些遗址的年代，早的距今5000年左右，下限应已进入了青铜时代。

164.辽宁桓仁浑江流域新石器及青铜时期的遗迹和遗物

作　者：齐　俊

出　处：《北方文物》1991年第1期

桓仁县位于辽宁东部山区，县境内的一条主要河流——浑江，由东南向西北方向流过。浑江流域土质肥沃，水源充足，非常适合于人们生活和居住。经过1980年的全县文物普查以及其后不断进行的考古调查发现，浑江流域古文化遗迹和遗物分布密集，仅新石器至青铜时期的遗迹分布地点便有20余处。

简报分为：一、文化遗址及墓地，二、各遗址的文化特征，三、几点认识，共三个部分予以介绍，有手绘图。

据介绍，简报着重介绍了姚山、台西沟、拉古甲、边石哈、曹家堡子、大梨树沟、荒沟、狍圈沟等8处遗址。简报认为这些遗址大体可分两组：第一组的遗址包括台西沟、姚山、边石哈、拉古甲、曹家堡子5处遗址。遗址的特点是打制石器多于磨制石器，代表性器物是打制亚腰形石镐、石锄，也是这组遗址中常见的器物，应属距今5000年左右的新石器晚期遗存。第二组包括荒沟遗址、狍圈沟遗址、大梨树沟墓群。这3处遗址中的石器均以磨制为主：特别是磨制石刀、石镰、石斧、环状石器等，制作较精，应属距今3300～3600年的青铜时代遗存。

165.辽宁桓仁县抽水洞遗址发掘

作　者：武家昌、王俊辉

出　处：《北方文物》2003年第2期

抽水洞遗址位于辽宁省桓仁满族自治县四道河子乡大甸子村，为一处战国至秦汉时期的古代遗址。1994年考古人员对该遗址进行了考古发掘，揭露出房址、灰坑、水沟、石墙，以及一批很有价值的文物，有铁掐刀、铁镰、铁镬、刀币、布币、半两钱、陶塑羊头及绳纹陶片等，证明了此地当时应属辽东郡所辖，为我们确定当时战国至秦汉王朝的疆域提供了确凿的实物证据。

简报分为：一、遗址的地理位置及周围环境，二、遗址状况及地层堆积，三、遗址的遗迹情况，四、出土遗物，五、结语，共五个部分予以介绍，有手绘图等。

据介绍，发现有房址两座、灰坑5个、沟1条。出土遗物主要有陶器、铁器、铜钱，还有少量石器、骨器。

丹东市

166.丹东市东沟县新石器时代遗址调查和试掘

作　者：丹东市文化局文物普查队　许玉林、高洪珠

出　处：《考古》1984 年第 1 期

东沟县位于辽宁省南部的辽东半岛东北隅，东北离丹东市 40 公里，县境内北部丘陵起伏，为长白山余脉，南为一片海岸平原，大洋河纵贯县境西部，由北向南注入黄海。1981 年 9 月，考古人员对东沟县进行了为期 3 个月的文物普查，先后发现了 30 余处新石器时代遗址，其中较重要的有十几处，有的还根据情况进行了试掘。简报分为几个部分予以介绍，有照片、手绘图。

据介绍，东沟县新石器时代文化可分四期。第一期的文化性质与辽宁南部地区的长海县小朱山下层文化类型一致，其年代应在 6000 年以上，是辽宁省新石器时代遗址中的一次重要的新发现。第二期文化与辽南地区的小朱山中层、郭家村下层相一致，年代相当于 5000 多年。第三期文化发现地点较多，分布范围较广，除了与辽南地区小朱山上层、郭家村上层有一定关系（如有折沿罐、环足器）外，又具有一定的地方特色，年代距今 4000 年左右。第四期遗址的地点较多，分布范围较广，遗物丰富，情况也比较复杂。从出土器物看，这一时期遗址应有早有晚，暂时均归为四期，从陶器和生产工具来看，简报认为应属新石器时代晚期到青铜时代文化。

167.辽宁丹东地区鸭绿江右岸及其支流的新石器时代遗存

作　者：许玉林、金石柱

出　处：《考古》1986 年第 9 期

丹东地区鸭绿江右岸包括其支流浑江、蒲石河、叆河流域，主要是在宽甸县和振安区境内。该区多山地丘陵，属长白山延续余脉。河流多短小曲折。1980 年至 1983 年，考古人员先后在宽甸县和振安区内进行文物普查，发现了近 20 多处新石器时代遗址。简报分为三个部分，配以照片，介绍了其中 12 处主要遗存。

据介绍，丹东地区鸭绿江右岸及其支流新石器时代文化特点：遗址多分布在江河沿岸的台地和山坡上，分布面积较小，文化堆积较薄。陶器以夹砂红陶为主，其次是夹砂黑陶，多含滑石粉，手制。陶器纹饰多刻划纹，有刻划竖平行线纹、人字纹，

较早的遗址中还发现有压印之字纹。器型多直口筒形罐、鼓腹罐、直领壶。生产工具有打制和磨制石器，没有发现压制石器。打制石器以束首有肩石锄、两侧带缺口卵石网坠为最多。磨制石器有扁平柳叶形石镞、石刀、石斧、磨盘、磨棒等，较晚的遗址中出现双孔石刀、环状石器。此外还有大量打制陶片网坠。从生产工具看出，是以渔猎兼有农业。具体说又可分为三类：第一类年代应在六七千年前；第三类年代的有已进入青铜时期；第二类介于二者之间。

锦州市

168.锦州山河营子遗址发掘报告

作　者：刘　谦

出　处：《考古》1986 年第 10 期

山河营子遗址位于锦州市西 9 公里山河营子乡西平顶山上，遗址是 1957 年 4 月 5 日考古人员在普查文物时发现的。遗址因战争年代的利用而被挖成一条战壕，因而将地下遗物暴露出来，出现了一些石器、陶器、兽骨、红烧土等，并因出土遗物较多，考古人员进行了清理、发掘。发掘清理工作从 6 月 2 日开始，至 29 日结束，发掘总面积 260 平方米，计清理标本 138 件。

简报分为：一、文化层堆积，二、山河营子下文化层，三、山河营子上文化层，四、结束语，共四个部分予以介绍，有手绘图、拓片。

据介绍，山河营子遗址，从出土器物群分析，应分为两种文化，下文化层特点与城子崖文化相接近。上文化层有的文化因素与夏家店上层文化层相接近，但两者也有差别。一般认为，夏家店上层文化属两周时期。

169.辽宁锦西邰集屯三座古城址考古纪略及相关问题

作　者：吉林大学考古学系　朱永刚、王立新

出　处：《北方文物》1997 年第 2 期

邰集屯镇隶属于辽宁省锦西市连山区，东距锦州市 25 公里，南距锦西市 45 公里，地处辽西走廊北端。在以往的考古调查中，邰集屯及周围地区共发现了 3 座古城址。一座位于镇农药厂，另两座均位于镇西北约 1 公里处的小荒地村西侧，且南北相邻。小荒地偏北的一座古城系依山势修筑的山城，偏南的一座为夯土城。其中后者因保存较好，城垣宛然，1985 年被定为锦西市文物保护遗址，1988 年又被定为省级文物

保护遗址。由于郃集屯3座古城所处地理位置十分重要，1993年4月考古人员对这三座古城进行了考察。

简报分为：一、小荒地南城址，二、小荒地北城址和镇农药厂城址，三、几种文化遗存，四、郃集屯三座城址的年代与性质，共四个部分予以介绍，有手绘图。

据介绍，小荒地南城址周长近900米，始建年代应不早于燕文化时期，主要使用年代为西汉时期，废弃年代当不晚于东汉时期。小荒地北城址依山势而建，平面呈不规则半椭圆形，弧长856米，简报认为应是夏家店下层文化之后、战国燕文化之前某一时期的古城遗址。镇农药厂城址，城周长应在1600米左右，简报认为是一座汉代古城遗址。一般认为，夏家店下层文化应相当于夏商时期文化。

营口市

阜新市

170.辽宁彰武县考古复查纪略

作　者：辽宁省文物考古研究所、吉林大学考古系　徐光辉

出　处：《考古》1991年第8期

彰武县位于辽宁省西北部、医巫闾山北缘以东，柳河自西北向东南贯穿全境。北部地势较高多沙丘，南部为柳河下游，地势比较平缓。据《考古学报》1992年第4期报道，早在1979年，彰武县平安堡即发现古代遗址，1983年试掘，发现房址8座、墓葬18座、灰坑、灰沟187个。陶、石、骨、蚌、铜器近500件。1988年春，考古人员重点复查了新石器及青铜时代遗址12处，同时新发现新石器时代遗址2处，获得了一批实物资料。此外，还发现少量战国时期遗物。

简报分为：一、新石器时代遗物，二、青铜时代遗物，三、战国时期遗物，四、结语，共四个部分予以介绍，有手绘图等。

据介绍，新石器时代遗物发现较少，内涵单纯，共12处，简报列有表格。年代在公元前3000年左右。青铜时代遗物可分甲、乙、丙三类，年代大体相当于龙山文化晚期到商代中期，再到商代晚期，经历了一个相当长的发展过程。战国时期遗物则表明燕文化向北传播到了很远的地区。

辽阳市

盘锦市

铁岭市

171.辽宁昌图县发现战国、汉代青铜器及铁器

作　者：裴耀军

出　处：《考古》1989年第4期

1986年6月3日，昌图县长发乡翟家村农民在采石中发现一批青铜兵器和铁器。7月18日考古人员前往出土地点进行了实地调查，查明这批文物均出自一个窖穴。遗物在坑内摆放有序。三把青铜剑在坑的西侧平放，柄北锋南，剑锋南为铜镞和骨镞。坑东侧北半部摆放T形剑柄和加重器，南半部摆放铁镬和一钩状铁器。简报配以照片、手绘图予以介绍。

据介绍，昌图县长发乡翟家村出土的这批文物，一号剑是中原地区春秋至战国时期普遍流行的形式，到战国中晚期，一些边远地区也已使用。三号剑是东北地区曲刃短颈式青铜短剑中B型剑的末期形式，与其相似的剑在辽宁新宾县马架子石棺墓、吉林集安县五道沟门方坛阶梯式积石墓、吉林怀德县大青山土坑墓中均有出土。这些墓葬的年代都定在战国末至汉初。昌图翟家村出土的这把剑，无疑也应该是同时期的遗物。简报推断为战国末至汉初。这次发现的剑柄属T字形剑柄的晚期形制，柄上凸珠式纹样是有实用价值的装饰花纹。加重器的形制是新发现的式样，上边的沟纹是为了更牢固地固定在柄盘上而磨制的，它比以往发现的加重器更具有先进性，应当是同类器物中的末期形制。

172.辽宁省抚顺市浑河流域石棚调查

作　者：徐家国

出　处：《考古》1990年第10期

自1980年以来，辽宁抚顺地区开展了文物普查工作，在浑河流域的三个县发现了石棚15座。1983年5～6月、1988年11～12月，考古人员对发现的15座石棚又进行复查，所获资料简报配以照片予以介绍。

据介绍，石棚在抚顺县发现7座，新宾县发现6座，清原县发现2座。抚顺地区石棚大部分建在临河的丘陵或高山，单个占多数，两个或成群的属个别的，多数规模小且简陋。简报推断年代属青铜时代或稍晚，属于墓葬。

173.辽宁铁岭市邱台遗址试掘简报

作　者：铁岭市文物管理办公室　周向永等

出　处：《考古》1996年第2期

邱台遗址位于铁岭市南郊，地处沈阳、铁岭两市交界处，现属铁岭县新台子经济技术开发区。遗址东距懿路村1.5公里，北距西地村1公里，西邻新台堡村，南隔懿路至新台子的县级公路即是沈阳、铁岭两市的界河——万泉河。1973年，新台子砖厂在遗址区内取土时发现了大批战国钱币。1980年的铁岭县文物普查中，对该遗址又作了重点调查。此后，在砖厂施工取土过程中，又陆续有陶器和古钱币零星出土。1982年10月，考古人员对该遗址进行了抢救性发掘，出土了大批遗迹、遗物。1993年上半年，遗址因基建施工而遭大面积破坏，考古人员闻讯赶赴现场时，仅原墩台基址尚存，余皆夷为平地，当即对遗址又进行了抢救性发掘。

简报分为：一、地层堆积，二、遗迹和遗物，三、结语，共三个部分予以介绍，有手绘图、照片。

据介绍，邱台遗址文化堆积比较单纯，所出遗物均见于遗址第3层，从器物形制等方面分析，总体上当属同一时代遗存。遗迹主要有房址、窑穴和墓葬等。遗物有陶器、石器、铜器、铁器、骨器、金器、玻璃器，除上述发掘品外，考古人员还征集到砖厂历年取土中在遗址区内发现的许多陶、石、铜器。邱台遗址早期青铜时代遗存的年代，简报推断大致为春秋末叶，邱台遗址晚期以细泥陶为代表的铁器时代文化从战国延续至汉代，下限至两汉之交。

简报称，邱台遗址的发掘，为西汉望平县治地望的研究提供了可供比照的地理坐标。

174.辽宁开原境内的高句丽城址

作　者：周向永、赵俊伟、李亚冰

出　处：《北方文物》1996年第1期

辽宁开原东部山区，历史上曾一度为高句丽辖境，高句丽人在此留有城址、墓葬等遗迹。考古人员对这些遗迹进行了调查，现将其中城址部分的材料整理出来，简报配以手绘图予以介绍。

简报共介绍了三座城址：

一为马家寨山城。马家寨山城位于开原市东南 27 公里，山城所在为马家寨乡中学校址，山城东侧是马家寨水库。城墙周长 1480 米。

二为八棵树古城子山城。古城子山城位于开原市八棵树镇古城子村南，西距八棵树镇 7.5 公里，南距清河 1.5 公里，北距阿拉河 2.5 公里。阿拉河自东向西入清河，城址即在两河交汇处的丘陵山地西端，地理位置非常重要。城墙周长约 2500 米。

三为龙潭寺山城。龙潭寺山城位于开原市威远堡镇陈家村南 0.5 公里处，寇河在山城南 1.5 公里处由东而西入清河，山城南侧为寇河谷道平原，地势比较开阔；东、西、北三面为龙潭山七峰环抱，城墙即七峰连接而成。城中有两个蓄水池，呈葫芦状相连。清乾隆年间，城中曾建一庙宇，名“七鼎龙潭寺”，现庙址犹存。城墙周长约 1450 米。

简报称，此三处城址均为中小型城，应建于晋、唐时期。易守难攻，显然具有军事要塞的意义。在城址出土有铁镞等可为佐证。

简报指出，值得提及的是，在马家寨山城西墙外发现“高句丽长城”，无论是在构筑材料和建筑方式上，均与山城城墙相同，属同一时期建筑无疑。《旧唐书·高丽传》记载高句丽历史上曾“发其国，举筑长城”。《新唐书·高丽传》更明确记载这段长城规模及起止：“乃筑长城千里，东北首夫余，西南属之海。”有学者考证高句丽夫余城为今西丰城子山山城，如果此推断无误，那么高句丽长城当自此始。

175.辽宁铁岭市大山嘴子青铜文化遗址调查

作　者：许志国

出　处：《北方文物》2011 年第 2 期

1994 ～ 1995 年，考古人员发现并几次调查了铁岭市东郊的大山嘴子青铜时代遗址，出土了三种代表不同时代和文化类型的文化遗物，有打制石器、磨制石器、陶器、铜器，遗物非常丰富，是辽北地区一处典型的青铜时代文化遗存，表现了明显的地域文化特点，年代在商周至春秋中期前后。

简报分为：一、遗址现状与文化层堆积，二、采集遗物，三、结语，三个部分予以介绍，有手绘图。

据介绍，此遗址系采石厂工人 1994 年 5 月采石时发现，1995 年春，为配合沈阳至四平高速公路建设进行了复查。大山嘴山遗址的遗物，经几次调查采集和在石场工人手中征集，十分丰富，主要有石器、陶器和铜器。可分为三种文化的遗存：第一种文化的时代约在商周之际。第二种文化陶土中夹杂有大量滑石粉，时代约在西周晚期前后。第三种文化为青铜短剑文化，时代为西周晚期至春秋早期前后。

朝阳市

176.朝阳地区发现的剑柄端加重器及其相关遗物

作　者：靳枫毅

出　处：《考古》1983年第2期

朝阳地区地处辽宁西部丘陵地带，西、北与昭乌达盟喀喇沁旗、宁城县、赤峰县、敖汉旗和哲里木盟奈曼旗毗邻，东北与阜新县搭界，东与锦州地区、南与河北青龙、平泉相连，老哈河沿其西境自南向北流，大凌河由西南向东北横贯其中部，小凌河经其东域流经锦州入海。近些年来，经过大量考古调查和发掘工作，获知这一地区含曲刃青铜短剑的文化遗存，是属于夏家店上层文化的遗存，分布相当密集。简报介绍的是该地区近年来发现的一批曲刃短茎式青铜短剑的剑柄端加重器新资料。这批资料，绝大多数都有明确出土地点，其中一部分有伴存器物。

简报对所谓“剑柄端加重器”做了解释。认为就材质言，有泥捏制烧的，有石磨的，有青铜的，有含铁的。样式仅就简报介绍18件加重器标本，可分为五种类型，包括：蘑菇型、枕型、瓜稜型、凹槽型、兽乳型等。年代从夏家店文化到春秋、战国不等。一般认为，夏家店下层文化约相当于商周之时，上层文化相当于两周时期。

177.辽宁建平县的青铜时代墓葬及相关遗物

作　者：建平县文化馆、朝阳地区博物馆　靳枫毅

出　处：《考古》1983年第8期

建平县在辽宁省朝阳地区西北部，位于老哈河与大凌河之间，这一带，属夏家店上层文化系统的含曲刃青铜短剑的文化遗存极为丰富。近几年来，在农业基本建设和考古调查、发掘中发现很多。墓葬虽多遭破坏，但因建平县资料从未经报道，这部分资料仍很珍贵。简报配以手绘图予以介绍。

据介绍，建平县遗址有哈拉道口、向阳公社门前遗址、石台沟、汐子北山嘴、古山子新窝卜、老建平、华杖子、喀喇沁村、孤山子老窝卜、房身大坝南山、大拉罕沟、芥菜沟、扎塞营子、万寿河南、顺治沟、富山等20余处。不难看出，夏家店上层文化的青铜铸造业是相当发达的，其中尤以青铜兵器的繁盛最为突出。这批材料，不仅为探讨辽西地区夏家店上层文化的生产力发展水平，提供了值得重视的实物资料，

而且对研究我国北方和东北地区青铜短剑的种类、分布特点及其型式发展规律，分辨其文化性质，并进而作分期编年和族属意义的探索，也具有不容忽视的学术价值。有些遗物如铜斧、铜锛，时代要晚至西周、春秋战国。

178.介绍辽宁朝阳出土的几件文物

作　者：朝阳市博物馆、喀左县博物馆　田立坤、刘新民

出　处：《北方文物》1986 年第 2 期

朝阳地处辽宁省西部，历史上各时期的遗址、墓葬较多，出土文物尤为丰富，不仅有汉瓦唐砖，更有商鼎周彝。简报择其重要者配以手绘图、照片予以介绍。

据介绍，六扉棱圆鼎，1978 年 9 月于辽宁省喀左县坤都营子乡小波汰沟出土，现由喀左县博物馆收藏，简报推断为西周早期遗物；提梁卣，1978 年 10 月在辽宁省喀左县兴隆庄乡和尚沟墓葬中出土，简报推断为商周之际遗物；唐三彩杯，1979 年朝阳市北郊唐墓出土；双首连身镇墓兽，1972 年朝阳市北郊狼山唐墓出土，高 13.5 厘米、长 26 厘米；男侍卫俑，朝阳市纺织厂内唐鲁善都墓出土；青瓷狮嘴执壶、二龙戏珠镜，朝阳市博物馆征集品；另有女侍俑、围棋、梅瓶、龙凤纹罐，均有具体出土地点。

179.辽宁凌源安杖子古城址发掘报告

作　者：辽宁省文物考古研究所　李恭笃、高美璇等

出　处：《考古学报》1996 年第 2 期

1979 年 4 月，辽宁文化厅为培养文物干部，举办了文物普查训练班。经过学习后，分成三个队，前往朝阳、凌源、喀左三县进行实地调查、发掘。凌源安杖子古城址，就是凌源队调查及发掘的重点遗址之一。安杖子古城址位于凌源县城西南 4 公里，大凌河南岸九头山下的平坦台地上。城郭轮廓清晰，仅局部城垣略有破坏。古城东、西、南三面环山，北面临河，地势开阔。大凌河经古城北面由西向东流。此地是古代南北交通的咽喉，战略地位十分重要。

简报分为：一、地理位置与文化层堆积，二、夏家店上层文化遗存，三、战国遗存，四、西汉遗存，五、结语，共五个部分予以介绍，有照片、手绘图。

据介绍，该城址为一座不甚规整的南北向长方形古城，南北长 150 ～ 328 米、东西宽 200 ～ 230 米。古城的东北角筑有一近梯形小城，小城南北长 128 米，东西宽 80 ～ 116 米。简报认为该古城年代为西汉时期。

简报指出，安杖子古城址早在夏家店上层文化时期就已形成了村落。到战国时

期因右北平郡的设置而逐步发展兴盛起来。西汉时期，由于征伐匈奴，该地便成为军事交通重镇。安杖子古城址靠近大凌河谷，战略地位十分重要，是扼守燕山的门户。这次考古发掘，从古城址出土的多件陶器口沿和器底常刻有石城两字的陶文印记以及十几方封泥中，唯独不见石城，安杖子古城址应为右北平郡的石城县。对古城址内房址、灰坑、石子路等遗迹的揭露，丰富了我们对北方战国至西汉时期城市房屋建筑方面的知识。一般来说，西汉城市都设有内外两重城郭，平面布局呈回字形，也有的把小城设在大城的某一角。城内有固定的官署、庙堂、宅舍、作坊区，各区之间有石子路相通。从所暴露出的遗迹分析，安杖子古城的布局，是符合这一传统建筑规律的。安杖子小城设在东北角，大城中间偏北应是官署区，西北为作坊区，集市和住宅区应在城址北部。战国至西汉时期北方的房舍建筑，还带有很大的原始性。如半米高的墙壁仍埋在地下，尚未完全摆脱半地穴式的古老传统建筑形式。房柱有的立在屋地上，有的柱脚下端仍埋在地下30余厘米深。除房顶铺瓦外，墙壁还是夯筑土墙，砖墙在北方这个时期还是较为少见的。

简报介绍说，从出土遗物看，从城址出土的齿轮、钻头、锯条和各种铁铸生产工具分析，当时北方的生产技术与中原发展水平大体相一致。出土的铁铸齿轮是最好的证明。齿轮是原始机械的主要部件，是机器运转和动力传导不可缺少的组成部分。在当时来说，齿轮可谓是先进技术的体现。城址中出土了多件铸镞铤的陶范以及坩埚、鼓风管、炉箅残块等遗物。这些制造兵器的器具和冶铸设备的发现，证明西汉时期我国东北地区的冶铸业已有了相当的发展。各种铁制工具，如锄、锛、锯、斧和先进兵器戟、剑、镞以及甲片等形制均与中原同类器物相仿。出土的大量铁镞铤范，说明该城址内还设有常年制造兵器的作坊。

此次发掘的一个重大收获是19方封泥的出土，这对研究西汉时期的北方疆域是非常珍贵的资料，同时为安杖子古城址属县的确立及深入研究右北平郡各县的地理位置提供了重要线索。

180.朝阳王子坟山墓群1987、1990年度考古发掘的主要收获

作　者：辽宁省文物考古研究所、朝阳市博物馆　尚晓波等

出　处：《文物》1997年第11期

王子坟山墓群位于辽宁省朝阳县十二台乡袁台子村东约1公里，北距朝阳市区约11公里。该墓群发现于20世纪70年代初。1979年全省文物普查期间，先后对该墓地西区的数十座战国、西汉时期墓葬和墓地北约200米处的西汉“柳城”故址进行了较大规模的考古发掘。此后的数年中，又对一些零散发现的墓葬做过多次清理。

由于在该墓地范围内的十二台乡红砖一厂和腰儿营子村一砖厂的长年取土，墓葬被毁情况比较严重。1987 年春考古人员进行了调查和勘探，并对 4 座墓葬进行了清理发掘（编号为台 M8701 ～ 5713、腰 M8701）。1990 年春，再次对两个砖厂征用土地内的 21 座墓葬进行了发掘（编号为台 M9014 ～ 9030、腰 M9001 ～ 9004）。

简报分为：一、春秋时期墓群，二、战国时期墓群，三、西汉时期墓群，四、两晋时期墓群，五、墓葬年代与文化谱系，共五个部分予以介绍，有照片、手绘图。

据介绍，十二台乡红砖一厂墓群与腰儿营子村一砖厂墓群同在一个墓地范围内，东西相距 200 余米。此次发掘的 35 座墓葬，均在墓地东区。发掘的墓葬除一座为砖室墓外，其他皆为土坑墓。墓葬年代有春秋、战国、西汉和两晋时期。

简报称，春秋墓的年代大约在春秋中晚期阶段。西汉墓的年代在西汉中后期。此次发掘最多的为两晋墓。墓葬均为小型土坑竖穴，木棺很小仅以能容下死者。随葬品以陶器为主，金、银、铜饰也十分丰富。普遍存在“毁器”的现象，这在以往发现的鲜卑墓材料中是较为普遍的，而这里发现有 5 座墓葬在随葬陶壶或陶罐内放有 7 粒小石子的习俗，这一点很值得注意。简报认为这批两晋墓葬延续时间是较长的，其上限可能会早到曹魏时期，下限到慕容鲜卑在辽西建立前燕政权之前，即公元 3 世纪至 4 世纪之间。应为鲜卑人墓葬。

181.辽宁朝阳北朝及唐代墓葬

作　者：辽宁省文物考古研究所、朝阳市博物馆

出　处：《文物》1998 年第 3 期

1990 年秋，朝阳工程机械厂因技术改造工程，在原厂址北部征用了近 2 万平方米的土地，考古人员在此区域做了全面的探查，获得了 10 余座古墓葬的埋藏线索和地层堆积资料。1991 年 3 月至 6 月对其中的 9 座古墓葬进行了发掘清理。

简报分为：一、地理位置与墓葬概况，二、墓葬形制与随葬器物，三、关于墓葬形制及年代，四、结语，共四个部分予以介绍，有照片、手绘图。

据介绍，此次发掘的 9 座墓葬（编号 91CGJM1 ～ M9）中有北朝时期的墓葬 5 座，其中石室墓 4 座，砖室墓 1 座，主要分布在墓地的东北和南部；唐代墓葬 4 座，属砖室墓的有 3 座，土坑墓 1 座，均位于墓的北部。

简报称，朝阳历史上曾是十六国前燕、后燕、北燕王朝的故都。公元 436 年，北魏灭北燕之兵，这里的大批人口被迁居他乡，一时人烟稀少。隋唐两代，这里又成为北方重镇，文化有所恢复。此次发掘的北朝、唐代墓葬，很好地反映了这一段历史的变迁。简报附有出土墓志志文全文。

182.辽宁北票市大板营子鲜卑墓的清理

作　者：辽宁省文物考古研究所　武家昌
出　处：《考古》2003 年第 5 期

大板营子墓地，位于北票市大板乡波台沟村大板营子居民组，也就是大板营子村西侧的台地上。墓地所在台地为二级台地，面积有几万平方米，地势较为平坦，南部略高，北部略低。1992 年，为配合北票地区白石水库的修建，考古人员对水库淹没区进行了调查，发现大板营子西侧台地有一处古墓葬群，1995 年，对此台地进行了钻探，发现 5 座墓葬，在钻探的同时还发现已暴露在外的 5 座墓葬，则此处共发现 10 座墓葬（编号为 M1 ～ 10），主要集中在台地北部，南部发现很少。1995 年 4 月 20 ～ 29 日，对已暴露出来并受到不同程度破坏的 5 座墓葬进行了清理。这 5 座墓葬均位于台地边缘，其中，M2 和 M3 保存较好，M1、M4、M10 都已毁坏，形制不明，人骨不存，仅见随葬的几件陶罐。

简报分为：（一）墓葬形制，（二）出土遗物，（三）结语，共三个部分予以介绍，有手绘图。

据介绍，此次在北票大板营子清理的几座墓葬中，保存较好的 M2、M3 与北票房身 M3（陈大为：《辽宁北票房身村晋墓发掘简报》，《考古》1960 年第 1 期）的形制、葬制、随葬器物基本相同，由此简报认为大板营子的几座墓葬与房身 M3 为同一族系的墓葬。房身 M3，其清理者认为是鲜卑墓葬，则大板营子的几座墓葬简报也推断为鲜卑墓葬。

简报称，此次清理的墓葬中，出土了一批具有鲜卑族特色的随葬器物，为研究鲜卑族的文化提供了珍贵的新资料。

葫芦岛市

183.辽宁绥中县“姜女坟”秦汉建筑遗址发掘简报

作　者：辽宁省文物考古研究所　陈大为、王成生、李宇峰、辛　岩等
出　处：《文物》1986 年第 8 期

山海关外 15 公里的渤海之滨，有一组自然礁石耸立海中，民间传说是“姜女坟”。考古人员在附近海岸调查时又发现有秦汉时期高台建筑遗址，并认为与“碣石”有一定关系。1984 年至 1985 年，考古人员对黑山头、石碑地遗址进行了清理、发掘。

简报分为：一、石碑地秦汉建筑遗址，二、黑山头建筑遗址，三、止锚湾等四处遗址的调查，四、结语，共四个部分予以介绍，有照片、拓片。

据介绍，“姜女坟”海岸及附近的6处秦汉遗址，以石碑地建筑群址规模最大，时代较早。另几处遗址也都不晚于西汉前期。黑山头至大金丝屯4公里，止锚湾至黑山头3.5公里，在14平方公里的沿海区城内，有如此密集的秦汉遗址和海边高大建筑群，显然有着特殊的意义。海边三处相互呼应的建筑群，以规模最大、时代较早的石碑地建筑群为中心。石碑地高大的夯土台和密集的建筑址，正对着海中巨石——“姜女坟”。这个民间传说的“姜女坟”海底的北侧，堆放着一些大型白色河光石，这类河光石不见于附近海城，可能是前人有意放置的。简报推测石碑地遗址是秦始皇当年“东临碣石，以观沧海”时的行宫，所谒之石，就是所谓“姜女坟”。而黑山头遗址，是西汉时期建筑，或为汉武帝巡行时的行宫。

简报指出，位于海岸边的石碑地、黑山头、止锚湾三处建筑群，有着共同的特点，都出有形制相同的大型空心砖和较大的云纹瓦当，都未见生产、生活用具。这揭示了三者时代相同，而且性质相近。这三处建筑址以石碑地的高台建筑为中心，西有黑山头建筑，东有止锚湾建筑，对海中“姜女坟”，呈合抱之势，利用海滨地势构成独特景观与建筑风貌。因而可将三处建筑址视为统一的建筑群体——“姜女坟”秦汉建筑群体。瓦子地、周家南山、大金丝屯等处遗址与“姜女坟”建筑群体也有密切关系，故可统称为“姜女坟”秦汉建筑遗址。

184.辽宁绥中县石碑地秦汉宫城遗址1993～1995年发掘简报

作　者：辽宁省文物考古研究所姜女石工作站　华玉冰、杨荣昌

出　处：《考古》1997年第10期

石碑地宫城遗址是“姜女石”秦汉建筑群址中的主体建筑址之一，其面积较大，近15万平方米，保存情况较好。勘查工作至1992年基本完成，参照夯土基础布局，整个遗址划分为10个工作区。

1993年以后，考古人员对该遗址进行了大面积揭露，至1995年发掘工作告一段落，实际发掘面积近6000平方米。此次发掘的主要收获是发现了秦、汉两个时期的不同建筑遗迹，均为倒塌后的基础部分。遗址内出土遗物较少，所见大多是建筑构件，包括板瓦、筒瓦、瓦当、井圈、空心砖、地面砖等。

简报分为：一、层位关系与遗址分期，二、秦代建筑遗存，三、汉代建筑遗存，四、结语，共四个部分予以介绍，有手绘图、拓片。

据介绍，发掘情况表明，秦、汉时期建筑的布局与结构不同，简报已作说明。

其建筑构件的区别及秦代建筑的排水系统另有专文论述。秦代瓦件上的文字也拟别文发表。简报提出发掘中有以下情况值得注意：

1. 秦代建筑所用的圆瓦当与半瓦当在每一个单元建筑中的每一面屋檐上，绝不混用，或全用圆瓦当，或全用半瓦当。

2. 汉代建筑所用均为“千秋万岁”文字瓦当一种，但从字体、规格及形状看应有区别，这种区别是年代的差别还是形制上的差别尚不清楚。

185.辽宁绥中县“姜女石”秦汉建筑群址石碑地遗址的勘探与试掘

作　者：辽宁省文物考古研究所姜女石工作站　华玉冰、杨荣昌

出　处：《考古》1997 年第 10 期

1982 年，考古人员在辽宁省绥中县万家镇南“姜女石”附近的沿海岸线一带，发现了石碑地、止锚湾、黑山头、瓦子地、大金丝屯、周家南山等 6 处秦汉遗址。经专家认定，它们是相互关联的一处建筑群址，与秦始皇东巡“碣石”有关，并将其冠以“姜女石秦汉建筑群”的总称。

自 1984 年以来，经过考古人员多次细致的工作，至 1991 年，建筑群址中各遗址点的大致范围、文化面貌已初见端倪，对个别遗址点的抢救性清理也已告一段落。为了更加准确地了解每个相对独立的遗址点的建筑布局、内在结构和文化内涵，更有利于它们的开发与保护，自 1992 年秋以来，考古人员有计划地开始对各遗址进行了勘探、试掘和大面积揭露相结合的考古工作。迄今为止，对石碑地遗址的勘探与试掘已基本完成，前期工作共经历了测绘、钻探、布方与分区和试掘四个阶段，掌握了大量系统的基础资料。

简报分为：一、工作简况，二、地层堆积与遗址分期，三、第一期文化遗迹，四、第二期文化遗迹，五、几点认识共五个部分予以介绍，有手绘图。

据介绍，第一期城址总体布局呈“曲尺形”，而又以Ⅱ、Ⅲ、Ⅶ区构成与之相似的小“曲尺”，主体建筑夯基多分布于城内东南角的小“曲尺”范围内。在整个城址区域内，又有若干小区域，每个小区域内又有小“区”。最小的建筑区内夯基往往两两相对成组，构成一个建筑单元。整个城址布局无一规矩的横、纵轴线，各建筑区域自成体系，有较强的苑囿特点。第二期建筑规模较小，基本不超出第Ⅰ区的范围，系以第Ⅰ区 1 号夯土台基为中心而建成的曲尺形布局的建筑。从第一期文化城址的布局特点与古代建筑特征的比较，第一期文化城址建筑时代简报推断当属战国至秦汉间，第二期文化的建筑系在第一期建筑的废弃堆积上进行重建，年代稍晚。

186.辽宁绥中县“姜女石”秦汉建筑群址瓦子地遗址一号窑址

作　者：辽宁省文物考古研究所姜女石工作站　杨荣昌、华玉冰
出　处：《考古》1997 年第 10 期

在石碑地遗址北部、墙子里村与南杨家村之间有一大块耕地，当地居民对每段地块均有一俗称，自南向北依次为瓦子地、赵家坟营地、萝卜菜地和长垅地。其中瓦子地和长垅地断崖边发现有大量的建筑构件。在未进行正式考古勘探之前，简报将此区域统称为瓦子地遗址。

1993 年，为弄清瓦子地遗址的分布范围，考古人员对各地块进行了普探，并在瓦子地遗址东北部南杨家村西边（萝卜菜地）的一处断崖上发现一窑址。为配合瓦子地遗址的勘探工作，同年 10 月，对该窑址进行了抢救发掘。布 4 米 ×6 米探方一个，窑址编号为 94WY1。

简报分为：一、地层堆积，二、窑址形制，三、窑址的营建过程与使用方法，四、结语，共四个部分予以介绍，有手绘图。

据介绍，该窑出土遗物不多，多为板瓦残片，有少量筒瓦，另见一陶壶口沿，简报推断该窑的建造年代为秦代。“姜女石”秦汉建筑群址是秦始皇东巡所建的行宫之一，其规模之大、保存之完好，目前尚很少见到，所以没有更多的对比材料可资利用，该窑的发现无疑为寻找秦代建筑材料的来源提供了线索。

简报称，该窑设计合理，工艺简单，科学实用，体现了古代窑工的创造力，也为研究东北地区秦代制陶业的发展水平提供了宝贵的材料。

187.辽宁绥中县石碑地遗址 1996 年度的发掘

作　者：辽宁省文物考古研究所姜女石工作站　华玉冰、杨荣昌
出　处：《考古》2001 年第 8 期

20 世纪 90 年代中后期，对姜女石秦汉建筑群址的调查、发掘及系统研究工作又取得了一些新的进展，其成果主要体现在以下两个方面：一是对姜女石遗址的总体布局有了更加准确的认识。自 1992 年以来已完成了对石碑地、瓦子地、周家南山和大金丝屯遗址的全面勘探（报告将另文发表），初步确定了每个遗址的分布范围及地下夯土基础的构造情况，基本弄清了各遗址点之间的组合关系及各自的建筑功用。二是通过对石碑地遗址持续进行大面积揭露，获取了一批对了解该遗址秦代建筑的结构与用途方面极具价值的实物资料。随着发掘面积的逐年扩大，在对遗址的认识逐渐加深的同时，如何阐释揭露出来的复杂遗迹现象成为一个新的研究课题。

简报将1996年度对石碑地遗址发掘的成果分为：一、工作简况，二、秦代建筑遗迹，三、秦汉时代的建筑遗物，四、结语，共四个部分予以介绍，有手绘图。

据介绍，Ⅰ区B组F1、F2是互相关联的一组建筑设施，从其内部设施的构造情形看，应与洗浴有关。Ⅱ区D组一单元殿址上有极其复杂的内部设施，对这一整体设施的用法大体有两种不同的看法：

其一，井用来储冰，仰斗状水池排放融化冰水；

其二，可能用于洗涮。水池是排放污水的，水井类似水缸。

吉林省

188.吉林东丰、海龙县考古调查与试掘简报

作　者：吉林省文物考古研究所　宋玉彬、王　青
出　处：《考古》1994 年第 6 期

1991 年春，考古人员联合对吉林省东丰、海龙、东辽三县的部分重点遗址进行了复查。1992 年9 月，再次对东丰、海龙县部分遗址进行调查，并结合遗址的具体情况有选择地进行了试掘。

简报分为：一、德胜果园后山遗址（编号92DH），二、影壁山二道岭遗址（编号92DR），三、德胜石大望遗址（编号92DS），四、大湾桦树遗址（编号91HH），五、结语，共五个部分予以介绍，有手绘图、照片。

据介绍，试掘的这四处遗址分布于两县南部柳河两岸的支流附近。根据历年来对松花江流域的考古调查和发掘成果，简报将这次调查、试掘的遗存分为两大类。

第一大类为新石器时代遗存。经过类比、分析，又可分为四组。第一组，以德胜石大望遗址新石器时代遗存为代表。第二组，以德胜果园后山92DH 采：1 钵、92DH 采：3、92DH 彩：6 压印之字纹陶片为代表。第三组，以德胜果园后山92DH 采：2、92DH 采：4、92DH 采：7、92DH 采：11 陶片为代表。第四组，以影壁山二道岭遗址陶片为代表。

第二大类为青铜时代遗存。东丰德胜石大望F1、F2 及海龙大湾桦树遗址均属于此类，二者在遗物特征方面属同一文化系统。此次在东丰德胜石大望遗址F2 内采集的木炭标本经碳-14 测定为公元前380 ～前314 年，校正为公元前398 ～公元前212 年，相当于战国时期。

长春市

189.吉林省农安德惠考古调查简报

作　者：吉林大学历史系考古专业　陈全家、徐光辉

出　处：《北方文物》1985 年第 1 期

1984 年 4 月末至 5 月初，吉林大学历史系考古专业两名教师带领本专业 1983 级 20 名学生，在长春地区农安县的左家山、小城子和黄鱼圈，德惠县的大青咀和二青咀等地进行了为期 10 天的野外考古调查实习。这次调查主要是沿着松花江及其支流伊通河、饮马河及沐石河沿岸的第二级台地进行的。这些台地的大部分现已开辟为耕地，暴露在地表上的遗物颇多，形式多样而复杂。此次调查为了解当地新石器时代、青铜器时代及铁器时代诸考古文化，提供了一批新鲜资料。

几处遗址的调查及初步整理情况简报分为：一、文化类型，二、三处遗址的调查情况，三、结语，共三个部分，有手绘图。

据介绍，这次调查中遇到的 B、C、D、E 四种类型是过去已知的文化遗存。简报认为，值得注意的是，D 类型即汉书文化遗存，在德惠县境的遗址中不见。A 类型即左家山类型的发现，是这次调查的主要收获之一。另一个重要收获是区别出了 F 类型。这类陶器过去在农安、德惠和扶余的调查中曾有零星的发现，但因数量过少，无法断定是否自成一类。目前归为 F 类型的陶器，在质地上比较复杂。从其器形，纹饰等分析，也有可能不属于同一时期。但在目前所拥有的材料的情况下，还很难做出更确切的判断。

190.吉林省德惠王家坨子北岭发现的古代遗存

作　者：刘红宇

出　处：《北方文物》1985 年第 1 期

1983 年春，在进行德惠县文物志编写普查时，于菜园子乡新立屯王家坨子发现了一处古代遗存。以后又在此乡的塘沽村北岭发现了一处与前者相近似的遗存。据农民讲，从 1972 年起，在历年取土时，常在沙土丘中发现人骨架，粗略统计可达 50 具以上，人骨侧上方多有陶器随葬。除一人骨上面压有三块“米粒石”板外，不见其他葬具。据此简报认为这里是一处古代墓群，流行葬法多为土圹墓。农民挖出的

多件陶器绝大部分已在当时打碎后扔弃，所幸者还有4件完好陶器被屯中一小学退休教师保留至今，现收放德惠县文化局。

北岭位于王家坨子西北约10公里，地理形势与王家坨子略同。当地农民在翻耕土地时，常在住宅前后发现人骨和陶器，1985年5月1日农民在菜园中挖坑时，又发现5件陶器和人骨。考古人员赶到当地进行了调查，抬回陶器碎片，并将其复原，放德惠县文化局收藏。王家坨子、北岭两处墓葬所出土的陶器简报配以手绘图予以介绍。

据介绍，由于考古人员仅能见到王家坨子、北岭两个遗存的9件陶器，所以要完全弄清它们的整个文化面貌及与其他古代文化的关系比较困难，有待大面积的发掘工作去进一步解决。

191.吉林省饮马河沿岸古文化遗存调查简报

作　者：长春市文物管理委员会　刘红宇

出　处：《考古》1986年第9期

饮马河源于吉林省盘石县呼兰岭，经双阳、永吉、九台、德惠等县，至农安县靠山屯汇入松花江。1980年至1984年，考古人员先后对饮马河的德惠、九台、双阳段进行了较为详细的考古调查，发现了新石器时代至辽金时代的古文化遗存多处。

简报分为：一、上游地区，二、中游地区，三、下游地区，四、结语，共四个部分予以介绍，有手绘图等。

简报重点介绍了7处具有代表性的文化遗存，其他处遗存列表于后，列举其名称、位置、时代。简报指出，在松花江流域，饮马河沿岸是古代遗存比较丰富的地区之一，目前的文物考古工作刚刚开始，一些文化遗存仅仅发现其端倪，从新石器时代到辽金以前，在某些大的时代段落上还有缺环。要把已发现的几种文化类型的全貌搞清，并进一步探讨其相互关系、族属等一系列问题，尚有待于今后更进一步的工作。

192.长春市腰红嘴子与北红嘴子遗址发掘简报

作　者：吉林省文物考古研究所、长春市文物管理委员会办公室　刘景文、王洪峰、安文荣、王伟民

出　处：《考古》2003年第8期

腰红嘴子遗址位于长春市南关区幸福乡红嘴子村、伊通河左岸的二级台地

上，东北距红嘴子村约1.3 公里，距长春市区约4 公里。北红嘴子遗址亦位于伊通河左岸的二级台地上，与腰红嘴子遗址属同一行政区管辖。东距伊通河300 米，南距腰红嘴子屯1.5 公里。为配合长春至四平的高速公路建设，1994 年5 ~8 月，对这两处遗址进行了大面积抢救性发掘，获得一批丰富的考古资料。

简报分为：一、腰红嘴子遗址，二、北红嘴子遗址，三、结语，共三个部分予以介绍，有手绘图、拓片。

据介绍，腰红嘴子遗址和北红嘴子遗址都存在新石器和青铜两个时代的遗迹、遗物，在新石器时代文化遗存中，腰红嘴子的 A 型石镞与北红嘴子所出石镞形制基本相同；两者陶器的陶质、陶色、火候、制法、主要器形及纹饰等也基本相同，文化面貌比较一致，应属同一文化遗存。简报暂称之为腰红嘴子下层遗存。腰红嘴子下层遗存，简报推断应在距今 5500 ~ 5000 年；北红嘴子上层文化简报推断似应在距今 3000 ~ 2500 年，均属吉林省青铜文化较早范畴。

193.长春市双阳区五家子遗址发掘简报

作　者：吉林省文物考古研究所、长春市文物保护研究所

出　处：《北方文物》2011 年第 4 期

2005 年，考古人员对长春市双阳区五家子遗址进行了抢救性考古发掘，揭露了 5 座房址、3 个灰坑、2 条灰沟，并出土一批石器和陶器。

简报分为：一、地层堆积，二、遗迹，三、遗物，四、结语，共四个部分予以介绍，有照片、手绘图。

据介绍，五家子遗址位于长春市双阳区山河镇五家子村西北约 300 米。1980 年文物普查时发现并确认为一处青铜时代遗存，1981 年公布为省级文物保护单位。1988 年，为配合长春市双阳区水泥厂建设，曾对该遗址进行过一次发掘，清理西团山文化时期墓葬 3 座。2005 年 5 ~ 7 月，为配合长春—双阳—烟筒山铁路工程建设，进行了抢救性考古发掘。共出土石器 33 件，包括刀及毛坯、刮削器、斧、凿、砺石、枕石、针、石球等种类，典型器物有石斧、穿孔石刀等。其制造技术比较进步，以磨制为主，兼有打制和琢制。石材的选择比较简单，多就地选材，但也有燧石等当地没有的石材。陶器几无完整者，多为陶片，烧制火候比较低。

简报认为，这是一处西团山文化遗址。所谓“西团山文化”，延续时间较长，大致从商末周初一直到战国末。

吉林市

194.吉林永吉县学古东山遗址试掘简报

作　者：吉林市博物馆　董学增、陈家槐

出　处：《考古》1981 年第 6 期

学古东山遗址是 1973 年春季发现的，1973 年 10 月和 1975 年 9 月对学古东山遗址进行了两次试掘。简报分为：一、地层堆积，二、学古下层居住址和遗物，三、学古上层遗物，四、结语，共四个部分予以介绍，有手绘图。

据介绍，学古东山遗址，位于吉林省永吉县乌拉街公社东北方向的吉舒铁路和公路夹角的漫岗上。发现学古下层居住址一处，汉代灰坑一个，共得遗物 156 件（其中采集 10 件）。在所得遗物中，石器 38 件，砂质陶器 94 件，铁器 13 件，泥质陶器 11 件，另有陶片 2609 片。

简报称，学古东山下层应相当于西团山文化，农业已较发达，已受到中原青铜文明的影响。一般认为，西团山文化是距今 3000 年前带有浓郁地方特色的原始社会文化。上层属西汉遗物。

195.吉林永吉县乌拉街出土“触角式剑柄”铜剑

作　者：陈家塘

出　处：《考古》1984 年第 2 期

吉林省永吉县乌拉街公社汪屯大队一队农民，于 1981 年夏天在自家菜园旁水渠内挖出一件完整的“触角式剑柄”铜剑，现由吉林市博物馆收藏。考古人员前去现场进行了调查。

据介绍，铜剑柄首左右各有一曲环，形似触角，故称“触角式剑柄”铜剑。铜剑为合范一次铸造。调查证实林沄先生此前的论断是正确的，它应是中国东北所产。

简报称，铜剑由于是百姓从渠道内壁挖出，无共存遗物可供参考，所以只能与东北所出其他铜剑进行比较。简报初步推断，此剑应属战国后期至西汉末期之物。

简报指出，此剑的出土，为“触角式剑柄”铜剑的分布范围和东北系青铜剑的发展序列的研究，提供了新的实物资料。

196.吉林市郊二道水库狼头山石棺墓地发掘简报

作　者：吉林市博物馆　唐　音

出　处：《北方文物》1989 年第 4 期

吉林市郊二道水库狼头山遗址发现于 1960 年，1982 年该遗址被吉林市人民政府公布为市级重点文物保护单位，1987 年吉林省人民政府又将它公布为省级重点文物保护单位。1983 年 5 月，在对狼头山遗址进行复查时清理了两座石棺墓，获随葬品 7 件；同年 9 月和次年 9 月，为配合水库工程建设，又两次清理石棺墓 10 座，获随葬品 93 件；1987 年 5 月，配合水库工程又清理石棺墓两座，获随葬品 5 件。数年来的工作收获简报分为：一、自然概况，二、地层堆积与墓葬形制，三、随葬器物，四、结语，共四个部分予以介绍，有手绘图。

据介绍，狼头山墓葬群是“西团山文化”中一处较大的氏族墓地。从其发掘情况及分布特点看，墓地具有明显的排列次序，蕴藏着区域上的组合及整体上的阶段性。其次，从随葬品的出土情况看，遗物最丰富、种类最齐全的墓葬为第 VI 组，两座板石立砌墓共出土石器、陶器、铜器及装饰品计 64 件。狼头山墓地的石棺墓，在埋葬过程中具有一定的延续性和阶段性。根据综合分析，狼头山石棺墓地简报推断为青铜时代氏族墓。

197.吉林市唐家崴子、西沟江沿石器制造场等遗址调查

作　者：董学增

出　处：《北方文物》2008 年第 1 期

唐家崴子位于吉林市丰满区松花湖北岸，原为普通村庄，近年开辟为吉林市近郊旅游度假村。这里距丰满发电厂拦江大坝约 2.5 公里，距吉林城区约 15 公里。1979 年春、夏，考古人员在当地进行调查，发现石器制造场等遗址 3 处，遗物散布点 3 处。采集打制石器、磨制石器、细石器和残陶器合计 462 件。2002 年 6 月，考古人员到唐家崴子野游兼考古调查，又在这里采集打、磨制石器 9 件。总共采集遗物 471 件，其中打制石器有锄、镐、铲、斧、刀、网坠、砺石、敲砸器、圆形有孔器、圆饼状器、磨盘、磨棒等；磨制石器有斧、镰、铲、锥、凿、圆形有孔器等；细石器有刮削器、尖状器、切割器、石核、石片等；残陶器有鬲足、陶片等。在王八脖子遗址采集打制石器 337 件，这在吉林地区是绝无仅有的。更令人兴奋的是，在与之毗邻的西沟江沿遗址发现了打制石器的石砧若干，从而证明西团山文化所使用的打制亚腰石锄等石器，同烧造陶器一样，是由专人制造的，已有社

会分工。简报分为：一、遗址及遗物散布点，二、遗物，三、结语，共三个部分，有手绘图。

据介绍，考古人员在西沟江沿、王八脖子、三道砬子三处遗址及西岸山头、南山头、东山头三处遗物散布点 3 次共采集打制石器 392 件、磨制石器 17 件、细石器 56 件，残陶器 5 件（片），其中西沟江沿应为一处石器制作场所。西团山文化大致为商末周初一直延续到战国时期。

198.吉林市龙潭山鹿场遗址发掘简报

作　者：吉林省文物考古研究所、吉林市文物处、吉林市博物馆

出　处：《文物》2014 年第 1 期

该遗址位于吉林省龙潭区国家重点文物保护单位龙潭山城址的南麓，龙潭山鹿场正门前的饲料地内。2011 年 7 月 15 ～ 22 日，考古人员对其进行了抢救性发掘。

简报分为：一、地层堆积及遗迹，二、出土遗物，三、结语，共三个部分，有彩照、手绘图。

据介绍，该遗址文化堆积层较厚，出土了较多青铜时代、汉、夫余、高句丽以及渤海各时期的遗物。地层及灰坑出土的遗物绝大部分是陶器，有罐、盆、壶、甑、豆、盅等。陶质以泥质陶为主，细砂陶次之；陶色以褐陶居多，其次为灰陶、黑皮陶；多数陶片为素面，纹饰陶片有方格纹、垂帐纹、弦纹、波浪纹、戳点纹等。

简报称，此次发掘获得的遗物并不是单一文化遗存，而是分属于不同时代的文化，自青铜时代到汉、夫余，再到高句丽、渤海时期均有发现。这说明此遗址应该是长期有人类生活的地方。

四平市

199.吉林公主岭市赵油坊遗址发掘简报

作　者：吉林省文物考古研究所　何　明、王　青

出　处：《北方文物》2001 年第 3 期

该遗址位于东辽河沿岸，面积 2 万余平方米。1994 年 5 月为配合长平公路建设，在遗址中分两个区进行了考古发掘。I 区为金代遗存，共清理灰坑 3 个，出土陶器有罐、盆、甑、瓮等，多泥质灰陶，还出有纺轮、网坠以及陶塑鸟、猪、狗等动物饰品。

Ⅱ区为青铜时代遗存，出土遗物主要为鬲、鼎、罐等，以夹砂褐陶居多。简报配以手绘图予以介绍。

据介绍，Ⅰ区为金代遗存，遗迹为灰坑2个、灰沟1条。Ⅰ区中出土遗物较为丰富，但绝大多数已残碎，完整器只是少数陶塑及纺轮等。其中一批泥塑动物造型逼真。Ⅱ区为青铜时代遗存，遗迹、遗物均不丰富，遗迹为灰坑3个，遗物主要为陶片。但出土器物有一定特点，陶器多红褐或黄褐陶，器形以鼎、鬲作为组合，不见有豆，而与其他遗址有所不同，应予注意。

辽源市

200.吉林东丰县南部古遗迹调查

作　者：洪　峰

出　处：《考古》1987年第6期

东丰县是吉林省西南部一个较小的县份，地处吉林哈达岭的南段。自1960年的文物普查之后，这一地区的考古调查和发掘工作一直不多，因而长期以来，东丰县一带的新石器乃至青铜时代的文化面貌，都处于若明若暗的状态之中。1983年以来，考古人员在该县南部的梅河、横道河沿岸诸乡境内，先后调查、发现了历代遗址、墓葬（群）四十余处，并采获了大量的文物标本。

简报分为：一、遗迹分布概况，二、文化内涵及其特征，三、结语，共三个部分。

据介绍，东丰属半山地带，目前发现的汉代及早期的遗存还仅限于县境南部，即梅河、横道河沿岸。遗址密度较大，间距在5公里左右，个别地段如梅河中游，仅二三公里就有1处遗址，反映了当时人烟稠密的兴旺景象。从分布上看，遗址一般选择在河流（或支流河汊）沿岸山头阳面山坡或山窝里，依山傍水，相对高度多在30～50米之间。但是，也有一些遗址居于高达70～80米乃至百余米的崇山之上。墓葬一般远离居地，间距1～5公里不等，个别的与遗址同在一山，距离甚近。多数墓葬都构筑在较高的山顶或山脊上。墓均为石筑，结构、形制不尽一致，从墓中遗物特征看，与附近的遗址联系密切。而遗址和墓葬的这种分布状况，在某种程度上表现了当时居民“随山谷以为居”的居处、生活习惯。

简报称，调查发现的遗址大都具有一定规模，面积小者数千、大者数万平方米，地表遗物亦很丰富。墓葬居于山顶之上。遗址总计发现20处，除一面山乡钢铁后山遗址年代较早，横道河乡税局后山、大架山遗址发现已使用铁器之外，其余17处则

基本属于青铜时代遗存。简报重点介绍了大阳西山头遗址、大竝子沟墓群、邱家沟墓群等。年代从西周中晚期到汉代不等。

据《考古》1988年第7期报道，1985年，考古人员再次对东丰县开展调查和试掘，发现新石器时代遗址3处、青铜时代遗址37处、汉代遗址2处、辽金遗址48处及石棺墓群6处。

201.吉林辽源市龙首山遗址的调查

作　者：辽源市文物管理所　唐洪源
出　处：《考古》1997年第2期

龙首山遗址位于辽源市东侧。在山的顶部有一座高句丽时期的山城，早在20世纪60年代初期就在城址周围发现了早于古城的青铜时代遗物。为了对该处的早期青铜文化有一个全面了解，考古人员于80年代初至90年代初依据有关线索多次对该遗址进行调查，采集了一些较有代表性的器物标本，并对该遗址有了一些新认识。调查情况简报分为：一、地貌与地层堆积，二、采集遗物，三、结语，共三个部分，有手绘图。

据介绍，龙首山处于群山之中，在其东、西、南三面各有一片开阔地，为辽源市区；遗址总面积达2万多平方米，近年在山城南墙断壁处发现夯土层中夹杂有一部分与东、南两坡所出遗物基本相同的夹砂陶片。特别是南坡“大庙”北断壁上有较清晰的文化层堆积，采集的遗物有陶器和石器，以磨制为主，有的略见打制痕迹，其中环状带刃石器在辽源地区属首次发现。遗址中陶器可看出它们有时代早晚之分，简报认为较早的陶器大约可早到西周至春秋中期，最晚的陶器可能已进入早期铁器时代。

简报称，对认为这种文化遗存可能属于一种新的文化内涵的提法，由于尚未进行科学发掘，对其文化面貌缺乏全面的了解，需作进一步的工作。

通化市

202.吉林辑安高句丽建筑遗址的清理

作　者：吉林省博物馆　苏　才
出　处：《考古》1961年第1期

辑安位于鸭绿江中游北岸，与朝鲜隔江相望。公元前1世纪至公元7世纪，这里属于高句丽国。丸都城（今辑安城），是高句丽国的重要城市之一，有一段时间甚至作为国都。简报分为四个部分，配以手绘图、拓片、照片，介绍了高句丽“丸都城”东门外0.5公里处的建筑遗址。

据介绍，这一建筑遗址为一地势较高的台子，面积有2900平方米，出土有陶片、铁器等。简报认为，这里是高句丽国宫室和祭祀社稷的地方。

203.一九六二年春季吉林辑安考古调查简报

作　者：李殿福

出　处：《考古》1962年第11期

考古人员于1962年春季开始对辑安全县进行了第一期的考古调查。通过这次调查，对辑安境内新石器时代遗址的分布、高句丽时期和金代的遗迹和遗物有了进一步的了解。简报配以手绘图等予以介绍。

据介绍，在岭后共发现新石器时代遗址3处，古关卡遗址3处，山城1座，高句丽时代的古墓群十处。三处新石器时代遗址的地点是：腰营子人民公社南台村西岗，梨树沟后山及头道人民公社长岗村，均在浑江中游左岸。三处古关卡址是头道“关马墙”、二道“关马墙”和三道“关马墙”。三处“关马墙”皆在岭后大清河流域，是高句丽时代的古关卡所在地。

头道、二道“关马墙”位于通化通往辑安的公路两侧的险要隘口，为截堵由辉发河越浑江直通丸都的重要关卡。公路为南北向，两道墙相距半公里。

第三道“关马墙”位于头道、二道“关马墙”中间，东距公路约百米的木铣头沟里。木铣头沟是大清河的小支流，沿溪谷溯流而行可到小龙爪沟，越岭东经天桥沟至黄柏，由黄柏可至洞沟。

三道“关马墙”全系不规整石块叠砌而成。头道“关马墙”之东墙保存较好。第二道“关马墙”破坏较大，多已坍塌。第三道“关马墙”保存最好。山城一座，位于浑江中游左岸霸王朝村北的高山上，详见同刊同期方起东先生《吉林辑安高句丽霸王朝山城》一文。

简报称，在岭后还调查了高句丽时代的古墓群10处，其中7处是这次调查新发现的。在财源人民公社的有马蹄沟大队10余座、报马川大队30余座、财源大队东台地上9座、泉眼沟大队母龙背岭约50座、泉眼沟大队火烧房子沟15座；在腰营子公社的有腰营子大队5座、金家大队村后15座、腰营子大队庙西10余座；在花甸人民公社的有花甸子屯西7座；在清河人民公社的有前进大队三道崴子10座。上述十处古墓群有古墓共计160余座。多属石冢，有积石墓和方坛积石墓，也有较少的有封土墓和土封积石墓，此外还有小石棺墓。

简报还提到清河人民公社钟家村西岗于1961年春曾发现45件金代遗物，这次对出土地点也作了调查。还调查了洞沟第12号壁画墓等高句丽遗迹。

204.吉林辑安榆林河流域高句丽古墓调查

作　者：曹正榕、朱涵康

出　处：《考古》1962年第11期

1962年4月，考古人员沿榆林河对高句丽古墓进行了调查。简报分为：一、古墓群的分布，二、大高力墓子古墓群，三、几个问题，共三个部分，有手绘图。

据介绍，大高力墓子古墓群，位于大高力墓子山，以单室和双室墓居多，也有三室墓。此次重点清理了31号、21号两座石墓和43号土墓，简报认为，此处墓群，应属于高句丽时代的中晚期。

205.吉林辑安高句丽南道和北道上的关隘和城堡

作　者：吉林省博物馆辑安考古队、辑安县文物管理所　方起东、陈相伟

出　处：《考古》1964年第2期

辑安县位于吉林省南端，西北临浑江，东濒鸭绿江。境内高山耸拔，沟壑纵横，长白山的支系老爷岭山脉由东北直贯西南，将县境隔作了（东）南、（西）北两个部分，南称岭前，北称岭后。今由岭前县城去往岭后浑江沿岸，只有两条通路：一经麻线沟（或榆树林子）登板岔岭，而后出新开河峡谷，是为南道；一逾老爷岭，沿着苇沙河（大青河）蜿蜒通达，称为北道。北道稍较宽阔而且平直，是今辑（安）通（化）公路取由的通道，交通频繁；南道则崎岖险狭，行人稀少。1962年考古普查时，初勘了南道上的霸王朝山城、望波岭关隘和北道上的关马墙山城；嗣后，并将霸王朝山城调查的收获和关马墙山城的一部分材料先行报道。1963年5月，又复查了其中的望波岭关隘和关马墙山城。

简报分为：一、关马墙山城，二、望波岭关隘，共两个部分予以介绍，有手绘图。

据介绍，关马墙山城位于县城东南约65公里处，地势险要。墙垣均已颓塌，此城占地极小，但形势险要，是一座军事防御性质的城堡。由于城内林密草深，调查时没能发现遗迹和遗物，但据当地人讲，这一带曾出土过不少铁镞。望波岭关隘为一道石垒的墙垣，位于双岔公社西北10公里处，今已颓塌。据当地人讲，附近常出土成堆的铁镞。《资治通鉴》卷九十六云：“高句丽有二道，其北道平阔，南道险

狭。”从调查的实际来看，记载中的所谓南、北二道，大体也正是调查的南道和北道，即由岭前辑安县城出发越过老爷岭山脉后，分别顺新开河和苇沙河川谷迂回伸展，通向岭后浑江边沿的这两条通路。简报只说此二处遗址为高句丽遗存，具体年代无考。一般认为，高句丽的年代为公元前 37 年至公元 668 年。

206.吉林辑安历年出土的古代钱币

作　者：古　兵

出　处：《考古》1964 年第 2 期

简报配图介绍了三处出土的古代钱币：

一是 1956 年春季，农民在太王陵后西侧紧接该墓北坡处取土时，发现了一个陶罐，里面盛满了古代钱币。现陶罐已失，只有部分货币保存了下来。出土的钱币估计约重八九市斤，主要是战国时的明刀，此外还有战国时的“安阳”布、“平阴”布以及汉代的半两、五铢、新莽钱等，但数量较少。

二是 1957 年夏季，一个放牛的儿童，在将军坟正前方相距约 0.25 公里的田中，偶然发现一个用石板盖压的小坑，坑浅而不规整，内置五铢钱一堆，约有三四市斤。

三是 1958 年秋季，在麻线沟西大塚之东约 50 米处，清理了一座坍塌的高句丽石墓。在墓底铺地石下，发现一个圆形坑，直径约七八十厘米，并有沟漕通往墓门。坑内堆满钱币，钱币用麻绳穿系，层层圈垒盘叠，沟槽中也满是钱币，垒叠成一垛垛，每垛约二三十个，排列成行。所出的钱币共约三四百市斤。穿系钱币的麻绳，部分尚保存很好。在这批钱币中，有战国时代圜钱及汉代的半两、五铢、新莽钱等，以五铢钱最多。

207.吉林辑安高句丽霸王朝山城

作　者：方起东

出　处：《考古》1962 年第 11 期

霸王朝山城是吉林省重点文物保护单位。1962 年 4 月，考古人员在该地进行了为时 4 天的调查。简报分为：一、地理形势，二、山城形制，三、文化遗物，四、结语，共四个部分予以介绍。

据介绍，霸王朝山城巍然耸立于辑安县霸王朝村之东北，西南隔浑江与桓仁县五女山城遥遥相望，相距约 30 公里。山城是凭依山脊天然形势而构筑的，充分利用了山脉的悬崖峭壁，只在山势凹伏的地方以及南面峡谷中垒石筑墙，地势愈低处垒墙愈高，以求城堡的绵亘一贯。其中西墙南段和北墙东段垒筑较高，保存状况亦好。由于地形的关系，整个山城朝南倾斜，如簸箕状。山城西北角外伸，南墙呈漫弧形向内凹入，俯视平面略呈梯形。筑墙所用的石材系花岗岩，一般作长方体，并经加工整琢。出土遗物有陶器、石器、铁器。霸王朝山城修筑在不宜居住或生产的山巅，方圆只一公里许，就地理形势来看，显然是一座军事性质的城堡。根据山城形制和出土遗物来观察，简报推断，应属高句丽时代。

简报称，沿富尔江东来渡浑江溯新开河谷地东南入丸都（高句丽故都，今辑安城），是古代中原与高句丽之间的重要通道。霸王朝山城位于浑江东岸，控扼新开河谷口，应是当年的重要防守城堡之一，值得重视。

208.吉林集安洞沟三室墓清理记

作　者：集安县文物保管所、吉林省文物工作队　李殿福

出　处：《考古与文物》1981 年第 3 期

1975 年 8 月，工作人员维修集安洞沟墓群的壁画墓，发现三室墓。第一室墓底留有很厚一层淤土，虽被后人踩踏坚实，细致观察属于早年从墓室顶部塌漏下来的。考古人员对此淤土进行了清理。通过清理，得知此墓虽经日本人多次著录，可是从未做过科学发掘清理。简报配以手绘图介绍了清理情况。

据介绍，三室墓位于集安洞沟平原中部，大禹山南麓，是座封土石室壁画墓。墓道西向，是由大小相若的墓室构成的多室墓，平面布局成串连的曲尺状。这次清理三室第一室，共获八件釉陶。虽经踏踩破碎，但能复原成器。清理文物计钵 5 件、耳杯 1 件、四耳陶壶 1 件、灶 1 件，为高句丽墓葬研究增加了新的资料。

209.集安高句丽墓葬发掘简报

作　者：集安县文物保管所　林至德、阎毅之、赵书勤

出　处：《考古》1983 年第 4 期

为了配合集安县修建自来水净水厂，考古人员从 1979 年 10 月 10 日到 11 月 2 日，共清理发掘了 31 座高句丽墓葬。

简报分为：一、墓葬的位置和形制，二、随葬器物，三、几点认识，共三个部分，有手绘图、拓片。

这批古墓位于距县城北 1.5 公里、禹山西端的“转山子”顶部和东侧的坡地上。31 座墓葬，均遭到严重破坏，墓圹中的遗物甚少。在 31 座古墓中积石墓 28 座，封

土洞室墓3座。出土遗物有铁器、鎏金铜器、铜钱、陶器等共计167件。这批墓葬的时间应延续了很长时期，简报推断为公元3世纪初至公元3世纪末，大致相当于东汉、魏晋时期。

简报称，这次清理出土有一部分随葬品，散置在墓圹外侧，这是积石墓的普遍现象。据《北史·高句丽传》载云："埋讫取死者生时服玩车马置墓侧，会葬者争取而去。"出土文物与史料完全相符，研究者对高句丽的葬俗有了进一步的了解。

210.高句丽罗通山城调查简报

作　者：吉林省文物工作队　徐翰煊、张志立、王洪峰等

出　处：《文物》1985年第2期

1980年5月，在研究确定吉林省第二批重点文物保护单位过程中，考古人员对柳河县境内高句丽时期的罗通山城进行了为期12天的调查。简报分为"地理位置"，"山城形制"等几个部分予以介绍，有手绘图、照片、拓片。

据介绍，山城坐落在罗通山北段海拔960米的主峰上，西南距柳河县城45公里。地属柳河县大通沟公社，南距公社所在地6公里。罗通山城基本包括了两个时期的遗存。第一时期以泥质黄褐陶为主，时代简报推断为3世纪至4世纪初，约当魏晋之际。第二时期以泥质灰陶和辽白瓷为内涵，并出有宋代铜钱，大致属于辽、金时期遗存。由此简报推断罗通山城为高句丽时期所构筑，辽、金时期沿用过。

211.吉林集安出土的古镜

作　者：张雪岩

出　处：《文物》1986年第6期

1969年至简报发表之时，集安县境内共出土铜镜11件，铁镜3件。简报配以照片、拓片予以说明。

据介绍，铜镜10件，有战国晚期至秦汉之际貊族所遗叶脉纹镜、唐代的瑞兽秦王镜、瑞兽镜、海兽葡萄镜等。有当地人翻模仿制的，也有汉族人遗物。金代铜镜有神仙故事镜和荷花鸳鸯镜，工艺水平较差，镜柄上有押记。

简报称，县境内未见具有高句丽风格的铜镜。高句丽（公元前37年～668年）存在时间长达七百多年，在当时东北地区的少数民族中，文化是比较发达的。但目前还没有发现具有高句丽民族特色的铜镜，也许当是以铁镜代替的。所出的铜镜中，一件出自积石墓，五件出自封土墓葬。以往将积石墓与封土墓统称为高句丽墓葬。

近几年来的考古证明，高句丽的封土墓中可能有一部分是渤海时期的墓葬。再从墓中所出的神仙故事镜、吉语镜看，集安的封土墓也并非仅仅止于渤海时期，可能延续到辽、金以后，明代以前。

212.吉林集安出土的几方铜印

作　者：华　岩、杰　勇
出　处：《北方文物》1986 年第 4 期

吉林省集安县城是汉魏时期的高句丽故都。高句丽亡国后，历经渤海、辽、金、元几个朝代，这里一直是重要的城镇，保留着大量的历史遗迹和遗物。1983 年文物普查中，考古人员对集安县出土的几方铜印进行了调查登记。现将其中几方简报配以照片予以介绍。

据介绍，几方铜印为：1. 军司马印。2. 晋“高句丽率善邑长”印。简报推断此印为东晋时所授。3. 晋“高句丽率善佰长”印。与“高句丽北善仟长”的印体大小和钮制相同，有出土地点。4. “樱天如郎”印。简报推断此印为公元 4 世纪到 5 世纪期间高句丽制造的随葬铜印。高句丽铜印属首次发现，殊为珍贵。现藏集安县博物馆，有出土地点。5. “西边界社长章”。据《元史》记载，社长一职是元代乡村基层组织的小官吏，为元代至元七年（1270 年）前后始设。“西边界”可能是一基层区域之名称，此社长是管理西边界 50 户人家的乡村小吏，有出土地点。简报称，“西边界社长章”对于研究元代乡村基层政权组织恐不无裨益。

213.吉林集安东大坡高句丽墓葬发掘简报

作　者：张雪岩
出　处：《考古》1991 年第 7 期

东大坡墓地是洞沟古墓群山城下墓区的一部分，山城下墓区位于集安市西北约 2.5 公里的山谷中。隔河西北距丸都山城约 1 公里。通沟河两岸的台地及平野上古代墓葬十分密集。1976 年 9 月末至 11 月初，为了配合农业生产，清理了 95 座古墓。

这批墓葬曾遭到不同程度的破坏，其中 54 座破坏严重，41 座破坏稍轻。这 41 座墓中有 2 座是积石类墓葬，有 39 座是封土墓。墓中共出遗物 172 件。

简报分为：一、积石墓，二、封土墓，三、结语，共三个部分，有手绘图。

据介绍，东大坡墓地清理的积石墓仅两座，其砌筑方法应是由里向外先砌两层阶坛，然后在阶坛的外面又砌了三道阶墙，外固有一周大石块做为底部的方坛。这种以方形为基础的积石墓（封石墓）是集安、怀仁、浑江流域高句丽时期积石墓的主要特点之一，约从西汉末到南北朝时都存在过，到了 4、5 世纪和方坛阶梯石室墓是共存的。但从东大坡出土的遗物看，墓葬年代较早，约是 1 ～ 3 世纪。封土墓的年代约从 5 世纪末到 7 世纪。

简报指出，从东大坡墓地中积石墓和封土墓两类墓葬的年代上看，墓地使用时间很长，约从 1 世纪到 7 世纪，大致相当于从汉代一直到唐代。墓地的南部到黑瞎子沟一带均为积石类墓葬，往北封土墓渐多，可知是由南向北埋藏的。南部年代早，北部年代晚。

214.1990 年吉林省通化县南部考古调查试掘的主要收获

作　者：金旭东、何　明

出　处：《北方文物》1994 年第 3 期

通化县位于吉林省通化地区中部，1985 年考古调查时发现了大量古文化遗存。1990 年 10 月下旬，考古人员进行了为期 8 天的考古调查，并对“西江墓地”、小龙头山遗址、于家沟遗址、黎明遗址进行了小规模的试掘。其中“西江墓地”试掘 50 平方米，小龙头山遗址、于家沟遗址、黎明遗址试掘 20 平方米。简报配以手绘图予以介绍。

简报称，尽管此次发掘的西江、黎明、于家沟等遗址面积较小，遗迹亦不甚丰富，但对认识通化地区两汉以前的文化遗存具有重要意义。此次发现的遗存，分属新石器时代晚期（距今 4500 ～ 5000 年）、商周、战国晚期、西汉早中期。通化地区考古以往一直以高句丽考古为主，故而此次发现具有填补空白的意义。

215.吉林通化市万发拨子遗址 21 号墓的发掘

作　者：吉林省文物考古研究所、通化市文物管理委员会办公室　金旭东、赵殿坤、董　峰

出　处：《考古》2003 年第 8 期

万发拨子遗址位于通化市金厂镇跃进村与环通乡江南村交界处，北距通化市 3 公里。万发拨子遗址发现于 20 世纪 50 年代，此后经多次调查，是鸭绿江中上游较具代表性遗存之一。为探索高句丽早期遗存及高句丽文化起源，考古人员于 1997 ～ 1999 年对该遗址进行了大规模发掘。发掘面积 6015 平方米，区分出 6 种新的考古学文化，在发现的 56 座不同时期的墓葬中，以 21 号墓形制较为独特。

简报分为：一、层位关系与墓葬形制，二、葬式与葬俗，三、随葬器物，四、结语，共四个部分，有手绘图。

据介绍，通化万发拨子遗址发掘所获层位关系表明，该遗址的遗存可分为6个时期，年代分别相当于新石器时代中晚期、商周、春秋战国、两汉、魏晋和明末。据出土遗物形制特征，简报推断：21号墓属遗址的第三期，年代在春秋战国跨度内。万发拨子三期遗存目前发现两类墓葬，除8座土坑竖穴墓外，还有以页岩为质料的石棺（厢）墓。21号墓的相对年代要早于以石棺墓为代表的遗存，万发拨子三期石棺墓与四期墓葬年代衔接紧密，具有较明确的文化传承关系，年代简报推断不应晚于战国中晚期并认为这一年代可作为21号墓年代下限的参考。

216.通化市金厂镇出土战国晚期至秦汉时期青铜短剑

作　者：王志敏

出　处：《北方文物》2008年第3期

2000年12月，考古人员在市南郊的金厂镇二组征集到一青铜短剑和一双孔石刀。这两件文物是当地村民于1995年在北山坡上修建暖棚时发现的，埋藏深度距地表1.5米左右，伴出有人骨、陶珠等物。据出土情况分析，这应是一座土坑墓。简报配以手绘图予以介绍。

据介绍，青铜剑剑身长41厘米，造型美观，做工精湛。简报推断应为战国晚期至秦汉之际遗物，同出的双孔石刀应为西团山文化遗物。

217.吉林省通化市自安山城调查报告

作　者：通化市文物保护研究所　王志敏、王鹏勇、王　珺

出　处：《北方文物》2010年第3期

2004年，考古人员对通化市自安山城进行了考古调查与测绘工作，发现了城墙、门址、供水及排水设施、房址等遗迹，对这些遗迹进行清理又发现了一些陶器、铜器、铁器等遗物。自安山城是汉高句丽时期一座重要的城堡，应该是西汉时期的玄菟郡。

简报分为：一、城墙，二、门址，三、山城的供水与排水设计，四、其他遗迹，五、出土器物，六、结语，共六个部分予以介绍，有手绘图。

据介绍，自安山城位于通化市北郊距市中心约4公里的江东乡自安村5组，坐落在平地拔起的东山之上。山城三面环水，一面环山，地势十分险要。山城整体

略呈南北长、东西窄的倒三角形，周长 2753.5 米，其中北垣长 442.1 米、西垣长 802.2 米、南垣长 352.8 米、东壁长 1156.4 米，山城内地势比较平缓，总体呈东高西低，中部有一道由东向西延伸并凸起的脊棱，将该城自然地分成南北两区。山城的最高海拔为 534.4 米。已发现有 5 处门址。一号门址前的两个土筑门阙，是典型汉代城的标志。这在所有高句丽山城中包括高句丽王城，是绝无仅有的。这不仅表明该城的始建年代当在西汉时期，而且其级别也不会低于郡府一级。城南墙处发现有陶片等，其年代在战国末至西汉，应是当地土著遗存。从城内遗物看，从西汉到魏晋，均应是中原文化占主导地位。

简报称，自安山城是我国版图最东端的汉代城堡之一。从文献记载看，鸭绿江中游及浑江中上游流域较为明显的汉城有三座，分别是帻沟溇城（高句丽县）、西盖马城、上殷台城。根据自安山城的地理位置、建筑风格、时代特征等方面分析，此城当是西汉时期的高句丽县即第二玄菟郡故址。就其规模级别等方面分析，汉代在浑江流域的设置只有玄菟郡，除此别无其他设置。

白山市

218.吉林长白县干沟子墓地发掘简报

作　者：吉林省文物考古研究所　王洪峰、孙仁杰

出　处：《考古》2003 年第 8 期

长白县位于长白山腹地、吉林省南部中朝边境。2001 年 5 ~ 7 月，考古人员对县境内一处全国文物重点保护单位——干沟子墓地进行了一次全面的勘查测绘，清理了其中 7 座墓葬，并在周边对一些居住遗址进行了调查和试掘。

本次墓葬发掘情况简报分为：一、墓地概况，二、墓葬形制，三、随葬器物，四、结语，共四个部分予以介绍，有手绘图、拓片。

据介绍，干沟子墓地已发掘的各墓均随葬陶器，管、环、珠、坠等装饰品数量较多，而生产工具及其他器类较少，此次发掘中还在两座墓中发现了方孔圆钱，其中“半两钱”均为秦末半两或汉初的八铢半两。

简报推断，墓地年代的上限在战国晚期，较早的也可能到战国中期，下限不会晚至东汉，大部分墓葬应是西汉时期的遗存。

219.吉林抚松新安遗址发掘报告

作　者：吉林省文物考古研究所　梁会丽、于　丹、张　哲等
出　处：《考古学报》2013 年第 3 期

新安遗址位于吉林省抚松县抚松镇新安村西部，东距抚松县城 8 公里。1983 年 11 月，新安村发现陶器、铜器等遗物，经确认为渤海时期遗存。1986 年考古人员对该遗址进行调查和试掘，初步确认其为一处具有渤海文化遗存的城址，命名为新安古城遗址，更有学者考证其为渤海丰州城旧址。1994 年考古人员对该遗址再次进行了调查和试掘，并肯定了前人的结论。2009 年 5 月，为配合营（营城子）—松（松江河）高速公路建设，对新安遗址处于高速公路施工范围内及附近的区域进行了抢救性发掘。此次发掘历时 6 个月，发掘总面积约 2100 平方米。发掘区位于遗址西南角，位置与 1986 年试掘地点重合，东距 1983 年村民挖出遗物的地点约 1.5 公里，北侧 100 米处有一高约 3 米的圆形土堆，当地人称“高丽坟”，疑为墓葬。

简报分为：一、地层堆积，二、第一期文化遗存，三、第二期文化遗存，四、第四期文化遗存，五、遗址南部土垄的解剖，六、结语。有手绘图。

据介绍，新安遗址的年代可分三期，即东汉、渤海中期前后至渤海末期、金代早期。简报指出，此次发掘是松花江上游地区近年来规模较大的一次考古发掘工作，出土的大量遗迹遗物丰富了我们对这一地区历史时期物质文化的认识，为这一地区考古学文化研究提供了重要的实物资料。

松原市

220.吉林松原市后土木村发现古代墓葬

作　者：松原市扶余博物馆　郑新城
出　处：《考古》1999 年第 4 期

1993 年3 月24 日，松原市扶余区朝阳乡后土木村的农民在村东2 公里的一处沙岗西侧缓坡上取沙时，发现一座已遭破坏的墓葬，考古人员前往进行抢救性清理（编号HM1）。清理结果和征集的器物简报配以照片予以介绍。

据介绍，该墓为长方形竖穴土坑墓，除头部保存较好外，其余骨架已腐朽不存。头侧置陶器，额上有铜饰，未见棺木痕迹。直接出自被清理的墓葬中的随葬品有陶器、铜泡；在当地群众手中还征集到了几件据说是出自附近其他墓葬中的器物，计有陶壶、陶碗、陶鼎、铜镞、铜环等。

此处墓葬，其年代简报推断为战国至秦汉。

白城市

221.吉林大安渔场古代墓地

作　者：吉林省博物馆文物队、吉林大学历史系考古专业

出　处：《考古》1975 年第 6 期

大安县渔场场部位于洮儿河与嫩江汇合处的月亮泡南岸，在端基屯东部，距大安县城约 37 公里。1974 年 5 月，渔场场部进行基建施工，挖地基时掘出人骨及陶器，考古人员进行调查，确定该处为一面积较大，分布较密集的古代墓地。于 6 月末至 7 月初对该墓地进行了局部清理发掘。

简报分为：一、墓地和墓葬，二、出土遗物，三、结语。有手绘图。

据介绍，此次共清理、发掘了 14 座墓葬、5 个灰坑。遗物有铜器 5 件、玉石器 14 件及陶器、蚌器、骨器、铁镞等。墓主为女性的 3 座墓随葬品仅 8 件，墓主人为男性的 9 座墓随葬品计 90 件，表现出男女差别。大量武器的随葬表明武士在社会中的重要地位。

简报认为，该墓地的时代可分为早、晚两期，晚期应已进入铁器时代。

222.吉林洮安县双塔屯原始文化遗址调查

作　者：吉林省文物工作队　刘法祥

出　处：《考古》1983 年第 12 期

遗址位于洮儿河北岸 2 公里，洮安县城东 15 公里、双塔屯边的固定沙丘上。

简报分为：一、遗址的位置与遗迹，二、遗物，三、小结。有照片、手绘图。

据介绍，采集标本130 余件，其中磨制石器11 件、打制石器22 件、细石器120 余件，还有9 件陶饼、纺轮。陶片都很小，看不出器形。石犁、“之”字形纹陶器少见。

简报称，该遗址延续时间很长，从新石器时代、青铜时代到铁器时代早期。另外，过去考古界一直把嫩江流域的原始文化看作是单一的渔猎经济类型的文化。双塔屯遗址的发现使我们认识到，嫩江流域的一些地方原始阶段农业经济也曾占据过重要地位。

223.吉林大安县洮儿河下游右岸新石器时代遗址调查

作　者：吉林省文物工作队　王国范、张志立、庞志国
出　处：《考古》1984年第8期

1982年5月至6月，考古人员对大安县进行文物调查时，除了复查两处新石器时代遗址外，在洮儿河下游地区新发现了22处新石器时代遗址，并且采集了一批石器和陶器标本。

简报分为：一、地理位置与遗址分布，二、主要遗址及遗物，三、结语。有手绘图、照片。

据介绍，从这次调查的24处遗址上采集到的遗物样本，从时代性质上看并不单纯，其中器外壁饰粗绳纹、斜划纹、几何形篦点纹的夹砂褐陶、夹砂灰褐陶罐及隔鬲足、青铜饰等应该是属于青铜时代的。而除此之外的遗物当则均属新石器时代。

224.吉林省镇赉县后少力古城调查

作　者：吉林省白城市博物馆　郭　珉、宋德辉
出　处：《北方文物》2003年第4期

后少力古城位于吉林省镇赉县沿江乡后少力村西北250米处。城址平面呈长方形，周长700米。城外共发现面积大小不等的建筑址11处，分布在城址的东西两侧。在城址内外出土的文物有陶器、瓷器、铁器以及宋和金代的铜钱等。从出土文物和有关文献记载看，该古城当为元代皇族的遗存，极有可能是成吉思汗的胞弟帖木哥斡赤斤或其后代居住的城邑。简报配以手绘图、照片予以介绍。

据介绍，城址平面呈长方形，东、南两墙残迹尚存。南墙的大部分现高为0.3～0.5米，宽约5米，只有中间约有10米长的一段现高1米，宽7米，明显高且宽出两侧的墙体，是何缘故，目前尚不明了，疑此段墙体上原来可能有建筑物。东墙只是略有隆起，尚可辨析。西、北两墙现已荡然无存。

据1984年调查的材料介绍，东、西墙各长150米，南、北墙各长200米，周长700米。城的4个角略高于墙体，其上堆积有黄、绿色釉的琉璃瓦，说明当年在城角上曾有华丽的建筑物，无马面、护城河迹象。在城址东墙的最北端，有一宽约4米的豁口，由于此豁口过于偏北，与一般古城的门址不同，故疑其是后来人为所致。没有找到城门。采集到的文物有白釉二龙戏珠瓷盘、白釉口杯、鱼纹铁釜、兽面纹瓦当、龙纹滴水等。

延边朝鲜族自治州

225.吉林汪清考古调查

作　者：延边朝鲜族自治州博物馆　郑永振、朴润武
出　处：《北方文物》1985 年第 4 期

汪清县位于吉林省延边朝鲜族自治州东北部，境内山多林密，林区占全县总面积的 85%。汪清县境内埋藏着丰富的古代文化遗存。自 1953 年发掘百草沟遗址以来，考古人员曾在这里进行过数次考古调查和发掘，发现古文化遗存 50 余处（其中发掘 3 处墓葬和 1 处遗址），出土和采集几百件遗物。1983 年 4 月，根据编写汪清县文物志的需要，又一次对该地的古迹、文物进行了历时 46 天的复查和普查，共发现 62 处古代文化遗存。

对历次调查尤其是 1983 年调查的主要收获，简报分为：一、原始社会时期遗存，二、渤海时期遗存，三、辽金时期遗存，四、几点认识，共四个部分予以介绍，有手绘图、拓片。

据介绍，通过历次考古调查和发掘，初步弄清了汪清县原始遗存的分布规律，对诸遗址文化面貌及考古文化编年简报也有了初步的认识；因属于考古调查，所以简报认为每个遗存的文化内涵还不十分清楚，结尾提出的几个问题，还有待于科学的考古发掘来检验。简报称，随着新资料的发现、研究工作的深入，将随时修正认识上的错误。

226.吉林珲春新兴洞墓地发掘报告

作　者：吉林省文物考古研究所、延边朝鲜族自治州文物管理委员会、延边朝鲜族自治州博物馆　王培新、温海滨、朴龙渊、李　强、张志立
出　处：《北方文物》1992 年第 1 期

珲春县地处吉林省东部中俄、中朝边境。新兴洞墓地位于珲春县凉水乡新兴洞村东南方，距新兴洞村约 600 米，东南距珲春县城 30 公里。墓地坐落在图们江北岸凉水小盆地东缘的一座小山岗的南坡上，海拔高度 150 米。该墓地系 1983 年春文物普查时发现，1985 年 7 月进行了发掘。共清理发掘了 31 座墓葬，出土文物 300 余件，获得了一批重要实物资料。这次发掘清理了墓地中绝大部分墓葬，但因受到基建方

面的限制，对墓区北部的几座墓葬未做清理。

简报分为：一、前言，二、墓葬总述，三、墓葬分述，四、随葬器物，五、结语，共五个部分予以介绍，有手绘图。

据介绍，这批墓均为竖穴石封墓。埋葬时先在山坡上挖出口略大于底，不甚规整的长方形浅穴，近半数的墓葬还在墓底铺一层石块，放入尸骨及随葬品后，用天然石块封墓，封石略高出墓穴。为了防止封石下滑，有些墓葬于南壁之上砌筑一排石块。有的还在墓穴四周或只在一端堆置一层大石块，似乎起墓葬标志的作用。墓穴的大小依葬人的多寡或对尸骨的处理方式不同而有所区别。单人葬计 16 座，合葬墓计 9 座。随葬品有陶器 12 件及铜器、骨器等。

简报认为此处应为商周至战国时期一处原始社会氏族公共墓地。

227.吉林省图们市下嘎遗址发掘报告

作　者：吉林延珲公路考古队

出　处：《北方文物》2001 年第 2 期

该遗址位于图们市红光乡下嘎村，1997 年发掘。虽未发现房址，但出土遗物丰富，证明此处应为一古代聚落，应已进入铁器时代。年代大体相当于战国至东汉。

黑龙江省

228.黑龙江中下游文物普查取得新成果

作　者：铁　犁

出　处：《北方文物》1991 年第 1 期

为配合中苏合建水电站工程，考古人员继 1989 年对黑龙江中上游即大兴安岭地区进行第一期文物普查后，1990 年又对黑龙江中下游地区即从黑河至萝北的 8 个县（市）进行了文物普查，完成了第二期普查任务，并取得了新的成果。

据介绍，从 5 月 20 日起，至 6 月 28 日止，考古人员跋山涉水，穿越林莽野原，总计行程陆路 3600 余公里，水路 700 余公里，跨越大小河流 60 余条，新发现遗址和遗物点 56 处，并复查了原有的遗址和遗物点 44 处，采集各个时代的文物标本 1600余件。经过初步研究，简报推断，在新发现的遗址中，可能属于旧石器时代的8处，新石器时代的10处，早期铁器时代的20处，辽金时代的14处，清代至民国时期的2处，革命文物 2 处。

简报称，此次普查证明，黑龙江地区的文物分布是十分密集的，特点是旧石器时代遗存的发现。此次普查也为研究黑龙江地区的考古文化分布、类型等提供了十分有价值的资料。

类似的考古调查进行过多次。如据《考古》1960 年第 7 期报道，1960 年考古人员曾对牡丹江、嫩江、松花江沿岸展开调查。发现有细石器时代遗址、辽金古城一处等。又据《考古》1960 年第 4 期报道，1957 年 10 月，考古人员对嫩江下游左岸进行了考古调查，发现新石器时代遗物散布地 8 处、古城址 5 处、古墓葬 2 处、新石器时代遗址 10 处，共计 25 处。

229.黑龙江右岸沿江嘉荫至萝北太平沟文物普查简报

作　者：黑龙江省文物考古研究所　张　伟、范忠泽、孙士民

出　处：《北方文物》1997 年第 2 期

为配合中俄联建的水利工程，1990 年 6 ~ 7 月，考古人员对黑龙江（阿穆尔河）

右岸水电站淹没区进行了第二期文物普查。范围包括黑河、逊克、孙吴、嘉荫4县及萝北太平沟的沿江区域。发现了一系列新石器至辽金时期古代遗存，其中遗址5处，遗物点5处，墓葬2处，另有2处时代不明的遗物点。

简报分为：一、新石器时代遗存，二、早期铁器时代文化遗存，三、辽金时期文化遗存，四、时代不详文化遗存，五、结语。有手绘图。

据介绍，古遗址、遗物点、墓葬均发现在一级台地上，多数在现代村落之下或附近，处于沿岸支流注入江口的地带。含石器时代遗存的遗址仅1处，除2处时代不清遗物点外，余皆为含铁器时代和辽金时期文化遗存的遗址。从时代上看，材料较集中。各遗址的文化内涵多较单纯，文化性质单一。遗址、遗物点及墓葬中地表所暴露的遗物较少，且均为采集，能断代的成形陶器更少，与周邻的遗址或墓葬难以比较。

230.黑龙江省莲花、尼尔基、磨盘山库区考古的主要收获

作　者：李陈奇、张　伟、赵永军

出　处：《北方文物》2012年第4期

多年来，黑龙江省文物考古部门与建设部门紧密合作，颇有成效地进行了数百个基建考古项目，既配合了全省的经济建设工作，又达到了保护文物的目的。其中莲花、尼尔基、磨盘山库区考古属于超大型同类项目，收获尤为显著。简报分为三个部分予以介绍。

据介绍，牡丹江莲花水电站是黑龙江省“八五”期间重大建设项目，淹没区域133平方公里。库区位于牡丹江下游上段，1992～1996年，考古人员配合该工程进行发掘。遗迹类型有大型聚落、单一建筑、墓群、城址、岩棚址等；其时代包含了旧石器、新石器、早期铁器时代早晚两段、渤海国时期及辽金各时期等，基本上可以勾勒出这一地区古代文化发生、发展的大体脉络。如鹰嘴峰A新石器时代早期岩棚址，东兴、河口早期铁器时代半地穴址，兴农渤海时期中小型古城址，渡口辽金时期居住区外的石围墙等。遗物方面，如鹰嘴峰A岩棚址出土的新石器时代柱叶形石器，振兴遗址出土的新石器时代的陶器，东兴遗址出土的早期铁器时代铁镬，鹰嘴峰C遗址出土的渤海时期的骨制诱鱼器等。特别值得一提的是河口遗址渤海晚期或辽代的陶模具的发现，为迄今东北亚地区所仅见。

尼尔基水利枢纽工程是松花江流域水资源综合开发利用的核心工程之一，也是目前黑龙江省最大的水利枢纽工程。尼尔基水利枢纽库区建在内蒙古莫力达瓦旗至黑龙江嫩江县之间，属嫩江中游。1999年考古人员经核查认定该工程黑龙江省境内有古代文化遗址44处，2001～2004年进行了发掘。其中旧石器时代遗址1处，新

石器时代、青铜时代至早期铁器时代遗址24处，辽金时期遗址1处，清代墓葬18处。比较引人注目的成果有讷河市学田镇多福村神泉屯旧石器遗址、清代将军墓及中下层平民墓等。

磨盘山库区距黑龙江省会哈尔滨不远，其中白旗遗址的发现填补了两汉时期秽貊人遗存的空白。金代遗存也十分丰富。简报最后指出，随着我国经济建设的高速发展，基建考古已成为新时期考古工作的“主战场”。

哈尔滨市

231.黑龙江拉林河右岸考古调查

作　者：黑龙江省博物馆　孙秀仁、朱国忱

出　处：《考古》1964年第12期

拉林河是松花江的重要支流之一，发源于吉林省敦化县额穆索北之琵琶顶子，西北流注入松花江，全长355公里。该河是吉林、黑龙江两省的界水，右岸属黑龙江之五常、双城县；左岸属吉林之扶余、榆树县。考古人员于1962年5月12～31日对拉林河右岸地区进行了考古调查，共发现了新石器时代遗址及遗物分布点11处、辽金遗址9处，调查了古城址11处，还有3处古城址因时间关系未能前往勘查（即五常冲和镇南之八里城、牛家站附近之北城子、双城县南9公里之单城子）。

简报分为：一、新石器时代遗址，二、金代古城及遗址。有拓片、手绘图等。

据介绍，此次发现的新石器时代遗址及遗物分布点共11处。五常县境内有安家、九三公里站、营城子、西小山及南土城附近之第一、二、三地点7处。双城县境内有彭家窝棚、三家子、楼上、板房子北沙坨子4处。遗址均位于右岸之第二、三级台地上，而且常与金代遗址重叠。简报选择7处遗址和2处遗物分布点做了重点介绍，即南土第一地点、南土第二地点、南土第三地点、西小山遗址、彭家窝棚遗址、三家子遗址、沙坨子遗址、安家与九三公里遗物分布点。这次调查共发现金代古城址11座，计有五常县的半里城子、营城子、南土城古城址、双城县的金钱屯古城与小西城子古城址、大半拉城子和小半拉城子、前对面城和后对面城子。简报称，诸城址建于金代早期可能性较大。金代遗址主要有9处：即五常县营城子、南土城西、东城子遗址、西城子南部、下榆树，和花园东南1.5公里、车家窝棚西北1公里、前对面城附近、后对面城附近各一处。诸遗址遗物分布面积较广，有的即在城址附近。

232.黑龙江宾县庆华遗址发掘简报

作　者：黑龙江省文物考古研究所　金太顺、赵虹光

出　处：《考古》1988 年第 7 期

庆华遗址位于宾县县城东南约 7 公里，新立乡庆华大队北山岗的南坡上。遗址高出河面约 15 米。其北有一条东西向大路，东有一条蜿蜒曲折的小河由南向北流过注入松花江。围绕遗址有一座椭圆形古城，城周长约 0.5 公里，在城的东、南、北有三个城门址。城与公路之间是经长年雨水冲刷而形成的东西向的断崖。

庆华遗址是在 1981 年文物普查中发现的。1985 年 4 月考古人员对该遗址进行了复查，同年 8 月 29 日至 9 月 28 日进行了发掘。清理出房子两座，灰坑、窖穴各一个，发掘总面积约 300 平方米。

简报分为：一、地层，二、遗迹，三、遗物，四、结语，共四个部分予以介绍，有手绘图、照片。

据介绍，遗址发现房址两座、窖穴、灰坑，出土器物共 300 多件。东宁大城子遗址（在团结遗址东北，相距约 40 华里）的第 2 号房址（F2），碳–14 测定其绝对年代为距今 2100±90 年，庆华遗址出土的夹砂褐陶瓮、罐等与团结下层二期的同类器相同，而团结二期的陶器又和大城子遗址的陶器相同，故庆华遗址的年代似应和大城子遗址同时。庆华遗址出土的部分夹砂陶器与吉林西团山中晚期遗物相似。西团山文化中晚期的年代大约在春秋、战国、秦汉之际，庆华遗址的年代不会相去甚远。所以简报推断庆华遗址的上限大概在战国早期，下限约在西汉末，这样，整个庆华遗址大约延续了 500 年。

233.双城市同心乡同心村出土的玉斧

作　者：陈家本、范淑贤

出　处：《北方文物》1992 年第 2 期

1983 年春夏之交，双城市同心乡同心村出土 1 件玉斧，为一农民在种田时采集。地点在同心村西偏南部位，距同心村约 1500 米，其东南约 1500 米处为同心乡洽乡村。西侧约 300 米处有一条水沟由北向南流入拉林河，春季已干涸。附近地势平坦，早已开垦为耕地。简报配以手绘图予以介绍。

据介绍，玉斧长身弧刃，全长 12.9 厘米，刃宽 4.5 厘米，斧顶稍斜，宽 2.7 厘米，斧身稍薄，最厚处 1.5 厘米。玉斧的材质为岫玉，表面碧绿、黄褐、墨黑、灰白等色混杂相间。斧身通体磨光，润泽光滑，一侧有切割的加工痕迹。斧顶有残破，刃部有几处不甚明显的崩口，似乎是使用过留下的痕迹。简报未提该玉斧的时代。

234.黑龙江省巴彦县王八脖子山遗址考古调查简报

作　者：刘　展、李彦军

出　处：《北方文物》1995 年第 1 期

1993 年春，考古人员对巴彦县王八脖子山遗址进行了考古调查，1994 年春对该遗址进行复查。经过几次考古调查，在遗址中采集了500 余件标本（包括陶片在内）。实际上，早在1982 年的全区文物普查中，就发现了这处遗址，遗憾的是，当时对该遗址没有引起足够的认识。

简报分为：一、遗址的地理位置，二、主要遗物，三、小结，共三个部分，配以手绘图，介绍了1993 年、1994 年春季对该遗址的文物普查整理情况。

据介绍，遗址位于巴彦县巴彦镇西南 11 公里的松花江与少陵河交汇处的三阶台地上。此台地南距松花江约 1500 米，西临少陵河 300 米。因此处的地形酷似乌龟的脖子伸入松花江的江漫滩地，故当地农民俗呼其为“王八脖子山”，据此，将遗址的名称暂定为王八脖子山遗址。遗址的分布面积自西向东长约 1200 米，宽约 500 米。在遗址的地表上散布着大量的陶片、网坠、纺轮、贝壳、鱼骨及各种兽骨等。该遗址陶器多以红陶为主，并且大部分为砂质陶，制法均为手制。石器方面有磨制石器和打制石器两种，压制石器比较少见，器形有石斧、石镞、石凿、饼状石器和砍砸器。丰富的骨器、兽角器、兽牙器是该遗址的一大特点，器形有骨锥、骨甲片等。简报推断此处遗址应是受白金宝文化影响而又有自身特点。

一般认为，白金宝文化的时代为西周至春秋晚期。

235.黑龙江省五常市砂河子镇西山石棺墓的考古调查

作　者：哈尔滨市文物管理站、五常市文物管理所　刘　展、周　实

出　处：《北方文物》1999 年第 1 期

1994 年春，五常市砂河子镇农民在西山采石时发现一座石棺墓葬，对墓葬进行了随意挖掘，后经制止，保留下来部分文物。五常市文管所收缴了这些文物，并对墓葬区进行了保护。1996 年 3 月、1997 年 6 月，考古人员两次对此墓葬进行了调查，并找当事人了解了有关事宜。

简报分为：一、墓葬形制，二、出土随葬品，三、结语，共三个部分介绍了调查情况，有手绘图。

据调查和与当事人了解情况，得知此墓为单人墓葬，有石棺 3 座，其中 2 座为副棺。随葬品有陶器及生活生产用具，保存下来的共 25 件，其中陶器 16 件，石器 8 件，铜器 1 件。据当地农民讲，他们经常在西山上捡到陶罐残片、石镞，还曾捡到过青

铜刀等。据此，可以推测沙河镇西山石棺墓区是一墓葬群。另据当事人讲，该墓的陶器被损坏的有四五十件，石镞遗失不计其数，可见该墓随葬品十分丰富。从出土的木杖等分析，该墓主似不是一般的平民。简报认为该墓应属西团山文化。一般认为，西团山文化系从商周之际至战国末。

236.黑龙江省木兰县石头河遗址调查简报

作　者：侯静波、李彦君

出　处：《北方文物》2014 年第 4 期

1997 年 4 月，黑龙江省木兰县政府决定筹建木兰县博物馆。为了配合该项工作，考古人员对木兰县的文物情况进行了调查，在石头乡石头河村发现了该遗址。此后又对其进行了多次考察，获得了一批重要文物。

简报分为：一、遗址概况，二、文化遗物，三、结语，共三个部分予以介绍，有手绘图。

据介绍，该遗址位于木兰县西南部的石河乡沿江屯东约 500 米处的松花江左岸与石头河交汇处的二级台地上，1997 年 4 月发现，多次考察中获得了一批重要文物。采集的遗物主要有石器、陶器及少量的玉器和铜器。石器包括石片、砍砸器、石镞、石凿、石斧、石球等，可分为打制、压制和磨制石器。在采集的 1000 多件陶片中，红衣陶约占 40%、黄褐陶占 30%、黑陶占 20%。以大型和中型陶器居多，均为夹砂陶，手制。该遗址的年代简报推断为两周时期。

齐齐哈尔市

237.富拉尔基老龙头原始社会遗址调查

作　者：齐齐哈尔市文物管理站　傅惟光、辛　建

出　处：《黑龙江文物丛刊》1981 年

1982 年 5 月中旬，考古人员在富拉尔基进行文物普查时，在嫩江右岸的老龙头，发现了一处原始社会遗址，这在富拉尔基还是首次发现。考古人员在遗址表面采集了一些器物，并清理了已暴露的居住址及墓葬和灰坑。

调查情况简报分为：一、遗址的地理位置和地层堆积，二、遗迹，三、遗物，四、结语，共四个部分予以介绍，有手绘图。

据介绍，老龙头遗址地处嫩江及其支流库勒河交汇处的一级台地上，属齐齐哈尔

市富拉尔基区富国公社管辖，西北距罕伯岱大队 1.5 公里，面积约 1 平方公里。老龙头遗址的遗迹、遗物比较丰富，陶器从数量上看红衣陶为主，黄褐陶次之，灰褐陶较少。从地面采集和地层中清理的器物来看，该遗址在时间上有早晚的差异，即有不同时期的堆积。简报称，老龙头遗址文化内涵复杂，有待于进一步发掘、研究、探讨。

238.黑龙江讷河市二克浅青铜时代至早期铁器时代墓葬

作　者：黑龙江省文物考古研究所　李砚铁、田　禾、辛　建、王长明、陈　璐
出　处：《考古》2003 年第 2 期

二克浅青铜时代至早期铁器时代墓葬位于讷河市二克浅镇西北方的一处岗坡上。岗坡的最高处有一用石块堆砌而成的“敖包”，故当地人称之为敖包山，又因山上常有野鸡飞起飞落，故又美之名曰“凤凰山”。墓葬是 20 世纪 60 年代黑龙江省博物馆对嫩江流域进行考古调查时发现的。1985 年，对二克浅墓葬进行了试掘，发现墓葬 26 座。2001 年 7 ~ 10 月，为了配合尼尔基水库建设，又对二克浅墓葬进行了抢救性发掘。本次发掘是对嫩江流域进行的规模最大的一次发掘工作，分为北（A）、南（B）两区，发掘总面积 5100 余平方米。此次发掘共清理墓葬 68 座，出土遗物 200 余件，其中陶器近 80 件，铜器、铁器、骨器、石器等 100 余件。

发掘情况简报分为：一、地层堆积，二、墓葬形制，三、随葬遗物，四、结语，共四个部分予以介绍，有手绘图。

据介绍，二克浅墓葬存在早晚两个不同时期的文化遗存，两期遗存看不出有明显的承继关系，应属不同的考古学文化。前者属于春秋至战国早期青铜时代，后者已经进入铁器时代，根据黑龙江地区铁器时代遗存的年代不超过战国这一实际情况，其年代约相当于汉魏时期。

简报称，二克浅墓葬的大面积揭露和文化类型的确立，为松嫩地区考古学文化的研究工作提供了新的内容，同时也显示了该地区文化的多样性和复杂性。

239.黑龙江省讷河市红马山遗址调查

作　者：霍永良
出　处：《北方文物》2003 年第 4 期

1992 年 5 月，讷河市文物管理所在对嫩江中上游地区讷河段进行考古调查时，在清河乡江东村新立屯西北 3.5 公里处的红马山东坡发现一处古文化遗址，简报配以手绘图予以介绍。

据介绍，遗址地表遗物较为丰富，有陶片、石器、铁器及青铜饰件等。遗址上有

一人工挖掘的浅沟，在浅沟的断面上可见到有灰坑迹象。灰坑中可见到鱼骨、蚌壳、动物骨骼和炭灰等。发现的陶器皆手制，夹细砂，素面，从器表观察主要为灰褐陶和黄褐陶，有少量红衣陶。石器多是打制和压制的，也有少量磨制的。器形有石镞、石核、砍砸器、刮削器、石斧、石叶及石管珠等。铜器有铜泡、镂孔牌饰、齿状饰件等。铁器只发现铁刀。另外在灰坑中发现一件骨锥。红马山遗址所反映出来的文化面貌较为复杂，既有新石器时代的遗物，又有青铜至铁器时代的遗物，表明该遗址延续时间较长。

240.黑龙江讷河市库勒浅青铜至早期铁器时代墓地

作　者：黑龙江省文物考古研究所　张　伟、王长明等

出　处：《考古》2006 年第 5 期

讷河市位于松嫩平原北部边缘，地势北高南低，由东北向西南倾斜。库勒浅屯地处讷河市的西北部，隶属学田镇多福村。墓地位于库勒浅屯的西部，坐落于嫩江中游左岸略呈东北—西南向的一级台地西部边缘，其西坡和北坡下为低河漫滩。墓地的西部由于村民修牛圈，将坡地下切，形成断面。从断面上可以观察到古代墓葬。1996 年 5 月下旬，讷河市文物管理所在全市境内进行考古调查时发现了该墓地。随后，考古人员对该墓地的 1 座遭到破坏的墓葬进行了抢救性清理，出土器物有陶壶、罐、杯及铜耳环、镞和铜泡等，初步认定该墓地是一处青铜时代至早期铁器时代的墓地。1999 年 5 ~ 6 月，为配合嫩江中游尼尔基水利枢纽工程建设，对其淹没区开展考古调查时复查了该墓地。2002 年 7 ~ 10 月，对该墓地进行了大规模的考古发掘，共清理墓葬 52 座，出土陶、石、骨、铜、铁、玉、玛瑙等质料遗物 150 余件。

简报分为：一、地层堆积，二、墓葬概述，三、早期墓葬，四、晚期墓葬，五、结语，共五个部分，有彩照、手绘图。

据介绍，墓葬为土坑竖穴墓，根据残存人骨，可辨出有一次葬和二次葬两种葬俗。该墓地包含两个时期的墓葬。早期墓葬出土陶器、铜器等，属青铜时代，年代为春秋中晚期；晚期墓葬出土陶器、铜器、铁器等，属早期铁器时代，年代为汉魏时期。此次发掘，极大地丰富了嫩江流域的考古发现。

241.黑龙江省泰来县佰大街遗址发掘简报

作　者：黑龙江省文物考古研究所　魏明江、赵永军

出　处：《北方文物》2010 年第 3 期

泰来县佰大街遗址位于汤池镇佰大街村西北 2 公里处的南北向条状沙土岗上，

西南距泰来县 67 公里。遗址西部紧邻嫩江支流托力河支流，当地称为运河沟，东部、南部为平整的耕地，北部被一乡间土路隔断。2007 年 5 ～ 7 月，为配合大庆油田钻井工程，考古人员在该地进行了发掘，清理灰坑 6 个、残破房址 1 处，出土遗物近百件。

简报分为：一、早期铁器时代遗存，二、辽金时期遗存，三、结语，共三个部分，有手绘图。

据介绍，该遗址可分为早、晚两期，早期为战国至汉时期，遗迹有灰坑 3 个，遗物有石器、骨器、陶片；晚期为辽金时期。属于辽金时期的遗存有房址 1 座、灰坑 3 个，出土少量泥质灰陶片和动物骨骼、网坠、宋代铜钱等。早期遗存是本次发掘的主要收获，文化面貌与周边地区的汉书二期文化有一定联系。

242.黑龙江省齐齐哈尔市奈门沁遗址发掘简报

作　者：黑龙江省文物考古研究所　李有骞、王长明

出　处：《北方文物》2012 年第 3 期

2009 年，考古人员对奈门沁遗址进行了抢救性发掘，发掘面积 1000 平方米。奈门沁遗址位于齐齐哈尔市梅里斯区奈门沁村南约 150 米，处于齐甘高速公路奈门沁收费站匝道线路上，隶属于雅尔塞镇奈门沁村，东距嫩江主河道约 2.5 千米。

简报分为：一、地层堆积，二、金代遗存，三、清代遗存，四、结语，共四个部分予以介绍，有照片、手绘图。

据介绍，遗址包含早晚两期遗存，早期以 3 座土坑瓮棺墓和 12 个灰坑为代表，出土了陶罐、陶塔形器、瓷盘、建筑构件和石器等，为金代遗存；晚期以 5 座土坑木棺墓为代表，由于遭到破坏或盗掘，出土遗物较少，有鎏金铜簪、铜扣、石球等，为清代遗存。简报称，瓮棺火葬墓在辽金时期常见，辽代火葬墓用的瓮棺都是实用器，金代出现专门用于盛装骨灰的瓮棺，本次发掘的盛装骨灰的陶罐肩部均有一孔，并且烧制比较粗糙，属于专门用于盛装骨灰的葬具。莲花纹瓦当、塔形器、火烧葬等因素说明金代遗存可能与佛教有关，通过进一步调查走访了解，当地村民曾在发掘区北侧耕地时发现小铜佛一座，也证明了这一点，或许发掘地点并不在遗址的中心区。至于清代墓葬，出土的均为清代墓葬中习见之物。

鸡西市

鹤岗市

243.黑龙江萝北县团结墓葬发掘

作　者：黑龙江省文物考古研究所　祖延苓、韩世明、李陈奇、张泰湘
出　处：《考古》1989年第8期

萝北县地处黑龙江省东部，三江平原西端，东北隔黑龙江与前苏联相望。墓地位于团结公社砖厂西部一沙漫岗上，北距县城（凤翔镇）约9.5公里，东南距公社所在地约1公里。1982年，砖厂在烧砖取土过程中发现了一批古代墓葬。其后，考古人员曾到现场进行调查，并采取了相应的保护措施。1983年夏，考古人员进行复查和抢救性发掘。发掘于9月4日开始，至9月15日结束，历时12天，发掘墓葬10座。

简报分为：一、墓葬分布及地层堆积，二、墓葬形制，三、随葬器物，四、小结，共四个部分予以介绍，有手绘图、照片。

据介绍，出土遗物以细颈深腹大陶罐为特征。墓穴中设的生土台（上置陶器）也很有特点。年代据测定为距今1435±80年，约相当于南北朝至隋唐之际。简报称，应为靺鞨族的历史遗存。

244.黑龙江省萝北、绥滨县文物普查简报

作　者：鹤岗市文物管理站
出　处：《北方文物》2003年第4期

1991年6月，由黑龙江省考古研究所和鹤岗市及萝北、绥滨两县文物干部组成的中俄边境淹没区文物普查队，对黑龙江右岸萝北延兴至绥滨两江汇合口和松花江下游左岸进行了文物普查，发现遗址、遗物点及墓葬26处。

简报分为：一、地理位置及主要河流，二、新石器时代文化遗址，三、铁器时代文化遗址，共三个部分予以介绍，有手绘图。

简报重点介绍了福太遗址、五队遗址两处新石器遗址及名山岛遗址、合江农场遗址、五十二队遗址、沙丘遗址、六里村遗址、松滨村遗址、弯把泡遗存、290−1队墓葬址等铁器时代遗址。遗物有石器、陶器、铁器等。

245.黑龙江绥滨同仁遗址发掘报告

作　者：黑龙江省文物考古研究所、中国社会科学院考古研究所　杨　虎、谭英杰、林秀贞等

出　处：《考古学报》2006年第1期

绥滨县位于三江平原西北部，西倚小兴安岭。同仁遗址距福兴乡同仁村北5公里，东南距县城（绥滨镇）45公里，位于黑龙江中游右岸一级台地上。黑龙江水自西北向东南流来，形成一个弧形江湾，江面宽阔，水流平缓，遗址高出江面约15米。1973年夏，黑龙江省博物馆历史部（今黑龙江省文物考古研究所）沿江进行调查时发现了同仁遗址。同年，又会同中国科学院考古研究所复查，随即共同组成黑龙江流域考古队，对遗址进行发掘。

简报分为：一、探方和地层堆积，二、遗迹，三、遗物，四、结语，有照片、手绘图。

简报称，同仁遗址属黑水靺鞨族（详见《新唐书·黑水靺鞨传》）的遗存，时代约为公元5至公元11世纪，相当于南北朝至北宋初年。其居住形式甚至对今日东北地区亦有影响。简报称，黑龙江地区近代农村建的半地穴房屋（俗称“马架子”）多设窄炕，居住者顺炕洞方向躺卧取暖。还有俗称“地龙火”者，即建房时于室内挖数条平行沟，上面铺砖作为居住面，地沟即为炕沟，前接灶，末端并为烟道，通向烟囱。现代所建火炕大多宽2米左右，居住者头枕炕沿，与窄炕用法不同。黑龙江农村近代多用柳条做烟囱的木骨架，其建法是先在屋前西南角或东南角墙外搭一段烟道（俗称“桥子”），在其末端建烟囱口。烟囱有两种形式：一种是先立四个角柱，底部较粗，围绕角柱逐段向上编拧柳条，逐段在内敷泥；一种是先用土坯垒砌底部，再把编好的柳条筒固着在上面。同仁遗址F1的烟囱大概属于前一种。简报指出，同仁遗址的发掘，对于我们认识和重建古代黑龙江中游地区的历史很有意义。

246.黑龙江省绥滨县蜿蜒河遗址发掘报告

作　者：黑龙江省博物馆、中国社会科学院考古研究所

出　处：《北方文物》2006年第4期

1974年，考古人员对蜿蜒河遗址进行发掘，发掘面积203平方米。

简报分为：一、文化层堆积，二、遗迹，三、遗物，四、结语，共四个部分予以介绍，有手绘图。

据介绍，在黑龙江畔首次发掘的蜿蜒河遗址，发掘面积不大，有房址2座，窖穴1个。遗址的地层堆积简单，耕土层下有上、下叠压的文化层。上层发现房址1座（编号F1），下层发现房址1座（编号F2）。F1与F2不但在时间上有早、晚差别，并

且代表两个文化类型。F1 与同仁文化二期相当；F2 与俄罗斯的波尔采文化雷同。蜿蜒河遗址内出土遗物不是很丰富，以陶器残片为大宗，可以复原的完整陶器很少。地层及房址中还出土了石器、铁器、骨器若干，铜器仅 1 件铜残剑及 3 枚铜币。

双鸭山市

247.黑龙江友谊县凤林城址 1998 年发掘简报

作　者：黑龙江省文物考古研究所　张　伟、王学良、田　禾
出　处：《考古》2000 年第 11 期

1998 年是黑龙江省文物考古研究所七星河流域汉魏遗址群聚落考古计划的启动年。是年 9 ~ 10 月，考古人员对凤林古城址进行了发掘。凤林古城址位于友谊县成富乡凤林村西约 300 米处，西北距县城约 24 公里，为三江平原汉魏时期规模最大的城址。该城址于 1984 年调查发现，后进行了实测。1990 年，该城址被定为省级文物保护单位。1994 年，考古人员对该城址进行试掘时，又对地表有迹象的半地式居住址进行了测绘。1998 年的发掘区选择在七城区的东北部。本次发掘面积约 500 平方米，共清理房址 8 座、灰坑 23 座，出土器物近 300 件，并提取较多的动物骨骼、木炭、炭化农作物颗粒及孢粉样本。

简报分为：一、地层堆积与遗址分期，二、早期遗存，三、晚期遗存，四、结语，共四个部分，有手绘图。

据介绍，1998 年凤林古城址的发掘，弄清了城区的堆积序列、文化内涵以及废弃的原因；初步探明了城区晚期遗存房址的分布规律；早期遗存的发现则为滚兔岭文化的研究提供了新的资料，识别出以晚期遗存为代表的一种新考古学文化遗存。简报称，这两个时期遗存的发现，为确认三江平原汉魏遗址群的文化性质、分布与编年树立了标尺，发掘过程中所提取的动物骨骼、木炭、炭化农作物颗粒及孢粉样本，为七星河流域汉魏时期遗址群的多学科综合研究提供了必需的材料。

248.黑龙江双鸭山市保安村汉魏城址的试掘

作　者：黑龙江省文物考古研究所　张　伟、赵永军、田　禾、方　琦
出　处：《考古》2003 年第 2 期

1999 年 5 ~ 6 月，黑龙江省文物考古研究所选择双鸭山市保安村城址作为首发

试掘地点。保安村城址位于双鸭山市宝山区七星镇保安村东北约 1.1 公里，七星河中游南岸的二级台地上，海拔高程 101 ～ 103 米。属省级文物保护单位。城址平面呈不规则形，周长 733 米，面积约 5 万平方米。城墙内侧高 0.7 ～ 1.5 米、外侧高 3 ～ 4.5 米，城垣顶宽 1.5 米、基宽 14 米，城外壕沟宽 4 ～ 6 米、深 1 ～ 1.8 米。城墙四周设 4 个角楼和 9 个马面。城址仅设一门，门朝向东北。保安村城址是七星河流域两座带角楼、马面的城址之一（另一座为友谊县凤林城址）。

此次试掘清理 3 座房址、1 个灰坑等遗迹（编号为 F1 ～ F3、H1），出土陶器、石器、骨器和铁器等遗物约 100 件。

简报分为：一、地层堆积，二、早期遗存，三、晚期遗存，四、结语。

据介绍，保安村城址早期遗存房址废弃堆积中虽出土了少量晚期遗存器物，但从房址本身的建筑方式、结构来说，是属于早期类型。它与友谊县凤林城址七城区早期遗存的房址形制相同，通过对比，二者应属同一文化范畴，其年代简报推断约为两汉时期；保安村城址晚期遗存应与凤林城址七城区晚期遗存属同一文化范畴——凤林文化，时代简报推断相当于魏晋时期。

简报称，保安村城址的试掘，识别出两种不同时期的遗存。早期遗存为当地土著文化——滚兔岭文化的研究增添了新的资料，晚期遗存则丰富了凤林文化的内涵，使凤林文化的研究进一步深入。

249.黑龙江友谊县凤林古城址的发掘

作　者：黑龙江省文物管理委员会

出　处：《考古》2004 年第 12 期

凤林古城址位于黑龙江省友谊县成富乡凤林村。20 世纪 80 年代以来，有关文物部门对该古城址进行了多次调查，采集到许多文物标本，后又对城址进行了全面测绘，并利用 20 世纪 60 ～ 80 年代的航测照片对实测图进行了修正。1994 年 9 ～ 11 月，考古人员首次对该城址进行了发掘，发掘、试掘房址 7 座、灰坑 5 个，对七城区的城墙进行了解剖，出土各类遗物 288 件。2001 年以后，又重新对城址进行了实测等工作，补充了新的资料。

简报分为一、城址概况，二、地层堆积，三、早期文化遗存，四、晚期文化遗存，五、结语，共五个部分予以介绍，有彩照、手绘图。

据介绍，凤林古城址平面呈不规则形，周长 6330 米，面积约 114 万平方米。外城墙残高 0.6 米，有两道护城壕。这次发掘的遗存可以分为早、晚两期。早期遗迹有一大型公共建筑房址，遗物有陶器和玉器，年代简报认为是东汉末魏晋初；晚期

遗迹有房址、灰坑和城垣，遗物有陶器、石器、骨器、铜器和铁器等，年代简报认为应为魏晋时期。

简报指出，凤林古城址的北部城垣建在平原岗地上，城垣较直，而南部城垣较曲折，这可能与抵御七星河水泛滥有关。城区众多，或是因功能不同和人口增加而不断扩建的结果，它们在年代上有早晚之分。

简报称，这次发掘基本搞清了凤林古城址的时代顺序，也为今后这一地区考古学研究提供了一批重要资料。

250.黑龙江省集贤县沙岗镇文物遗址调查简报

作　者：黄星坤

出　处：《北方文物》2007 年第 1 期

1996 年 4 月，考古人员对集贤县沙岗镇辖区进行了文物遗址调查，发现古文化遗址 12 处，并复查了 2 处古代文化遗址。从获得的资料分析，这些遗址的年代和文化内涵应同于滚兔岭文化。简报配以手绘图予以介绍。

简报介绍了东兴南、东兴火烧山、东兴南山城址、东兴大苇塘沟遗址、东辉城址、新发油库、东辉五队北、采石场北、采石场西山城址、鼻梁山、东荣北、东亮东南山、东亮南山包、滚兔岭城址等遗址。简报认为，此次调查所获得的资料其年代和文化内涵应同属于滚兔岭文化。

一般认为，滚兔岭文化的时代大致相当于战国秦汉时期。

251.黑龙江省集贤县永红城址一、二、三号灰坑清理简报

作　者：高爱霞

出　处：《北方文物》2007 年第 2 期

2004 年 9 月，考古人员对永红城址内被破坏的 3 处灰坑进行了抢救性的清理，发现骨器、陶器、石器、铁器等 80 余件，从发现的文物判断，其文化内涵应归属滚兔岭文化。简报分为五个部分并配以手绘图予以介绍。

据介绍，永红城址位于黑龙江省集贤县腰屯乡永红村西 0.5 公里的索伦岗山坡上。遗迹有灰坑 5 个。遗物有石器、陶器、骨器、铁器等。从出土的生产工具观察，有用于垦耕的石斧，也有较多的用于收割的石刀，说明当时已经出现了农业生产，并开始定居生活，但狩猎仍占有重要地位，渔业也占有一定比重。简报认为，先民的生存模式应是以狩猎为主，农业生产、渔猎为辅。

简报推断，该遗址时代应为战国至秦汉时期。

252.黑龙江省集贤县升昌镇文物遗址调查简报

作　者：黄星坤
出　处：《北方文物》2007 年第 2 期

升昌镇位于集贤县政府驻地福利屯东22公里处，东与友谊县毗邻，南接双鸭山市，西靠沙岗镇，北与黎明乡相连，东北部与腰屯乡接壤。1996 年 5 月中旬，考古人员对友谊县毗邻的集贤县升昌镇所辖区域进行了文物遗址调查，发现文物遗址 11 处。

简报分为：一、遗址概况，二、遗物，三、结语，共三个部分予以介绍，有手绘图。

简报重点介绍了东方红南山、爱林东南山、丰林城址、青林北等遗址。遗址多分布在避风向阳山的南坡上，山下是沟塘或两山夹一沟。平原上的文物遗址分布在临近河流的岗包上，表明水是人们生活的第一需要。城址形制为圆形或近似圆形，城垣均为“掘土为壕，堆土为垣”的方式构筑，城墙是一道土垣。就其陶器而言，质地以夹砂黄褐陶的器物为主，器形以单把陶罐最具特点，还有小平底瓮、敞口碗、敛口深腹钵、高领壶等，陶器均为手制，素面，火候较低。简报认为该遗址应属滚兔岭文化，大约相当于战国秦汉时期。

253.幸福东山城址发现“陶猪群”

作　者：张兆国
出　处：《北方文物》2008 年第 3 期

幸福东山城址是黑龙江省第五批全国重点文物保护单位——兴隆山遗址群中的一处汉魏时期遗址。位于友谊县凤岗镇幸福村（园林队）东北约 300 米处的山上。简报配以照片予以介绍。

据介绍，此城位于山的顶部和山的南坡，小城略呈椭圆形，面积约 540 平方米。小城垣周长约 88 米，外侧高约 1 ～ 2 米。小城外北、西、南三面有掘土为壕、堆土为垣的大城，城垣长约 700 米，城垣高约 0.5 ～ 0.8 米，护城壕宽约 1 米。此城址有半地穴式居住址遗迹 97 座，呈圆形的有 59 座，直径 4 ～ 8 米，深 0.2 ～ 0.6 米。呈方形的有 38 座，边长 4 ～ 10 米，深 0.4 ～ 1.5 米。此城发现于 1988 年。未被发现前，该城的东南边缘就是采沙场，现判断已有几座半地穴式居住址在采砂时被毁掉。2005 年夏，在一场大雨过后的一天上午，双鸭山市文物管理站王学良站长带领游客在 96 号半地穴式房址的剖面处参观时，发现居住断面的北侧地面有一土台，仔细观察，发现此处还有一些陶猪，随即采集出 19 头陶猪，在其他位置又发现 2 头陶猪，这样在 96 号半地穴式居住址的断面处共发现采集了 21 头陶猪。这群陶猪多数身体浑圆，鼓腹，嘴巴短小，具有写意性质，完全不同于野猪形态。只有一头陶猪侧面为长方形，横截面近似三棱形，且站在猪群的前头，细观之，则其尾部只有一孔，应为排泄器官。而其后面的大猪尾部都有二孔，象征着排泄和生殖器官。这表明站在猪群前头的是雄猪，而在后面的是母猪和小猪，这种位置安排展现了雄猪在猪群体中的地位。“猪群”的发现在三江平原地区尚属首次，它说明在汉魏时期这里的饲养业有了很大的发展。

254.黑龙江宝清炮台山汉魏城址试掘简报

作　者：黑龙江省文物考古研究所　田　禾、赵永军、张　伟等

出　处：《文物》2009 年第 6 期

炮台山城址位于黑龙江省宝清县七星泡镇平安村东北约 400 米，坐落于七星河中游南岸，是三江平原汉魏时期最大的山城址。炮台山城址东北隔七星河与三江平原汉魏时期最大的平原城址——友谊县凤林城址相望，当地俗称此二城为“对面城”。2000 年考古人员选择炮台山城址作为重点试掘对象。

简报分为：一、地层堆积，二、早期遗存，三、晚期遗存，四、小结，共四个部分，有照片、手绘图。

据介绍，该城址为四垣城址，即有4 层防护体系。一是小城，位于山头，周长约 200 米；二是中城，位于山腰，周长450 米；三是大城，位于山脚下，由掘土堆筑的城垣围成，平面略呈圆形，周长2640 米，城垣外有护城壕，宽约3 米、深约0.8 米。底层有4 座门址，东部有2 座，西北部和西南部各有1 座，宽约8 米，每座门址的两侧均有高台，面临七星河的西北和东北门址的门前设有堵墙，形成瓮城。城内西、南、北三面尚存39 个地表坑，坑径4 ～10 米，深0.2 ～0.5 米，平面呈圆形。在大城南部偏东修一座小城，并附在大城上，平面略呈圆角长方形，长约300 米，宽约125 米，西南面的墙外侧有护城壕，宽约3 米，深约0.8 米。整个城址面积约48 万平方米。

简报称，发掘出的文化遗存可分早晚两期，早期遗存仅为 1 座房址，年代约相当两汉时期。晚期遗存发掘灰坑 3 座，出土有陶器、石器、铁器等约 40 件以及木炭、粮食、动物骨骸标本，年代约相当于魏晋时期。

255.黑龙江友谊凤林城址 2000 年发掘报告

作　者：黑龙江省文物考古研究所　赵永军、田　禾、张　伟、许永杰等

出　处：《考古学报》2013 年第 4 期

友谊县位于黑龙江省东部，东邻宝清，西连集贤，南临双鸭山，北接富锦。地

处三江平原腹地，土质肥沃，水源充足，适合人类生存，是古代居民从事农业、渔猎业的理想场所。凤林村地处友谊县的东南部，西北距县城24公里，隶属成富朝鲜族满族乡。城址在七星河中游北岸的河漫滩站，紧临七星河，隔河与南岸的宝清炮台山城址对峙，东距凤林村约300米。凤林城址于1984年调查发现，1990年被确定为省级文物保护单位，2001年被国务院公布为第五批全国重点文物保护单位。1994年，黑龙江省文物管理委员会组队对城址进行试掘。1998～2000年，黑龙江省文物考古研究所对凤林城址进行了连续三年的正式发掘，凤林城址1998年的发掘资料作为年度收获也已刊发。

2011年始，考古人员对凤林城址1998～2000年的发掘资料进行全面系统的整理。作为整理工作的阶段性成果，本简报选择2000年的发掘资料予以介绍，分为地层堆积与遗址分期、早期文化遗存、晚期文化遗存、结语四个部分，配有彩照和手绘图。

据介绍，此次发掘的早期遗存年代相当于两汉时期，晚期遗存的年代相当于魏晋十六国时期。对凤林城址的发掘表明，凤林文化是由本地区及周边地区多种文化因素共同作用形成的。多种文化因素均有所体现，虽有差异，但相互借鉴，相互融合，共同促进了凤林文化的形成与繁荣。

大庆市

256.黑龙江林甸牛尾巴岗发现青铜时代墓葬

作　者：金　铸

出　处：《北方文物》1985年第4期

1977年，林甸县东升公社建国大队农民在牛尾巴岗烧砖取土时，挖出了大量人骨、骨器、青铜器及残碎的陶器。1981年、1983年考古人员先后对牛尾巴岗墓葬进行了调查，调查情况简报配以手绘图、拓片予以介绍。

据介绍，牛尾巴岗墓葬址位于林甸县城西北约32公里的一个隆起的土岗上，西距乌裕尔河左岸12公里。墓中2人仰身直肢，在2人脚下还有1具葬式不明的人骨架。另外，该地被破坏的墓葬，都是土坑竖穴，有单人葬、双人葬及三人葬。墓内共出土骨器18件、铜器6件、陶器2件。

简报称，牛尾巴岗墓葬址的发现填补了该地区青铜文化的空白，为进一步研究这类文化的性质、年代和分期，增添了新的考古资料。

257.望海屯遗址略记

作　者：思　晋

出　处：《北方文物》1987 年第 1 期

望海屯遗址是在黑龙江省发现较早的一处遗址，早在 20 世纪三四十年代就有人在此调查、探掘。1949 年以后随着考古事业的蓬勃开展，望海屯遗址的原始文化遗存材料，引起了研究者的关注。其中有些研究论著把松嫩平原青铜时代的文化遗存命名为“望海屯类型”文化，反映了望海屯遗址在松嫩平原考古研究中具有一定的地位。本略记反映了 1985 年 5 月考古人员赴当地调查的情况，资料为以往报导所未及。

据介绍，望海屯属于肇源县三站乡，在三站乡西南 4 公里左右。遗址在村南的松花江北岸的台地上。遗址中有一座金代城址。城的北墙也被现代村庄侵毁不存，其他三面城墙尚留有比较清晰的痕迹。城墙保存较好的地段，现存高度约 2 ～ 3 米。城墙为夯土版筑，夯层厚 10 厘米左右。城墙底部宽约 4 ～ 5 米。根据现存情况推测，城的形状大体接近方形，周长近五华里。在城的东、南、西三面城墙的中段均可见豁口，即当时的城门遗迹。另外西门尚存有半圆形瓮城遗迹。在城南外侧约为可见两道南北向的矮墙痕迹。在西侧矮墙的尽端，有一夯土高台，突出地表约 4 ～ 5 米，村民们称之为“点将台”。估计当时在大城外侧还有一座小城。城址内外地表散布着残破的青砖、布纹瓦、轮制灰陶的瓮、罐以及定瓷、仿定瓷残片等金代遗物。金代遗址内又有原始社会遗址，遗物有石器、陶器。简报认为，此遗址的第一类遗存时代可能比以往判断的要上推、下延一段，即从商周时期一直到汉代。第二类遗存为金代。

258.黑龙江省肇源小拉哈遗址调查简报

作　者：黑龙江省文物考古研究所　张　伟、吴英才

出　处：《北方文物》1996 年第 1 期

1991 年 9 月，黑龙江省文物管理委员会接到肇源县文化局关于小拉哈遗址被引嫩工程的人工湖水冲刷剥蚀而受到严重破坏的报告后，派人前去调查。该遗址于 1978 年春发现。

简报分为：一、遗址概况，二、文化遗物，三、结语，共三个部分，并配以手绘图，介绍了此次调查情况。

据介绍，小拉哈屯西南距义顺乡约 10 公里，东南距肇源县城约 60 公里，往西约 30 公里为嫩江。遗址南距拉哈屯约 0.5 公里，北临当地俗称“拉哈泡”的引嫩工程。

调查中所得标本共有87件，其中石器10件、骨器3件、陶器74件。这些遗物应分属三个时期：一是新石器时代晚期；二是青铜文化时期，更准确的年代尚无法得出；三是汉书二期，大致相当于汉代时期。简报称，三类不同时期的文化遗存共出于一个遗址中的情况尚不多见，这对于该地区考古学文化编年序列的建立和谱系研究具有很重要的意义。

259.黑龙江省肇源县小拉哈遗址发掘简报

作　者：黑龙江省文物考古研究所、吉林大学考古学系、于汇历、赵宾福、张　伟

出　处：《北方文物》1997年第1期

小拉哈是一个以蒙古族居民为主的自然屯，地处肇源县的西北部，隶属义顺蒙古族自治乡东义顺村；小拉哈遗址位于小拉哈屯的北部，是一处面积较大的沙土岗地。这里北临水面辽阔的“洪源湖”，东南距肇源县城60公里，往西30公里为嫩江，东去7公里为通辽至大庆铁路线。1978年春，肇源县引嫩工程指挥部在兴修水渠时首次发现了小拉哈遗址。1979年，考古人员对遗址进行了调查和钻探。1991年，又进行了复查。1992年7～9月，考古人员进行了发掘。

简报分为：一、地层堆积与分期，二、第一期遗存，三、第二期遗存，四、第三期遗存，五、结语，有手绘图。

据介绍，此次发掘面积为1100多平方米。发现墓葬、房址和灰坑等遗迹165个，出土各类完整或可复原遗物累计达450余件。遗存可分为三期。第一期甲组的年代简报推断为公元前4500年左右，属新石器时代早期偏晚阶段。第一期乙组的年代经测定为距今4000年左右，为当地最晚的新石器遗存。第二期为本次发掘的主要收获，简报初步认为该期遗存应处在青铜时代的早期阶段，早于白金宝文化，年代大致相当于中原地区的夏商时期。第三期遗存属汉书二期，大体相当于中原地区的汉代时期。

260.黑龙江肇源白金宝遗址1986年发掘简报

作　者：黑龙江省文物考古研究所、吉林大学历史系考古专业　谭英杰、朱永刚、李砚铁、金太顺、赵虹光

出　处：《北方文物》1997年第4期

肇源县位于黑龙江省的西南部，白金宝屯属肇源县民意乡大庙村，东距县城50

公里。这里地处嫩江下游，向东15公里为嫩江与松花江汇合口。该遗址1964年发现，1974年、1980年曾先后两次发掘。1986年进行了第三次发掘。

简报分为：一、地层堆积与分期，二、第一期遗存，三、第二期遗存，四、第三期遗存，五、结语，有手绘图、照片。

据介绍，1986年的发掘实际揭露面积1053.6平方米，共清理房址54座，各种形式的灰坑356个、灰沟5条、隧道2段，出土完整和可复原陶器约400件及一批石、骨、蚌、铜等器物。

简报认为，这些遗存可分为三个时期。第一期遗存应早于白金宝文化，年代经测定为距今3500年左右，相当于商代。第二期属白金宝文化，第三期属汉书二期文化。

一般认为，白金宝文化的时代相当于商周时期。汉书文化的时代相当于战国秦汉时期。

伊春市

261.黑龙江省嘉荫仁合古城调查简报

作　者：万大勇

出　处：《北方文物》2003年第1期

2001年4月11日，考古人员对嘉荫仁合古城进行了实地调查。简报配以手绘图介绍了调查情况。

据介绍，古城位于嘉荫县保兴乡仁合村南偏西8公里的一座小山上，该古城是仁合村一位叫陈新忠的62岁的退休干部提供的线索，有村民称该古城为“高丽城”。古城北约0.8公里便是即将汇入黑龙江的乌拉嘎河。古城依山势修建，其北坡陡峭，西、东坡稍缓，只有南面是延伸约0.5公里长的较平坦地势，现被村民开垦为耕地。古城城墙现高0.4米左右，宽约1.5米。古城为椭圆形，东西径约为150米，南北径为120米，构于半山腰，环抱山顶。在城墙的南、西、北三面各有一处距离不等的豁口，南豁口为10米，西豁口为3米，北豁口为30米。古城内因20世纪50年代后挖掘式狩猎造成不同程度的破坏。在古城南面距南墙仅4米的耕地上，发现并采集到数件陶片和几件石器，发现了1件石器，计有石铲1件、不明用途石器1件及陶片。

简报认为，此古城是汉魏时期一处军事要塞。

佳木斯市

262.黑龙江省富锦市南部考古调查简报

作　者：佳木斯市文物管理站、富锦市文物管理所

出　处：《北方文物》1999 年第 2 期

富锦市位于黑龙江省松花江下游南岸，地处三江平原中心。1996 年 6 月 15 日～22 日，考古人员对富锦市的锦山镇、长安乡、头林乡南部和兴隆岗镇的七星河、外七星河沿岸进行考古调查，共新发现遗址、遗物点 48 处，其中新石器时代 3 处、铁器时代 45 处、辽金时代 10 处（同一地点发现两个或三个时代遗存时仍按一处遗址统计）。简报分为新石器时代、铁器时代、辽金时代和结语四个部分予以介绍，有手绘图。

据介绍，新石器时代遗址有高台子村南 1 处，遗物点 2 处。本次调查发现的新石器时代文化内涵并不单纯，其中可能包含年代不同、文化传统不同的多种成分。该地发现铁器时代遗址 45 处，数量最多，分布范围最广，时间也延续得很长，从战国秦汉、初唐五代一直到辽金时代。简报称，古代遗存分布有一定规律：遗址大多数分布于河流沿岸附近的漫岗上；铁器时代遗址分布较广，同一遗址常同时存在铁器时代早期到晚期的遗物；辽金时期遗址分布于地势较高的岗地上，在遗址内或其附近也分布有铁器时代遗物；新石器时代遗址数量很少，分布在内、外七星河沿岸地势较高的漫岗上。

263.黑龙江省同江市勤得利古城调查

作　者：鄂善军

出　处：《北方文物》2002 年第 3 期

1982 年 5 ～ 6 月间原合江地区文物普查工作队在勤得利普查时发现一座古城，命名为勤得利古城。1986 年同江县人民政府将其定为县级文物保护单位并予以公布。1993 年考古人员对勤得利古城进行实地调查及测量。简报分为地理位置与环境、古城形制及现状、遗物、结语四个部分，有拓片、手绘图。

据介绍，勤得利古城平面大体呈椭圆形。古城周长 1820 米，现存墙长 1520 余米。古城的四面城墙中，西、北两面城墙保存完好，东侧城墙保存较好，南侧城墙破损严重，因多年耕种有近 300 米城墙几乎夷为平地。城内西北部有一道西南至东北走向的城墙，将古城分割成南、北两部分，该城墙亦保存良好。城垣以石为基，其上以土筑墙。

城垣及城外无马面、瓮门和护城壕。简报认为，勤得利古城的建筑年代应为黑龙江地区铁器时代早期，至辽、金时期被继续沿用。当然，简报也指出，由于古城没有进行正式发掘，采集的完整陶器又少，相关研究工作尚待进一步的资料积累。

264.黑龙江省同江市街津口遗址调查报告

作　者：王海燕、张立玫

出　处：《北方文物》2003 年第 1 期

同江市街津口遗址位于同江市街津口乡街津口村黑龙江小支流莲花河河口附近的台地上。遗址发现于 1982 年，1984 年再次进行调查。该遗址有新石器时代和早期铁器时代的陶片。简报分为遗址概况、遗物、结语三个部分予以介绍，有手绘图。

据介绍，街津口遗址依山傍水，位于大小河流的交汇处，水产资源和其他动植物资源丰富，是人类理想的居住地，人类在该遗址生活时间较长。该遗址发现的遗物主要有陶片和 7 件细石器。时代可分几个时期：一是新石器时代或偏早；二是早期铁器时代，但具体时代尚待研究；三是辽金时期。

265.佳木斯市郊凤凰山遗址调查

作　者：佳木斯市文物管理站　贺春艳

出　处：《北方文物》2005 年第 1 期

2002 年 4 月，考古人员对佳木斯市郊区及桦南县部分地区开展春季文物普查工作。凤凰山遗址是这次普查中新发现的一处遗址。简报配以手绘图予以介绍。

据介绍，该遗址位于佳木斯市郊长发镇良种场村西北 500 米处的凤凰山上。出土遗物有陶器 3 件、器底 1 件。时代应属靺鞨时期，其年代当在南北朝至隋唐之际。简报称，凤凰山遗址的发现为靺鞨遗存研究增添了新的资料。

266.黑龙江省抚远县出土的水滴形石网坠

作　者：勾海燕

出　处：《北方文物》2006 年第 3 期

1993 年，黑龙江省抚远县王太东先生在海青林业开发区整地时挖出一件石网坠，2006 年 2 月捐献给黑龙江省博物馆。简报配以手绘图予以介绍。

据介绍，此器整体呈水滴形，上窄下宽，长 22.8 厘米，最宽处 18.2 厘米，石器顶端有一椭圆形对钻孔，孔径约为0.6～1.2厘米，其表面粗糙有凹坑，并有一道划痕，背面有残缺；两面颜色不同，一面呈铁红色，一面呈浅褐色间青色。此石器系火山岩打磨而成，应为网坠。网坠是古代先民用来捕鱼的一种工具。使用时将其系于渔网，可使旋网悬垂或挂于网底，也可拴在大网两头以固定网位。这种水滴形穿孔系绳的大网坠很少见，经有关专家鉴定为青铜时代遗物。

267.黑龙江省佳木斯南郊考古调查报告

作　者：佳木期市文物管理站、佳木斯市博物馆　贺春艳

出　处：《北方文物》2008年第3期

2002年春，文物普查小组对佳木斯南郊进行了比较系统的文物普查，新发现遗址22处，其中城址2处。遗址主要分布在佳木斯市南郊的长发乡和四丰乡。简报分为主要遗址及遗物、结语两个部分予以介绍，有手绘图。

简报重点介绍了房圹山东北、六间房、石头河南头道山、新立村西、长发二道山、合兴村长脖子山等8处遗址。时代大致相当于战国秦汉时期。此次普查发现的前董家南2.2公里和长虹二队两处城址均为单垣城，分布在山顶及山腰，城址朝向西南或东南。城内地表坑山顶渐多，山坡相对少。长虹城址有城门，城内山顶有高台，时代简报推断为汉魏时期。

268.黑龙江桦南县小八浪遗址的发掘

作　者：黑龙江省佳木斯市文物管理站　潘　玲、李英魁

出　处：《考古》2002年第7期

1983年，考古人员进行文物调查时在桦南县发现了小八浪遗址，此后在桦南县西南部及附近市县陆续发现大量的同类遗址。为了进一步了解此类遗址的文化面貌，1994年8月19日至9月29日，对小八浪遗址进行了发掘。

小八浪遗址位于桦南县阎家镇小八浪村北的北山上，遗址位于山顶部，地表可见大小不等、呈方形或椭圆形的土坑（经发掘证明部分为已塌陷的居址、灰坑、墓葬等）共40余个，此次发掘选择在土坑分布较集中的遗址中部，发掘面积为1450平方米，清理出房址8个、灰坑6个、墓葬3座。

简报分为：一、地层堆积，二、遗迹，三、遗物，四、结语，共四个部分，有手绘图。

据介绍，小八浪遗址位于山上，山顶建有土台，遗迹分布于山的向阳坡，遗址周围不见墙垣。房址为半地穴式，平面近圆角方形，不见明显的门道迹象。灰坑、

墓葬分布于房址附近。墓葬为土坑竖穴，仰身直肢一次葬，不见葬具，皆随葬猪下颌骨或猪头骨。陶器为夹砂陶，陶色不均，大多数器表经打磨，以素面为主，器形有罐、钵、敞口碗、单把钵等。发现少量小件铁器。在灰坑和个别房址填土中发现大量兽骨及少量炭化种子。小八浪遗址的年代简报推断为汉魏时期。

269.黑龙江抚远县亮子油库遗址调查简报

作　者：黑龙江省文物考古研究所

出　处：《北方文物》2014 年第 2 期

亮子油库遗址位于黑龙江省抚远县浓江乡亮子村西北约 1.5 公里处蛇山西坡的二阶台地上。该遗址 1982 年第二次全国文物普查时发现，经调查后初步确认为一处包含新石器时代、隋唐、辽金的多时期遗址。同年，该遗址被列为省级文物保护单位。2012 年 5 月黑龙江省文物考古研究所对该遗址进行了复查。

简报分为前言、采集遗物、结语，共三个部分，有拓片、手绘图。

据介绍，考古人员采集获得了一批石器和陶器。石器主要有石核、石片、石镞、网坠等。陶器均为陶片。根据其器物特征及与周边考古材料对比，简报可区分出四个时期的考古学文化遗存，即新石器时代遗存、两汉时期遗存、南北朝——隋唐时期遗存、辽金时期遗存。

简报称，通过此次对亮子油库遗址的考古调查，获得了一批重要材料，划分和区别出甲、乙、丙、丁四组遗物，不仅对该遗址的基本内涵以及四种不同遗存的文化面貌有了比较清楚的认识，也为构建本地区不同时期考古学文化之间的年代序列提供了重要的考古依据。

七台河市

270.勃利县平安出土单孔石刀

作　者：陈宝奎

出　处：《北方文物》1999 年第 1 期

1983 年以来，在黑龙江省勃利县倭肯镇平安南沙包遗址，先后出土一些石器、骨器和陶器。简报配以手绘图予以介绍。

据介绍，其中出土的 5 件单孔石刀，形制均为长方形，且多为页岩或砂岩磨制而成，形体较小，最长者 11.4 厘米，宽一般在 5.6 厘米，都有对钻而成的单孔，孔大多近于刃部，单面磨刃较多，仅一件为双面刃磨制，这在本地区还属首见。这几件石刀从形制上看，明显有别于东康遗址出土的石刀，与团结遗址流行的长方形直背单孔石刀较为接近。由于尚未对平安南沙包遗址出土的全部实物资料进行系统分析考证，仅从出土的 5 件单孔石刀来看，很难推断出该遗址文化类型及其从属关系。所谓“团结文化”，其时代大致相当于中原地区的战国秦汉时期。

牡丹江市

271.黑龙江省牡丹江卡路遗址调查

作　者：樊万象

出　处：《北方文物》1985 年第 4 期

1980 年 5 月，牡丹江市文物管理站在市郊进行考古调查时，发现了卡路遗址。调查情况简报配以手绘图予以介绍。

据介绍，卡路遗址位于海浪河左岸的阶地上，东北方向距牡丹江市约4 公里，东距卡路生产队1.5 公里，南与海浪河右岸的龙头山古城堡隔岸相对，西临铁路抽水站，北面约600 米处是滨绥铁路干线。从采集的遗物看，简报大体划分为早晚时期。简报推断，早期遗物年代大体相当于两汉时期。晚期遗存上限迄于渤海，而其中的青花瓷片年代更晚，但由于遗物数量太少，确切年代有待于科学发掘后方能确定。

272.镜泊湖周围山城遗址的调查

作　者：吕遵禄

出　处：《北方文物》1989 年第 1 期

镜泊湖，位于黑龙江省宁安县城西南 30 公里处。在湖的周围分布着几座古城址，即重唇河山城、城墙砬子山城、城子后山城和江山娇古城墙址。自 20 世纪 60 年代初，就有人对山城址作过考古调查。1981 年春，为配合镜泊湖旅游区的开发，考古人员复查了城墙砬子山城和江山娇古城墙址，1982 年春，又对城子后山城、城墙砬子山城做了全面的实测工作。

简报分为：一、重唇河山城址，二、城墙砬子山城址，三、城子后山城址，四、江山娇古城墙址（小长城），五、结语，共五个部分予以介绍，有手绘图、照片。

据介绍，重唇河山城在结构上比较单一，不见瓮城、马面等设施，具备渤海时期的建城特点，城内未见遗物；在古城墙址（小长城）的调查中，没发现任何遗物，但其建筑风格已具备辽、金时期的特点；城子后山城设重城墙、瓮城、马面和壕堑等，具辽、金时期的建筑特点，城中出土大量金代遗物。简报推断，镜泊湖周围的几座山城遗址，当为唐代渤海国和金代两个时期的遗存。

273.黑龙江省宁安县石灰场遗址

作　者：牡丹江市文物管理站　陶　刚、安　路、贾伟明
出　处：《北方文物》1990 年第 2 期

石灰场遗址位于黑龙江省宁安县城东乡石灰场村东北约 2 公里的牡丹江与马莲河汇合处的三角台地上。遗址所在地海拔高度为 283 米，台地与江面的相对高差为 12 米。遗址东北隔江与三道亮子屯相望，西面约 4 公里处为牛场遗址，西南约 5 公里为东康遗址。石灰场遗址是 1987 年城东乡修建砖场时发现，后经考古人员多次调查，发现遗址破坏较严重，需进行清理发掘。考古人员随即于 1988 年秋对这处遗址进行了抢救性发掘。

发掘所获资料简报分为：一、地层堆积与分期，二、文化遗存，三、上层渤海时期遗存，四、几点认识，共四个部分予以介绍，有手绘图。

据介绍，石灰场遗址是牡丹江流域首次发现渤海时期、早期铁器、新石器时代三种文化相叠压、打破的地层关系，为史前文化的断代提供了科学的资料。简报称，石灰场下层文化的发现与确认，对黑龙江东部山地的新石器时代文化的研究具有重要的学术价值。

274.黑龙江海林市河口遗址发掘简报

作　者：黑龙江省文物考古研究所、吉林大学考古学系　李陈奇、陈国庆等
出　处：《考古》1996 年第 2 期

河口遗址位于海林市三道河乡，地处牡丹江左岸，北邻河口村，东北距乡政府约 0.75 公里。遗址总面积 5 万余平方米，由于长年烧砖取土的破坏，整个遗址被拦腰切断，现存面积 3 万余平方米。该遗址地处莲花水电站库区，为配合水电站的建设，1994 年 9 月至 10 月，考古人员对现存遗址北区，即森铁小学操场进行了发掘，工作历时一个多月。

简报分为：一、地层堆积与文化分期，二、早期遗存，三、晚期遗存，四、结语，共四个部分予以介绍，有照片、手绘图。

据介绍，这次实际发掘面积 700 平方米，清理房屋 16 座，灰坑 100 个，沟 2 条，出土遗物 300 余件。河口遗址年代简报推断为自汉代至渤海时期。

简报称，河口遗址的发掘是牡丹江中游地区规模较大的一次发掘，出土了一批重要遗迹和珍贵的遗物，为黑龙江东部地区考古学文化的研究增添了新的资料。

275.黑龙江省海林市三道河乡东兴遗址 1994 年考古发掘简报

作　者：黑龙江省文物考古研究所、吉林大学考古学系　陈国庆、李砚铁

出　处：《北方文物》1996 年第 1 期

东兴遗址隶属海林市三道河乡，东北距东兴村约 1 公里，北距牡丹江仅 10 余米。遗址南部已被砖厂取土破坏，现存面积约 2 万平方米。1993 年春试掘，同年秋及 1994 年秋两次发掘。1994 年清理房屋 4 座、灰坑 2 个，出土器物近百件。

简报分为：一、地层堆积，二、遗迹，三、出土遗物，四、结语，共四个部分介绍了 1994 年发掘的情况，有手绘图。

据介绍，该遗址遗物为石器与陶器，石器质料有辉长岩、砂岩、页岩和石英岩等，种类有斧、刮削器、磨盘、磨棒、敲砸器、网坠和镞等。陶器以素面居多，纹饰不发达，多平底器。经测定，该遗址年代约相当于战国秦汉时期。

276.1995 年海林三道河乡河口遗址发掘的主要收获

作　者：黑龙江省文物考古研究所、吉林大学考古学系　王培新、李陈奇、陈国庆

出　处：《北方文物》1996 年第 2 期

河口遗址隶属于海林市三道河乡，位于牡丹江左岸，北邻河口村，东北距乡政府约 1.5 公里。遗址总面积约 5 万平方米，由于长年烧砖取土，整个遗址中间部分已被破坏，现存面积约 3 万平方米。1994 年秋考古人员进行了第一次发掘，简报见《考古》1996 年第 2 期。1995 年 7 ～ 9 月，为配合水利建设又进行了第二次发掘。发现房址 20 余座，灰坑、窖穴 60 余个，沟 5 条，出土陶器、铁器、青铜器、石器、骨器和角器等 200 余件。简报配以手绘图介绍了 1995 年的发掘工作。

据介绍，河口遗址共分四层，依据层位关系及出土遗物的不同，大体上存在着四个时期的文化遗存。第一期属新石器时代遗存，应是牡丹江地区发现最早的新石器时代遗存；第二期与滚兔岭文化非常接近，与团结文化有较大差异，应大致相当于两汉时期；第三期应是一种有自身特色的考古文化，年代不详；第四期的年代相当于渤海后期至辽金时代，渤海后期大致相当于唐晚期、五代。

277.黑龙江省海林木兰集东遗址

作　者：黑龙江省文物考古研究所　傅　彤、虹　光

出　处：《北方文物》1996 年第 2 期

木兰集东遗址坐落在海林市三道河子乡木兰集村东约 1 公里的台地上。1994 年 7 ~ 8 月，为配合莲花水电站工程进行了发掘。

简报分为：一、遗址地层堆积，二、遗迹，三、遗物，四、小结，共四个部分予以介绍，有手绘图。

据介绍，该遗址发现有房址 1 座、灰坑 2 个、灰沟 1 条。房址为半地穴式建筑，内有炕、灶。该遗址出土遗物分属早期铁器时代、靺鞨文化时代及渤海国时期，应是延续较长时期的人类居住址。

278.黑龙江省海林东兴遗址 1992 年试掘简报

作　者：黑龙江省文物考古研究所　赵永军、王　晶

出　处：《北方文物》1996 年第 2 期

1992 年 8 ~ 11 月，考古人员为配合水利建设对海林县东兴遗址进行了发掘。

简报分为：一、文化层堆积，二、遗迹，三、遗物，四、结语，共四个部分予以介绍，有手绘图。

据介绍，遗迹有灰坑 20 个及房址 1 座。房址为圆角长方形半地穴式，保存不好，未见灶、门道。出土遗物主要为陶器和大量动物骨骼，石器仅发现 1 件。在地理位置上，东兴遗址地处牡丹江流域，北接三江平原，南连绥芬河流域，正好处于滚兔岭文化和团结文化分布区的交接处，因此，其文化内涵势必不会过于单一。该遗存是否可归入团结文化抑或属于团结文化的一个类型，限于目前材料，尚难立即确定。其年代大致相当于战国秦汉。

279.黑龙江海林市渡口遗址的发掘

作　者：黑龙江省文物考古研究所、吉林大学考古系　赵永军、赵虹光

出　处：《考古》1997 年第 7 期

渡口遗址位于海林市东北部约 84 公里，牡丹江中下游西岸的台地上。该遗址在以前的报道中均称为河口遗址，由于 1994 年考古人员又在该遗址东部发掘了河口小学遗址，为避免混淆，并鉴于该遗址又位于河口村至振兴村左岸渡口之上，故改称为渡口遗址。遗址于 1983 年文物普查时发现，遗址东西长约 100 米，南北宽约 50 米，

面积5000余平方米，由于当地村民修建过江渡口，遗址西端大部分已被破坏了。为配合莲花电站工程建设，1993年9～10月，考古人员对渡口遗址进行了正式发掘，发掘面积850余平方米。初步了解到这处遗址包含有汉至辽金等几个不同时期的考古学文化遗存。

主要收获整理简报分为：一、地层堆积与分期，二、第一期文化遗存，三、第二期文化遗存，四、第三期文化遗存，五、第四期文化遗存，六，结语，共六个部分予以介绍，有手绘图。

据介绍，遗址包含了四个不同时期的考古学文化遗存，其年代大致从两汉时期直到辽金时期。第一期文化遗存的遗物以陶器为主，有少量骨器和石器，简报推断年代应为两汉时期。第二期文化遗存，属于靺鞨文化系统，经碳-14实验室测定，第二期文化遗存的绝对年代大体在公元7世纪初至8世纪末，其下限已进入渤海早期。第三期文化遗存的遗物发现相对少些，通过对F2、F3居住面上的木炭测，其年代应为渤海中晚期。第四期文化遗存中，石墙的发现是本次发掘的主要收获之一，这种由河卵石叠砌的石墙在牡丹江流域尚属首次发现。

280.黑龙江省海林县振兴遗址发掘简报

作　者：黑龙江省文物考古研究所、吉林大学考古学系
出　处：《北方文物》1997年第3期

为配合莲花电站工程建设，考古人员于1994～1995年间对电站淹没区内的振兴遗址先后进行了三次抢救性发掘。

简报分为“文化层堆积与文化分期”“第一期文化”“第二期文化”“第三期文化”“第四期文化”“结语”，共六个部分重点介绍了1995年发掘的情况，有手绘图、照片。

据介绍，振兴遗址位于海林市三道河乡振兴村西约1公里处，牡丹江右岸的二阶台地上。发掘面积150平方米，发现房址1座，灰沟2条，灰坑10个，获得一批陶器、石器等文化遗物。一期文化属新石器时代。二期文化应与团结文化相近；一般认为，团结文化的时代为战国秦汉时期。三期文化应在二期文化之后。四期文化的时代定在辽金之际。

281.黑龙江省海林市望天岭遗址发掘简报

作　者：黑龙江省文物考古研究所　赵永军
出　处：《北方文物》1998年第2期

望天岭遗址位于海林市最北端的牡丹江中下游右岸的二级阶地上。南距海林市

人民政府所在地约108公里，西南距三道河子乡木兰集村约3公里。为配合水利建设，1993年6～7月，考古人员在该地进行了钻探和发掘。

简报分为：一、地层堆积，二、遗迹，三、遗物，四、结语，共四个部分予以介绍，有手绘图。

据介绍，发现房址2座，均为半地穴式。灰坑5个。遗物主要为陶器、石器。陶器均为夹砂褐陶，火候较低。石器制作较为粗糙，多系利用河卵石或玄武岩稍作加工，主要为石斧、石铲、磨盘、磨棒等生产工具。简报认为望天岭遗址所反映的文化内涵应代表一种新的地方类型，当是团结文化和滚兔岭文化相互影响、相互交流所致，其时代大约在公元前5世纪至公元1世纪，相当于战国至东汉。

282.宁安市路家店墓群与“老君炉”遗迹调查简报

作　者：牡丹江市文物管理站　陶　刚、王祥滨
出　处：《北方文物》2000年第2期

1997年春，考古人员复查文物遗址时，在镜泊湖瀑布西北、路家店东北侧的火山熔岩岗地上，发现一处积石墓群，并于6月初对墓葬分布进行了调查、测绘，对被破坏的两座墓进行了清理，同时对当地人称之为“老君炉”的遗迹进行了详细的测量与考察。

简报分为：一、墓群的位置与环境，二、墓葬分布与形制，三、“老君炉”遗迹，四、出土与采集遗物，五、结语，共五个部分予以介绍，有手绘图。

据介绍，路家店墓群位于镜泊湖瀑布西北，东京城火山口森林公园公路17公里路标处，宁安市芦苇站东偏北约1公里的路家店附近。墓群经调查共发现墓葬70余座，其墓冢全部用直径10厘米左右的玄武岩碎块堆积成圆丘状。一条东北至西南向的道路将墓地分为东、西两个墓区。在路家店墓群范围内，还发现两处似塌陷的坟冢状石砌遗迹，当地称之为“老君炉”。所谓“老君炉”，有可能是为火葬墓葬炼尸之用。在墓群范围内采集和清理出土的遗物，绝大多数为陶器残片，仅发现1件石器。陶器全部为手制，素面夹砂褐陶，火候不高，多不能复原，从口沿看，器形比较简单，有罐类器和网坠两种。简报初步认定墓葬及“老君炉”为同一时期遗存，应早于隋唐，具体年代尚难确定。

283.牡丹江市郊区熊场遗址清理简报

作　者：牡丹江市文物管理站　张志成、王祥滨、申佐军、于观春
出　处：《北方文物》2003年第3期

熊场遗址位于牡丹江市郊区三道乡二村南，1990年5月考古人员进行了抢救性

清理，发现一座房址，出土了一批手制陶器和磨制石器，特别是谷粒和麻布的出土，填补了黑龙江东部地区的空白，遗址年代上限不早于战国，下限至秦汉。

简报分为：一、遗址概况，二、地层堆积与遗迹，三、遗物，四、结语，共四个部分予以介绍，有照片、手绘图。

据介绍，遗迹仅有一已被挖坏的房址。房内出土器物分布较有规律，石磨盘、石磨棒在东部偏南；石斧多出土于西侧或中部偏北；大型陶器火候较低，所有残片均位于房址中部；小型陶器火候较高，均在西侧摆放；石刀、石矛、麻布和谷粒均出土于北部。从房屋结构和出土器物分析，简报认为这座房址应是以人居住为主，同时可能进行其他生产活动，后来毁于火灾，所以生产、生活用具基本放于原处未动。通过测定，简报推断此遗址时代应在战国至秦汉之际。

284.宁安市渤海镇西安村东遗址发掘简报

作　者：牡丹江市文物管理站　王祥滨、张志成、陶　刚

出　处：《北方文物》2004 年第 4 期

宁安市渤海镇实施造田工程时，在西安村东取土时发现文物，考古人员 1999 年进行了抢救性发掘。

简报分为：一、遗址与遗物，二、结语，共两个部分予以介绍，有手绘图。

据介绍，共清理出 4 处房址。遗址年代可分早、晚两期，早期晚于莺歌岭下层，应属新石器时代晚期文化。晚期晚于东康文化，应在秦汉以后。简报称，此遗址的发现，可能填补了镜泊湖及牡丹江中游新石器晚期至早期铁器时代的一个重要缺环。遗址出土大量陶器、石器、骨器，特别是半地穴式房屋的发现，为研究牡丹江流域的原始建筑提供了实物资料。

285.黑龙江海林市兴农渤海时期城址的发掘

作　者：黑龙江省文物考古研究所、吉林大学考古学系　赵永军、郑君雷等

出　处：《考古》2005 年第 3 期

兴农古城位于黑龙江省海林市三道河子乡兴农村东北，西南距乡政府所在地约 5 公里。古城地处牡丹江西岸的台阶上，其东部、北部为蜿蜒起伏的山岭，城址西部、南部地势较为平坦、开阔。牡丹江从城址的东北部曲折流过。紧靠古城西部是牡丹江的故河道。1958 年，在牡丹江中下游进行考古调查时发现了该城址。1983 年，考古人员在牡丹江中下游的莲花水库淹没区做调查时，又对该城址进行了复查。为配

合莲花水库工程建设，1994年6～7月，对兴农古城进行了试掘；同年8～10月，对该城址进行了正式发掘。1995年，又对该城址进行了实测和钻探。

简报分为：一、城址内地层堆积，二、早期铁器时代遗存，三、渤海时期遗存，四、结语，共四个部分，有手绘图等。

据介绍，城址呈不规则方形，周长约642米，大致在南城墙中部置一城门。城墙系夯筑而成，墙外有一条壕沟。城内早期遗存为早期铁器时代，约当两汉时期；晚期遗存为渤海时期，即唐代时期。该城址的建筑与使用年代大约为渤海中晚期，应以防御为主要功能。简报认为，城址是靺鞨居民在该地居住过一段时间后建筑的。该城城门具有明显的仿唐风格。简报推测古城是在文王大钦茂于唐王朝天宝末年迁都上京以后建筑的。

286.黑龙江省乌斯浑河下游考古调查简报

作　者：黑龙江省文物考古研究所　张春峰

出　处：《北方文物》2006年第1期

考古人员为配合地方公路建设，于2005年6～7月间对鸡西至讷河公路进行文物考古调查时，在林口县境内的乌斯浑河沿岸发现了6处早期文化遗存，采集到带柱状钮和网格纹饰的夹砂陶片，年代大致确定在新石器时代至早期铁器时代。简报配以手绘图予以介绍。

据介绍，考古人员实际上只是在古城镇以南的乌斯浑河右岸和建堂乡以西乌斯浑河左岸新修公路的一侧，发现了6处含有早期文化遗存的遗址。计有东岗子遗址（编为1号）、四合遗址（编为2号）、徐家遗址（编为3号）、三家子遗址（编为4号）、王扯兰沟遗址（编为5号）、歪嘴子沟遗址（编为6号）。采集到早期文化遗存均以夹砂陶为主，其标本形体小且残破，又多为素面。

类似的调查在穆棱河上游穆棱市段也曾开展过，发现有16处石器时代、青铜时代遗址。详见《北方文物》2003年第3期《黑龙江穆棱河上游考古调查简报》一文。

287.黑龙江省宁安市东康遗址采集的陶器

作　者：周英杰

出　处：《北方文物》2009年第4期

东康遗址位于黑龙江省宁安市城东乡东康村东、马莲河北岸的二级台地上，西距渤海上京城约5公里，南临马莲河约300米。1964年、1973年，考古人员对遗址进行了两次发掘清理，发现窖穴、部分居住址和灰坑。两次发掘期间，在东康采集的一部分陶器尚未报道，简报配以手绘图予以介绍。

据介绍，这批陶器计有罐 1 件、碗 4 件。这几件陶器器形规整，质地为夹细砂陶，呈褐色或红褐色，火候较低，手制，有的器物表面经过打磨，表面多饰有乳丁状器耳。其特点与两次发掘的东康遗址陶器基本相同。时代应相当于战国秦汉时期。

288.黑龙江省绥芬河市新石器——商周时代遗址调查报告

作　者：牡丹江市文物管理站、绥芬河市博物馆　张志成、李　丽、申佐军、于观春、王祥滨

出　处：《北方文物》2012 年第 2 期

20 世纪 90 年代中期，在黑龙江省绥芬河市境内陆续发现了建新北、大岭下及鲍付沟西遗址。

简报分为：一、建新北遗址，二、大岭下遗址，三、鲍付沟西遗址，四、结语，共四个部分予以介绍，有手绘图。

据介绍，这几处遗址年代距今 3000 ~ 4000 年，属新石器时代晚期，最晚已进入青铜时代。石器多大型打制石铲、磨制石斧、石凿，建新北遗址还发现了磨制石刀、石予。这三件磨制精美的石矛（也有学者称为石剑），具有青铜时代特点。陶器多为黄褐色泥制夹砂陶，手制，以刻划纹为主，由刻划纹再组成弧线纹、复杂网格纹及横“人”字纹，还有少量篦点纹、戳印纹。建新北、大岭下及鲍付沟西遗址具有新石器向青铜文化过渡特征，可以断定其晚期已进入青铜时代，也就是商周时期。建新北遗址最晚期可能已进入春秋战国时期；鲍付沟西遗址还有渤海时期遗物，本简报没有涉及。

黑河市

289.黑龙江水电站淹没区逊克县考古调查

作　者：黑龙江省文物考古研究所

出　处：《北方文物》1996 年第 2 期

逊克县地处小兴安岭北麓，多丘陵地，地势南高北低。黑龙江流经北部，境内长 130 余公里。考古人员于 1990 年 5 ~ 6 月，重点调查了该县沿江三乡一镇及三十

余个村屯，水陆往返行程800余公里，共调查不同时期的古代遗存32处，其中新发现15处，复查17处（详见统计表），获得一批有价值的考古实物资料。简报配以照片、手绘图予以介绍。

简报称，此次大规模考古调查，使我们对黑龙江沿岸特别是逊克县境内的古代文化遗存有了进一步的认识。这里古遗址分布密集，遗物丰富，年代跨度较大，主要以新石器时代、早期铁器时代和辽金时期遗存为主，远不是过去人们所认为的北大荒，而俨然是小兴安岭北麓黑龙江沿岸平原地带一个独具特色的远古人类文化分布区系的一部分。遗址的特点一般是面积大，地层明确，往往在一个遗址有着不同时期遗存。

绥化市

大兴安岭地区

上海市

290.青浦县淀山湖新石器时代文物的初步调查

作　者：青浦县文物调查工作组

出　处：《文物》1959 年第 4 期

1958 年，考古人员在青浦县淀山湖收集到石器 115 件、陶片 73 件，其他文物 7 件。简报配以照片予以介绍。

据介绍，淀山湖位于江苏省青浦县西北，百姓在湖中打捞“狗屎铁”供土法炼铁用时，曾打捞上许多石器、陶片、动物化石。此次收集的石器以石镞最多，此外还有石矛、石斧、石犁、石锛、石钺、石凿、石刀以及其他残片等。陶片以粗砂红泥加黑衣的陶片最多。另有动物化石、龟板、玉饰，战国铜镞 1 件，唐、宋铜钱及清代铁炮弹等。简报只说是新石器时代，未提距今多少年。

291.上海市松江青浦两县古遗址调查

作　者：上海市文物保管委员会　黄宣佩

出　处：《考古》1961 年第 9 期

上海市及其所属的十一县，历来被认为是古代遗迹很少的地区。但自 1958 年起，地下文物陆续大量发现。考古人员于 1960 年仅在松江和青浦两县的调查中，就新发现了 6 处遗址。简报配以拓片、手绘图予以介绍。

据介绍，这几处古代遗址为：

1. 广富林遗址。广富林位于松江县的北部。遗址在广富林村的村北施家滨西段新开河的四周。1961 年 9 月，考古人员在此进行了发掘，该遗址下层，为新石器时代遗址；上层，为春秋战国时代遗址。详见《考古》1962 年第 9 期所载简报。

2. 机山遗址。机山位于天马山的西北，为松江有名的九峰之一。遗址位于机山的东山脚下。

3. 北竿山遗址。北竿山位于松江县北部，南距佘山 4.5 公里，和青浦的松泽遗址相邻。

4. 钟贾山遗址。钟贾山在松江县西北，东距佘山 3.5 公里，是一座高仅数十米的小山。遗址位于钟贾山的南山脚下，面积约 1000 平方米。

5. 南阳港遗址。南阳港在松江县的东南部，西距金山卫戚家墩遗址约 3.5 公里。遗址位于南阳港的西段田地中。

6. 崧泽遗址。崧泽在青浦县城东约 4.5 公里，地势低平。遗址位于崧泽塘的两岸。

此外，在青浦县金山坟、乐泉村、福泉山，也发现有古代遗物。

至于这次发现的遗址的时代，简报初步推测大致是在晚周至秦汉之际，可能早到新石器时代末期。

292.上海青浦县的古文化遗址和西汉墓

作　者：上海市文物保管委员会　黄宣佩、杨　辉

出　处：《考古》1965 年第 4 期

1962 年 8 月 27 日～ 9 月 24 日，考古人员在该县进行了一次考古复查，发现了古遗址三处和汉墓一座。简报分为两个部分予以介绍，有照片、手绘图。

据介绍，三处遗址为：

一、金山坟遗址，位于青浦县西南，大芷村东北、大蒸塘的两岸。金山坟是一个东西长约 100 米、南北宽约 30 ～ 40 米、高约 1.5 米的长条形土墩。1960 年曾在墩的坡面上采集到几何印纹陶片。此次在土墩上作了探掘。

二、福泉山遗址，位于青浦县东北、重固镇以北，遗址是一个高约 4 米、直径近 100 米的略成圆形的小土墩，此次在墩的东部作了探掘。

三、骆驼墩遗址，位于重固镇北约 1.5 公里处，土墩东西长约 35 米、南北宽约 20 米、高约 2.5 米，略带椭圆形，也作了探掘。

简报称，这三处遗址应属三个时期。骆驼墩遗址和福泉山的上层及金山坟上层约在西周晚期至春秋战国之间。金山坟的中层时代可能在殷周之间；金山坟的下层和福泉山下层，属于新石器时代晚期良渚类型文化层。至于汉墓，位于骆驼墩西南角，系土坑墓，出土有陶器、铜镜等 17 件遗物，年代简报推断为西汉前期。

293.上海市金山县戚家墩遗址发掘简报

作　者：上海市文物保管委员会　梁志成、黄宣佩

出　处：《考古》1972 年第 1 期

戚家墩遗址最初发现于 1935 年，是上海地区最早发现的一处古代遗址。它位于

上海市区西南金山县山阳公社的海滨、杭州湾的东北部。这里有一道防御潮汛的海塘，上面是沪杭公路，遗址则分布于海塘的内外两侧。

简报分为：一、探方和地层情况，二、遗迹和墓葬，三、出土遗物，四、结语，共四个部分予以介绍，有拓片、手绘图、照片。

据介绍，遗址包含两类文化遗存。早期文化遗存即所谓下层文化，包括和其性质相同的第一类墓葬以及采集的陶器和青铜器，其特征是有比较多的几何印纹硬陶和一些釉陶。印纹硬陶的质料比较纯净，拍印的纹饰也富于变化，最常见的有方格纹、细方格纹、米筛纹、回字纹等，器形多高大的坛和敛口鼓腹小罐，后者并常用乳状小足和饰螺旋形堆纹。这些器形，曾发现于江苏武进奄城内城河春秋晚期至战国时期的独木船文化层中，也见于浙江绍兴漓渚的战国墓中。另外，从发掘和采集的鬲足、陶豆、陶盆以及青铜的刀、镞之类器形分析，这类遗存的年代也大致在春秋战国时期。

晚期是西汉文化遗存，包括第二类墓葬和一口水井。由于遗址出土的器物很少，不便于进一步推断其年代。关于墓葬的年代，从两座墓所出的一些随葬器物来看，M8 出有许多年代较早的五铢钱，M5 随葬一件连峰式钮的铜镜，两墓都有一件形制相同的平底双耳陶罐，简报推断其年代应在西汉中期。

至于水井的年代，从出土的圜底陶罐和绳纹较细的筒瓦推断，其年代大致和墓葬相当，或者更早一些。

294.上海福泉山唐宋墓

作　者：上海博物馆　王正书

出　处：《考古》1986 年第 2 期

福泉山位于青浦县重固镇。这是一座新石器时代晚期人工堆积的历史土墩。1983 年以后，考古人员对其进行发掘，清理了唐墓 1 座，宋墓 2 座（编号 T17M1、T3M1）。

简报分为：一、唐墓，二、宋墓，三、小结，共三个部分予以介绍，有照片、手绘图。

据介绍，墓结构为券顶砖室，由于早期被盗，故出土时墓室券顶及封门砖已遭破坏。残墓保存地砖和侧壁，未见棺木。出土有白玉戒指、白玉簪、银发钗、青釉瓶等。年代简报推断为唐末，有可能迟至五代。宋墓出土有铁牛、铜镜、钱币等。年代简报推断为南宋。

295.上海嘉定法华塔元明地宫清理简报

作　者：上海市文物管理委员会　何继英等

出　处：《文物》1999 年第 2 期

法华塔坐落在上海市嘉定区嘉定镇南大街登龙桥南，为七级四面砖木结构楼阁式塔，高 40.83 米。1996 年初，为了配合法华塔修缮工程，考古人员对法华塔地宫进行了发掘清理，在底层塔心室地下，先后发现了明代和元代两个地宫，共清理出宋元和明代文物近百件。

简报分为：一、明代和元代地宫形制，二、出土文物，三、结语，共三个部分予以介绍，有彩照、手绘图。

据介绍，法华塔底层塔心室地面正方形，边长 181 厘米，青砖铺砌。地面正中是一块大方砖，方砖周围平铺条砖，方砖棱角方正，质地坚腻，表面油黑光亮。方砖一侧边上有上中下三条条形戳记。上条戳记内印“万历三十四年分造贰尺细料方砖”，为制砖的年代；中条戳记内印“直隶苏州府总督同知王照委官检校李高齐造”，为制砖的督造州府和负责官员；下条戳记内有“窑户小甲顾宠周殷造”，为制砖窑户、窑工的姓名。

揭掉方砖后，露出一浅方形地宫，方砖既是塔心室地面砖中的一块，又是地宫的盖板。地宫边长 38 厘米、深 6.5 厘米，四壁条砖铺砌，壁面整齐。底部平铺一块方砖，方砖周边压在地宫四壁内，方砖上有规律地放置一面铜镜，一张黄裱纸，一块圆锡片和 25 枚铜钱币。铜镜居中，镜上覆盖一张黄裱纸，纸上正中放一圆形锡片，锡片正好同铜镜相叠压。锡片中心放置一枚钱币“万历通宝”，裱纸四角各放一枚铜钱币，其中两枚为“嘉靖通宝”，两枚为“隆庆通宝”，方砖四围共放置 20 枚“万历通宝”，等距排列，组成一个方框。此地宫下，即为元代地宫。出土有圆雕玉猴饰件、玛瑙件、水晶器，元代地宫出土铜钱币 10 多公斤、石函三件。

简报指出，过去发掘清理的中国古塔一般只有一个地宫，而法华塔却发现了两个地宫，较为特殊。之所以会出现这种情况，是由法华塔元代地宫建在坚实的石条塔基下所造成的。据法华塔地基测绘可知，在距法华塔现地面 140 厘米以下泥土中，采用满堂木桩加固，木桩长 150 厘米左右，直径 9 ～ 12 厘米。在满堂桩中间，砌出了一长方形地宫，地宫石条砌筑，上盖石盖板。地宫口沿同木桩上端基本在一个平面上。地宫和四围木桩上，再垒砌毛石条塔基，地宫被压在厚近 1 米的四层毛石条下，塔体又砌在石条塔基上，打开这个地宫，绝非易事。明代万历年间重修法华塔时，估计原计划在法华塔塔室地面下筑一个地宫，但刚揭去三层平铺砖，即碰到了毛石条，石条的两端又压在塔体内，无奈之中，只能象征性地建了一个浅地宫，内供奉了一面铜镜和数枚钱币等，从而形成了两个地宫。简报认为，此塔与元代地宫始建于元至大年间。

简报指出，明代地宫的盖板大方砖俗称“金砖”，本是专供皇宫用的。但因金砖烧造于苏州府，嘉定属苏州府管辖，有近水楼台之便。金砖上的戳记表明，烧造金砖是有一套严格的管理机制，并由专门的窑户烧造的。

296.上海青浦区塘郁元明时期码头遗址

作　者：上海博物馆考古研究部　何继英

出　处：《考古》2002 年第 10 期

塘郁遗址位于上海市青浦区东南部的环城镇，距县城约 20 公里，北距 318 国道约 200 米，东紧靠青浦区农科所下属新路汽修厂。塘郁遗址于 1996 年发现，当时在开挖水渠、铺设排水管道时在距地表深 80 ～ 100 厘米处发现大量的瓷器碎片和木桩等遗物，考古人员前往调查，确认这是一处比较重要的古文化遗址，开挖水渠工程立即停止，但遗址已遭到严重破坏。1998 年 11 月至 12 月底，对塘郁遗址进行了发掘。

简报分为：一、地层堆积，二、遗迹，三、出土遗物，四、结语，共四个部分予以介绍，有手绘图。

据介绍，从发掘和钻探结果看，塘郁遗址位于古河道东岸河湾处，上面残存大量元代的龙泉窑青瓷、景德镇瓷、青白瓷和少量明代青花瓷。根据现存河道、木构建筑及上面堆积的元明时期的瓷器等，简报推测这条古河道为元代的河道，木构建筑遗迹极有可能是元代设在河湾处的简易码头，沿用到明代。

简报称，该遗址是上海地区发现比较早的码头遗址，为研究上海地区河道建筑史提供了重要的实物资料；该遗址发现的元明时期瓷器是上海目前考古发现中数量最多、地点最集中的一批瓷器，对研究这个时期的瓷器生产、海上贸易及上海地方史具有重要意义。

江苏省

297.淮阴地区考古调查

作　者：尹焕章、赵青芳

出　处：《考古》1963 年第 1 期

1960 年南京博物院为了进一步了解江苏境内青莲岗文化、龙山文化、良渚文化、湖熟文化的分布情况，以及其间相互关系，拟订了按地区分期调查的计划。从 1960 年的下半年开始，到 1961 年的上半年，先后完成了江苏太湖沿岸和仪六地区（即江浦、仪征、六合等县）的调查任务，并写出了报告。1961 年又派出了两个工作组，至淮阴地区进行调查，时间自 10 月至 12 月，所到计有睢宁、宿迁、泗阳、沭阳、泗洪、灌云、灌南、淮阴、淮安、涟水、盱眙等 21 个县市，在云台山、大伊山、马陵山诸山下，骆马湖、洪泽湖、天井湖、废黄河、淮河等湖边河岸，作了重点勘查，共发现新石器时代遗址 16 处（内有井儿头、笪巷甲址、乙址 3 处为复查），其中属于青莲岗文化系统的有 8 处，属于龙山文化系统的有 5 处，另有 3 处遗址的文化性质尚难肯定。此外在这次调查中，还发现商代遗址一处，周代遗址 6 处（内青墩遗址 1 处为复查），汉代遗址 17 处。这 40 处遗址中，许多是包含着两个时代以上的文化层。简报分为三个部分予以介绍，有手绘图。

据介绍，通过这次短期考古调查，在淮阴地区范围内发现了新石器时代和商、周、汉等共 40 处古文化遗址。苏北的原始文化有青莲岗、刘林、龙山三种文化，但以青莲岗文化与龙山文化的分布较为广阔。龙山文化的分布多偏重苏北的北部和东北部，即淮水以北地区，与鲁南接壤。青莲岗文化的分布范围包括江淮下游，但以淮河下游所发现的较为典型。

简报认为苏北地区的龙山文化和山东的龙山文化是一个整体。就青莲岗文化本身来说，苏北与苏南由于所在地的区别，也还有一些差异，表现着各自地方特点。在淮阴地区北部，即宿迁、泗阳、沭阳一带，有着丰富的西周遗存。这一地区有关汉代的遗址和墓葬也特别多。有些遗址面积很大，遗物很丰富，有些遗址的城垣还很显著。汉墓多是土墩，聚集成群。这也可以说明，这一地区在汉代是很繁盛的。

尹焕章、袁颖先生还曾赴江苏仪征、六安等地调查所谓“湖熟文化”遗址，共计发现 34 处古代遗址，其中 8 处属“湖熟文化”遗址。详见《考古》1962 年第 3 期所载《江苏仪六地区湖熟文化遗址调查》一文。

298.江苏邳海地区考古调查

作　者：南京博物院　尹焕章、张正祥、纪仲庆

出　处：《考古》1964 年第 1 期

江苏东北邳海地区，是包括了连云港、赣榆、东海、新沂、邳县五个县市，它们与山东省的日照、莒南、临沭、郯城、苍山、枣庄市等地接壤。考古人员曾于 1959 年冬在这一地区作了重点的考古调查，并于 1960 年简单地发掘两处遗址。1962 年 10 月至 12 月又在这一地区进行考古调查，发现汉墓群 6 处，新石器时代为主的遗址 5 处，以西周为主的 10 处，以汉代为主的 18 处，许多遗址都包含着几个时代的文化层堆积。

简报分为：一、新石器时代文化遗址，二、西周文化遗址，三、汉代遗址，四、汉代古墓群，共四个部分予以介绍，有手绘图等。

简报重点介绍了赣榆苏青墩、后大塘，邳县大墩子、东小墩，新沂小林顶等新石器时代遗址；赣榆茅子庵（又名“三清阁”）、河西墩、刘庄、新沂东聂墩、东聂墩南、谷堆子、谷坊、团墩，邳县西滩子、西北滩（又名“朱宅”）等 10 处以西周文化为主的遗址；位于赣榆县西约 30 公里的汉利城县址及古城东北 200 米的石拉沟（拉石园）遗址。东海县西北 20 公里的罗庄古城，简报认为应为汉代东安县故城。汉代遗址还有新沂炮车南后街、蒋庄、瓦窑、马庄、小楚庄、大楚庄、瓦埠子、小桃园、薛塘子、苑上、长墩、时集、狼墩等，邳县的竹园、南滩、小冯南滩等。简报还介绍了 6 处汉代古墓群：赣榆县的三里墩，东海县的尹湾，新沂县的三墩埠、乱墩子、黄泥墩，邳县的呦鹿山。简报指出，苏北地区汉代墓室的营建方法在建筑材料和结构上是有些不同的，大体上可分五类：一是土坑竖穴墓，发现于新沂黄泥墩。二是砖室墓，发现于新沂乱墩子、三墩埠，邳县的呦鹿山等处。三是加用石块的砖墓，发现于邳县呦鹿山。四是小型石椁墓，发现于邳县呦鹿山。五是大型画像石墓，发现于赣榆三里墩和东海尹湾两处。

299.江苏射阳湖周围考古调查

作　者：南京博物院　黎忠义、尤振尧

出　处：《考古》1964 年第 1 期

射阳湖又名大纵湖，位于苏北中部，介于废黄河、淮河和长江之间，周围包括宝应、建湖以及邻近的盐城、阜宁四县。考古人员于 1962 年 10 月 18 日到 11 月 21 日，对

上述地区进行有目的的重点调查工作。

简报分为：一、梨园新石器时代遗址，二、汉代遗址和墓葬群，三、许庄宋代遗址，共三个部分予以介绍，有照片、手绘图。

据介绍，梨园新石器遗址位于阜宁县古河公社梨园大队东北200米处，属青莲岗文化。汉代遗址较大的有盐城的麻瓦坟、阜宁的乔罗和宝应的射阳镇三处。这些遗址附近不远处都发现有墓葬群，与遗址依附存在。其中射阳镇规模最大，周围古墓甚多。当地有“射阳三千六百墩，不知谁是楚王坟”的谚语。许庄宋代遗址位于阜宁县郭墅公社许庄大队，出土有铜钱、素面板瓦、单色釉瓷片等。

300.洪泽湖周围的考古调查

作　者：尹焕章、张正祥

出　处：《考古》1964年第5期

洪泽湖在江苏北部。原来此地是一片肥沃的平原，淮河与泗、蕲等水在这里交汇，成为经济文化较为繁荣的地方。自从黄河夺淮以后，下游逐渐淤高，到明末清初，已变成大湖。1961年冬季，考古人员在这一带发现古遗址10处。1962年4～6月，在沿湖的泗洪、泗阳、洪泽和盱眙等县进行勘查，又发现古代遗址49处。在所发现的遗址中，有的还包含着两个以上时代的文化层。从遗存时代来分，有新石器时代的青莲岗文化遗址4处、龙山文化遗址6处，西周遗址20处，汉代遗址28处，及其他时代遗迹3处。

简报分为：一、青莲岗文化遗址，二、龙山文化遗址，三、西周遗址，四、汉代遗址，五、其他时代遗址，共五个部分予以介绍，有手绘图。后附“登记表”。

据介绍，这次新发现的青莲岗文化遗址，都是分布于泗洪县淮河以北、洪泽湖以西地区，计有顺山集、东山头、南山头、孙大庄四处。龙山文化遗址，有泗阳县宗墩，泗洪县的李圩子、赵庄、龟墩、弥陀寺、驼龙寺庙台子六处。这次新发现的西周文化遗址，计有泗洪县的龙王庙、赵庄（上层）、龟墩（上层）、鲁仙庙台子、张墩、墩刘、谷墩、莽牛墩、弥陀寺（上层）、水转子、驼龙寺庙台子（中层）、三官庙台子、夏田庄（下层），泗阳县的宗墩（中层）、庙滩、王屋基，盱眙县的六郎墩、蒋坟郢、潘墩、陈宗大塘共20处。其中宗墩、赵庄、龟墩、弥陀寺4处同时含有龙山文化。汉代遗址泗洪县有朱庄西、银宅子、朱岗、傅庙子、陆庄、七里沟小台子、杨墓家、城围子、南甸子后、铁锁岭10处，泗阳县有穿城瓦瓷滩、凌城、张宅子、翟咀、黄泥墩和大李庄6处，洪泽县有秦邓庄、越城和小韦庄3处，盱眙县有古城岗和范岗两处。此外在李圩子、鲁仙庙、驼龙寺、张墩、夏田庄、宗墩和王屋基七处龙山或西周遗址的上层，还有汉代的文化堆积。这28处汉代遗址中，堆积丰富、面积较大的城址有城围子、穿越瓦瓷滩、凌城、越城和古城岗等处。简报还介绍了泗洪县麻翡城隋代遗址和盱眙县柴王城、古法寺宋代遗址。其中柴王城应为南宋屯军抗金的山城。

南京市

301.南京西善桥太岗寺遗址的发掘

作　者：江苏省文物工作队太岗寺工作组　罗宗真

出　处：《考古》1962年第3期

太岗寺遗址在南京中华门外西12公里西善桥镇南，是南京博物院1957年6月普查时发现的，遗址在一椭圆形的台形土墩上。1960年2月8日到6月21日，考古人员在此进行发掘。

简报分为：一、前言，二、地层与重要现象，三、文化遗物，四、结语，共四个部分予以介绍，有手绘图、照片和拓片。

据介绍，太岗寺遗址堆积可分两层，是属于同一文化不同时期的堆积，从太岗寺遗址发现的遗物和遗迹，说明当时人们以石器为主要生产工具，器形以锛、斧、镞为多，并有复合工具。陶器以夹砂粗陶为主，又以红砂陶为多，其次为泥质陶、黑皮陶、印纹陶、釉陶等，且多为手制。骨器、蚌器是用吃剩下来的牛、羊、猪、鹿、鱼骨和蚌壳等做成。铜器发现数量不多，上下层都有，说明当时人们已掌握冶铜技术。出土的卜甲，说明当时人们的信仰。大量的螺蛳壳堆积，以及不少的骨、蚌器，反映了渔猎生活还相当发达。发现的烧土遗迹均不完整，简报推测可能是一些烧土居住面的残迹。

从以上特征看来，太岗寺是一个兼有农业与渔猎采集经济的文化遗址，而渔猎经济当时还占相当重要的地位。出土的人骨架，很多是身首异处，也有捆缚的痕迹，可能已是奴隶社会——阶级社会的萌芽。简报推断是一个典型的湖熟文化遗址，上限可至殷商末期甚至更早些，下限可至战国时期。

302.南京象坊村发现东晋墓和唐墓

作　者：江苏省文物管理委员会

出　处：《考古》1966年第5期

1964年11月16日至19日，考古人员在南京市北郊中央门外吉祥庵的东部象坊村清理了古墓两座。二墓均位于村北约300余米的小土岗（官山）上，历年来在这些土岗上发现或清理过汉、六朝、明墓多座，应是古代的丛葬区。

简报分为：一、墓1，二、墓2，共两个部分，介绍了两座墓葬的清理情况，有手绘图。

据介绍，在清理前墓顶已残毁，根据残存的楔形砖来看，可能是券顶。墓室平面呈“凸”字形，由墓室、甬道、封门墙、排水沟组成。

简报称，有些砖的侧面或两端印有纪年文字，均砌于墓室两壁，内向墓室，文字砖在整个墓砖中占有一定的比重。砖文有“晋大兴二年六月丁酉驸马都尉朱君妻吴氏卒”“晋大兴二年八月庚辰造”“□□日□”等，应为死者建墓时专门烧造的。这两种砖火候高，质地较细，呈青灰色或红色。砖背面有粗绳纹。墓2出土有青、黄釉小碗3件、铜带饰5件、开元通宝21枚。

至于两墓的年代，墓2简报推断为晚唐时期，墓1据纪年砖为东晋大兴二年(319年)。

无锡市

303.无锡市环城河古井清理

作　者：无锡市博物馆　冯普仁

出　处：《文物》1983年第5期

1977年8月至11月，江苏省无锡市环城河人防工程建设中，发现了37口唐至明时代的水井。

简报分为：一、晚唐五代水井，二、宋代水井，三、元明清水井，四、结语，共四个部分予以介绍，有照片。

据介绍，古井主要分布在环城河东南一带，其中晚唐五代6口、宋代2口、元明清22口。出土遗物以日用陶瓷器为主，还有少数铜器、铁器、残木桶等。

槐古桥至朝阳桥一段南朝时曾有一座著名的南禅寺，这一带发现的晚唐五代至南宋时期的水井中，出土器物大多是民间日用的粗瓷器和制作粗糙的陶器，说明至迟在唐代以后，此寺已不存，聚居在这一带的居民属于一般的平民阶层。南禅寺南部的晚唐水井结构上部用双层井砖砌筑，井内出土越窑系和岳州窑系的产品以及大型的板瓦、筒瓦等建筑材料，推测古井附近曾有过官僚地主一类的住宅建筑。南宋时代，古寺门外“烟树苍然”，从考古发现来看，这里确未发现南宋水井。元、明以来，南禅寺南部日益繁荣，文献记载当时这里手工业和商业较为发达。从密集分布的水井群以及出土汲水的陶瓶和民窑烧造的青花碗碟，可以想见当日居民的生活状况。

304.江苏宜兴石室墓试掘简报

作　者：镇江市博物馆　刘建国

出　处：《考古与文物》1983 年第 4 期

宜兴东临太湖一处小山上，分布着近千座馒头状的土墩。考古人员试掘了其中的 3 座，简报配以手绘图予以介绍。

据介绍，3 墓时代应为西周晚期至春秋早期。随葬品以原始青瓷和印纹硬陶为主。简报称，这一地区除了石室墓，还有土坑墓和无穴土墓。简报认为这三种墓的主人，都是古越族人。但土坑墓和无穴土墓与良渚文化的承袭关系似更明显一些。

徐州市

305.徐州高皇庙遗址清理报告

作　者：江苏省文物管理委员会　谢春祝

出　处：《考古学报》1958 年第 4 期

高皇庙村距徐州市北约 50 余华里，遗址系一座土台子，当地人叫“庙台子”，其上曾建有纪念刘邦的高皇庙，已不存，该村因此而得名。1958 年，考古人员前往调查、发掘。

简报分为：一、遗址的位置与清理，二、文化层次和出土遗物，三、结语，共三个部分予以介绍，有照片、手绘图。

据介绍，共出土遗物 500 余件，计有石器 105 件、陶器 89 件、骨角器 168 件、蚌器 93 件、铜器 41 件、铁器 18 件，清理灰坑 2 个，烧土面 3 处。

简报介绍说，遗址可分下、中、上三层。下层约相当于新石器时代晚期的文化，中层约相当于殷商时代的文化，上层大体是秦汉时期的文化遗存。上层文化遗存薄，遗物也少，中层堆积厚，遗物丰富，下层的陶器更是丰富多彩。

306.利国驿古代炼铁炉的调查及清理

作　者：南京博物院　黎忠义等

出　处：《文物》1960 年第 5 期

1954 年以来考古人员曾先后数次在利国驿进行了有关古代炼铁遗迹的调查，并征集了一些采矿的工具，但对炼炉遗迹没有作进一步的清理。1959 年考古人员赴利国驿调查了炼炉的分布范围和采矿遗迹，并清理了汉代炼铁炉的遗迹。简报配以照片、手绘图予以介绍。

据介绍，利国驿在江苏省徐州北，该地铁矿蕴藏丰富，现为利国铁矿矿场所在，发现有古代炼铁炉、采矿矿场遗址、炉渣、筒瓦、板瓦等。

该古代遗址的年代，简报推断炼炉一处为东汉时期的，一处为唐宋时期的。

307.1959 年冬徐州地区考古调查

作　者：南京博物院　尹焕章、张正群等

出　处：《考古》1960 年第 3 期

1959 年冬季徐州地区的考古调查工作，是在徐州市、铜山县和邳县进行的。这里位于江苏的西北，微山湖的东南，苏、鲁、皖、豫四省接壤之处，有不老河、房亭河及废黄河横贯其中。考古人员共勘查遗址 14 处、墓葬群 1 处，试掘古遗址 1 处。

简报分为：一、勘查的遗址和墓葬群，二、随葬器物，三、结语，有手绘图、照片。

据介绍，勘查的 14 处古遗址，在徐州市有檀山集丘湾、蔡丘、石户城、江庄、泉旺头古土墩、大泉庙合子和小洪山 7 处，铜山县有台上遗址 1 处，与铜山县接壤的地方有萧县的孤山花家寺、小山口曹庄和大山口 3 处，邳县有黄楼、梁王城“金龙殿”和火石埠刘林 3 处。在新石器时代遗址中，与龙山文化性质相同的，为台上、花家寺、黄楼等。这次发现的商遗址，有丘湾、小洪山、古土墩、台上、花家寺、黄楼、“金龙殿”等。还发现了商——汉遗址如蔡丘遗址、石户城汉代土城遗址、江庄遗址、古土墩遗址等。

308.徐州茅村画像石墓

作　者：南京博物院　尤振尧

出　处：《考古》1980 年第 4 期

1965 年 11 月，考古人员在徐州市北 12.5 公里的茅村清理了一座古墓。墓葬位置在村边凤凰山东北面的山腰间，是一座石室墓。清理前墓葬的顶部已暴露在地面，叠涩式的盖顶早被揭开，石板也不存在，室内填满淤泥和碎石块。简报配以照片等予以介绍。

据介绍，墓的结构分前、后两主室，全用青石叠扣砌建。此墓情况比较复杂，石筑结构及画像石是东汉原石、原建，晚唐时，有人利用此墓室重新下葬，故后

室均为唐代随葬物。宋代（元丰年间后）或宋代以后，又有人盗掘了此墓，盗掘时将压在此墓上方的宋代墓葬中的一些随葬品带入了此墓，故而墓中又发现有宋代遗物。

309.江苏徐州大庙晋汉画像石墓

作　者：徐州博物馆　孟　强、李　祥等

出　处：《文物》2003 年第 4 期

1995 年 3 月，在徐州市铜山县大庙镇大庙村发现 1 座汉画像石墓，编号简称 M1。该墓西距市区约 19 公里，周围地势平坦。墓上原为耕地，顶部距地表约 0.4 米。

简报分为：一、墓葬形制，二、画像石，三、随葬器物，四、结语，有照片、拓片、手绘图。

据介绍，该墓为石结构，平面呈长方形，前堂后室。前室为小祠堂形式，四壁底部均铺地栿石，其中墓门下部铺砌 2 层，使墓门高出前室地面 0.34 米。该墓早年被盗，前室局部被毁。前后室之间有过道，后室室内东西两侧壁由大石块砌成，北壁为一块整石。其上原有石板封顶，惜已不存。该墓底部未用砖石铺砌，直接在紫褐色松软沉积岩上铺一层沙土，然后薄撒一层白灰，石块之间以白灰填缝。简报认为该墓系用汉画像石建造的，因曾被盗，仅出土青瓷碗、陶灶、陶厕、铜兽形水注、铜钱等不多的随葬品。该墓的年代，简报推断为西晋。

简报称，据不完全统计，后世利用汉画像石建的墓已发现 20 余座，以魏晋墓居多。此次发掘为研究此类墓葬提供了新材料。

310.徐州户部山东汉至金代墓葬发掘简报

作　者：徐州博物馆　刘尊志

出　处：《考古与文物》2009 年第 2 期

徐州户部山东汉至金代墓葬群位于徐州市南部户部山西南麓，西为土山汉墓，北部及东北部为两处北朝至唐代早期的青瓷烧造堆积。1996 年 7 月，考古人员在对一处青瓷烧造堆积（96 户 T2）进行考古调查时在其南部发现两座墓葬，分别编号为 1996 户 M1、M2。2001 年 3 月，在这两座墓葬的南部，有关单位进行基本建设时又发现 6 座墓葬，根据发现及清理顺序，分别编号为 2001 户 M3、M4、M5、M6、M7、M8。多数墓葬皆遭不同程度的破坏。这些墓葬中，东汉、北朝、隋代、唐代、金代墓葬各 1 座，宋代墓葬 3 座。简报依序予以介绍，有手绘图等。

据介绍，M4 为东汉砖室墓，M5 为北朝砖室墓，M7 为隋代长方形土坑墓，M6 为唐代长方形砖室墓，M1、M3、M8 为北宋末长方形土坑墓，M2 为金代墓。除金代墓可能为金代僧人地宫墓外，其他墓等级较低，当为一般平民墓葬。出土随葬品中，M1 所出泥制建筑模型、M2 所出陶制骨灰盒等比较重要。

311.江苏徐州市徐州卫遗址水井发掘简报

作　者：徐州博物馆　孙爱芹等

出　处：《考古》2011 年第 10 期

徐州卫遗址位于徐州市中心彭城广场东边，西距彭城路 100 米，北到大同街，为明代徐州卫官署所在地。考古人员于 2004 年 11 月 6 日至 2005 年 9 月对该遗址进行了抢救性考古发掘。发掘中清理水井 1 口，井深 17.7 米，从中发现从汉至明大量遗物。

简报分为：一、水井结构及井内堆积，二、出土遗物，三、结语，有彩照、手绘图。

简报称，该井年代上限为西汉时期，其废弃时间当为明末天启四年（1624 年）。简报认为，此次发掘的汉代水井，造型独特。井内出土的大量灰陶罐表明其使用频繁。该座水井的发掘为进一步了解、研究汉代水井提供了新资料。

事实上，这种古代水井在江苏其他地区也有发现。据《考古》2001 年第 11 期报道，1994 年 4 月，盐城市市政府在旧办公楼东侧建新办公楼时，发现较多宋元时期的堆积物。根据以往的调查情况，并依据该工地在旧城内所处的位置，初步断定这里是一处时代延续较久的遗址区。考古人员从 1994 年 4 月 12 日开始，历时两个半月，陆续发现了古代灰坑、水井、道路、庭院基址、磉墩等遗迹，出土了两汉、三国、两晋南北朝、隋唐、五代、宋元明等不同时期的遗物。其中自东汉至明代的水井曾做过专门清理。

常州市

312.常州南郊戚家村画像砖墓

作　者：常州市博物馆　骆振华、陈　晶

出　处：《文物》1979 年第 3 期

常州南郊茶山公社浦前大队戚家村生产队 1975 年冬季在平整土地时，于一座土

墩的东北角挖到一些画像砖。1976 年 3 月，考古人员对这座画像砖墓进行了发掘清理。

简报分为：一、墓葬概况，二、画像砖与花纹砖及文字，三、出土遗物，四、结语，有手绘图、照片、拓片。

据介绍，该墓为一椭圆形单室穹隆顶砖室墓，由甬道及墓室组成。甬道及墓室皆由花纹砖及画像砖砌成，画像、花纹砖都是模印浮雕形式，立体感强。墓砖无纪年文字，但有的砖侧面或端面有编号数字，出土遗物有石器、瓷器、铜钱、铁棺钉等。简报认为墓主人生前是奢华的门阀世族。对于墓葬的年代简报列出三种意见：一、属于南朝末至初唐；二、唐墓；三、南朝至初唐时代，未作明确论断，目的是提供分析、研究的参考。

苏州市

313.苏州市瑞光寺塔发现一批五代、北宋文物

作　者：苏州市文管会、苏州博物馆　乐　进、廖志豪等

出　处：《文物》1979 年第 11 期

瑞光寺塔在苏州市盘门内。1978 年 4 月在第三层塔心的窨穴内发现了一批文物。穴为正方形，上盖石板。石板上放着模制泥质观音像两尊。穴内的文物已遭受严重破坏，经初步清理和鉴定，其时代确定为五代和北宋初期。

简报分为：一、真珠舍利宝幢一座，二、经卷、经匣、经帙和经袱，三、佛像、金涂塔及其他，共三个部分予以介绍，有照片等。

据介绍，根据有年号的题记来看，这批文物下限应为北宋天禧元年（1017 年）九月初五日（见木刻《妙法莲华经》卷一引首的题记），上限为五代吴杨大和辛卯（931 年）四月二十八日（见碧纸金书《妙法莲华经》卷二尾部）。大多与密宗有关。画有星宫图的梵文经咒，据题记刻印于北宋景德二年（1005 年），自左而右的次序为：白羊、天蝎、双子（阴阳、夫妇）、巨蟹、天秤、狮子、宝瓶、双鱼、人马、金牛、室女、摩羯。在一定程度上把巴比伦的黄道十二宫中国化了。这种对外来文化的吸收和演化，值得我们重视和研究。

314.江苏越城遗址的发掘

作　者：南京博物院　汪遵国、李文明

出　处：《考古》1982 年第 5 期

越城遗址又称越王城、勾践城或黄壁山，位于苏州市西南郊，距青门 7 公里，地处横山之下，石湖之滨。遗址原是高出地面 5 米的土墩，由于长期耕作和自然力的破坏，现高出地面 1.5 米。南北长约 450 米、东西宽约 400 米，面积约 18 万平方米。西、北两面残留有高 4.5 米的夯土城垣，即春秋末年的越城遗址。遗址中部有一条东西向的土路，将越城分为南北两部分，南属苏州市横塘公社，北属吴县长桥公社新郭大队。

简报分为：一、地理环境和发掘情况，二、文化层堆积，三、下层文化遗存，四、中层文化遗存，五、上层文化遗存，六、结语，共六个部分予以介绍，有手绘图、照片。

据介绍，下文化层遗存属马家浜文化晚期，年代经测定为距今约 6000 年。中文化层晚于崧泽文化而早于典型的良渚文化，年代经测定距今 5000 年左右。上文化层遗物不多，但已有青铜器和硬陶，时代相当于西周、春秋时期。

315.江苏吴县出土一批周代青铜剑

作　者：叶玉奇

出　处：《考古》1986 年第 4 期

20 世纪 80 年代中期，江苏吴县地区陆续出土了一批青铜剑，其中大多数是在围垦太湖时，在湖床深处淤泥里发现的。由于当时水利工程施工紧张，考古人员没有及时去清理发掘，这些青铜剑都是事后从当地人手里征集的（均有出土地点）。尽管如此，这些发现对于研究太湖地区吴越青铜剑的起源、演变也增添了实物资料。简报配以手绘图、照片予以介绍。

据介绍，这些青铜剑的共同特点是，剑首呈喇叭形，茎圆柱状，剑身呈柳叶形，在距前锋约占剑身的五分之二处渐向内收。剑刃有整齐的锉磨斜口，至今还很锋利。剑的棱脊部延伸到前锋尽端。可分为六式，简报推断：Ⅰ、Ⅱ式剑上限应在西周后期，下限春秋早期。Ⅲ、Ⅳ式剑下限不晚于春秋后期。至于Ⅴ、Ⅵ式剑，应是Ⅰ、Ⅱ式剑演变来的，属于战国时期。

今有龚剑先生《中国刀剑史》（中华书局 2021 年版）全两册，可参阅。

316.江苏吴县越溪张墓村遗址调查

作　者：吴县文物管理委员会　姚德勤
出　处：《考古》1989 年第 2 期

张墓村遗址位于苏州市西南郊吴山岭下越溪河畔的张墓村，距离盘门约9.5公里，地属吴县越溪乡。遗址西北部为丘陵地带，该遗址为 1987 年 5 月考古调查时所发现，考古人员先后三次对遗址进行了调查，简报配以手绘图予以介绍。

据介绍，遗址所在地西高东低，西部有高出地表 1 米的台地，东部地势平坦。调查中共采集到遗物 140 余件（片），以夹砂陶最多，其次是泥质陶，有少量的印纹硬陶以及极少的原始瓷器、残石器。石器仅采集到打制粗糙、刃口残缺的石斧与通体磨光仅剩四分之一的残石璧形器各一件。通过比较，张墓村遗址所处的时代应在新石器时代晚期，一直延续到西周、春秋时期。该遗址的文化内涵，由于都是采集品，缺乏地层及器物组合的依据，仅就现有材料来看，简报认为张墓村遗址的中期文化遗存又具有早期湖熟文化的某些特征，是融合了这两种文化特点的太湖流域青铜时代的土著文化。

简报称，张墓村遗址的发现，为进一步探索江南青铜文化的上下发展关系，提供了极为重要的线索。

所谓“以几何形印纹硬陶”为代表的古代遗址，在苏州市区多有发现，如苏州市区的钟楼村、平门、苏州公园、蒋园，苏州郊区的陆家村、灵岩山，吴县的大觅桥、尹山湖、黄泥山、张陵山、陈墓镇等。时代为西周到春秋时期不等。详见《考古》1961 年第 3 期《苏州市和吴县新石器时代遗址调查》一文。

南通市

连云港

317.江苏新海连市和东海县新石器时代、商、汉遗址

作　者：江苏省文物工作队　尤振尧
出　处：《考古》1961 年第 6 期

1960 年 5 月间，考古人员在新海连市和东海县作了一次为时一周的考古调查。

调查中新发现8处遗址，简报分为：一、新海连市；二、东海县，有照片。

据介绍，新海连市有陶湾、马腰岭、尾矿坝、大村四处遗址，东海县有焦庄、房山钓鱼台、房山山后、蒜湖四处遗址。时代分为新石器时代和商代、商代—汉代遗址不等。

318.江苏赣榆新石器时代至汉代遗址和墓葬

作　者：南京博物院　袁　颖

出　处：《考古》1962年第3期

1959年冬，南京博物院组织工作组去赣榆进行考古调查与探掘。自11月19日至12月12日先后在赣榆的沙河、石梁河、城头、土城、龙河、朱堵、海头和石桥八个地区进行了调查。共发现遗址4处、墓葬4处、古城址2处。简报配以照片予以介绍，有手绘图、照片。

据介绍，这次赣榆的调查与探掘虽然是局部的探索，但悉知赣榆古文化的面貌是上自龙山，下达两汉。在所调查与探掘的遗址中共发现三处龙山文化遗存，从而说明在赣榆地区龙山文化分布范围是比较广阔的。其次在下庙墩探掘的层次中，周文化压在龙山文化之上，虽探掘面积不大，但为研究赣榆地区龙山文化与周代文化的关系提供了一些线索。

319.江苏连云港市九龙口商和战国遗址

作　者：江苏省文物工作队　尤振尧

出　处：《考古》1962年第3期

20世纪五六十年代，连云港（原新海连市）锦屏山地区陆续出土了新石器时代到汉代之间的文化遗物。1959年底和1960年4、5月间，考古人员先后两次在该地区进行调查和试掘，九龙口遗址是这次新发现和经过试掘的一个。遗址位于连云港市锦屏山九龙口下，遗址有两个圆形土墩，东墩在1957年曾出土9只战国编钟。在遗址二、三层台阶地表散布着商代陶片和战国时代印纹硬陶及软陶片。1960年4月，再次展开发掘，对遗址的文化层和时代初步得出了结论。简报配以手绘图、拓片予以介绍。

据介绍，三个探沟中所出完整器物共4件，此外，有陶片329件，都不能复原。九龙口遗址中出土战国和商代文化遗物，但由于出土遗物不多，尚不能说明当时生产和生活的概况。然而商代遗址在连云港市及其附近还是首次发现，这为研究江苏的商代文化提供了一定的线索和资料。

320.江苏连云港市清理四座五代、北宋墓葬

作　者：南京博物院、连云港市博物馆　周晓陆、周锦屏、刘凤桂、项剑云
出　处：《考古》1987 年第 1 期

1982 年 5 月下旬，连云港市砖厂（原大成砖厂）在海州南门外取土时发现了 4 座五代到北宋时代的墓葬。同年 6 月，对这批墓葬进行了清理。

墓葬地位于江苏省连云港市新浦区西南约4 公里处：正北距陇海铁路约2.5 公里，距海州故城约1 公里。墓地位于锦屏山的北坡，东面有孔望山、磨盘山、朐山头等小山，西面有蜘蛛山，北面紧靠海州故城的东南城壕。整个墓地为起伏较大的丘陵山岗地带。这里曾几次发现过汉代到宋代的中小型墓葬，这次清理的4 座墓葬（编号为82LZM1 ～M4），分布在东西约15 米、南北约25 米的范围之内。

简报分为：一、墓葬形制，二、随葬器物，三、结语，共三个部分予以介绍，有手绘图、照片拓片。

据介绍，一号墓为近长方形单室砖壁石顶墓。棺木 1 具，已经残朽。人骨架已腐朽散乱，墓主为女性，出土可复原随葬器物 31 件。简报推断其时代相当于五代晚期即南唐时。

二号墓为砖砌前后双室墓，前室平面近椭圆形，东侧附有一个小耳室，后室为长方形。墓主为一男性，出土可复原的随葬品 24 件。二号墓的下葬时间简报推断在北宋初年，即在宋真宗时。

三号墓为长方形单室砖壁石顶墓，未见人骨和随葬品，仅出土 1 件灰陶盆。其时间简报推断为五代末或北宋初。

四号墓为带短甬道的前后双室砖墓，棺木 1 具，墓主人为男性。出土可复原随葬品 13 件。此墓简报推断为五代末年到北宋初年左右的墓葬，其入葬年代可能略晚于一号墓而略早于二号墓。

简报称，海州地区五代、北宋墓的出土物不仅为研究当时的瓷器烧造，也为研究当时的商业贸易及交通运输诸方面的问题提供了实物佐证。

淮安市

321.江苏盱眙南窑庄楚汉文物窖藏

作　者：南京博物院　姚　迁

出　处：《文物》1982年第11期

江苏省盱眙县穆店公社南窑庄位于盱眙县东南22.5公里。文物系马湖大队公路生产队在庄东南清理排水沟中淤泥时挖到的。出土时，金兽盖在铜壶上，金币贮于铜壶内，取下金兽时，有几块马蹄金还嵌在金兽底部的凹陷处，壶内有少量水汽，没有泥土和积水。考古人员立即赶赴现场，作了妥善处理。

简报分为错金银梅钉饰虬龙套铜壶、金兽、“郢爰”金版、金饼，共五方面予以介绍，有彩照。

据介绍，南窑庄出土了珍贵历史文物38件，内铜壶、金兽各一件，黄金铸币36件。铜壶外饰梅花钉虬龙套，金兽重9千克，都是罕见的考古发现；黄金铸币为完整的金版和金饼，计“郢爰”11块，金饼25块，共重11000克，是至今出土古代金币最多的一次。

关于这批文物的时代，简报推断为：铜壶是战国晚期楚国王宫遗物，传到西汉继续使用；金兽为西汉前期国库的镇库兽，金版“郢爰”为战国时期楚国货币，系不同作坊铸造，传至汉代；金饼，包括圆形金饼、麟趾金和马蹄金，应为西汉武帝时遗物，由于金版和金饼都是完整的，当为汉代国库贮藏物。关于窖藏的时间，简报考定当在西汉前期。简报附录有《盱眙出土古代铜壶上浮雕花朵的鉴定》。

简报称，这批罕见的重要文物，对战国时期楚国和西汉时期的手工业、度量衡和货币研究，提供了新的实物史料。

322.江苏淮安山头遗址墓地发掘简报

作　者：江苏省淮安市博物馆　胡　兵、孙玉军、刘光亮、祁小东

出　处：《考古与文物》2010年第6期

2008年4～7月，考古人员在市经济开发区山前村配合鼎立香榭丽花园小区的基建中勘探和发掘了62座东汉、南朝、宋代以及明清时期的墓葬，以发掘的先后顺序编号为08HSM1～M62。

简报分为：一、地理位置及墓地概况，二、墓葬形制及出土器物，三、结语，

共三个部分予以介绍，有拓片、手绘图。

据介绍，此墓地位于山头遗址范围内，大部分墓曾被盗过。比较重要的发现有明代墓M25出土的买地券，简报录有券文全文，知为明万历九年(1581年）下葬。南朝时期墓应为一家族墓地，但详情不知。宋代“船”形砖砌墓比较可贵。明代墓葬多为长方形土高竖穴三棺、双棺、单棺墓葬，M25为三棺合葬墓，左中右三棺及人骨依次错开，双棺合葬墓中的棺具、人骨同样错开，左棺及人骨靠前，地券均竖立在左棺头骨前，与南水北调淮安段夹河明清墓群中的葬式一致，显示出了左棺墓主人较高的地位。在明代墓葬中还发现了聚族而葬的小型家族墓群，尊者居前居中，后辈在两边呈“人”字形依次向后排开。清墓距地表近，几乎已被破坏殆尽。

盐城市

323.江苏盐城出土的半两钱

作　者：熊涵东

出　处：《考古》1989年第8期

1982年8月至简报发表时，盐城市城区先后3处出土了半两铜钱，重30.5公斤，近1万枚。结合城建施工，考古挖掘又发现了磨制石器、陶器、有眼灰陶水井、青铜器、残铁器等大批古代文物，为研究盐城成陆历史，探索“半两”钱铸行年代，提供了实物依据。

简报分为：一、出土概况，二、关于半两钱铸行的年代，三、关于半两钱的断代，共三个部分予以介绍，有拓片。

据介绍，1982年8月，位于市区人民中路（原范公堤）西侧的市委党校，在路西120米处建宿舍楼挖地基时，从地下80厘米处，出土了一陶罐窖藏的“半两”铜钱，重15公斤，交盐城市博物馆；1985年5月26日，在市委党校北210米的人民中路上西侧、市中医院东大门外路边北20米处，出土两罐窖藏的“半两”铜钱（已散失），第二罐“半两”重15.5公斤，交盐城博物馆；1985年7月，位于市委党校北330米的市拖拉机厂，在人民中路路西115米处厂区新建板焊车间，开挖地基时，从地下1.4米处出土了1枚船形“半两”铜钱，经鉴定为“战国秦半两”，伴随出土的还有陶碗、陶罐和大批商周、春秋、战国至西汉早期的席纹、方格纹、网纹、绳纹等陶片。

上述三处出土的半两钱，地点都在城区旧东关遗址上。1986年1月23日，在开展抢救古钱币的调查中，于市废品回收公司金属仓库调查了解到一批从废品回收的废铜中拣出的古铜钱，计重1059.5公斤，其中铜钱331.5公斤，铜元728公斤，1986年4月1日全部收购进盐城博物馆，后送交江苏省文管会。

简报推断，半两钱是从战国时期的秦国惠文王二年（前336年）起铸行的。半两钱的断代有战国秦半两、秦代半两钱、汉代半两钱。

324.江苏盐城市城区唐宋时期的墓葬

作　者：盐城市陆公祠管理处、盐城市博物馆　俞洪顺、梁建民、井永禧

出　处：《考古》1999年第4期

1985年以来，江苏省盐城市区随着旧城区改造工程的进行，在市区毓龙路、环城东路、环城南路和剧场路之间的范围之外，于地下0.4～2.8米处发现了一批唐宋时期的墓葬和少数五代时期的墓葬。其中唐墓多集中在人民中路西缘一线，墓向多偏东，少数偏南。宋代墓则在凌桥路与剧场路之间和市体育场内较为密集，墓向以偏南为主。整个区域内除旧城外围存有明清墓以外，汉至宋元墓皆有零星分布。由于墓葬分布于城区，故大部分被毁，随葬品也被毁坏或流失。对于这些墓葬，考古人员及时清理了6座，编号为M1～M6。

这6座墓的清理及对其他墓的调查情况，简报分为：一、墓葬形制，二、出土遗物，三、结语，共三个部分予以介绍，有手绘图、拓片。

据介绍，唐、五代和北宋墓葬绝大多数为长方形竖穴土坑墓，砖室墓和双人葬都很少见。墓葬中带棺者约占95%，棺为榫卯结构，无棺钉。这6座墓葬出土器物21件，其中完整器16件；从被破坏的墓葬中采集到遗物31件，其中完整器29件。共有瓷器29件、釉陶器19件、铜镜3枚、滑石炉1件，另出土铜钱93枚。简报推断这批墓葬的时代为唐代中期至北宋晚期。

扬州市

325.江苏扬州五台山唐、五代、宋墓发掘简报

作　者：江苏省文物管理委员会、南京博物院　葛治功、郑金星

出　处：《考古》1964年第10期

五台山在扬州市东北，距市区约2公里，北面紧靠运河。1963年6月间，曾在五台山发现唐墓（参见《考古》1964年第6期）。考古人员于6月29日～8月15

日进行了清理发掘。发掘地点是在五台山东部，濒运河南岸。

简报分为：一、唐墓，二、五代墓，三、宋墓，共三个部分予以介绍，有手绘图等。

据介绍，此次共发掘唐墓20座，出土青釉瓷器、白瓷器等；五代墓5座，出土陶器、铜镜、铜钱等；宋墓1座，出土釉陶器、铜钱等，应为南宋末年的墓葬。

326.扬州古城1978年调查发掘简报

作　者：南京博物院　尤振尧

出　处：《文物》1979年第9期

扬州是江淮间一座有悠久历史的古城。根据文献记载，远在春秋末期吴王夫差就在这里兴建邗城，并开邗沟通江淮。因其地理位置的重要，历史上一直是我国东南地区政治、经济、文化的重镇，成为兵家必争之地。从吴王夫差筑邗城起，至明嘉靖年间建扬州城止，两千年间，还有楚、汉、东晋、南朝、唐、五代、宋等相继在此筑城，或新筑，或改筑，或修缮，记录连绵不绝。扬州古城的具体位置因时代不同而异，大致可分为两个部分：一部分在今城北蜀岗上，一部分在今市区一带。在蜀岗上的古城，最早的是春秋末期建的邗城，最晚的是南宋宝祐年间建的宝祐城；在今市区一带的古城，最早的应是唐代的罗城，最晚的即为明代的扬州城。这次调查的古城是指坐落在蜀岗上的那部分，古城的具体位置在扬州市西北约二公里许。在这一带土筑城墙仍然保存，不仅暴露在地面上，而且保存得比较完好。因历史上经历变迁，现存的古城分为东西两处。这两城虽紧紧相挨，但不相连。西城保存较完整，城墙略呈方形，城外有壕，四面开设城门。北墙增设水门，当地称北水关。东西北三城门外各遗存半圆形土墩，应是瓮城、羊马城一类的建筑遗迹。有的城角上尚见隆起的圆形土墩，估计是当时角楼遗迹。城内面积约1.6平方公里。西城是南宋宝祐年间在旧城废墟上改建的“宝祐城”，为江苏省文物保护单位之一，现属平山茶场。东城现存北墙和东墙两段（如加上后来增筑的连接东墙南端，并向东延伸至今东风砖瓦厂的一段，应是三段），基本保存着原来堆积面貌，现属城北公社。这次工作的重点是在东城。简报分为：一、地理位置和调查发掘经过，二、城墙范围、构筑方法和现状，三、城内遗迹和遗物，四、初步看法，有照片、拓片、手绘图。

据介绍，古城内发现有汉、唐时代的水井和垃圾坑，出土有陶器、砖瓦、钱币等遗物。简报认为计有春秋末期吴王夫差、汉代、唐代、明代四次筑城遗迹。楚国、西晋南北朝时曾有过筑城记载，但未找到考古依据。东城是从南宋时开始废弃的，发掘到的大量明代墓葬证明至少在明代此处已成墓葬区。

327.扬州三元路工地考古调查

作　者：扬州博物馆　马富坤、王　兵、印志华
出　处：《文物》1985 年第 10 期

1983 年下半年开始的三元路基建工程，出土了丰富的唐、宋遗物。关于三元路基建工程邮电大楼工地的地层、遗物征集与调查情况，简报分为地层关系和遗迹、遗物、小结，共三部分予以介绍，有手绘图、照片。

据介绍，工地地层分为三层。地层中的文化堆积深浅不一。地层中除一个小的唐代灰坑深入地下之外，只有少数小面积的唐代文化堆积。在底层平面上计有 5 个灰堆，20 个灰坑。另外，还发现一口宋井、两口近代井。在工地上，考古人员采集了大量唐、宋瓷片标本和一些比较完整的瓷器，此外还有两种黄釉枕瓷片。

简报指出，根据瓷器标本的造型、纹饰、釉色等的初步分析，简报认为此次出土的唐代瓷器可以辨认的有长沙窑、寿州窑、越窑、岳州窑、巩县窑。宋代瓷器可以辨认的窑口有景德镇湖田窑、龙泉窑、定窑、吉州窑、建窑、磁州窑等。

这次发现的一些极为少见的瓷器标本，如唐青花瓷片等，为研究唐、宋时期瓷器的类型、流通和外销情况等，提供了珍贵的实物资料。

镇江市

328.镇江、句容出土的几件五代、北宋瓷器

作　者：镇江市博物馆　刘和惠、翁福骅
出　处：《文物》1977 年第 11 期

近年来，镇江、句容先后发现几座五代、北宋时期的墓葬，出土了若干件瓷器。简报配以照片择要予以介绍。

据介绍，1975 年 3 月镇江市何家门五代小砖室墓出土的青瓷器有青瓷注子、青瓷唾盂、青瓷大碗、青瓷带托茶盏。1976 年 9 月句容县陈武大队北宋墓出土的影青瓷器有影青带温碗注子、影青带托盏。随同这几件瓷器出土的还有铜镜、银镯、铜钱、陶罐等物。简报推断，句容县出土的几件瓷器为鄞县窑所产，其时代可以断定为北宋前期；镇江郊区太古山出土的均属景德镇窑口，时代当属于北宋。简报称，这批瓷器在制作技术、造型和装饰工艺上均有其特色，为我们研究制瓷发展史提供了有价值的实物资料。

329.江苏丹阳墩头山遗址调查与试掘

作　者：施玉平、王书敏、杨再年

出　处：《考古》1993 年第 7 期

墩头山遗址位于丹阳市麦溪镇南 400 米处，遗址为一台形土墩，高出周围地面 3 ～ 4 米，面积近 7 万平方米。1988 年 10 月，考古人员对这一地区进行考古调查时，发现墩头山遗址已遭麦南村砖瓦厂的全面毁坏，当即进行抢救性发掘。

简报分为：一、地层堆积，二、新石器时代文化遗存，三、青铜时代文化遗存，四、结语，共四个部分。

据介绍，新石器时代文化遗存时代约在距今 6000 ～ 7000 年前，文化面貌相当于崧泽文化晚期至良渚文化早期。青铜文化可分两期，第一期时代相当于西周后期，第二期相当于春秋前期。简报称，墩头山遗址的调查和发掘，为探讨宁镇地区新石器时代文化与太湖地区古文化的关系以及商周时期古文化的分期，提供了重要的资料。

事实上，早在 1957 年文物普查时，就曾在丹阳王家山发现有古代遗址，既有良渚文化遗存，也有西周至春秋时期青铜文化遗存。详见《考古》1985 年第 5 期所载《江苏丹阳王家山遗址发掘简报》。

330.江苏丹徒镇四脚墩土墩墓第二次发掘简报

作　者：南京博物院、镇江博物馆　王奇志、王永凤、张浩林等

出　处：《考古》2007 年第 10 期

丹徒镇四脚墩土墩墓位于江苏省镇江市丹徒镇西南约 1 公里，处在长江以南约 2 公里宁镇山脉北侧高低起伏的丘陵岗地上。此处是一个小型土墩墓群，土墩略呈弧形分布在隆起的高冈上，共有土墩 6 座，分别编号 D1、D2、D3、D4、D5、D6，其中 D3 已遭破坏无存。1986 年考古人员发掘了 D4 和 D6。1991 年春，对 D2 和 D5 以及东侧台形遗址进行了正式发掘。

简报分为：一、二号墩，二、五号墩，三、结语，共三个部分，介绍 D2、D5 的发掘情况，有手绘图。

简报推断 D5 中有两座墓，M2 为西周早期偏晚，M1 的年代为春秋晚期；D2 的年代为两周时期。简报指出，土墩墓中往往一墩多墓，有打开原有土墩下葬现象，应注意区分祭祀器物与晚期墓葬不属一个年代现象。另外，土墩墓与附近居住人群的关系也一直让学界困惑。以此次发掘的土墩墓来看，似与邻近遗址居民无关。

331.江苏丹阳葛城遗址勘探试掘简报

作　者：镇江博物馆考古队　杨宝成

出　处：《江汉考古》2009 年第 3 期

丹阳葛城遗址位于江苏丹阳市珥陵镇东南约 6 公里处。遗址地处长江下游冲积平原。葛城遗址为一座古城址，在 20 世纪 70 年代以前，葛城村就坐落在这座土岗上。据当地村民回忆，当时这座古城保存尚好，土岗四周土城墙耸立，高 4 ～ 7 米，四周有护城河，河道窄处 10 余米，宽处达 20 米以上，该城有北门和南门两个出口，城门宽 4 米余。南城门外有大石板架在护城河上，现石板尚存。70 年代后遭到严重破坏。2007 年进行了试掘。

简报分为：一、钻探情况，二、试掘情况，三、文化遗址，四、文化遗物，五、时代分析，六、结语，共六个部分予以介绍，有照片、手绘图。

据介绍，此城东西宽约 180 米，南北长约 200 米，呈不规则长方形。城址内分布有窖穴、房基、水井、水沟，城址外分布有土墩墓。遗址中出土有较丰富的陶器、石器、青铜器等吴文化遗物。通过对出土陶器分析，可将该文化遗存分为三期：早期为西周中晚期，中期为春秋前期，晚期为春秋后期，三者之间连续无缺环。废弃时间为越王勾践灭吴（公元前 473 年）以后。城外有墓葬遗址。在现已发现的吴国城址中，除安徽南陵牯牛山古城建于西周时期外，其他如高淳固城、无锡阖闾城、武进奄城、胥城、留城以及浙江湖州下菰城基本上都属春秋时期所筑。由此推知，丹阳葛城古城是目前所发现的最早的吴国城址。丹阳葛城古城是目前所发现的最早、延续使用时间最长、保存状况较为完好的吴国城址。该城应为吴国向南扩张的重要据点。简报称，已发现的西周时期吴、越、楚等诸侯国的城址规模一般都比较小，其主要功能还是政治和军事性的，经济功能尚未成熟。在葛城城址中部偏北的 T1 内，发现一座大型房基，地面系用红烧土块铺垫。该房基不应是一般的民居，而应是吴国贵族用以进行政治宗教活动的仪礼性建筑。该建筑的发现，对于揭示葛城古城的性质与地位有着重要的科学价值。

332.江苏镇江市铁瓮城遗址发掘简报

作　者：铁瓮城考古队　刘建国、王书敏、霍　强等

出　处：《考古》2010 年第 5 期

公元 195 年，孙策占据江东，建安十三年（208 年）孙权又将其政权中心“自吴（今苏州市）迁于京口（今镇江市）而镇之”，“十六年（211 年）权始自京口徙治

秣陵（今南京市）”，建安十三年“孙权徙镇于此筑京城”，城“周回六百三十步，内外固以砖壁，号铁瓮城”。铁瓮城就位于今镇江市区北固山前峰。

1991 ～ 1992 年，考古人员对铁瓮城西垣、北垣进行了试掘。1993 年以后，先后对南垣、东垣、西垣、城内建筑及西垣外侧的石路、城壕等遗迹进行勘探、试掘。2004 年对南门遗址实施抢救性发掘。2005 ～ 2006 年对西门遗址进行考古勘探。鉴于民居密集，地势起伏较大，铁瓮城遗址的考古工作只能采取见缝插针、小型灵活的方法进行勘探和发掘。各次发现的遗迹分属孙吴（包括公元 195 年孙氏占据江东至 222 年立国前的先吴阶段）、东晋和南朝等时代。

因篇幅所限，简报分为：一、城垣，二、城门，三、城外遗迹，四、城内遗迹，五、出土遗物，六、结语，共六个部分，以孙吴时期铁瓮城的遗迹、遗物为主，东晋、南朝时期的遗存也一并加以介绍。有手绘图。

据介绍，铁瓮城位于北固山前峰，经考古工作确认城垣平面略近椭圆形，西南角稍向外凸出，与六朝时期的万岁楼遗址连接。南北长约 480 米，东西最宽处近 300 米。简报推断当建于先吴时期，即孙氏占据江东以后至孙吴立国之前这一时期。

据介绍，发现了依山而建的城垣、城门、道路等遗迹，出土了种类繁多的文字砖、纹饰砖、瓦、陶器、青瓷器、金属器以及钱币等遗物，涉及孙吴、东晋、南朝等多个朝代。

简报指出，铁瓮城在三国孙吴几座都城（南京石头城、湖北吴王城等）中建城年代最早，保存遗迹最为完整，文化内涵十分丰富。三国以后，铁瓮城历经晋、唐，直至明、清，长达 1700 年，一直是江南地区性的行政中心，堪称千年都城，这在古代城市史上也是不多见的，其遗址尤足珍贵。

333.镇江铁瓮城南门遗址发掘报告

作　者：镇江古城考古所、镇江博物馆　刘建国、陈长荣、王克飞等
出　处：《考古学报》2010 年第 4 期

镇江铁瓮城，据史籍记载，始建于三国吴孙权时，开南、西二门，内外皆固以砖壁。南门古称鼓角门，又称谯门。明代在原南门城楼旧址建有谯楼（又称鼓楼），清代康熙二十年（1681 年）重建，道咸年间，鼓楼被毁，光绪年间重建，抗战时又毁于日机轰炸。

铁瓮城南门遗址位于镇江市青云门路北端鼓楼岗。现有青云门路从中南北向穿过，路两侧为密集的厂房、居民等建筑。在 20 世纪 90 年代，曾进行过两次小规模考古试掘。1994 年配合青云门道路翻修又行发掘，发现唐、宋墩台包砖墙遗迹。

1996年在青云门路西侧再次发掘，发现六朝包砖墙及宋至明清道路遗迹。2003年至2004年为配合大西路东延再次发掘，发现南垣及南门墩台、道路等遗迹。

简报分为：一、城垣遗迹，二、门墩遗迹，三、道路遗迹，四、其他遗迹，五、出土遗物，六、结语，共六个部分介绍了2004年的发掘，有彩照、手绘图。

据介绍，2004年发掘发现的道路、砖墙、墩台，可分5期：第一期为吴国建立之前至西晋；第二期为东晋前期；第三期为东晋后期；第四期为南朝前期；第五期为南朝后期。简报引《晋书·郗鉴传》《晋书·王恭传》等文献，证实考古发掘与文献记载相符。

另外，在瓮城南门遗址发掘中，出土有相当数量的文字砖和文字瓦，多数皆是官方窑口的标志，年代跨度从六朝至唐宋。其中，六朝出现的主要是文字瓦，在瓦面上戳印有“官”“官窑”“官瓦”等文字，以阳文为多，亦见有阴文，字体有楷体及多种变体。至唐代，更见于砖、瓦两种。唐代文字砖上有“官”“官记”“官三”“官窑三”“二”“官窑”“官丘”“丘”“官上”“宅窑”“嘉兴县窑户周□”及“润州”等文字，悉数与烧制的砖窑有关。从中可以看出，“官”即代指官窑，其时数量较多，或以方位（“官上”“上”）命名，或以序列（“官三”“官窑三”“二”）编号，或以“丘”字记号（“官丘”“丘”）代称官窑。并且还见设有专为官宅烧制的砖窑，称之为“宅窑”。而唐代文字瓦上则见有“官”“官瓦”“官瓦记”“大”“供宅用”等文字，说明唐时瓦的烧制亦有专设的官窑。从戳印的“大”字推知，窑名还以大、小划分；亦见有专供官宅修造的瓦品。同时还见有宋代“官”字砖。如此在同一发掘点上出土有不同时代且数量众多的官窑文字砖、瓦的现象，实属少见，为研究古代官窑制度提供了可贵的实证。

334.江苏镇江花山湾古城遗址2010年发掘简报

作　者：镇江博物馆

出　处：《江汉考古》2012年第2期

江苏镇江花山湾古城遗址位于镇江市区东北花山湾的丘陵土岗上，城垣依山加筑夯土而成，1984年、1991年曾先后两次对该城址进行考古发掘。2010年，再次对其进行了考古勘探和发掘，发掘面积114平方米，分为东城垣和城内2个发掘区域，在东城垣发现了一处城门遗迹，推断其为史料记载的唐宋罗城“新开门”，并判I城门始建于唐代晚期，宋代加筑，南宋时废弃。

简报分为：一、城门遗迹发掘区，二、城垣内侧发掘区，三、结语，共三个部分予以介绍，有手绘图。

据介绍，该遗址 1984 年 5 月发现，1991 年曾进行过勘探和发掘，2010 年再次进行了勘探。花山湾古城现地表残存可见部分为明显高于周边 5 ~ 10 米的土埂，平面呈 U 字形，新发现的城门上应建有楼，后被烧毁。

简报称，花山湾古城是镇江市一处非常重要的古代城址，对于了解镇江城市发展、研究国内同时期的城址布局、特点、建造方式等有着非常重要的作用。目前考古发掘面积还太少，许多问题有待进一步发掘。

泰州市

宿迁市

浙江省

杭州市

335.杭州西湖发现宋、金、元铜质官印

作　者：赵人俊
出　处：《文物》1959年第4期

杭州市西湖浚湖工程处在挖泥工程中先后挖出南宋、金、元铜质官印各一个。简报配以拓片予以介绍。

南宋官印。把顶平面作长方形，印作正方形。印背镌款二行，印面镌篆书阳文“宣抚处置使司随军审计司印”。

金官印。把顶平面作长方形，印背二行，印后侧左侧镌有“传字号行军万户所印”，印面镌篆书阳文“传字号行军万户所印”。金宣宗贞祐五年（1221年）改元兴定，简报认为此印当系改元前所铸。

元蒙文官印。把顶平面作长方形，印背左端自左至右镌二款直行。印面上的文字为元代八思巴蒙古字“管军千户印”。八思巴蒙古字，根据文献记载是至元五年（1268年）二月八思巴创立的。这个印是至元十四年（1277年）所造，简报认为，此印也正是至元十三年（1276年）大举进攻南宋王朝时的遗物。

336.浙江淳安古墓发掘

作　者：新安江水库考古工作队　赵人俊
出　处：《考古》1959年第9期

1956年5月，考古人员为了配合新安江水库工程，进行了地下文物调查工作，经过1个月的调查，发现了古墓葬群3处，古文化遗址5处。1957年4月3日组织了新安江水库考古工作队，先赴淳安地区进行发掘。淳安在浙江西部，距杭州230公里。这次发掘清理了古墓葬35座，古文化遗址1处。墓葬分布在淳安北郊官山山坡及距

城东北 13 公里进贤镇附近的山坡上。

简报分为：一、东汉墓葬，二、六朝墓葬，三、唐代墓葬，四、宋墓，共四个部分予以介绍，有照片、手绘图。

据介绍，东汉墓共 15 座，M28 有铭文砖，知为建初六年（81 年）墓。六朝墓及唐墓计 11 座，其中唐墓 M33 出土花鸟铜镜颇为精致。据铭文砖，有贞观十年（636 年）墓。宋墓 3 座，其中 M2、M19 均有两墓室，可能是夫妻合葬墓。三墓出土有陶器影青瓷器、钱币等。

337.杭州水田畈遗址发掘报告

作　者：浙江省文物管理委员会　梅福根等

出　处：《考古学报》1960 年第 2 期

水田畈遗址位于杭州良半铁路半山车站南面，是 1958 年 8 月由杭州大学历史系发现的，可分为东、西两区，每区约 2000 平方米。1958 年 9 月、1959 年 8 月两次发掘。

简报分为：一、遗址的地层，二、遗迹，三、墓葬，四、遗物，五、结语，共五个部分予以介绍，有照片、手绘图。

据介绍，共发掘灰坑 6 处和水井、居址等遗迹，墓葬 3 座，出土石器、陶器、木器、竹器、玉器及植物种子等遗物。可分为前后两个时期，前期遗存年代为新石器时代末期，与钱山漾遗址遗存有相似之处。后期遗存年代为战国末期。

338.浙江淳安左口土墩墓

作　者：浙江省文物考古所　林华东、鲍绪先等

出　处：《文物》1987 年第 5 期

1979 年秋，淳安县左口公社龙坑坞农民在小塘坞遗址发现了一批石器、陶器与原始青瓷器等。考古人员进行了试掘，并清理了 5 座墓葬。简报分为三个部分予以介绍，有照片、手绘图。

据介绍，小塘坞遗址位于淳安县城（排岭）之北约 12 公里，属浙西山区。遗址地处原富息村旁的小山上，左口溪与贤溪在此汇合，注入新安江。5 座墓葬除 M5 外，墓底均铺垫鹅卵石，其中 M1 发现于试掘坑中，保存完整，其余 4 座已被水冲出，或多或少地暴露出底部的鹅卵石。随葬器物共 44 件，多为生活用器，以原始青瓷器占绝大多数。限于篇幅，简报重点介绍了 M1、M3。年代据简报推断，M5 为西周晚期，M1、M2、M3、M4 为春秋早期。简报认为当时地处今钱塘江上游的金（华）衢（州）盆地，与皖南山区的屯溪一带，文化面貌基本相同。

339.杭州萧山蜈蚣山土墩墓（D4）发掘简报

作　者：杭州市文物考古研究所、萧山博物馆　崔太金、杨金东、王　震等
出　处：《文物》2013 年第 5 期

蜈蚣山土墩墓位于浙江省杭州市萧山区西部柴岭山与蜈蚣山之间的山脊和山坡处，西北临近湘湖及跨湖桥遗址，与城山越王城遗址隔湖相望。2011 年 3 月，湘湖管理委员会山林队在例行巡查时，发现山顶有多处盗掘痕迹。2011 年 3 ~ 12 月，杭州市文物考古研究所萧山工作站对此区域进行了抢救性考古发掘。此次发掘共清理土墩 31 座，出土器物 700 余件。

简报分三个部分介绍了其中一座规模较大的石室土墩墓（D4）的发掘情况，配有照片和手绘图。

第一部分为“墓葬形制”，简报首先详细介绍了所谓“土墩”：

D4 位于柴岭山与蜈蚣山之间的山脊上，东北与 D3 相邻。走向与山脊走向一致，整体大致呈西南—东北走向，东西两侧山坡陡峭，南北两侧山坡较平缓，中部为山路。D4 为石室土墩墓，地表可见隆起十分明显的封土堆，平面形状大致呈椭圆形。墩底长径 16.77 米、短径 9.48 米、残高 2.3 米。地表生长大量杂草及少量灌木。D4 中部的盖顶石暴露于地表，西南端石砌墓道已经暴露，此处发现有早期形成的盗洞。西南部有一个约边长 1.7 米、深 1.9 米的方形盗洞。盗洞已达墓底，为近期形成，盗洞扰土中发现大量遗物，有罐、豆、盂、碗、盘等，其中可复原器物 9 件。

D4 顶部为厚 0 ~ 0.05 米的灰黑色植物腐质，其下即为黄褐色封土。封土堆积厚薄不均，多处较薄，厚 0 ~ 0.5 米。封土内包含大量植物根系，发现有少量印纹硬陶残片，陶片纹饰有回纹、折线纹等。

至于 D4，为一石室墓，由墓门、墓道、前室、后室、挡土墙和护坡等部分组成。整体呈长方形。长 14.5 米，宽 7.8 米。

第二部分为“出土器物”，有原始瓷器、印纹硬陶器、陶器等。简报介绍得颇为详细，不具引。

第三部分为“结语”，首先判定 D4M1 的年代为春秋早中期，D4M2 的年代为西周晚期，D4M3 的年代应为春秋晚期。简报判定 D4 的营建过程应为：在山脊较为平整处平整地表，两侧缓坡处堆土垫平；用大小不一的石块垒砌石室壁，石块较光滑的一端向内；三侧封堵，一侧留门。石壁下部的石块一般较大，起到稳定基础的作用。垒砌石壁的过程中，其外侧用土、石材料加固形成护坡，最外围用石块垒砌挡土墙，石块较光滑的一端向外，前端封门，然后用长条形大石块封顶形成盖顶石，最后封土成墩。由此推断 D4 在营建完成后应该可以直接经过墓门进入石室。石室内发现的 3 座墓葬表明，D4 最早于西周晚期开始使用，一直沿用至春秋晚期，而且

D4 当时是可以通过打开墓门的方式进行多次埋葬的。

简报指出，D4 石室整体为长条形，但它又可以明显地分成墓道、前室和后室三部分。封门位于墓道外侧，其外还有两块挡门石。这种结构在以前发掘的石室土墩墓中尚未发现。

至于此次发掘的意义，简报认为，蜈蚣山土墩墓是杭州地区首次大规模揭露的土墩墓，清理的 31 座土墩墓类型丰富多样，时间跨度较大，从商代末期延续到春秋末期。此墓群的发掘，为构筑中国南方地区商周文化的发展序列、探讨南方地区商周时期的丧葬习俗、研究江南土墩遗存的分布规律及特点，提供了新资料。

340.杭州萧山柴岭山土墩墓（D30）发掘简报

作　者：杭州市文物考古研究所、萧山博物馆　杨金东、崔太金等

出　处：《文物》2013 年第 5 期

柴岭山土墩墓位于浙江省杭州市萧山区西部柴岭山至蜈蚣山之间的山脊和山坡处，西北邻近湘湖及跨湖桥遗址，与城山越王城遗址隔湖相望。2011 年 3 月，湘湖管理委员会山林队在例行巡查时，发现山顶有多处盗掘痕迹。2011 年 3 月至 2012 年 6 月，杭州市文物考古研究所联合萧山博物馆对其进行了抢救性考古发掘。此次发掘共清理土墩 37 座，出土遗物 922 件（组）。

简报分四个部分介绍了其中一座规模巨大的人字形木室墓（D30）的发掘情况，配有照片及手绘图。

第一部分为“土墩”，简报称发现有“非近期形成”盗洞，“未见明显的早期盗洞”。

第二部分为“墓葬与器物群”，简报称土墩内共发现两座墓葬和两个器物群，分别编号为 D30M1、D30M2 和 D30Q1、D30Q2。

第三部分为“出土器物”。封土中出土可复原物 5 件，包括印纹硬陶坛、罐与原始瓷豆、碟。D30Q1 中出土印纹硬陶罐、瓮和泥质陶罐 5 件，D30Q2 中出土印纹硬陶瓮、原始瓷碗和玉饰 4 件，D30M1 墓室中出土原始瓷豆和碟 3 件。

第四部分为“结语”，首先认定 D30M1 的年代应为西周晚期，D30Q1 的年代为春秋中期。墓主身份，判断“应该属于高级贵族墓葬”。简报认为此次发掘对研究越地贵族墓葬尤有意义，这至少可从以下几点来谈：

其一，墓底石床之上铺设一层白膏泥，这一发现为研究墓内使用膏泥葬俗的起源、演变与传播提供了新的线索。

其二，墓底和木室之上铺设一层树皮，是目前所见年代最早的土墩墓内使用树皮的实例，具有一定的原始性，也是具有强烈越文化特征的葬俗。

其三，D30M1 是目前已知材料中年代最早的形制明确的人字形木室墓，且墓内

还设有木棺。印山越王陵埋葬制度的许多内涵都可以从 D30M1 中找到线索。从已经发现并确认的此类墓葬来看，这种两面坡人字形结构的木室墓应是越地独有的一种埋葬制度。此类墓葬在整个越地同时期墓葬中所占比例极小，但规格普遍较高，应该是越地少数贵族使用的特殊葬制。

宁波市

341.浙江余姚青瓷窑址调查报告

作　者：浙江省文物管理委员会　金祖明等

出　处：《考古学报》1959 年第 3 期

余姚上林湖是越窑最集中的地区。所谓秘色瓷都产在上林湖一带。越窑窑址 1934 年被发现后，不久杭州湖滨市场上就出现瓷片的买卖，古董商们一时间十分活跃。

简报介绍说，1957 年上林湖附近的农民在一个山坡上取土时，挖出一件唐大中四年（850 年）的瓷罂墓志铭，引起了有关部门重视。1957 年 11 月间，考古人员进行了数次实地调查，并配合上林湖水库工程，进行了文物宣传。住在上林湖附近的农民都受到一次深刻的教育，纷纷组织了文物保护小组。这次除了调查所得的青瓷以外，单从民间收集到的较有价值的瓷器就在 1000 件左右。

简报分为：一、前言，二、窑址分布，三、器物，四、纹饰，五、结语，配有照片，介绍了这次调查的资料。

简报认为，浙江的青瓷，应始自东汉，从汉到唐，一直在发展，五代是瓷器的盛产时期。吴越钱氏政权将上林湖好的民窑改为官窑，派官监制。北宋时仍为官窑。但从宋代似已衰落，这或与龙泉窑的兴起有关。

342.浙江鄞县古瓷窑址调查记要

作　者：浙江省文物管理委员会　朱伯谦、梅福根

出　处：《考古》1964 年第 4 期

1958 年文物普查时，鄞县南部的郭家峙发现了古代瓷窑址，这是宁波地区第一次发现窑址。但由于时间紧促，未能详细地进行调查。1963 年 4 月，考古人员又在沙叶河头村和小白市附近发现古代瓷窑址多处，1963 年 4 月至 6 月间又多次前往调查。

简报分为：一、地理环境和堆积情况，二、遗物，三、结语，有手绘图。

据介绍，郭家峙窑址在鄞县南部东钱湖的西南隅，距离宁波市 20 公里。沙叶河

头村和小白市窑址在鄞县东部，紧靠镇海县境。沙叶河头村窑址在村南0.5公里许的石婆岭西侧小山的西坡上。小白市在沙叶河头村南，村西有东吴市，窑址在小白市和东吴市之间的饭甑山西北麓，俗称“龙头颈”“窑头山”的地方。简报认为鄞县窑在东晋已有，五代、北宋为盛烧期。窑址的产品比余姚上林湖窑稍差，但比五代吴越的另一官窑——上虞窑、寺前窑要精美得多。这些窑里生产出来的瓷器，其出路很可能以外销和进贡为主。

343.调查浙江鄞县窑址的收获

作　者：李辉柄

出　处：《文物》1973年第5期

鄞县窑址是浙江省文物管理委员会于1958年发现的，是继上虞窑、寺前窑之后又一重要发现，为我们了解浙江地区青瓷的发展提供了新的资料，特别是对研究五代至北宋这一时期越窑的历史和范围具有十分重要的意义。1963年10月，考古人员在浙江鄞县窑址进行了一次实地调查。就以往资料看，无论从它的胎质、釉色，还是造型、纹饰等多方面观察，属于越窑系统是无疑的。它的产品较之受余姚上林湖影响的上虞、黄岩、东阳等窑为精，与余姚上林湖越窑的作风最为相似，甚至乍一看很难把它们区分开来。因此，鄞县窑与余姚上林湖越窑的关系之密切，以及它在越窑系统中的重要地位就不难想见了。简报分六个部分予以介绍，有手绘图等。

据介绍，鄞县窑遗址非常广大，主要分布在鄞县南部东钱湖西南的郭家峙，东部的沙叶河头和小白市三处。这三处窑址烧制器物大体相同，简报选择了郭家峙与小白市两地重点进行了调查。鄞县窑的发现，充实了越窑的内容，鄞县窑产品在质量上虽然不如余姚上林湖越窑的精致，但比上虞、黄岩等窑为佳。简报认为，鄞县东晋时已开始烧窑，南朝时继续烧造，五代、宋时遗物不少，唐时遗物未见，或唐时曾停烧。

344.浙江宁波出土唐宋医药用具

作　者：林士民

出　处：《文物》1982年第8期

考古人员于20世纪80年代初从唐宋文化遗址和五代至北宋的窑址中，清理出石质、漆木质、陶质、瓷质的医疗、医药用具30多件，包括脉枕6件、药碾船及碾轮17件、药碾碗1件、药壶5件、香熏器6件。简报配以照片予以介绍。

据介绍，医疗用具有脉枕（瓷质和木质）、药碾船（瓷质及木质）、药碾碗（瓷质）、药壶（瓷质和陶质）、香熏器（瓷质）各类。

简报称，以往在遗址、墓葬中出土过中草药，但医药用具之类的文物不多见。此次出土的绞胎彩饰唐代脉枕更是稀有的文物。五代至北宋时期，在鄞县郭家峙窑中烧造脉枕、药碾等，从一个侧面反映了当时明州（宁波）烧造瓷器的盛况。

345.浙江南田海岛发现唐宋遗物

作　者：符永才、顾　章

出　处：《考古》1990 年第 11 期

南田岛，又名斗头山岛，位于浙江省象山县石浦港南沿海域中，面积约 90 平方公里，北距大陆最近点 1.25 公里，低山丘陵占 80%。

1984 年 7 月，象山县文管会在鹤浦乡小百丈村征集到 7 件出土文物。这些器物系 1982 年修筑水库时发现，均属墓葬随葬品。有些被毁，完整的存有 7 件。简报配以拓片予以介绍。

据介绍，7 件器物为铜镜 2 件、碗 1 件、盘口壶 2 件、青瓷执壶 1 件、四耳罐 1 件。随葬品中，还有已锈蚀的钱币，经辨认有“开元通宝”字样。根据出土器物特征，即形制与施釉情况，简报推断应为唐宋制品。

1985 年 6 月 15 日，象山县文管会根据樊岙乡里提供的线索，在高坎头村民中征集到出土文物 13 件。这些器物是在村边占地约 400 平方米的沙滩中出土的，根据出土器物的组合和排列情况，简报认为是一处古墓葬。根据出土器物特征，简报推断为晚唐制品。

1986 年 9 月 4 日，樊岙村民在村子附近洋厂湾山腰挖土时，掘到一座古墓葬。考古人员实地勘查，可基本确定为石室墓，清理出土一批随葬品。墓志砖 1 件，阴文五行，共 49 字。根据墓砖记载，当时南田隶属宁海。简报查民国《象山县志》，唐神龙二年象山立县，隶台州，广德二年（764 年）改属明州，而元和十二年（817 年）南田仍属宁海。它提供了这座墓葬的确切年代，即唐元和十二年（817 年）。

346.浙江宁波天封塔地宫发掘报告

作　者：林士民

出　处：《文物》1991 年第 6 期

宁波天封塔坐落在宁波市内海曙区大沙泥街西尽头，是宁波的一处名胜古迹。

1982年，宁波市文管会配合市规划设计部门对天封塔基础进行勘探时，在塔第一层的中心部位发现了地宫建筑，获得了一批珍贵文物。其中有一座较为完整的南宋绍兴十四年银制宫殿建筑模型，还有银塔，银香炉，银佛龛，铜、玉、石质的各种佛像，以及银饰和瓷器等共54种，计140余件，另有历代钱币200余斤。在出土物上发现了不少文字，这些都对进一步研究天封塔的建筑年代、宋代建筑结构和工艺水平，以及南宋经济、文化和海外交往等问题提供了宝贵的实物资料。

简报分为：一、地宫结构，二、地宫出土遗物，三、结语，有照片、拓片、手绘图。

据介绍，地宫位于一层塔室内基址下的中心部位，为正方形。地宫正中，放置一个石函，空隙处堆放大量钱币。砖上多有“女弟子某某”一类铭文。简报认为地宫所在的一、二层为宋绍兴十四年（1144年）修建，其上为元代之物。

简报指出，宁波天封塔地宫出土的大量文物，是佛教文化的重要遗存。这些文物上的铭文和塔内各层砖刻铭文中包括善男信女数千人的姓名，表明了当时明州（宁波）佛教的盛行情况。地宫出土的各类文物是研究宋代物质文化史的实物资料。

347.浙江越窑寺龙口窑址发掘简报

作　者：浙江省文物考古研究所、北京大学考古文博院、慈溪市文物管理委员会
沈岳明、郑嘉励等

出　处：《文物》2001年第11期

寺龙口窑址位于浙江省慈溪市匡堰镇寺龙村北，距上林湖不到4公里。窑址面积约2000平方米，龙口窑遗迹形成一条东西向的长凹沟，长凹沟南北两侧则为山坡状隆起的废品堆积，发掘前窑址处杂草丛生。1998和1999年的9～12月，考古人员对窑址进行了两期发掘。两期发掘清理龙窑窑炉1座及其他多种遗迹，获得大量瓷器、窑具标本。

简报分为：一、窑炉，二、地层堆积，三、出土遗物，四、分期与断代，有彩照、手绘图。

据介绍，此次考古发掘清理龙窑窑炉1座及其他多种遗迹，获得大量瓷器、窑具标本，窑炉由火膛、窑室、窑门、排烟室等构成，为南方常见的龙窑。简报将窑址分为六期，并介绍了各期的特点。

简报认为，该遗址的年代在晚唐到南宋初期。

今有魏建钢先生《越窑制瓷史》（中国社会科学出版社2015年版）一书，可参阅。

348.浙江宁波市祖关山冢地的考古调查和发掘

作　者：宁波市文物考古研究所　丁友甫

出　处：《考古》2001 年第 7 期

1996 年 7 月，宁波市市政府决定将祖关山苗圃改建成南郊公园。宁波市文物考古研究所在市园林管理处的支持下，对祖关山进行考古调查，并对施工地段的墓葬进行发掘。祖关山位于宁波火车南站南侧，占地面积 4500 平方米。此地因宋代“四明佛祖”法智大师由该处“坐关”而逝得名，曾一度改作焚化院。据文献记载，有不少达官贵人均葬于此，成为以后历代冢地。另外，地面上保留了三开间牌坊 2 座，还有残碎的墓标、翁仲和石象生等。本次共清理了 13 座墓葬（编号 NZM1 ～ M13）。墓葬类型可分泥墙墓、砖室墓和土坑墓。

简报分为：一、墓葬结构，二、出土遗物，三、结语，有手绘图、照片、拓片。

据介绍，13 座墓中除 M11 有唐大中四年（850 年）的确切纪年外，其他均无纪年，根据墓制和出土器物，简报推断 M12 的时代为唐代中晚期，M13 的时代应是唐代晚期，M4 年代在北宋晚期，M1、M2 最早时代为明代。

349.浙江慈溪市越窑石马弄窑址的发掘

作　者：浙江省文物考古研究所、慈溪市文物管理委员会　郑嘉励

出　处：《考古》2001 年第 10 期

石马弄窑址位于浙江省慈溪市鸣鹤镇白洋村，地处白洋湖畔，西距越窑的中心产地上林湖约 2.5 公里，其南与杜湖相邻。此地瓷土资源丰富，森林茂密，水道畅通，出古窑浦可直达宁波港。自 20 世纪 80 年代起，考古人员曾多次对该地区进行考古调查，采集到的大量实物标本表明，从中唐至北宋晚期该地区曾建窑烧瓷，“是上林湖窑址的重要组成部分”。1982 年，石马弄窑址被列为慈溪县级文物保护单位。1998 年底，窑址由于基建工程而遭到大面积破坏，考古人员随即进行了抢救性发掘。发掘工作自 1999 年 2 月开始，至同年 6 月结束，清理了龙窑 1 座及匣钵墙遗迹 1 处，并获得大量瓷器、窑具等标本。

简报分为：一、遗迹，二、废品堆积，三、出土遗物，四、结语，有手绘图。

据介绍，T4 第 3、4、5 层及 T3 第 4 层的出土遗物差别不大，属第一期；T4 第 2 层和 T3 第 3 层的遗物比较接近，属第二期。T3 第 2 层则单独构成了第三期。初步分析，简报对各期的年代大体推断为：第一期为唐代中、晚期之交；第二期为唐末五代初；第三期为北宋初，Y1 的年代同第三期。

350.慈溪上林湖荷花芯窑址发掘简报

作　者：浙江省文物考古研究所、慈溪市文物管理委员会　沈岳明等

出　处：《文物》2003 年第 11 期

20 世纪 90 年代初，考古人员对全国重点文物保护单位浙江省慈溪市上林湖越窑遗址进行了专题调查和勘测。在此基础上，对上林湖荷花芯窑址进行了连续性发掘。发掘工作于 1993 年下半年开始，至 1995 年上半年结束，揭露窑床两条，出土大量精美标本。

简报分为：一、地理环境和历史沿革，二、地层堆积，三、遗迹，四、遗物，五、结语，有彩照、手绘图。

据介绍，上林湖越窑遗址位于慈溪市桥头镇栲栳山麓，在其周围分布着白洋湖、杜湖、古银锭湖等窑址群。上林湖水库北端大坝距 329 国道 2 公里，湖连接东横河，通浙东古运河、姚江，向东可达宁波明州港，西可通曹娥江、京杭运河，水路运输便利。上林湖由古代潟湖演变而成，唐已有“上林湖”之称。慈溪县始设于公元 738 年，隶属明州，治今宁波慈城镇。1954 年将原慈溪、镇海、余姚三县之北部划为慈溪县，并移治浒山镇。由于上林湖历史上多数时段属余姚县，故一直以余姚上林湖著称。20 世纪 30 年代，陈万里考察上林湖，著《越器图录》《瓷器与浙江》。1957 年因改建大坝，提高水位，使大部分窑址淹于水下。此前浙江省文管会曾对此进行调查，并发表了《浙江余姚青瓷窑址调查报告》。本次发掘共揭露窑床两条，在整个上林湖库区窑址分布图上的编号分别是 Y36 和 Y37。窑床均为龙窑，保存长度 40 余米。出土的瓷器种类有碗、盏、盘、盏托、灯盏、水盂、盒、碟、唾盂、海棠杯等，其年代从唐代晚期一直延续到北宋晚期。简报指出，通过发掘发现所谓越窑秘色瓷并不是如一些人想象的是由一个或几个窑场生产专供进贡的，而是因使用匣钵不一样产生的普通产品。

简报指出，以前研究越窑，仅局限于墓葬材料和地面标本的采集，此次发掘是越窑遗址的首次发掘，明确的地层划分为考古学研究提供了基础材料。

351.浙江宁波市马岭山古代墓葬与窑址的发掘

作　者：宁波市鄞州区文物管理委员会、宁波市文物考古研究所　徐惠定、林士民等

出　处：《考古》2008 年第 3 期

浙江省宁波市鄞州区姜山镇马岭山一带，分布有较多汉、唐时期墓葬和汉、宋时期窑址。2002 年 4 月初至 5 月底，为配合裕隆制泵有限公司的基建工程，考古人员对

工程范围内的古墓群等进行了抢救性考古发掘，共清理汉、唐、宋时期的墓葬38座，汉、宋时期的窑址4座。其中7座宋墓的形制较为简单，且破坏严重，随葬品已无存。

简报分为：一、汉代墓葬，二、唐代墓葬，三、东汉及宋代窑址，四、结语，共四个部分，介绍了除宋墓外的发掘成果，有手绘图等。

据介绍，考古人员在宁波市鄞州区姜山镇马岭山一带清理了汉、唐时期墓葬31座，汉、宋时期窑址4座。墓葬包括土坑墓、砖木结构墓、砖室墓等，规模不大，但形制变化清楚。出土有陶器、釉陶器、原始瓷器、铁器、铜器、玉石器等共计140余件，还有大量铜钱。简报探讨了中国墓葬建筑中"拱顶"和"抱攀"的问题，简报指出，中国古代建筑中"拱"（包括砖拱和石拱）的出现，过去比较笼统的说法是在汉代。此次清理的东汉墓葬中发现的拱顶有两种建筑方式，一种是两侧墓壁砌到一定高度后，用砖叠涩垒砌，合龙后封顶；另一种是两侧墓壁砌到一定高度后，用砖竖砌，逐渐收拢后封顶，砖缝之间用陶片和泥浆填充。这两种建筑方式都未使用楔形砖、刀形砖之类专门用于砌拱的砖材，还比较原始，因此抗压性较差，容易倒塌。根据墓中随葬品的形制特征判断，这类砖拱出现的年代应当在东汉中期。而"抱攀"是中国木结构建筑的传统做法，砌筑山墙时，在梁架与山墙之间用攀抱以增加牢固度，俗称"抱攀"。简报认为，此次发现的汉代砖木结构墓和砖室墓中，较多地出现了类似"抱攀"的结构，可以推测这种建筑方法在东汉中期即已出现。

简报还指出，汉代的馒头窑是烧制建筑材料的砖瓦窑，这类窑烧造的产品一部分为建造墓葬所需。直至北宋馒头窑功能未变，但窑炉结构已发生变化，由汉代时抹泥封盖窑顶变为砖砌拱顶；窑室由直接利用生土坑或抹泥，变为周壁用砖贴面，火膛与窑室用砖分隔；窑门也更为宽大，可以供人出入。这类陶窑在浙江地区也属首次发现。

温州市

352.浙江瑞安桐溪与芦蒲古墓清理

作　者：浙江省文物管理委员会

出　处：《考古》1960年第10期

1957年12月，考古人员在瑞安县桐溪、芦蒲两地进行古墓调查和发掘工作，共清理了自三国到齐、梁的墓葬41座。其中桐溪墓葬均在隔河山和陈府殿山的南麓，共计清理了31座墓，编号为M101～M124，M126～M132。芦蒲墓葬在大坟山和张坑山南麓，共计清理了10座墓，编号为M151～M160。

简报分为：一、三国至西晋墓葬，二、东晋墓葬，三、刘宋墓葬，四、齐梁墓葬，五、结语，有拓片、照片、手绘图。

据介绍，在41座墓中，有部分墓受了不同程度的损坏，多数早期被盗，其中有15座墓的随葬品已被盗掘一空。除M120、M132为土坑墓外，其余均为砖室墓。骨架和葬具全部朽尽。除少数墓有铁棺钉发现知为木质葬具外，余均不明。墓平面从“凸”字形（三国到西晋）到刀形（东晋到刘宋），再发展成长条形（齐、梁）。从随葬品中的瓷器造型的演变看：晋瓷腹部一般比较低矮，呈圆瓜形；刘宋多秀丽瘦长；齐、梁上部较肥胖，而下部收缩较甚。碗一类的器底也由平底发展到假圈足，有的假圈足已向内凹。从瓷器的纹饰看：晋多人字纹和方格纹；刘宋人字纹和方格纹已不见，而出现莲花纹；齐、梁则已普遍使用莲花纹，这与当时崇尚佛教的风气有密切关系。从瓷器釉色看：晋一般釉色不纯，有白色斑点，且易脱落；刘宋时则釉层较厚且脆；而齐、梁时候的釉透影性强，呈玻璃状透明体，脱釉情况也少见。

该墓出土有若干纪年砖，未及一一详录。

353.温州地区古窑址调查纪略

作　者：浙江省文物管理委员会　金祖明
出　处：《文物》1965年第11期

浙江省温州地区的窑址很多，特别是瓯江上游的丽水、云和、龙泉诸县瓷窑特别多。本文只就温州市、永嘉县、瑞安县、泰顺县和乐清县的窑址情况作一介绍。这一地区的窑址主要分布在瓯江的下游和飞云江的中上游两岸依山傍水的地方。

简报分为：一、窑址，二、遗物，三、窑具，四、结语，有手绘图，后附“温州地区窑址调查表”，列举其地点、时代、面积等。

据介绍，经过1956年、1958年、1961年三次调查，共发现窑址37座。其中属于汉代印纹釉陶窑址3座，东晋、南朝时期的4座，唐、五代时期的19座，宋代的6座（其中褐色彩绘瓷窑1座，白色瓷窑2座），元、明时期的5座。

简报得出的一些结论十分重要，如宋代温州地区瓷窑已处于衰落阶段，这时青瓷的制造中心已转向龙泉的大窑、金村的溪口等地，永嘉一带只处在极次要的地位。又如明代以后，温州地区青瓷生产完全绝迹了，它与龙泉窑系一样，由于白瓷的兴起，瓷业的重心转移到江西景德镇。白瓷烧造简单，成本低，青瓷制作复杂，成本高，因而青瓷逐渐被白瓷所代替。

354.浙江瑞安凤凰山周墓清理简报

作　者：俞天舒

出　处：《考古》1987 年第 8 期

1983 年 5 月，在浙江瑞安县凤凰山发现一座土坑墓。简报配以手绘图予以介绍。

据介绍，凤凰山位于县东北 6 公里处，属瑞安县莘塍区汀田乡凤岙村。因多年间村民在其东南面的山坪至山腰一带不断取土，使这里形成一条约长 60 米、宽 20 米、深 3 到 10 米不等的沟壑，墓葬就在沟壑的断面层中发现。由于受到取土的破坏，墓口已被削去，墓室的大小已不详，从其残留情况观察，墓作长方形竖穴。从残留的墓室中清理出随葬陶瓷器物 18 件，如把已被农民挖出捣碎散乱在沟壑里的碎片估计进去的话，大约可达 30 件。这 18 件器物按质料区分，有原始青瓷、原始黑瓷、硬陶、泥质陶。其中原始瓷占半数，原始瓷中的黑釉器物又占大半。该墓年代简报推断为西周晚期至春秋早、中期。

简报称，在凤凰山墓葬中出土的原始黑釉瓷器，有鼎、豆、盂、罐四种器物，是这次清理的最大发现与收获。这批原始黑瓷的出土，把我国黑瓷生产历史大大提前到晚商至西周初期。至于这些原始黑瓷器物的烧造地点，简报认为当在温州。

355.浙江省飞云江上游古文化遗址调查

作　者：泰顺县文博馆　夏碎香、高启新

出　处：《考古》1993 年第 7 期

飞云江是浙南主要水系之一，发源于泰顺、景宁两县交界的白云尖，流经泰顺境内的黄桥、坑口、大住、溪口、百丈口、交溪、马迹、银珠坑口等地，再转入文成、瑞安二县，流注东海。沿途有肥沃的河旁溪谷地带，从远古时代起已有人类在此生息。但处于飞云江上游的泰顺县一直是空白点。1987 年 11 月下旬，考古人员在百丈区莒江乡交溪垟村下湖墩首次发现一处新石器时代遗址。1988 年 5 月中旬，考古人员对飞云江上游泰顺境内的百丈、莒江、南浦、新山、司前、里光、竹垟及乌岩岭原始森林自然保护区等村庄进行调查，发现了八处古文化遗址，采集到一批石器和陶片标本。

简报分为：一、下湖墩遗址，二、狮子岗遗址，三、锦边山遗址，四、牛角岙遗址，五、山头垟遗址，六、龙珠山遗址，七、柴村岗遗址，八、宫头垟遗址，九、结语，共九个部分，有手绘图。

据介绍，简报初步认为飞云江上游泰顺境内古文化遗址大都具有福建昙石山文化特征。正如夏鼐先生在《浙江新石器时代文物图录》序言中所指出的："根据文献，

我们知道浙江南部的东瓯或东越是和福建北部的闽越相毗邻，在西汉初年还是半独立的部落，互争族长。文物方面浙南和闽北相接近，似乎便是这样关系的反映。”从地理位置分析，接近飞云江中下游的年代较早，支流沿岸的年代偏晚，乌岩岭原始森林中尚未发现古文化遗存。以司前柴林岗遗址、溪口宫头垟遗址为代表，从采集的陶片来看，几何印纹陶占 80% 以上，相当于商周至春秋战国这段时间的产物。当然，这次仅是初步调查，至于泰顺境内古文化遗址分布范围的上下线等问题，尚待今后继续调查、研究。

356.浙江温州五代、北宋瓷制冥器

作　者：金柏东、王同军

出　处：《考古》1993 年第 8 期

温州市乐清、苍南等县五代、北宋土坑墓中，相继出土了一批独具风格的瓷制冥器，计有桌、椅、灶、磨、臼、杵、碓、壶、瓶、罐、碗、碟、盒、盏、勺、笪、桶、镬、笔架等。简报分为两个部分予以介绍，有手绘图。

据介绍，这批土坑墓出土的冥器均为瓷质，胎骨坚硬，质地灰白。除部分施青、褐色釉外，多为素胎。这批冥器大致可分为五类：一是庖厨冥器，包括灶、磨、臼、杵、笪、甑、勺等；二是家具冥器，包括桌椅等；三是食用具冥器，包括碗、罐、盏、碟、壶、瓶等；四是生活日用品冥器，包括印盒、油灯、熏炉等；五是家畜模型，包括鸡、狗、马等。家具冥器中的桌椅造型古拙、稳重，为早期桌、椅的研究提供了一份珍贵的资料。庖厨冥器中的转磨、臼、杵等，造型精巧，系模拟实用性的庖厨器物而成。简报称，温州地区出土的五代、北宋时期瓷制冥器的造型，与魏晋、隋唐陶瓷冥器有着承袭关系，但并不是生搬硬套的重复和模拟。它们是向小型化、多样化发展，迎合薄葬时俗且具有时代风格的冥器。

357.浙江温州市郊正和堂窑址的调查

作　者：温州市文物处　王同军

出　处：《考古》1999 年第 12 期

正和堂窑址，位于温州市鹿城区城郊乡双桥村后的下桥山北山脚，因其旁的“正和堂”庙宇而得名，距城区约 3 公里。1986 年，考古人员对护国岭 Y1（习称西山窑）进行抢救性发掘，在调查时发现该窑址，后又经多次调查，证明该窑址是一处晚唐至北宋时期典型的窑址，简报配以手绘图予以介绍。

据介绍，窑址所处的山坡较为平缓，南侧山坡依次分布着小山儿、乌岩庙（于1986年发掘）、护国岭Y1、护国岭Y2等窑址。窑址分布范围约3000平方米，历次调查所采集标本较多，可分生活用具及生产工具两大类。该窑的年代，简报推断上限在晚唐，下限在北宋早中期。

简报称，此窑创烧于东汉中晚期，衰落于宋元之际，烧制历史长达1000余年，从采集的标本看，正和堂窑的产品质量不比护国岭Y1（习称西山窑）差，某些方面甚至超过它，是一处具有200余年烧造历史、较为著名的窑场。

嘉兴市

湖州市

358.浙江省安吉县出土一罐钱币

作　者：吉安县博物馆

出　处：《考古》1982年第1期

1978年春，浙江省南湖林场五岭冲分场在平整土地时，掘出一罐铜钱。简报配以照片、拓片予以介绍。

罐为小口，平底，肩上有双系，口径5.8厘米，底径6.4厘米，高20厘米，通体施黄釉，腹下有不规则弦纹。口内有用砖磨制成的直径5.4厘米、厚1.4厘米陶饼作盖。

据介绍，罐为一黄釉罐，罐内装铜钱850余枚，锈蚀较重。经过整理，可辨识出54种。有东汉、唐、五代、北宋、南宋、金各朝钱币，以北宋、唐钱为主。

359.浙江德清原始青瓷窑址调查

作　者：朱建明

出　处：《考古》1989年第9期

德清县位于浙北杭嘉湖平原西部，1983年以来，德清县博物馆在考古调查工作中又新发现古窑址40余处，并采集了大量的实物标本。

简报分为：一、窑址概况与采集遗物，二、窑址的年代，三、几点收获，有照片。

据介绍，现已发现原始青瓷窑址8处，分布在本县中部地区（宁杭公路以东，苕溪以西）的龙山、洛舍、二都3个乡，其中以龙山乡为最多，计有火烧山、叉路岭、白漾坞、泉源坞、南山、亭子桥等6处，窑址集中区域的东南方距县城城关镇，西南方距武康镇各约8公里。8座古窑划分为早晚三类。第一类有火烧山与防火山二处，窑址年代简报推断为西周晚期至春秋早中期；第二类窑址有白漾坞、泉源坞、叉路岭三处，窑址年代简报推断为春秋中晚期至战国早期；第三类窑址有南山、亭子桥、冯家山三处，窑址年代简报推断为战国中期以后。

简报称，考古发现证明，德清窑自东汉创建以来直到唐代，瓷业生产延续不断，是我国又一个自成体系、历史悠久的瓷窑。

360.德化屈斗宫窑址的调查发现

作　者：厦门大学人类博物馆　叶文程

出　处：《文物》1965年第2期

1963年12月，考古人员到德化县调查古窑址时，曾前往屈斗宫窑址作重点调查，发现不少瓷器。

简报分为：一、影青及类似影青瓷器，二、白釉瓷器，三、青花瓷器，四、酱色釉瓷器，五、窑具，六、小结，有照片。

据介绍，共发现影青及类似影青瓷器3件、白釉瓷器7件、青花瓷器多件、酱色釉瓷器1件、印模1件等。简报推断屈斗宫遗址的年代包含宋明清三个时代，而以明代的器物居多，产品以杯碗碟盏最多。

361.浙江安吉天子岗汉晋墓

作　者：安吉县博物馆　程亦胜

出　处：《文物》1995年第6期

1993年4月，考古人员在紧邻安徽广德的高禹乡天子岗抢救性发掘了三座砖室墓（M1 ~ M3），其中东汉永和二年（137年）、西晋太康六年（285年）纪年墓各一座，另一座墓无纪年。

简报分为：一、墓葬形制，二、随葬器物，三、小结，共三个部分予以介绍，有照片、拓片、手绘图。

据介绍，M1为东汉永和二年（137年）墓，M29为西晋太康六年（285年）墓。M3的年代，简报推断为三国末西晋初，即公元266年至280年之间。

这3座墓出土的器物，种类较多，其中青瓷胡人骑羊烛台造型独特，通体釉色匀净，可谓孙吴时期青瓷器中的精湛之作。此外，青瓷堆塑谷仓、三足洗、鸡首壶等都是造型优美的作品。这批青瓷器在造型艺术和烧造工艺上均有独到之处，为研究西晋时期青瓷手工业的发展提供了具有较高价值的新的实物资料。

绍兴市

362.浙江绍兴县出土一批窖藏古钱

作　者：绍兴县文物管理委员会

出　处：《考古》1979年第6期

1978年3月，绍兴县南钱清公社渔后大队在杏花园地方平整土地时，发现了窖藏大批古钱。考古人员进行了清理。简报配以拓片予以介绍。

据介绍，杏花园位于绍兴县城西20余公里，南距杭甬铁路半公里左右。窖藏在高土墩上，离地表面深约1米。窖藏铜钱998斤，33万多枚。出土时，铜钱用绳索串连成贯，大小混杂。绳索已霉烂，但贯串痕迹清楚。主要有汉“半两”、五铢钱、新莽钱、三国“太平百钱”等。简报称，这批窖藏的古钱数量很多，除了收藏完整的钱币外，还储藏了不少剪去外轮、凿去内廓甚至只有一小方框的劣币，为研究汉、三国、六朝货币提供了资料。

363.绍兴上灶官山越窑调查

作　者：绍兴市文物管理委员会　沈作霖、梁志明

出　处：《文物》1981年第10期

绍兴在唐代称越州，其州府设在绍兴，越窑因此而得名。当时，这里的越瓷生产已较发达，特别到了吴越钱镠时，更以越瓷和丝绸生产为大宗。可是过去绍兴发现的窑址，如九岩、禹陵、王家楼都属六朝时代。人们也只知道越窑在余姚上林湖。1965年在绍兴上灶发现了几块越瓷碎片，但未进行详细调查。1980年5月，考古人员找到了上灶官山越窑窑址。这是继发现余姚上林湖，上虞窑寺前，鄞县郭家寺、小白市等越窑后又一处越窑窑址，它为研究越窑系统分布范围和制作方法提供了新的资料。

简报分为：一、器物类型，二、官山窑烧造方法和装饰，三、结语，共三个部分予以介绍，有照片、手绘图。

据介绍，上灶位于绍兴城东南二十多里的半山区。官山窑址位于上灶西南。产品施釉均匀，色泽青绿，富透明性。官山窑在唐晚期开始烧造，五代末至北宋初有了新的发展，属于晚唐至北宋时代。

简报指出，越窑是我国唐、宋时代著名的青瓷窑之一。把古代在越州境内的两晋、南北朝窑址统统归结为越窑，这是不够妥当的。越州窑瓷器，顾名思义，是指古代称越州时所烧制的瓷器。而绍兴及其邻近诸县在汉代和两晋时均属于会稽郡，因此这一时期的青瓷器还是称会稽窑为妥，以有别于越窑。

364.浙江绍兴里木栅晋、唐墓

作　者：绍兴县文管所　周燕儿

出　处：《考古》1994 年第 6 期

解放乡里木栅村位于浙江省绍兴县城西南约12公里处，东近坡塘乡，南连兰亭乡，西接分水桥村，北靠下窑陈村，属半山区，地势较高。解（放）南（池）公路横贯全村，绍（兴）义（乌）公路则在村西侧约 1 公里处通过。1989 年 1 至 3 月，为配合 500kV 变电所基建工程，考古人员在工程所属一盆地东南面的叩老鹰山，东北面的杨家山，南面的姜婆山，西面的春姑山共四座小山坡上，进行了抢救性考古发掘，先后清理出 29 座砖室墓。

简报分为：一、东晋墓，二、南朝墓，三、唐墓，有手绘图、拓片。

据介绍，东晋墓葬1 座，编号M8，位于姜婆山北麓。平面呈“凸”字形，分前后室，墓内出土青瓷6 件。南朝墓葬1 座，编号M4，位于姜婆山北坡。墓室呈长方形。墓壁以三顺一丁组合砌成。前室铺地砖作人字形，后室铺地砖错缝平砌。该墓被盗严重，仅存随葬品2 件。

唐墓10 座，均以狭长低矮的长方形单室出现，为江南唐墓形制的特点。同时墓中还伴出“开元通宝”钱，简报称，这也是唐墓的又一重要佐证。

金华市

365.浙江东阳象塘窑址调查记

作　者：朱伯谦

出　处：《考古》1964 年第 4 期

1963 年春天，当地居民写信给文物部门，在东阳县象塘发现了古代瓷窑址。5

月考古人员去象塘进行了一次调查。象塘在东阳县东部，背东阳江，面对歌山尖，东部是松竹茂密的崇山峻岭，西面是辽阔的大平原。在村庄前面有两个并列的大水塘，名象塘。当地老农魏农讲："这两个塘是古代烧窑取土时挖成的，它的历史比我们这个村子还要早，因此村庄就以塘名命名。"

简报分为：一、窑址的堆积状况和窑床，二、瓷器和窑具，三、结语，有手绘图。

据介绍，此次象塘共发现窑址 9 个。窑具有匣钵、垫座、垫环和筒形罐等。象塘窑的瓷器，都是民间必不可少的日常用具，而且瓷质粗糙、经济耐用，所以象塘窑显然是民用瓷窑。烧造时间简报推断为唐中晚期至北宋。

简报指出，通过这次调查，明确了浙江古代瓷窑分布的一些规律。它们极大部分建造在山坡上或山脚下，窑后是山，窑前有溪流，原料、燃料和水源都比较丰富，取用便利。

366.浙江金华铁店村瓷窑的调查

作　者：贡　昌

出　处：《文物》1984 年第 12 期

1983 年，金华地区文管会为搞清类钧瓷的窑口及其面貌，做了全面调查。除铁店村类钧瓷窑外，还发现了其他几处类钧窑址。其中武义县泉溪乡水碓周类钧瓷窑以产碗为主，泉溪乡赵宅窑以产碗、罐为主；浦江县礼张乡礼张类钧瓷窑也以产碗为主，衢州市大川乡张家大队西塘村类钧瓷窑以产束口碗为主。

简报称，以上各窑时代基本相同。简报分为四个部分，配以照片、手绘图，先行介绍了铁店村瓷窑的调查情况。

据介绍，铁店村窑位于金华市沙圾区琅琊乡泉口大队铁店村，在区、乡政府所在地琅琊徐村东南 2 公里处，西与白沙溪相距仅 1.5 公里。铁店村四周共有古窑址 9 座，其中烧制类钧瓷的 3 座，位于铁店村西南 200 米处。年代上限或许要到南宋，元代也一直在生产。简报认为此窑的技术与北宋晚年北方钧窑工人南迁有关，但又有自身的特色。

简报称，铁店村窑釉大部分呈天青色，少部分呈月白色，是一种浓淡不一的蓝色乳光釉，有荧光一般幽雅的蓝色光泽，其色调美观别致，应是与钧瓷相似。铁店村窑与当地青瓷、青白瓷窑一次上釉方法不同，而是上两次不同成分的釉，一次烧制。

衢州市

367.浙江开化龙坦窑址调查

作　者：陆苏君

出　处：《考古》1995 年第 8 期

1982 年考古人员在开化县苏庄乡（今毛坦镇）调查时，首次在龙坦村对面的茶山上发现多处瓷片堆积。1985 年 10 月 29 日又对该处作了详细复查，采集了各种标本。确定该处为元代始烧的窑址，主烧青花瓷。该窑址的发现，对研究婺州窑发展的历史及民间青花瓷的造型、装饰和制作工艺都提供了有价值的实物资料。

简报分为：一、地理环境，二、遗物，三、小结，有手绘图。

据介绍，龙坦窑址位于开化县城西约 32 公里，龙坦村对面平缓的山坡上，自北向南层层低落，南对苏庄港（又名双叉河）。瓷片堆积，实测长约 150 米，宽约 50 米，窑床大部被毁，可看出痕迹的尚有 5 ～ 6 条，均为头南尾北，沿山而建。制瓷作坊遗址未找到。瓷土就产自河对面的山坳里。该窑场器物种类多，釉色品种丰富，尤以青花瓷最多。瓷器有碗、盘、炉、盏、把杯、钵、瓶等。窑具数量很多，但种类单调，只有匣钵和垫饼二种。该窑生产的器物，胎一般呈白色，明火处呈火红色和米黄色。肥体坚硬，细致，烧结程度好，一般没有气孔和裂痕。反映出工匠们在选料、淘洗、捏炼、烧制等过程中的精细与严格。釉，一般食用器施全釉，如碗、盘、杯、盏等，仅足跟不施釉，器内底刮釉一周形成涩圈，三足炉等类器物，外壁施釉到足，内施半釉。简报认为该窑场有可能始烧自元末，明代是其鼎盛时期，清代逐渐走向衰落。

简报称，龙坦窑不见于文献记载。该窑的发现对研究浙江青花瓷的烧造历史、金衢盆地瓷窑发展史和民间青花瓷的生产状况有重要意义。

舟山市

台州市

368.黄岩秀岭水库古墓发掘报告

作　者：浙江省文物管理委员会　朱伯谦
出　处：《考古学报》1958 年第 1 期

1956 年 12 月考古人员在温州专署获悉黄岩秀岭水库第二期工程即将开工的情况后，立即前往调查和发掘。工作于 13 日开始，到次年 1 月 15 日结束。发掘了东汉末期到刘宋时期的墓葬 56 座，烧砖窑址 2 座。

简报分为：一、墓地情况，二、汉代墓葬，三、东吴天玺元年墓，四、晋代墓葬，五、刘宋墓葬，六、结语，有照片。

据介绍，秀岭水库在黄岩县南 30 华里的多山地区，北距院桥镇 3 里。水库范围不大，平面呈“人”字形。墓地比较分散，在水库内的有大贫山、雅林山、蛇山和狮子山；在水库外的有西山下山、马腰山、高坟山和金山。墓葬均分布在这些山的中、下坡。发掘的古墓葬，可分为四个地区，分布颇为稠密。另外，除在雅林山、狮子山的地面捡到残石斧、石锛、石镰各 1 件和墓 54 的填土中发现有孔残石斧 1 件外，并未发现新石器时代及其以后的文化堆积现象。56 座墓中，38 座是水库第一期取土工程中发现和保留下来的。它们周围的土大部分被挖尽，而且墓身也被破坏了一部分。总计被工程破坏一部分的有 26 座，经过早期盗掘的有 18 座，完整的只有 12 座。简报称，这批墓中有纪年的较多，如东吴天玺元年（276 年）墓，又如赵史岗 4 号墓出土的青瓷虎子，上有赤乌十四年（238 年）的铭文。这为我们推断古墓和出土文物的年代，提供了依据。

369.浙江温岭青瓷窑址调查

作　者：台州地区文管会、温岭文化局　金祖明
出　处：《考古》1991 年第 7 期

温岭，原属黄岩县，明成化五年（1469 年）析黄岩南部太平、繁昌、方岩三乡，设太平县，为建县之始。温岭地处碧波万顷的东南沿海之滨，也是我国著名风景区——雁荡山北麓和古“东海王国”故都所在地。20 世纪 50 年代末在北邻黄岩县曾发现晚唐至北宋时期青瓷窑址 14 处；南界乐清县大荆区也曾发现宋代褐色彩绘瓷窑址。地处其中的温岭县，同类瓷器只见于墓葬出土，而不见窑址，故学界一直错误地估计

这一带是无瓷区。经近年来文物普查，陆续发现了冠城乡高桥村西坡、桥里村后山头；照洋乡南窑山、向东岸、老屋山和山市乡的下园山村等唐至宋三处窑群。古窑址分布集中，窑场规模较大，品种多，器形美，釉色、纹饰等工艺质量都达到较高水平，是浙江东南沿海考古的重大发现之一。简报分为四个部分予以介绍，有手绘图。

据介绍，窑址群位于城西北30公里处的山市、冠城和照洋三乡。其中山市乡下园山村窑群为最集中，规模大，时代早，产品较其他窑群丰富。窑址一般都设置在依山临水的小山坡上。从地表上已暴露的来看都为龙窑，窑床建筑在有斜度的山坡中，山脚平坦处为制瓷作坊，废品堆积在窑床两侧及下方。

简报指出，温岭窑因文献上没有记载，不被世人所了解，历来被认为是无瓷区。经文物普查发现的三个窑群15处窑址，填补了“台州窑系”唐代的空白和浙江东南沿海的空白点，使“台州窑系”上起东汉三国、两晋南北朝，下至五代北宋相连接；从地理布局看，北从天台、三门、仙居、临海、黄岩至最南端的温岭等窑群连成一片；从器物特征看，其形制、装饰风格、釉质色调与时代地域有机地构成系统的独具特色的“台州窑系”。温岭窑址分布集中，窑场规模大，产品丰富，造型美，釉色佳。烧造技术比较成熟，工艺达到相当高水平，可与唐五代时期越窑和婺州窑相媲美。它在黄岩窑和临海梅浦五代北宋两大窑群兴起之前曾鼎盛一时，早在一千年前的唐代就誉满海内外。除当时国内需求外，剩余的大量产品对外进行贸易，从临近的海门港、楚门港和松门港出口，远销日本、菲律宾和南洋诸国。以往许多被说成是越窑的产品，如今看来应是温岭窑的产品。

简报附有“浙江温岭青瓷窑址调查统计表”，列举其地点、窑名、时代、面积（平方米）、釉色、器物、装饰等。

370.浙江玉环岛发现的古文化遗存

作　者：台州市文管会、玉环县文管会　金祖明

出　处：《考古》1996年第5期

玉环岛地处浙江省东南部的东海之中，位于隘顽湾和乐清湾之间，是由玉环山、鸡山、大鹿山和披山等群岛组成的一个海上岛县，约1000米宽的漩门港把大陆与岛屿分离。玉环岛在先秦时期属瓯越—东瓯小方国；西汉早期属东海王国（俗称东瓯王国），而后隶属会稽郡；到三国时东吴太平二年（257年）归属临海郡；唐以后属温州、台州两府，时有变动；清雍正十年（1732年）于此设玉环厅。1949年以后，由于行政建置的不断变更，玉环县的文物考古事业停滞不前，对该岛的历史文化也未作过深入的调查探索。自20世纪80年代以来，玉环县建立了文物管理机构，对

全县各岛屿进行了文物普查和复查，发现大面积的石器、陶器、青铜器和原始青瓷器等共存的遗址，获得了大量的实物资料。

简报分为：一、遗址概况，二、出土遗物，三、结语，共三个部分予以介绍，有手绘图。

据介绍，岛上出土地点主要有二：一为三合潭，二为环西。出土有石器、青铜器、陶器和原始青瓷器等。石器均为磨制，器形有斧、锛、钺、耨、凿、镞和犁铧等。其中三合潭出土的成套石犁值得重视。青铜器多数为铸造，但也有少量为锻打。器形有锸、铲、斤、耨、削、凿、斧、钻、剑、矛、镞、鱼镖和鱼钩等。陶器主要是夹砂红陶和几何印纹硬陶，器形有釜、鼎、罐、坛、钵、盘、碗、杯、纺轮和网坠等。纹饰则见有绳纹、弦纹、方格纹、波浪格纹、网纹、曲折纹、米字纹、回纹、云雷纹等。原始青瓷烧制工艺粗拙，烧成温度均在1200℃左右，釉色青中泛黄，光泽度及玻化程度较高，施釉不到底。器形有豆、盘、盂、碗等。纹饰主要是S纹、篦纹和针点纹。遗址的时代，简报推断为距今约3000年，大致相当于西周早中期至战国。

丽水市

371.龙泉溪口青瓷窑址调查纪略

作　者：金祖明

出　处：《考古》1962年第10期

溪口窑址是龙泉青瓷窑系的主要组成部分，它在龙泉青瓷发展史中占着重要的地位。考古人员对这一地区的窑址进行了多次的调查。1960年3月间，为编著《龙泉青瓷史》在大窑、金村发掘的同时，对溪口窑址又进行了调查，并作了小规模的试掘。

简报分为：一、地理环境和窑址，二、遗物，三、小结，有照片、手绘图。

据介绍，溪口位于龙泉县南35公里的马鞍山东南麓，是一个山环水绕，水陆交通便利的小村庄，瓯江上游秦溪和支流墩头溪汇流于此。交通便利，烧柴、瓷土矿丰富。当年这里窑址很多，分布较密集，计有瓦窑垟、瓦窑东、骷髅湾、李家山、社址湾、叟下、桐子坪、麻氏潭、文下、分田湾和泉坑上泉户十一处。时代从五代、北宋一直到元明。产品形制美观，花纹装饰根据不同器物的位置和实用要求来布局，都用刻、划、贴、印和镂五种方法处理。胎骨细腻质地坚薄，胎骨有黑胎和白胎二种，这是龙泉青瓷窑系中两种不同的青瓷。施釉特点是器物内外披釉，釉层均匀，光泽莹润。釉色有两种：一种是青色，釉层较厚，光泽透明，呈玻璃状，多纹片；一种是葱翠，釉片浑厚，精光内敛如美玉。这二种不同作风的釉色也是龙泉青瓷窑系中二种不同青瓷的又一个特征。其中特别要提一下的是瓦窑埠窑址的产品最为精美，有半数以上为黑胎，紫口铁足，其胎骨厚只2毫米，而釉厚却达到3毫米。

372.浙江省龙泉青瓷窑址调查发掘的主要收获

作　者：朱伯谦、王士伦
出　处：《文物》1963年第1期

1956至1961年，考古人员对龙泉青窑址进行了多次较全面的调查，并先后发掘了部分窑址。简报分为几个部分予以介绍，有照片、手绘图。

据介绍，在龙泉、丽水、云和、遂昌和永嘉等地，发现有许许多多的古代窑址。从大量的遗物堆积来看，都属同一个系统，其中以龙泉县最为密集、最为典型，所以统称为“龙泉窑”。龙泉县位于浙江南部，有优质瓷土。在大窑、金村、竹口、溪口，以及东部的梧桐口到武溪一带，都密布着古瓷窑址。特别是在大窑，西起高际头，北迄坳头村，在沿溪十里的山坡上，共有窑址53处，每处窑址上，窑具和瓷片堆积如山，产品之精致为龙泉其他窑址所不及。已经发现的古代龙泉窑窑址有二百多处。

简报称，龙泉窑始自五代，五代时吴越钱氏对中原政权贡奉的大项，是丝绸和瓷器。龙泉窑当是烧制贡瓷的重要地点。北宋时龙泉窑繁荣起来，北宋龙泉窑在大窑发现了23处，金村发现了16处，此次清理了3处。南宋时龙泉窑发展至鼎盛时期，元代瓷器成为重要的外销品。龙泉窑现有带“八思巴”文的瓷器便是一例，但元代瓷器比南宋粗糙，而且愈往后愈差。明代龙泉窑的总数减少，末期更显衰败之迹。景德镇瓷业兴起后，昔日龙泉窑的地位就被替代了。

373.浙江龙泉县安福龙泉窑址发掘简报

作　者：中国社会科学院考古研究所浙江工作队　蒋忠义
出　处：《考古》1981年第6期

1979年至1980年为配合基建任务，考古人员对龙泉窑址进行了一次大规模的考古复查和发掘，调查了六十几处古窑址。通过发掘获得宋、元、明历代制瓷场房、住房、窑室等建筑遗址多处和大量的珍贵瓷器。

简报分为：一、民间窑场的规模和布局，二、作坊内的建筑遗迹，三、窑的形制，四、遗物，有照片、手绘图。

据介绍，龙泉县位于浙南山区。安福村至安福口一带处于东西狭长（约7.5公里）的盆地中，从西往东有条小溪蜿蜒流过，至安福口注入大溪内（大溪为瓯江上游的支流），小溪两旁高山重岭，山上有丰富的瓷土矿和茂密的森林，为烧瓷业提供了得天独厚的有利条件。宋、元、明历代就依山傍水建了许多小窑场，其中以安福村大栗山上的窑址最密集，沿途二华里的山坡上分布三十几条窑，到处可捡到各种精美的青瓷片。沿河两岸山坡上的许多小窑场，组成了生产规模很大的一片民间烧瓷区。一处民间窑场的面积约2000平方米，每处窑场一般包括窑室和作坊（场房）两部分。窑室都依山而建，从山脚至山头建成长条形“龙窑”，作坊也顺山势修建在窑室近旁的山坡坪地上，所以作坊一般面积不大。窑工住房既小又简陋，一般也建在作坊附近。这种建筑布局，适合民窑生产特点，建窑费用低，利于就地取材，便于拉坯装烧的整个工序。这种布局的民间窑场共发掘四处，即金坝坨宋代窑场、金岙弯元代窑场、石大门山宋、元窑场和大栗山窑场。简报重点介绍了前三处。

简报称，遗迹主要包括建筑遗迹和窑址。作坊内的建筑遗迹，主要有淘制瓷泥用的各种池子和拉坯用的辘轳基坑。共发掘宋、元、明历代窑15条。这些窑都依山而建，呈长条形的斜坡窑。由远而望窑形似龙蛇爬山而卧，故称“龙窑”。每条窑均可分窑头、窑室、窑门及窑尾等部分，各时代窑的结构也大致相同。至于遗物，安福一带都是民办小窑场，生产的也是价廉实用的一般民用瓷，不见大型器，以烧各种碗盘的小型器为主。

简报指出，通过这次考古发掘工作，了解到安福一带的龙泉窑址，代表了宋明时代民间瓷窑的生产规模和烧瓷的工艺水平，为研究民间龙泉青瓷特征和生产方式，以及外销瓷等问题，提供了很重要的大量实物资料。

安徽省

合肥市

374.安徽肥西县发现古代水井

作　者：席为群
出　处：《考古》1991 年第 11 期

1989 年 1 月，肥西县治理派河工程队在胡湾村段的工地上，发现一口砖井。考古人员进行了清理。

简报分为：一、概况，二、出土遗物，三、结语，共三个部分予以介绍。

据介绍，该井位于上派镇东部，派河转弯处。治理工程使河道取直时，此井正处于河床中，离河中心仅 8 米。表面原为农田，挖河时被揭去了 2.80 米，现存残井深度为 4.60 米。整个井筒呈圆柱形，由灰砖砌成。出土有陶器、瓷器等遗物。简报认为该井的使用期限应为南北朝末期至隋代。

375.合肥出土、征集的部分古代铜镜

作　者：合肥市文物管理处　程　红
出　处：《文物》1998 年第 10 期

合肥市近几十年为了配合城乡建设，清理发掘了数以百计的从商周到清代的遗址墓葬，出土了大量文物，部分为质地精良、保存完好、有研究价值的铜镜。简报配以照片予以介绍。

简报介绍的 7 面铜镜为：

一、四山镜。圆形，三弦纽，主纽座，座外方框。1977 年合肥郊区桃花店墓葬出土。同时出土的有陶鼎、钫、豆等器物。简报推断时代应为战国时期。

二、蟠螭纹镜。体薄，圆形，三弦纽，圆形纽座，座外有凹面形环带一周，间以绹纹带一周。1977 年合肥郊区桃花店墓葬出土。简报推断时代应为战国。

三、东王公西王母画像镜。圆形，圆纽，小连珠纹纽座，座外有一圈铭文带，带下露出一双外为方折环列八卦图，用双线弦纹框入其内，其外四边各有四字篆体铭文“天地含气，日月贞明，写规万物，洞鉴百灵”。素平缘。1986年重建包公墓园工地出土。同时出土的有四系釉陶罐、青瓷斗立碗等器物。简报推断应为唐代镜。

四、都省铜坊镜。“亚”字形，镜体较薄，面平。小纽，纽左右竖书“都省铜坊”“匠人张彦”铭文，窄素平缘。1979年合肥市建华窑厂南唐保大三年（945年）墓出土。同时出土的有买地券、木桶等器物。

五、楼阁人物镜。八瓣菱花形，圆纽。1987年合肥郊区城南北宋政和八年（1118年）墓出土。

六、双鱼镜。圆形，圆纽，纽外饰两条肥大的鲤鱼同时向回游，鱼鳞清晰，摇头摆尾，生动逼真。1983年征集。此镜与吉林龙井金墓出土的铜镜大致相同。简报推断时代应为金代。

七、洪武二十二年（1389年）云龙纹镜。圆形，山字形纽，纽右边有一龙腾于云中，龙首在纽下，一后肢与尾部相缠，另一后肢仅露出五爪，龙首处云雾缭绕。此镜1974年征集。简报推断应为明代镜。

芜湖市

376.繁昌县古代炼铁遗址

作　者：胡悦谦

出　处：《文物》1959年第7期

1958年10月，安徽省繁昌县黄浒公社大炼钢铁时，发现古代炼铁遗址。简报配以照片予以介绍。

据介绍，在铁屎墩发现大批铁块，在善峰山发现古代采铁矿石井口，在竹园湾等处发现炼铁炉6处。简报认为，从铁塘冲经三梁山、铁牛山至竹园湾十里范围内，除发现较大的6处炼铁炉址和17处废墟墩外，还有许多零星炼铁遗址。由此证实该地区在唐宋时代，炼铁作坊星罗棋布。但在这些遗址中，没有发现铸铁范和成品，都是铁块。可能由于这时冶铁工业的发达，冶炼技术的提高，冶炼和铸造有了分工。冶炼作坊设在矿山附近，专门冶炼矿石。因此，可以推测所发现的遗址皆为炼铁遗址。

377.安徽南陵县古铜矿采冶遗址调查与试掘

作　者：安徽省文物考古研究所、南陵县文物管理所　宫希成
出　处：《考古》2002 年第 2 期

1984 年，南陵县文物普查工作组在县境西部的大工山周围，发现多处古代铜炼渣堆积和古矿井（当地俗称为“老窿”），初步判断是古代采矿和冶炼遗址。为了进一步弄清遗址的情况，考古人员于 1986 年春、秋两季对南陵县全境进行了全面的考古调查，工作历时 3 个多月，在调查中共发现古代铜矿采冶遗址 33 处。同时，对部分已被挖开而暴露出来的矿井进行了抢救性发掘。

此次调查和试掘的主要收获简报分为遗址分布概况、采矿遗址、冶炼遗址、结语四个部分予以介绍，有手绘图、拓片、照片。

据介绍，根据采集到的陶器、瓷器和印纹陶器等遗物的特征，大致可以将南陵的古铜矿遗址分为两大阶段。第一阶段为周代，可确定的有江木冲、刘家井、冷水冲等 12 处遗址，采集的遗物标本年代上限大体在西周中、晚期；第二阶段为汉至唐代，可确认的有塌里牧、大元岭、破头山等 14 处遗址，时代主要属六朝和唐代，采集的遗物标本有釉陶器、青瓷器、铁器及石、木工具等。

简报称，唐代以后，南陵的铜矿业逐渐衰微，南宋淳熙年间曾一度明令禁止采矿，直至现代才又重新恢复。

蚌埠市

378.安徽省荣军医院怀远新址建设工地古墓群

作　者：安徽省文物考古研究所　贾庆元、赵立国
出　处：《中原文物》2012 年第 3 期

2010 年 5 月，位于安徽省北部的怀远县县城关涡北经济开发区的荣军医院工地发生盗墓事件，考古人员前往调查，发现古墓 216 座，遗址坑 8 个。发掘的 216 座古墓葬中，汉代墓葬 38 座，南北朝墓葬 2 座，唐代墓葬 19 座，宋代墓葬 19 座，金代墓葬 2 座，明代墓葬 36 座，清代墓葬 99 座，民国初年墓葬 1 座。出土文物 443 件。

简报分为：一、汉代墓葬，二、南北朝墓葬，三、唐代墓葬，四、宋代墓葬，五、金代墓葬，六、明代墓葬，七、清代墓葬，共七部分予以介绍，有照片、手绘图。

据介绍，本次发掘共出土文物 443 件。包括玉器 2 件（玉镯、玉饰件）；银器

6件，主要为银簪、耳饰类；青铜器35件，其中铜镜6件（4面完整，2面残），其余均为铜饰件，铜扣等；印章1枚、石砚1件、石珠1枚、铁器31件，包括铁剑、刀、剪刀、犁尖等；铜钱131枚（包括汉、唐、宋、金、明、清等时代的钱币）；陶瓷器主要是汉、南北朝、唐、宋、金、明、清各时代的随葬器物，可分为陶仓楼、陶罐、陶盆、陶盘、陶灶、陶壶、陶井、陶圈、陶豆等。瓷器包括瓷罐、瓷壶、瓷碗、瓷瓶等。

简报称，此次发掘的汉代墓葬其规模较大，其家族特点明显。墓葬形制多样，均为砖券结构。随葬品丰富，充分展示了东汉时期大兴厚葬的风俗。所有汉代砖室大墓均遭不同程度的盗扰破坏。此次发掘的唐、宋墓群形制多样，风格各具特色，从船形砖室墓的特点观察，唐代船形墓船头部分比较方直，船头较大，中部略显宽阔。宋代船形墓船头尖瘦上翘，呈条形。两者砌砖方法略同，这也显示了船形墓的演变趋向。考古清理了唯一的一座宋代龟形砖室墓，为研究工作提供了不可多得的新资料。另外，两座金墓及明清时墓葬对了解当时的墓葬习俗等也均有价值。

淮南市

马鞍山市

淮北市

379.安徽淮北相城战国至汉代大型排水设施发掘简报

作　者：淮北市博物馆　杨忠文、解华顶

出　处：《中原文物》2010年第2期

相城战国至汉代时期大型排水设施位于今安徽省淮北市相山区，2009年3～6月进行基本建设时发现，考古人员对其进行了抢救性发掘。该遗址面积较大，相关遗迹极具规模，发现的大型排水设施与临淄齐国故城大型排水设施的建筑材料、构筑方法、设计理念有许多共同之处，但又具有自身特点，在我国古代城市建筑遗迹中较为罕见，具有重要意义，为研究战国至汉代相城的历史及中国古代城市发展提供了重要的参考资料。

简报分为：一、遗址概况，二、地层堆积，三、大型排水设施，四、出土遗物，

五、结语，有照片、拓片、手绘图。

据介绍，大型排水设计为南北走向，似“井”字型。由南北明渠、沉淀池、进水道、过水道、出水道构成。建筑实体全长 28.1 米，最宽处 12 米，最窄处为南部砖券排水涵洞，宽 3.55 米。北部的进水道和过水道为石砌体，长 22.4 米，平均高约 2.2 米；南部出水道为砖砌涵洞，长 5.7 米，高 2.3 米。进水道和过水道由青石板垒砌，表层石板距地表约 3.4 米，石板表面粗糙，形状不规则，从水道剖面来看，石板交错排列，垒砌方法原始。

简报认为，此处古代工程使用年代为战国至汉代，应为相城的排水设施。

铜陵市

380.安徽铜陵市古代铜矿遗址调查

作　者：安徽省文物考古研究所、铜陵市文物管理所　汪景辉、杨立新

出　处：《考古》1993 年第 6 期

铜陵素有铜都之称，从古代至今一直为我国南方重要产铜地区之一。1987 年 7 月考古人员在文物普查的基础上，对铜陵地区古代铜矿遗址进行了一次全面的专题调查。此次调查共发现古代铜矿遗址 29 处（其中采矿遗址 9 处、冶炼遗址 20 处），采集各类遗物标本多件，初步掌握了铜陵地区古代铜矿遗址的分布、时代和规模。

简报分为四个部分予以介绍，有手绘图，附有表格，列举遗址名称、位置等。

简报介绍说，铜陵在历史上以铜冶闻名于天下，从铜陵地区发现的先秦时期铜矿遗址看，至少在西周时期铜陵已成为吴越地区重要的铜产地。西汉时期，铜陵为丹阳地。西汉政权曾在今铜官山下设置铜官，专营铜冶。汉镜中常有“汉有嘉铜出丹阳和以银锡清且明”“汉有善铜出丹阳”等铭文，这表明当时的丹阳铜遐迩闻名。乾隆《铜陵县志》云：“铜精山在县东二十里，齐梁时置冶炼铜于此，遗坑尚存。”《元和郡县志》南陵条载：“铜井山在县西南八十五里，出铜。”从现在的地理位置看，铜精山与铜井山为同一地点，即今天的铜井山和五房遗址。《太平寰宇记》载：“铜陵县有铜山（铜官山）在县南十里，其山出铜。”唐代在铜官山置“铜官场”。宋代铜官山曰利国山，置利国监，后因“岁久铜乏”，“铜矿竭”，“场、监俱废”南宋以后基本不见。简报认为，铜陵地区古代大规模的铜冶活动至少始于西周，发展于春秋战国，兴盛于汉唐，北宋时期已逐渐衰落，其间延续了近两千年之久，史料记载与考古调查所获材料基本吻合。

381.安徽铜陵县师姑墩遗址发掘简报

作　者：安徽省文物考古研究所　朔　知、王冬冬、罗汝鹏等

出　处：《考古》2013 年第 6 期

师姑墩遗址位于安徽省铜陵县钟鸣镇长龙村，东北距合义、合汪村民组约 300 米，北面为鲇鱼山，南近闸河。其南面数公里的山区即为长江下游最大的铜矿带，自商周以来那里一直是采、冶、铸铜的资源重地。因宁（南京）安（安庆）、合（肥）福（州）铁路建设穿过遗址南半部，2010 年 3 ～ 8 月，考古人员对该遗址进行了发掘，发现夏商至春秋时期房址、龙坑、小坑、沟、水井及大量柱洞，出土陶、石、铜类遗物 250 余件，以及较多的铜渣和炉壁残块，还有树干、木头、兽骨等各种动植物遗存。此外，在遗址上层还发现应属明代的大型砖砌排水沟 2 条，似应与庙宇类建筑有关。

简报分为：一、遗址概况，二、地层堆积，三、遗迹，四、遗物，五、结语，共五个部分，对先秦时期的材料进行介绍，有彩图、手绘图。

简报认为，此次发掘为认识皖南和沿江区域先秦时期文化面貌提供了重要资料，也为我们从当时基层社会的角度来探讨青铜器的生产、流通等提供了新线索。

安庆市

382.安徽潜山薛家岗遗址第六次发掘简报

作　者：安徽省文物考古研究所　唐杰平

出　处：《江汉考古》2002 年第 2 期

简报分为：一、地层堆积，二、遗迹与遗物，三、永兴遗址，四、结语，共四个部分，配以手绘图，介绍了 2000 年 11 ～ 12 月对薛家岗遗址第六次发掘的情况。

此次发掘发现了一批相当于薛家岗文化二、三期的墓葬、灰坑以及红烧土遗迹，确认薛家岗三期墓葬大都有墓坑。此外发现了大量的商周时期的遗物和遗迹，它们具有较强的地方特征而与同时期的中原文化有明显差异。在该遗址西面的永兴遗址，还发现了一处可能与建筑有关的大面积红烧土堆积，它与薛家岗遗址应有密切的关系。

简报称，薛家岗遗址有 6 万多平方米。从新石器时期至商周、唐宋时期各个历史阶段的遗存均有发现。通过 6 次大规模发掘，可以初步确定薛家岗遗址的北部主要为新石器时代墓地所在，商周时期的文化遗存则遍布整个遗址，而且内涵较为丰富，但墓葬极少。简报指出，第6次发掘虽然取得了一些收获，但仍有许多问题未能解决，如平地穴式建筑是房子抑或其他建筑类，两处红烧土遗迹特别是红烧土遗迹Ⅰ的确切年代，距薛家岗遗址不远的永兴遗址红烧土堆积成因以及两遗址之间的关系，等等，都是必须认真对待和钻研的问题。

383.安徽安庆市张四墩遗址试掘简报

作　者：北京大学考古学系、安徽省文物考古研究所　宫希成、魏　峻、吴卫红等
出　处：《考古》2004年第1期

张四墩遗址位于安徽省安庆市东北的白泽湖乡三义村村西，距安庆市区约5公里。遗址北部因受石塘湖冲刷已被严重破坏，现存部分的平面形状略呈弧边三角形，由位于西部的1号墩和东部由南向北排列的2、3、4号墩以及土墩环绕的中央低地共同构成。土墩高出周围地面2～4米。张四墩遗址在1976年修水利时发现，1978年和1980年分别进行了试掘，但资料均未发表。1997年9～10月，对该遗址再次进行了试掘。

简报分为：一、地层堆积，二、新石器时代文化遗存，三、商周时期文化遗存，四、结语，有手绘图。

简报称，就新石器时期文化遗存而言，张四墩遗址有其特点。一般而言，皖西、鄂东的这些新石器时代晚期遗存在文化面貌上十分相近，但与以江汉平原为中心的石家河文化体系有较大的不同。就商周时期文化遗存而言，张四墩遗址与中原的周文化存在一定的差别，在文化性质上当为吸收了部分周文化因素的土著文化。在时间上，一期遗存的年代相当于西周中晚期，二期遗存的年代则相当于西周晚期。

384.安徽潜山彭岭战国西汉墓

作　者：安徽省文物考古研究所、潜山县文物管理所　杨鸠霞等
出　处：《考古学报》2006年第2期

潜山县位于安徽省的西南部，为山区、丘陵、平原三者兼有的地形，为大别山区的余脉地带。彭岭墓群位于该县的南部，县城北2.5公里的潘浦乡彭岭村，合潜公路西侧。彭岭墓群、墓葬分布密集，由于农田基本建设，地下墓葬不断发现，1992年以前，陆续出现的墓葬由当地文物部门进行了抢救性发掘（M1～M13）。1992年秋，考古人员对该墓群进行了发掘工作，发掘墓葬42座，因为是同一墓地，为避免资料重复和整理报告方便，对墓地的发掘工作进行了统一编号（M14～M55）。在该墓群发掘的同时，对位于潜山县城北1.5公里的彰法山的涂山上暴露的4座墓

葬同时进行了清理。墓葬位于低山丘陵地区的山岗上，与彭岭墓群相距 1 公里，是一处较大面积的战国墓群。此前县文物管理所曾陆续清理了 25 座墓。此次清理了 4 座墓葬（ZM26 ～ ZM29）。因两墓地相距较近，所以将这批墓葬资料一并整理，M30 为唐墓不在此叙述。由县文物管理所陆续清理的彭岭 M1 ～ M13、彰法山 ZMI ～ ZM25 的墓葬资料也不在此介绍。

简报分为：一、墓葬形制，二、随葬器物，三、结语，仅介绍本次发掘的 45 座战国、西汉墓葬，有照片、手绘图。

据介绍，此次发掘的战国至西汉墓葬，均属中小型长方形或近方形土坑竖穴墓，规模不大，但未遭破坏。比较特殊的是，墓内未见钱币，而汉墓往往常见钱币。简报认为该墓地可能是一个大家族的茔地，年代应为战国晚期至西汉初年，是楚墓或深受楚文化影响的墓。

简报指出，彭岭墓群资料丰富，出土了一批种类齐全，且富有时代特征的随葬品，尤其是出土了一批战国楚镜和西汉早期铜镜，其纹饰丰富多彩，线条流畅优美，在安徽尚不多见。M32 内棺铺设的木雕花笭床也很精美。此次发掘，有助于对安徽战国晚期至西汉早期历史的研究。

黄山市

385.安徽歙县竦口窑调查

作　者：安徽省文物考古研究所　高一龙、贾庆元

出　处：《考古》1988 年第 12 期

竦口窑是 1985 年歙县文物普查时发现的，1986 年 5 月考古人员又对窑址进行了调查。竦口窑位于歙县桂林乡竦口村东南 150 米，距县城东北约 10 公里。简报配以照片、手绘图予以介绍。

据介绍，窑身长约 20 米。地表可见大量瓷片和窑具残器。标本均系采集。产品以碗为主，还有盘、壶、罐、灯盏等器形。使用的窑具有匣钵、筒形托座等。瓷器的胎骨有厚薄之分。薄胎者，瓷土一般经过淘洗，质地细腻坚实，灰胎。施釉均匀，多数施釉到底，釉面光亮，釉层较厚，大都为青釉，极少数釉色青中泛黄。厚胎者，瓷土一般未经淘洗，质地粗糙。施釉不均匀，下腹部不施釉，釉色为黄绿色和褐色。产品以日常生活用器为主，昔时应是安徽南部重要的民间窑场之一。

简报认为竦口窑的烧造年代大致可定在唐代中晚期至北宋。

滁州市

阜阳市

386.安徽颍上县出土四件古代铜镜

作　者：马人权
出　处：《文物》1986 年第 9 期

简报配以拓片，介绍了安徽省颍上县出土的 4 件铜镜：

1.1980 年，谢桥区小方庄附近修铁路时，发现几座汉代墓葬。出土四神规矩镜一件。直径 16 厘米。圆纽，四叶纹纽座。座外方框，框内排列十二地支铭。内区饰规矩纹及青龙、白虎、朱雀、玄武，间以鸟兽纹等。外区有铭文带一圈，共三十七字，文曰：“尚方作镜真大好，上有仙人不知老，喝饮黄泉饥食枣，浮游天下敖四海，寿如金石把国保，而兮。”边缘饰三角银齿纹及流云纹。

2.1981 年，在江口区北古城遗址采集到汉代日光镜一件。直径 5 厘米。圈纽，圈纽座。有铭文一周，为“见日之光，长不相忘”八字。字间夹以“十”字形符号。

3.1983 年，在县城东王岗区郑小庄采集到唐代雀绕花枝镜一件。菱花形。直径 9.5 厘米。圆纽。内外区饰禽鸟，间以花枝纹。周边也饰花枝纹。

4.1983 年 11 月，在县城郊区张圩墩生产队王庄出土唐代双凤镜一件。“里”字形。直径 11.8 厘米。圆纽。饰一对凤凰，首尾相向。

宿州市

387.安徽寿县牛尾岗的古墓和五河濠城镇新石器时代遗址

作　者：修燕山、白　侠
出　处：《考古》1959 年第 7 期

1957 年 3 月，考古人员为配合水利工程前往寿县等地调查，发现了一些古代遗存。简报分为：一、寿县牛尾岗古墓群清理工作，二、五河濠城镇新石器时代遗址，

共两个部分予以介绍，有照片。

据介绍，牛尾岗位于寿县南门外，尤以九里沟以北更多。大部分墓已被盗或已遭破坏，考古人员清理了19座墓，计战国5座、汉代8座、隋唐4座、宋代1座。五河濠城镇位于灵璧县与五河县交界处。遗址已被破坏得很厉害，出土有石斧、石锛、石刀、石箭头等，还有陶片、兽骨等。

388.萧窑调查记略

作　者：宋伯胤

出　处：《考古》1962年第3期

萧窑是古代江苏地区的著名民窑之一。关于它的记载，散见于文献材料的极为简单。1954年，考古人员在萧县白土镇征集到一件瓷瓶，据说是出自白土镇小学校的操场。这件瓷瓶上刻有“白土镇窑户赵顺谨施到慈氏菩萨花瓶一对供养本镇南寺时皇统元年三月二十二日造”。为了进一步了解这个古瓷窑，考古人员于1961年11月12～16日，到萧县作了一次调查，并试掘了三条探沟，采集到一些标本。

简报分为：一、古窑址的分布及层次堆积，二、瓷器胎、釉及形制的观察，三、关于萧窑的历史，共三个部分予以介绍，有手绘图、照片。

据介绍，萧窑在今安徽省萧县白土寨（亦称白土镇），位于萧县东南15公里，皇庄人民公社所在地。发掘在石榴园子、高场和高孤堆三处挖探沟各一条。简报认为，白土窑下层所见的黄釉瓷器和白釉平底瓷碗等，是在唐代烧造的。双鼓墩就是一个唐代瓷窑的堆积，不同于石榴园子、高场和后孤堆的是，它在唐以后就废弃了，不像其他三处，后来又在唐窑的废基上建起新窑，重新烧造，所以形成我们在探沟中所见的界限清楚的上下两层。关于寿州窑，文献材料对它的评价是放在越州、鼎州、婺州、岳州诸窑之下，特点是“寿州瓷黄”。考古人员对寿州窑做了调查，发现所谓寿州窑的范围非常大，以今淮南市为中心，东北有原怀远境内的外窑、上窑，再沿窑河南下，到达原凤阳辖地的管大咀，西南有大通附近的三座窑，西有原寿县八公山的李咀子窑。其中，上窑窑地分布达八九里之遥。从出土物看，确实是以黄釉为主。除了釉色略见黑绿，在器形与制法上和萧窑下层相同。但以现有材料看，两个窑的历史关系尚不能判断。

简报称，到了北宋，白土窑仍在继续烧造。也可能就在这个时候，居民点从靠石炭山的二郎山庙附近搬到“窑摊子”（即今白土镇）来。这可能和采掘煤炭有关。此后，在现今白土镇的西北两面，又重建起不少瓷窑，一直烧造到金人统治徐淮平原的时候。

简报指出，金代的宿州窑和泗州窑，与萧窑是接壤并存。当时宿、泗二窑闻名一时，并且可与定窑乱真，可以说宿、泗、萧三窑同是金人在徐淮地区的三个大瓷窑。宿州窑的釉色、形状和装饰较之萧窑是要莹白精致，但就其对后代日用瓷器的深远影响看，萧窑则居三窑之冠。现在的徐州、萧县、蚌埠一带许多民间日用瓷器，还几乎保存着萧窑的传统。

389.安徽萧县白土窑

作　者：胡悦谦

出　处：《考古》1963 年第 12 期

1960 年 12 月 12 日，考古人员在萧县的白土寨作了调查。在寨的东、西、北三面都有古代窑址的废墟，地面遗留很多瓷片及窑具，东、北两处堆积层比较丰富。考古人员在东、北两处窑址作了试掘，同时还在西窑址作了地面采集。简报分为三个部分，配以照片予以介绍。

据介绍，白土窑开始造瓷于唐末，兴盛于北宋，衰落于南宋初年。白土窑早期的产品，黄釉、黄绿釉、青绿釉和黑釉等器皿都比白釉瓷器粗糙，质地低下，一般的产品釉色都不均。晚期的产品，以白釉为主，多很精致，釉面莹润光泽，色调纯正，部分釉层稍有不均，釉厚之处，微带湖青色。胎较薄，质颇细，胎色一般都接近白色，为白中微带黄红色及白中微带灰色。豇豆红、绿釉两类产品尤其好。到了宋代，在烧制白瓷的基础上向前迈进一步。在釉色方面，又增烧了绿釉和豇豆红两色。在花纹装饰方面，由单色釉加饰了墨彩画花、印花、划花和剔花等各种不同题材的花纹。同时，白土寨东窑的废墟中，堆积了很厚的煤炭渣，这表示白土窑已用煤作燃料。

巢湖市

六安市

390.寿州瓷窑址调查记略

作　者：胡悦谦

出　处：《文物》1961 年第 12 期

上窑镇现属淮南市的田家庵区幸福人民公社，旧属寿县，在寿县的东面，距县城约40公里。寿县即为唐代的寿州，上窑镇在唐代应归寿州所辖，所以称上窑镇的唐代瓷窑为寿州窑。上窑镇古代瓷窑址在镇的南郊和北郊，高塘湖和窑河的东岸，老鸹山的西麓。窑址范围甚广，上起管家咀，下至外窑，长约4公里，到处都有窑具残片和瓷片的堆积，唯有余家沟附近瓷片最为集中。地面所留的遗物，以窑具为最多。简报分为三个部分，配以照片、手绘图予以介绍。

据介绍，1960年2月3、4日两天，考古人员至上窑镇调查，收集瓷片51件、窑具35件，遗物以管家咀、余家沟两处最为集中。简报推断，上窑制瓷工业创兴于六朝末年，经过隋代，到达唐代，历经二百余年的历史，因大量的生产，需用很多的瓷土。老鸹山蕴藏的瓷土，到了唐代的后期就供应不上。该窑因原料的缺乏，寻找瓷土原料，将制瓷作坊迁移到萧县的白土镇，这就是以烧造白瓷为主的白土窑。上窑镇水路交通较方便，有木帆船经窑河可以通往淮河。该窑的产品，就依此条水路运销沿淮各地。在治淮工程中，上自河南的东部，东至苏北，中经皖北，长达数百里的工地上，都有唐代黄釉瓷器的出土。由此证明，唐代寿州窑的产品，曾大量供应给淮河流域的广大地区使用。

391.舒城凤凰嘴发现两座战国西汉墓

作　者：安徽省文物考古研究所　胡欣民

出　处：《考古》1987年第8期

1980年10月，考古人员在舒城县舒东大队进行考古调查，经钻探于凤凰嘴发现了2座土坑墓。凤凰嘴位于县城西南，距城2.5公里。此处是一台地，地面上已看不出封土了。

简报分为“一号墓”“二号墓”“结语”，共三个部分予以介绍，有照片、手绘图。

据介绍，一号墓出土有一组12件仿铜陶礼器，应为战国晚期楚墓。二号墓也出土有陶器及铜带钩1件。简报认为应为西汉早期墓葬。

392.安徽寿县发现汉、唐遗物

作　者：寿县博物馆

出　处：《考古》1989年第8期

1986年1月，寿县谷贝乡谷贝村农民在平地时，发现一组铜器。同年3月，在石集镇梧桐村发现1座砖室墓。县博物馆先后对两地进行了调查，并征集了全部出土文物。简报分为：一、汉代铜器窖藏，二、唐墓遗物，三、结语，有手绘图、拓片。

据介绍，铜器窖藏地点，位于寿县城关南约60公里的谷贝乡。这组铜器放在窖藏土鬲内的一件大口瓮中，4件铜洗套放，3件弩机的时代简报推断定在东汉较为适宜。

唐墓位于寿县城关南约55公里。墓葬早已破坏。据发现者介绍，由前后两室组成。墓顶结构及随葬品共14件，有瓷器、三彩器7件，银器3件，铜器4件。简报推断墓的相对年代可定在唐代前期。

亳州市

池州市

宣城市

393.安徽郎溪欧墩遗址调查报告

作　者：宋永祥

出　处：《考古》1989年第3期

欧墩遗址位于安徽郎溪县钟桥乡李家村南，与乡政府所在地直线距离约400米，系一个突出于地表3～4米的大土墩。1982年春，考古人员对欧墩遗址进行了初次调查。此后又多次到实地勘察了遗址的地层情况，采集到一批标本，计有石器、陶瓷器、青铜器等100余件。1985年初夏，县文物普查时也从当地人手中征集到较完整的石、陶器10余件。

简报分为：一、地层情况，二、出土器物，三、几点认识，共三个部分予以介绍，有拓片、手绘图。

据介绍，遗址文化内涵有两个地方性特点：其一，与江南土墩墓关系密切，其二，青铜器具有鲜明的地方特色。

简报认为，欧墩遗址的第四层时代应是新石器时代晚期的遗存；第三层的时代暂定在商至春秋；至于欧墩遗址的第二层，因文化层较薄，内含物主要是红烧土，陶片的质地、纹饰与第三层多类似，简报推测它可能并不是另一个时代的文化层，而是第三层——商周时代的居住遗址。

394.安徽郎溪唐宋墓

作　者：宋永祥

出　处：《考古》1992 年第 4 期

1979 年 11 月至 1988 年 2 月，在郎溪县先后发现唐宋墓葬 9 座（编号 M11 ～ M19）。县文物干部和有关方面人员随即到实地进行了清理和调查。

简报分为：一、地理位置，二、墓葬形制，三、随葬器物，四、结语，共四个部分予以介绍，有手绘图、照片。

据介绍，这 9 座墓分布在该县 7 个乡镇，其中下湖乡一座（M11），幸福乡一座（M12），涛城镇一座（M13），水鸣乡二座（M14、M15），城南乡轮窑厂二座（M16、M17），南丰乡一座（M18），姚村乡一座（M19）。这 9 座墓形制是长江中下游唐宋墓的常见类型，简报推断，M13 应为唐代墓葬，其他 8 座墓葬的时代多属北宋晚期，或迟至南宋初期。

简报称，郎溪宋墓出土的银器同江南其他地方出土的银器一样，器形小巧玲珑，胎体大多较薄，表现出宋代银器共有的一大特征。

福建省

395.福建省最近发现的古代窑址

作　者：许清泉等
出　处：《文物》1959 年第 6 期

简报分为“同安宋代窑址”“松溪县宋代窑址”“浦城宋代窑址”“浦城县明代古窑址”“福建东张两处宋代窑址”“闽清宋代窑址”“崇安宋代古窑址”“崇安星村宋代黑瓷窑”“崇安明代窑址”，共九个部分予以介绍，有照片、手绘图。

据介绍，同安宋代窑址有二：一为汀溪乡许坑村章厝山的许坑窑，一为新民乡的窑址 4 处。松溪县宋窑位于县城西南 0.5 公里的洄场，规模很大，应为一个大窑群，瓷器种类多，质量好，年代应为宋或五代。浦城宋窑有距县城约 48 公里的九牧区棠溪乡东山下村碗窑背遗址、县城南约 13 公里的观前乡东北大口窑村的大口窑，此窑应为青瓷窑。浦城明窑位于县城北水北乡，为青花窑。福清东张水库宋窑有二，一为半岭窑，二为碗原窑。前者以青瓷为主，兼产黑瓷，以日用品居多，比较粗糙。后者规模还不及半岭窑，产品也较粗糙。闽清宋窑有 5 处，分布在安仁溪一带。崇安宋窑有城北苑埂村的苑埂窑、仙店北的仙店碗厂岗窑、仙店毛原垅窑。距崇安县城约 15 公里的星村东北的玉林亭还发现了一处宋代黑瓷窑。崇安明窑有三：一为仙店村西的主树垅窑；二为仙店村北的老鹰山碗窑；三为崇安城西四渡附近郭前村的郭前窑。郭前窑规模较大，一直到民国时仍出产瓷器。

396.闽南新石器时代遗址的调查

作　者：福建省文物管理委员会　曾　凡、黄炳元
出　处：《考古》1961 年第 5 期

据《考古学报》1957 年第 1 期，早在 1954 年，考古人员就对位于闽西北光泽县的新石器时代遗址展开调查。在大乾河两岸丘陵顶上，捡到石器、陶器等。时代大致相当于中原地区的秦—汉时期。

1958 年 5 ～ 8 月初旬，考古人员对仙游、永春、南安、安溪、大田、德化、永

泰和平潭等9县进行了普查工作。除平潭县外，在8个县都发现有新石器时代文化遗址。通过此次普查，对闽南的其他四县也有了新的了解，共发现了115处新石器时代遗址。

简报分为：一、仙游，二、永春，三、南安，四、同安，五、安溪，六、大田，七、德化，八、永泰，有手绘图。

据介绍，上述各遗址除德化、永泰外，简报均附有各遗址“新石器时代遗址调查表”，仅做了调查采集工作，未做发掘。简报指出，这百余处遗址的文化性质虽不完全相同，但基本上是属于几何形印纹硬陶文化系统。2件青铜器的发现说明这个地区遗址的年代较晚。根据文献记载，这些地区的开发是在晋后，因此新石器时代的下限可延至晋代，某些偏远地区可能还要晚些，族属应为古越族。

据《考古》1959年第11期《闽东新石器时代遗址调查》一文，考古人员还曾赴闽东福安、福鼎、寿宁、周宁、霞浦、宁德、罗源、连江、长乐9县进行调查，发现从石器时代至青铜时代遗址24处，其中以福安城山、寿宁武曲、福安岩湖几处遗最更为丰富。

福州市

397.福州浮村遗址的发掘

作　者：福建省文物管理委员会　曾　凡

出　处：《考古学报》1958年第2期

遗址位于福建省福州市郊北面湖前乡的浮村，距离市区约5公里。浮村原属闽侯县新店区，城市规划后纳入为福州市辖区。浮村是一个小村落，村背为一座高约38米的山丘，村舍依山环绕而建。山丘略近圆形，面积约10000平方米。古文化遗址只见于东部，且比较集中，厚度也较大，往西渐少，以至消失。现在遗存散见的范围，估计约500平方米，而山之阳东端最为集中，堆积最厚达3.7米。发掘工作于1957年1月7日开始，3月19日结束。因天雨等关系，田野实际工作日只有31天。

简报分为：一、遗址的地理环境，二、遗址的发现与发掘，三、探坑遗物堆积情况，四、新石器时代遗物，五、建筑遗存，六、结语，共六个部分予以介绍，有照片。

据介绍，该遗址主要发现有新石器时代石器、陶器计4435件，发现了板瓦、筒瓦上万块，应为六朝遗物。

398.福建闽侯荆山、杜武南朝、唐墓清理记

作　者：黄汉杰

出　处：《考古》1959 年第 4 期

1958 年 9 月，为配合南平至福州的铁路建设，考古人员于荆山、杜武清理了两座古墓。简报分为：一、荆山南朝墓，二、杜武唐墓，三、几点看法，共三个部分予以介绍，有照片。

据介绍，荆山、杜武均属闽侯县荆溪乡，东距福州不过 18 公里。荆山墓为一南朝墓，分为墓道、墓室两部分，平面呈“凸”字形。出土遗物有 18 件瓷器、1 件陶器。杜武唐墓也呈“凸”字形，也分为墓道、墓室两部分，出土瓷器 21 件，其中带托盘碗等均为初见。简报推断该墓为唐代早期墓。

399.福建福清东张新石器时代遗址发掘报告

作　者：福建省文物管理委员会　许清泉

出　处：《考古》1965 年第 2 期

该遗址 1957 年文物调查时发现，1958 年发掘。简报分为：一、地理环境与地层，二、遗迹，三、遗物，四、结语，共四个部分，有拓片、照片、手绘图。

据介绍，遗址位于福清县城西东张镇一座高出地面 3 ～ 5 米的山丘上。计发现房基 2 处、灰坑 24 个，遗物有石器 1359 件，陶片、陶纺轮等 334 件。此处遗址的时代，从商或西周初年，至西周晚期、战国时期。

400.福州新发现的元明时代伊斯兰教史迹

作　者：庄为玑、陈达生

出　处：《考古》1982 年第 3 期

福州是元明时代阿拉伯人、波斯人来华经商传教的地点之一，近年来不断发现与此有关的遗迹和遗物。考古人员对近年发现的元代圣人墓亭、元至正二十五年（1365 年）阿汉文合刻的墓碑和明嘉靖时重修的清真寺进行考察。简报分为三个部分予以介绍，有照片。

据介绍，福州市西北郊井边亭附近，有座被称为“清真总墓”的小山，为福州穆斯林的公墓。山上的墓碑大多是清代的，也有少数明代的碑刻，碑首有的刻阿拉伯文。山下有一座被称为“圣人墓”的小亭，坐北朝南，为方形建筑，每边长 8 米。

阿拉伯文皆阴刻。南门碑刻下方的门楣石上，也刻有一行粗体阿拉伯文，共五方阿拉伯文碑。碑文因年久风化，字迹未能尽识，简报录有汉译文。元至正二十五年（1365年）阿拉伯文—汉文合刻墓碑及明嘉靖时重修清真寺碑，均有十分重要的史料价值。可见元代福州已有礼拜寺。

401.福建闽侯县昙石山遗址发掘新收获

作　者：福建省博物馆　陈存洗、陈　龙
出　处：《考古》1983 年第 12 期

闽侯昙石山遗址，是福建省一处较为重要的新石器时代遗址。自 1954 年发现后多次发掘，所获资料均已整理发表。可参见《考古》1964 年第 12 期《福建闽侯昙云山新石器时代遗址第五次发掘简报》等文。1974 年 10 月 24 日至 12 月 26 日，又作了一次小规模的发掘。

简报分为：一、文化堆积，二、遗迹和遗物，三、几点看法，共三个部分予以介绍，有手绘图、拓片、照片。

据介绍，此次发掘发现灰沟一段，遗物有陶器、石器、骨器和牡蛎器。简报称，昙石山遗址可分上、中、下三层。上层已是青铜时代文化。昙石山文化上层所代表的青铜文化，在闽南、闽北均有发现。中层堆积最厚，主要分布于闽江下游一带。下层应是代表闽江下游地区一种较早的文化遗存。从文化上看，中、下层应属新石器时代。此次发现的与仰韶文化窑址相近的陶窑，为首次发现。

一般认为，昙石山文化的年代为距今 4000 至 5000 年。而所谓“青铜时代”，始于公元前 21 世纪，止于公元前 5 世纪，大体相当于夏、商、西周和春秋时期。

402.福州洪塘金鸡山古墓葬

作　者：曾　凡
出　处：《考古》1992 年第 10 期

1975 年初，福州西郊洪塘金鸡山驻军某医院工地发现古墓葬一群，除明、清墓不计外，共 22 座。其中汉代 2 座，南朝 18 座，五代 2 座。这些墓葬的随葬品，又以南朝时期的最为丰富，青瓷制品更具特色。

这些墓葬均坐落在金鸡山的南麓，背后为妙峰山。金鸡山则临近闽江，在没有修防洪堤以前，洪水泛滥时可达山下。墓群的分布，东西长 100 余米，均位于山麓的平缓处，现在已全部为新的建筑物所掩盖。墓的距离都比较近，但很少有打破关系，

只有 M18 打破 M19。由此可知，自汉代以来，这里就是个丛葬区。清理和发掘工作自 1975 年 1 月中旬开始，至 2 月初旬，第一阶段结束。随后配合工程进度，时有发现，至 7 月初旬才全部结束。

简报分为：一、汉代墓，二、南朝墓，三、五代闽国墓，四、结语，共四个部分予以介绍，有手绘图、照片。

据介绍，两座汉墓中，M22 出土了陶匏壶，这种壶在我国的起源甚早，简报推断该墓可能是西汉晚期的墓葬。M19 出土的随葬品都是东汉至三国时期墓葬中常见的器物，综合分析，简报推断其年代应在东汉末年或三国时期。

18 座南朝墓的墓室结构，除 M8 平面呈“刀”形外，其余皆呈“凸”字形，而且都是单室券顶，有很短的甬道，多数砌筑低矮的棺床，床前留一块空地，放置随葬品。通过比较，简报推断墓群大致起自东晋，延至齐、梁时期。

五代闽国两座土坑墓的随葬品既少又粗糙，应是当时的平民之墓。简报推测，这两座墓应是五代时期的，更具体说，应是闽国的。

403.1992 年福建平潭岛考古调查新收获

作　者：福州市文物考古队、厦门大学考古专业　吴春明、林　果

出　处：《考古》1995 年第 7 期

平潭岛又称海坛岛、东岚岛，位于福建省东部，闽江口以南约 50 公里的台湾海峡西侧，面积 245.7 平方公里，是福建省第一大岛。岛内西北部为官井—白青山地，中北部为君山，南部为潭南丘陵，都是海拔在 200 ~ 400 米左右的构造性丘陵的山地；中部为广阔的低阶地和平原，海拔 50 ~ 20 米不等，形成四周高耸、中间低平的地势。1958 年发现了平潭岛的壳坵头、南厝场、祠堂后三处新石器时代遗址，1985 年对壳坵头遗址进行第一次发掘。1992 年 8 ~ 9 月，又发现新石器时代遗址 2 处，商周时期印纹陶遗址 6 处，唐宋元明遗址 4 处，并复查了已有的壳坵头、祠堂后、南厝场 3 处遗址。此次调查新发现西营、湖埔墘 2 处，因祠堂后、南唐场遗址 1958 年调查资料未见有专门报道，壳坵头遗址经复查又有新收获，简报分为：一、遗址概况，二、问题讨论，共两个部分，将上述 5 处遗址的调查和复查材料一并予以报道，有手绘图。

据介绍，5 个新石器时代遗址和 6 个商周时期遗址的调查表明，平潭岛上发现的先秦遗址可包括新石器时期、商周时期两个阶段，这是以往的考古简报没有明确的。平潭岛上缺乏两汉六朝时期遗存，唐宋以来遗址才渐多。先民应以海为生，其经济生活中表现出渔捞、采集等不同手段的季节性转换，简报称，这甚至反映在居住遗址上，这是值得进一步考察的问题。

404.福建福州市新店古城发掘简报

作　者：福建省博物馆、福建省昙石山遗址博物馆、福州市晋安区文管会　欧潭生
出　处：《考古》2001 年第 3 期

新店古城位于福州市北郊晋安区新店镇新店村。村北为古城山，村子四周有断断续续的夯土城墙，当地村民称为“土墩”。1985 年遗址被发现，1996 年考古人员实地考察了古城，1996 ~ 1999 年，对古城进行了三次发掘和钻探。厦门大学研究历史地理的林汀水教授曾著文考证，汉初福州城内三山（于山、乌山、屏山）均在“水中”。据此，研究福州城历史变迁的郑力鹏博士论文中绘制的汉初福州城地貌图推翻了历代志书推测的闽越王都冶城在屏山一带的说法，认为冶城应在今福州新店古城。

有关古城钻探和发掘的资料简报分为：一、发掘经过，二、城墙及内城中区的发掘，三、出土遗物，四、福州屏山的有关考古发现，五、结语，共五个部分予以介绍，有手绘图、照片、拓片。

据介绍，新店古城经过 3 次发掘。根据城墙夯土结构、夯筑法，以及城内、夯土内和护城河底出土陶器，简报断定该城始建于战国晚期，汉初进行了大规模的扩建，唐、五代至宋还在修补使用。该城分内、外两个城，内城东西宽约 310 米、南北长约 285 米，外城已探明的西城墙长达 1030 米。

厦门市

405.同安发现古代炼铁遗址

作　者：陈仲光
出　处：《文物》1959 年第 2 期

同安县修建环城公路期间，在城东面东桥头西部约 80 米处发现有铁渣堆积，铁渣堆中也有大量铁砂。堆高约 3 米，土堆范围约有 50 米见方，现在大部分已被挖平，与铁渣共存的包含物除铁砂外，尚有炼铁炉残片，耐火砖残块（从残断处可见到当时的耐火材料系用高岭土、黄泥及谷壳等羼和料制成）、木炭和绿釉瓷片、黑釉瓷片、青花瓷片等，这些瓷片都是宋、明两代之物，尤以宋代瓷片为多。

简报称，据调查，同安城内类似的铁渣堆积尚有数处，此前不久挖掘的中山公署内的一个较高大的土堆几乎全为铁渣堆积，其中所出的包含物也与上述土堆相同。

根据 1958 年考古人员在同安县城迁移 1 座宋代婆罗门石塔时，曾于塔内填土中发现过同样的铁渣1处，以及从上述两地与铁渣同时共存有大量宋、明两代瓷片，简报初步认为，这些铁渣应为宋、明两代炼铁场附近的堆积物。

莆田市

406.福建莆田古窑址

作　者：柯凤梅、陈　豪

出　处：《考古》1995年第7期

1986年后，考古人员曾对福建省莆田县境内的古窑址多次开展古窑址调查或复查活动。

简报分为：一、窑址及其产品概况，二、几个问题的探讨，共两个部分，介绍了几年来的考察成果，有手绘图。

据介绍，经田野考古实地调查，目前本县已发现古窑址5处，主要分布于庄边镇、西天尾镇及灵川镇一带。莆田于陈光大二年（568年）立县，宋太平兴国四年（979年）置兴化军，元改为路，明清时代称兴化府，领莆田、仙游二县。数千年前的新石器时代，莆田先民开始制造陶器，南朝时期的墓葬中已出土有青瓷器。进入宋代以后，莆田的窑业得到比较全面的发展。明代窑址已荡然无存，史籍有莆田窑工赴台湾制陶的记载。此次发现的5处古窑址，除庄边窑一处见于方志外，其他均未见诸文献记载。从考古情况看，莆田青瓷窑场盛烧年代应在南宋早期至元代，青白瓷窑场烧造年代应在南宋晚期至元代，陶器则从宋代延续到明代。

简报称，莆田5处窑址的产品，种类上以碗、盘、杯、碟、壶、罐类日用饮食生活器皿为大宗，瓶、炉类陈设供奉器皿次之。与同时代的龙泉窑、景德镇等名窑相比，产品质量上欠精致，工艺上更注重简便易行的技术措施，表现出作风粗率、大力追求数量的地方特色。除了供应本地民间需求以外，极有可能向周边输出部分产品，这在考古上已有证据。

今日我国台湾、西沙群岛地区及日本等国，均已发现了莆田窑的产品。

三明市

泉州市

407.德化屈斗宫窑址的调查发现

作　者：厦门大学人类博物馆　叶文程

出　处：《文物》1965 年第 2 期

1963 年 12 月，考古人员到德化县调查古窑址时，曾前往屈斗宫窑址作重点调查，发现不少瓷器。

简报分为：一、影青及类似影青瓷器，二、白釉瓷器，三、青花瓷器，四、酱色釉瓷器，五、窑具，六、小结，共六个部分予以介绍，有照片。

据介绍，此次调查共发现影青及类似影青瓷器 3 件、白釉瓷器 7 件、青花瓷器多件、酱色釉瓷器 1 件、印模 1 件等。简报推断屈斗宫遗址的年代包含宋、明、清三个时代，而以明代的器物居多，产品以杯碗碟盏最多。

408.泉州新发现的两方阿拉伯字墓碑

作　者：吴文良

出　处：《考古》1965 年第 2 期

泉州遗留有许多阿拉伯字的墓石，过去发现的多已编入《泉州宗教石刻》（《考古学专刊》乙种第七号，科学出版社，1957 年）一书中。1958 年 9 月，在旧镇南门外的华洲林田畔，发现一方刻有阿拉伯字的完整墓碑，据与当地农民谈话，知为二三十年前城垣拆毁时，混在其他石块中一起购来建筑房屋的残剩石。1963 年 3 月间，泉州海外交通史博物馆根据参观群众提供的线索，在距市东约 5 公里的瑞枫岭附近，获得另一较大型的阿拉伯字双面雕刻墓碑石，据该地居民谈及，是因其家中古墙倾塌而出现的，至于详细来源则不明。考古人员认为瑞枫岭下为宋元时代泉州外国人墓葬区域之一，该地迄今仍残留有阿拉伯人石墓数座。这方墓碑很可能是百年前由墓上移砌于该村房屋墙上的。简报配以照片、拓片予以介绍。

据介绍，两碑主为父女关系。第一石，碑高 52 厘米，宽 36 厘米，厚 9 厘米。碑为青冈石所雕成。正面经加工磨光后，用浅线条雕刻阿拉伯字 6 行。字与字的间隔很稀疏，部分字迹漫漶不清，而且只有碑面刻字，背面虽亦经磨光，但不雕刻任何文字或花纹。

第二石，碑高 60 厘米，宽 38.2 厘米，厚 32 厘米。青冈石雕成。碑顶正中刻成尖弧形，碑面及背未经磨光，故较粗糙。正面刻字 7 行，背面 4 行。雕工深劲，字体秀美。

简报录有两石志文汉语译文全文。

又，据《考古》1986 年第6 期，明万历三十七年（1609 年），泉州清净寺曾经大修缮，从寺院中迁出进住回民 100 多人。迨至1983 年春，由福建省人民政府拨款，泉州清净寺又一次大修葺。迁出清康熙年间以来进住寺院的回民 12 户，给予妥善的安排。又翻修明善堂作为穆斯林举行礼拜之所。在修整过程中，也发现了一批阿拉伯文字和汉字的古伊斯兰教碑。这批碑刻，大都在明善堂及其周围发现，一部分砌置于墙上，一部分埋于地下。这批砌于墙上的石碑被卸下，埋于地下的石碑重新被发现。

这批石碑可分为两类，第一类是墓碑，第二类是清净寺石碑，全部为古阿拉伯文字碑。

据介绍，墓碑有纪年的计6 方，除一方是南宋末外，其余皆为元末。就墓主的籍贯看，有波斯大不里士、德黑兰，有土耳其亚达那，有叙利亚那布鲁斯，有中亚花剌子模。就墓主的身份看，有哈申族的后裔，有波斯宰相萨都丁之女，有花剌子模之贵族，亦有贫穷的奴婢。

409.福建南安发现的青铜器和福建的青铜器文化

作　者：俞越人

出　处：《考古》1978 年第 5 期

早在 1969 ～ 1971 年，南安洪濑公社四都前窑大队，就曾发现过新石器晚期遗址，还曾发现过宋元时期的民窑。详见《文物》1973 年第 1 期的报道。1974 年 5 月，福建南安大盈发现了一批青铜器。1976 年 3 月，厦门大学历史系考古专业派人去实地调查，并发表了报告。

这批青铜器大部分是兵器和工具，计戈 5 件、戚 2 件、矛 1 件、匕首 2 件、锛 2 件。此外，还有 8 件铜铃和玉戈、玉璜等。

根据大盈出土青铜器的比较研究，简报推断这种青铜器文化的年代上限可上溯到西周，下限可能延到春秋；若根据釉陶的比较研究，则大约相当于西周晚期。

简报称，福建青铜器文化的出现较晚，不会早于公元前 13 世纪，比中原青铜器文化的出现大约要晚 5 个世纪。福建的青铜器文化分布于闽北、闽东、闽南各地，但很不发达，青铜器的数量很少，器类不多，制作不精。福建的青铜器文化受中原地区影响较小。

410.福建惠安银厝尾古窑址发掘简报

作　者：福建省博物馆　栗建安

出　处：《考古》1993年第1期

银厝尾古窑址位于福建省惠安县东北的南埔乡槐山村上庄，其东面约3公里临湄州湾，北面约1.5公里为滩涂，属沿海丘陵地带。这一带分布有多处古窑址，银厝尾是其中保存较好的一处。1983年12月，考古人员前往调查。1984年11月，对窑址进行了正式发掘，清理窑基1座（编号84HHY1）。

简报分为：一、窑址堆积，二、窑基结构，三、出土遗物，四、结语，共四个部分，有手绘图等。

据介绍，窑址在上庄东北面小山头的南坡，海拔高度26.5米。发掘前，窑址大部分为农耕土覆盖，在台田的坡面上可见破坏了的窑基断面，一小部分窑身被作为小路保留。发掘后为保护窑基，已经回填。

简报认为银厝尾古窑址Y1的年代当属南宋至元代时期。宋元时期正是福建陶瓷业大发展的阶段，银厝尾Y1虽然烧的是粗瓷器皿，但也可从一个侧面反映出当时手工业的发展和人民生活的情况。因此，此次发掘为研究福建陶瓷史及南部沿海地区手工业史提供了新资料。

411.福建南安县发现成套石锛

作　者：张仲淳、郑　东

出　处：《考古》1993年第4期

1985年12月底，福建省南安县水头乡仁福大队下埕村石匠伍文教在本村赤坑石窟山开采石块时，发现成套12件石锛。这些石锛今收藏在厦门市博物馆。简报配以手绘图予以介绍。

据介绍，石锛出土于赤坑石窟山半山腰的大岩石下，石锛出土地点附近的山洞，因长年采石造成泥沙碎石的大量淤积，人员只能弓身进出，没有发现其他遗迹和遗物。石锛出土时分三层整齐叠放，除1号锛被洋镐砸断外，其余均完好。这套石锛的石质、形式基本一致，大小依次排列，弧刃锋利，无使用痕迹。此类型石锛在福建漳浦眉力水库、福清东张、厦门灌口等地（实物藏厦门大学人类博物馆和厦门市博物馆）都有零星发现，但成套出现在福建尚属首次。

关于这12件石锛的名称用途如何，简报倾向于是随葬品或生产工具。石锛具体年代不详。

漳州市

412.福建华安县仙字潭石刻

作　者：林　焘

出　处：《考古》1988 年第 4 期

仙字潭石刻位于福建省华安县沙建乡汰溪中游，坐北面南，海拔 35 米。石刻符号皆勒在面向西南的石面上，石质为火山岩，附近有燧石、石英石。此处水流自南而来，迂峭壁折而向东，积水成潭，上游杂物常滞留潭边，故名“鬼仔坑”，又因崖壁上有古字，人莫能识，故又称“仙字潭”。

1987 年 4 月，考古人员对仙字潭石刻符号（以下无论图像或文字统称为符号）作了长时间的考察研究。在原来长 20 米、高 8 米的石刻范围内，经过仔细勘查，不仅找到几年前以为湮灭了的 3 个符号，还发现了 5 组 12 个符号，6 月 20 日，又发现两个符号，这两个符号的风格、工艺均和早先发现的符号相同。截至目前为止，石刻符号共发现 50 个以上。简报配以手绘图予以介绍。

据介绍，新发现的石刻符号与早先发现的相比，显然具有两种不同的风格和结构。主要不同点有三：其一，新发现的符号作水藻萦迴和木枝杈枒之状，而原有的符号多作人状及动物状；其二，新发现的符号表面更显黝黑，划痕浅淡，非细看抚摩不易发现，而原有的符号则甚明显，站在仙字潭隔岸也能看见；其三，新发现的符号比较分散，而原有的符号较为集中。这些石刻可能是由两个以上不同族属的人群，采用不同的工艺创作出来的；若出自同一氏族，其间隔时间必定很长。早在 1000 多年前就有古人作过研究，认为仙字潭石刻是道家言。当代学者认为它是文字，断代方面则看法不一。仙字潭石刻在由图像到文字的演进过程中，究竟处于什么阶段，简报认为是值得作进一步研究的，这对探讨华南人种的兴衰、迁徙及其文化、生活状况都很有意义。

413.福建云霄县尖子山贝丘遗址调查

作　者：福建省博物馆　郑　辉

出　处：《考古》1990 年第 6 期

1985 年以来，考古人员对闽南漳州地区进行了大规模的考古调查，发现了大量古代文化遗址。其中商周时代的遗址达 200 多处，还有几处新石器时代遗址。大多数遗址文化层遭到严重破坏，仅在地表可采集到一些陶片、石器等遗物。1986 年 11 月，考古人员在云霄县进行调查时，于列屿乡尖子山发现了一处保存较为完好、遗物丰富、堆积层厚达一米多的贝丘遗址。在调查中，采集到大量的陶器和石器。考古人员对这批调查材料进行了初步整理，认为其时代属于新石器时代晚期至商周之间。

该遗址调查、整理简报分为：一、遗址的位置、环境及地层，二、遗物，三、结语，共三个部分，有手绘图、拓片。

据介绍，尖子山遗址由于未经正式发掘，又未做碳-14断代测定，所以其绝对年代不清。但根据遗址中所采集的遗物分析，与其他地点遗物相比较，简报推断它既有福建地区新石器时代晚期特点又有更晚一些的文化因素。迄今为止，福建地区考古文化序列中从新石器时代晚期到西周之间尚存着缺环，二者无法衔接。尖子山遗址的年代处于新石器时代晚期并延续到西周之前，介于二者的过渡阶段，它的发现填补了福建考古序列的一段空白，同时对研究福建地区早期历史，探索沿海地区贝丘文化都有很大作用。

414.福建漳浦县赤土古窑址调查

作　者：王文径

出　处：《考古》1993年第3期

漳浦陶瓷业在宋元时期空前繁荣。1987年，考古人员曾对已知的罗宛井、竹树山等五处窑址进行了调查。根据县志记载的线索，1988年又对赤土古窑址进行了调查。

简报分为：一、窑址分布和堆积情况，二、遗物，三、结语，共三个部分，有拓片、手绘图。

据介绍，窑址位于赤土乡政府东北2公里田仔坪东侧。窑址处于山丘的南坡下，被郁郁葱葱的相思树林覆盖着，遗物分布面积东西约400米，南北约200米，有9座窑床和堆积保存得极为完整，分为三组排列。7次调查共采集标本400多件。从地表上采集到的大都是无法复原的碎片，甚至看不出器形。考古人员从标本对比，认为该窑的产品以碗、盆、壶、盘为大宗，其基本特点是：胎骨以黑、灰为主，少量色白。前者质地致密，硬度较大，器壁较薄，且上下大致等厚。白胎者质较松，瓷石成分多不足，有的则完全属陶胎。该窑的烧制时间，简报认为应在南宋和元之间。

简报指出，赤土窑普遍采用的，釉胎上加施化妆土的工艺可以使粗糙的、黑或暗灰色的胎色得到覆盖，使釉面光洁，更主要的是使刻划、贴印花等装饰手段得到更好的表现，无疑是该窑装饰艺术的重要基础。这一工艺在同时代的南方地区也仅见于婺州窑等少数几个窑口。赤土窑的这一成熟工艺在福建是仅见的。釉下彩的出现也是该窑的主要成就，这一成就在同时代也仅见于北方窑口。在胎土上贴木叶的工艺，效果与磁州窑的剔花有异曲同工之妙，工艺上则可与吉州窑的贴木叶瓷相媲美，大量采用的印花技术和风格，则明显受到耀州窑的影响。简报称，可能因为工匠们面对着粗劣的瓷土，未能烧造出有竞争力的产品，而只能从装饰艺术上下功夫。南宋时期，北方文化南移，各地的窑工南下重开窑场，带来了北方的工艺成就。在窑具上普遍刻划姓氏、地名、数字和符号这一现象，可能也有助于说明上述推测。

南平市

415.福建建阳古瓷窑址调查简报

作　者：建阳县文化馆　林忠干、王治平
出　处：《考古》1984 年第 7 期

1982 年 3 ～ 6 月，建阳县在普查工作中，复查和新发现了唐至清代的瓷窑遗址 10 处。采集瓷器和窑具标本 401 件。

简报分为：一、唐代窑址，二、宋代窑址，三、元代窑址，四、明代窑址，五、清代窑址，六、结语，共六个部分，有手绘图、照片。

据介绍，建阳县地处闽北建溪上游，森林资源极其丰富，瓷土矿藏也不少，为烧制瓷器提供了水源、燃料和原料等便利条件。唐代开始，建阳县已经能够烧制造型粗朴的青釉瓷器。将口窑址出土的瓷器，品种有碗、碟、灯盏、壶、罐等，其中碗、碟、盘口壶、双耳罐等是福建唐墓中习见的随葬品，体现了时代共性特征。宋代，建阳瓷业进入空前的繁盛阶段，县东部的水吉镇烧制成功独具一格的黑釉兔毫纹碗盏，成为我国南方一大民窑，并时有产品进贡宋室宫廷。从出土窑具和瓷器产品遗留的迹象观察，建阳县古瓷窑应用了托座正置叠烧、匣钵装置仰烧、支圈和支圈组合窑具覆烧、匣钵覆叠装烧等多种烧成工艺。简报称，建阳古瓷可证实的外销产品有水吉窑的黑釉瓷碗和麻沙白马前窑的青釉划花纹碗。此外，建阳宋元青白釉瓷器主品中的碗、盘、盒、洗、瓶等，也可能是当时远销日本等国的产品。

416.福建浦城石排下遗址试掘

作　者：福建省博物馆、浦城县文化馆　梅华全
出　处：《考古》1986 年第 12 期

1981 年 5 月，考古人员在浦城县东郊约 2.5 公里的石排下村后门山调查时，发现遗址一处，包含大量几何印纹陶片。由于整地建房，遗址的东南部已被现代村落

覆盖，仅东北部保存较好，进行了试掘。

简报分为：一、地层堆积，二、遗物，三、结语，共三个部分，有手绘图等。

据介绍，该遗址遗存可分三层：下层为新石器时代晚期遗存；中层为商代遗存，其中原始瓷值得注意；上层为西周至春秋之间。简报指出，浦城位于福建北端，北与浙江接壤，西与江西毗邻，自古是中原和北方文化入闽孔道。福建北部的古代文化与中原文化的联系较之福建沿海地区更为密切，是福建最早受中原文化影响的地区。因而，浦城石排下遗址的试掘，对人们研究福建的先秦史及其与东南诸省的文化关系带来了新的启示。

417.福建顺昌发现宋元窑址

作　者：林长程、陈建标

出　处：《考古》1990 年第 2 期

20 世纪 80 年代末，顺昌县在开展文物普查期间发现了 2 处古窑，简报配以手绘图予以介绍。

据介绍，连坑窑窑址位于埔上乡连坑村北侧官山，坐北朝东，堆积范围南北东西各 50 米，堆积物包含大量支圈窑具和瓷器；谢屯窑窑址位于际会乡谢屯村茶坑陇山，坐北朝东南，堆积范围南北 50 米、东西 60 米，窑址包含有大量窑具和瓷器。

连坑、谢屯二窑产品无论是瓷土的淘洗、火候控制还是器型制作、刻划印纹饰装饰手法乃至以支圈组合钵窑具等各工艺都达到相当高的成熟程度。简报推断这 2 处窑烧制年代上限到南宋中期延续至元初。除受到景德镇青白瓷的影响之外，青釉瓷也受到龙泉窑的影响。

简报称，连坑、谢屯二处窑址的发现，为研究福建陶瓷史提供了新资料。

418.福建浦城三处古遗址调查简报

作　者：林忠干、赵洪章

出　处：《考古》1993 年第 2 期

浦城县位于福建省北部，西连武夷山脉与江西广丰县，东北接仙霞岭与浙江江山、龙泉县交界，南浦溪自北而南穿越县境。1980 年后，考古人员数次对汉阳城遗址、越王山遗址、金鸡山遗址进行了调查。

简报分为：一、汉阳城遗址，二、越王山遗址，三、金鸡山遗址，四、结语，共四个部分予以介绍，有手绘图等。

据介绍，汉阳城遗址位于仙阳镇溪东村大王塝山，南距县城约20公里。遗址现存城墙遗迹清晰可见，主要利用自然地势夯土构筑，将两座山冈连在一起，形制不甚规则，东西长约600米、南北宽300米。城墙基宽5米，上宽2米，高2～5米。城址由东西两城组成。东城平面近似三角形，西、南部城墙沿山梁构筑，东、北部未见城墙，其下接断崖及现代机耕路。西城平面略呈正方形，东、北、西三面顺山冈构筑，南部临断崖，未见城墙。东西两城间在北部大都为自然沟谷所阻隔，南部有东西向城墙相接，其中又加筑二道南北向短墙，南端亦临自然断崖。东城西南角有高圆土墩，经钻探，距地表1.5米处出土灰烬、烧土、瓦片等，可能是一处烽火台遗址。遗址地面采集的器物有陶器、石器两类。越王山遗址位于汉阳城遗址以南，浦城以东。金鸡山遗址位于越王山以南，临江溪南岸。

简报称，在古代地方志、文献的记载中，3处遗址相传都有西汉闽越王余善等人建筑的城堡、行宫或宗庙遗迹。其中汉阳城遗址又载于《史记·东越列传》，谓汉武帝平定闽越时，“越衍侯吴阳以其邑七百人反，攻越军于汉阳”。

简报认为，此3处遗址应为闽越族及其先民的遗迹，简报推定3处遗址的年代上限自西周，下限至西汉，主要遗存的兴盛年代应在东周至西汉早期。

事实上，南平地区已发现的古遗址还很多。如据《考古》1959年第11期报道，考古人员曾在崇安东南发现有溪东岗、宝塔山、黄山头、官田山、茶山头等14处古代遗址，发现有石器、铜器、陶器等。

419.福建浦城县管九村土墩墓群

作　者：福建博物院、福建闽越王城博物馆　杨　琮、林繁德等

出　处：《考古》2007年第7期

2005年1月至2006年12月，为配合浦城至南平高速公路的建设，考古人员对位于浦城县管九村境内的土墩墓群进行了抢救性发掘。

简报分为：一、地理位置与发掘概况，二、土墩及墓葬形制，三、随葬器物，四、年代与分期，五、学术意义，共五个部分予以介绍，有彩照、手绘图。

据介绍，此次考古共清理了33座土墩，发现47座墓葬。出土各类随葬品230余件，包括原始瓷器、印纹硬陶器和青铜器等。这批土墩墓的年代约在夏商至春秋时期，在福建地区是首次发现，填补了中国南方地区土墩墓分布区域的空白。随葬品也极为丰富，出土了一大批相对完整的黑衣陶器、原始青瓷器、印纹硬陶器组合以及种类较多的铜容器、兵器、工具等。特别是兵器的形制对先秦时期越族青铜文化的研究有着重要的意义。

简报指出，该处土墩墓群中，出土黑衣陶器的墓葬对南方土墩墓起源的研究有

着重要的意义。并且，这批夏商、西周至春秋时期的土墩墓，从平地掩埋发展至浅坑并向深坑过渡，反映了西周至春秋这两个历史阶段土墩墓发展演变的基本脉络，对研究土墩墓的发展演变有着重要意义。

龙岩市

420.福建连城县姑田镇发现的古代岩画

作　者：连城县姑田镇文化站、中国社会科学院考古研究所　华钦林、严志斌等
出　处：《考古》2005 年第 2 期

福建省连城县姑田镇最近新发现 3 处古代石刻岩画，1 处位于大焦坑山顶，1 处在洋背塘拱桥边，另 1 处在小朱地。2002 年 5 月，考古人员对这三处岩画进行了多次考古调查。

简报分为：一、岩画的基本情况，二、文化性质及年代，共两个部分予以介绍，有手绘图。

简报称，岩画地点没有共存遗物，附近也没有发现相应的古文化遗址或墓葬，这给判断岩画的文化属性和年代带来了很大困难，只能推测是属于新石器时代至青铜时代的作品。

据介绍，此次在连城县姑田镇新发现的岩画，1 号地点和 2 号地点主要是中间有圆点的同心圆纹和小圆点穴。通行的解释是将其看作星相图，中间有圆点的同心圆纹被释为月亮或星辰，同心圆圈数的不同推测是表示星等的差别，单个小圆点穴有的被解释为女性生殖器，成片的小圆点穴则一般都被视为表现星辰。按一般的情况，这种岩画中还会有太阳纹。这类描绘天象的岩画在中国境内发现过多处。连城岩画除了暂未见到太阳纹之外，月亮和星辰的表现形式则大同小异。

连城姑田镇 3 号岩画地点的画面较为简单，可能是一个人的形象，不见同心圆纹和小圆点纹。但从岩画的技法、岩质以及画面侵蚀程序等综合考虑，连城姑田镇这三个地点的岩画，刻制年代应该是属于同一时期的。

421.福建汀州城址勘查

作　者：北京大学考古文博学院　王子奇
出　处：《中原文物》2014 年第 2 期

2009 年 11 月，考古人员对闽西客家地区进行了田野勘查。汀州城是该区域文献

记载较为清楚、遗迹保存相对较好的一处城址。

简报分为：一、汀州沿革概况，二、汀州城现状，三、汀州城几点讨论，四、结语，共四个部分予以介绍，有手绘图。

据介绍，该城于唐大历间迁治今地，宋治平间扩城、明末再次扩城，城市规模不断增大，城市形态和街道格局也有所改易，体现了汀州城在历史上不同时期的发展变化。

简报称，宋代汀州城外分布有大量民居、市场和部分营寨，为了解这一时期地方城市的面貌提供了重要例证。

宁德市

江西省

422.江西的汉墓与六朝墓葬

作　者：江西省文物管理委员会　程应麟等

出　处：《考古学报》1957 年第 1 期

考古人员在江西南昌市郊、遂川县天子地、清江县樟树镇南等地发掘有古代墓葬。

简报分为：一、汉墓，二、六朝墓葬，三、几点收获，共三个部分予以介绍，有照片。

据介绍，此次考古共清理汉墓 12 座，六朝墓 18 座。六朝墓中有 6 座已遭破坏。出土有陶器、铜器、铁器等。

南昌市郊出土的 1 件汉代大陶灶上，有“南昌民工都袁”六字。六朝墓中陶器逐渐为淡黄色和淡绿色透明釉半陶半瓷器替代。

423.记赣南出土的古代农具

作　者：赣州博物馆　薛　翘

出　处：《农业考古》1981 年第 1 期

近年来，赣州博物馆在赣南各地古墓葬清理和古窑址的调查中，陆续发现了一些南朝、隋唐和宋元时期的铁质农业生产工具和石质粮食加工工具。

简报分为：一、南朝铁农具，二、隋唐铁农具，三、宋元粮食加工工具，四、小结，共四个部分予以介绍。

据介绍，赣南出土的 6 件铁农具，除了 1 件是镰之外，其余 5 件全部是锸。由此可见，锸是我国古代农具中一种重要的多用起土工具，关于锸的使用年代，从已有的资料看，可能始于春秋，而铁锸则是从战国一直沿用到六朝。

简报称，今在赣南隋唐墓葬中发现了铁锸，说明这种农具到了隋唐时期还在继续使用，且将其所用年代的下限推迟了 300 多年；同时，为铁锸的断代提供了可靠的实物依据。

424.鄱阳湖地区的考古收获

作　者：许智范

出　处：《江汉考古》1986 年第 3 期

鄱阳湖位于长江中下游的南岸，其周围有宽广的湖滨平原，富有鱼稻之饶。过去一般认为鄱阳湖地区开发较晚，同文化发展较早的中原地区相比，古时这里只是一片“荒蛮之地”。但据史书记载和传说，远在夏代，鄱阳湖周围是古三苗族的重要活动地区。1981 ~ 1983 年进行的文物普查中，考古人员在鄱阳湖地区发现了不少新的遗址、遗物。

简报分为：一、遗址考古，二、墓葬考古，三、窑址考古等几个部分予以介绍，有手绘图。

据介绍，经过数年艰苦的工作，考古人员已认识到，鄱阳湖地区过去是一片“荒蛮之地”的看法是不正确的。这里是远古人类活动的遗址，有进入历史时期以后的居住遗址、墓葬地、窑址等。不少发现对研究鄱阳湖地区及研究各相应历史时期均有重大价值。

425.江西出土地券综述

作　者：陈柏泉

出　处：《考古》1987 年第 3 期

江西地区唐代以来的墓葬，经常出土一种随葬冥器——地券，特别是在宋、元两代的墓葬中，地券尤为常见。由于它的内容充满封建迷信色彩，语多荒诞，行文草率，格式又多千篇一律，所以未引起人们重视。地券多属砖质，胎松易碎；券文又多为硃书墨写，埋藏既久难免漫漶不清。因此，出土虽不少，得以保存的却不多。

据介绍，江西清理的几座唐墓随葬地券的很少，现保存的唐代地券只有石券和木券各一道。宋墓中则发现较多，在已清理的北宋与南宋时期的墓葬中，一般都有地券随葬，现保存有砖、石券计 16 道。

简报介绍说，江西发现元墓极少，已清理的几座元墓一般都有地券出土，说明风靡于宋代的习俗至元代仍盛行不衰，现保存的元代地券有砖、石券计 5 道。明墓发现地券较多，但出土地点有的已不能确指。

简报附有 8 通唐、宋、元、明各代稀有地券券文全文。

今有鲁西奇先生《中国古代买地券研究》（厦门大学出版社 2014 年版）一书，可参阅。

南昌市

426.江西进贤县李渡烧酒作坊遗址的发掘

作　者：江西省文物考古研究所　樊昌生、杨　军

出　处：《考古》2003 年第 7 期

2002 年 6 月，江西李渡酒业有限公司在其老厂（无形堂）改建生产车间时，发现古代酿酒遗迹，该公司立即报请江西省文物考古研究所进行了实地勘察。同年 7 ~ 11 月，考古人员在进行考古调查和对相关文献资料及传说加以研究的基础上，对李渡烧酒作坊遗址进行了抢救性发掘。

据介绍，李渡烧酒作坊遗址位于江西省进贤县李渡镇，现存面积约 15000 平方米。本次发掘总面积约 300 平方米。揭露和出土了一批重要的遗迹和遗物，获得重大成果。

简报分为：一、地层和年代，二、遗迹和遗物，三、酿酒工艺，四、发掘意义，共四个部分予以介绍，有手绘图。

简报称，发掘所见的地层关系和出土遗物表明，李渡烧酒作坊遗址酿造白酒的历史开始于元代，历经明、清，连续不断地发展至今。该遗址是继四川成都水井坊之后我国发现的又一处具有鲜明地方特色的古代烧酒作坊遗址，其时代较早、遗迹较全、遗物较多、延续时间较长，为研究中国白酒酿造工艺的起源和发展提供了珍贵的实物资料。

简报称，本次发掘也为真正实现用考古发掘出的酿酒现场和遗物来再现赣江、鄱阳湖流域酒文化传统进行了一次有益尝试，丰富了中国科技史和中国制酒作坊遗址专题考古的内容。

景德镇市

427.江西湖田窑址 H 区发掘简报

作　者：江西省文物考古研究所、景德镇湖田窑陈列馆　徐长青、李　放、肖发标、杨　军

出　处：《考古》2000 年第 12 期

为配合中国航空工业总公司第 602 所基本建设的需要，1999 年 7 月至 10 月，考

古人员对国家重点文物保护单位湖田窑窑址的一般性保护区域进行了抢救性发掘。

依据第602所基建的项目序列编号，此次发掘的区域定名为H区，此次发掘清理遗迹11处，获得了一批宋、元、明时期的青白瓷、卵白釉瓷、黑釉瓷及青花瓷器。

此次发掘的收获简报分为：一、地层堆积，二、遗迹，三、出土遗物，四、结语，共四个部分予以介绍，有手绘图、照片。

关于窑址的时代，据现有资料，简报推断以刻划器为主的第一期，其时代在南宋早、中期，少量器物特征可达北宋末期；以釉浊黄、胎粗松的印花芒口、折腹为特征的第二期，其时代在南宋末期；而以印龙纹的枢府瓷高足杯、碗、盘等为代表的第三期，其时代应当略晚，大致在元代早期。

简报称，元代早期枢府瓷的认识无疑是一次大发现。

428.景德镇湖田窑H区附属主干道发掘简报

作　者：江西省文物考古研究所、景德镇陶瓷历史博物馆　张文江、余江安等

出　处：《考古》2000年第12期

湖田窑遗址位于江西省景德镇市东南约4公里的竟成乡湖田村境内。有关湖田窑的记载最早见于南宋蒋祈《陶记》，明嘉靖二十一年（1542年）刊印的《江西通志》与清乾嘉之际的《南窑笔记》、蓝浦的《景德镇陶录》等文献均有记载，但都记述不详。20世纪50～60年代，故宫博物院及江西省有关单位对窑址做过调查。1959年该窑场被公布为江西省文物保护单位。

20世纪70年代景德镇市有关部门对湖田窑进行了清理与试掘，从取得的资料来看，该窑场兴烧于五代，历宋、元至明代隆庆、万历之际结束，延续烧造长达600余年。其窑址遗迹与遗物的堆积达40万平方米。1982年湖田窑被列为全国重点文物保护单位。80年代末以后，为配合基本建设，考古人员对湖田窑进行了多次抢救性发掘。1999年9～10月，考古人员再次对湖田古窑址进行抢救性考古发掘，揭示10个灰坑，出土一批窑具和瓷器标本。

简报分为：一、地层堆积与遗迹，二、出土遗物，三、结语，共三个部分，介绍了1999年的发掘情况，有彩照、手绘图。

据介绍，发掘地点位于湖田窑琵琶山南麓至龙头山北侧一带，出土各类窑具和陶瓷器总计5712件，其中完整的和可复原的达数百件。陶瓷器标本种类有白釉、青釉、青白釉、黑釉、卵白釉、龙泉青釉瓷和青花瓷器，时代自五代至明万历时期。由于上部地层被扰乱，只有属于北宋时期的底部地层和灰坑堆积较纯，简报着重介绍北宋时期的遗物，简单介绍了五代及南宋、元时期的产品。简报称，出土白釉瓷

量大质优，品类丰富。饮食用具有碗、盘、盏、碟；酒具有温碗、注壶、杯、托子、台盏；盥洗卫生用具有钵、盆、洗、渣斗、筯瓶和各式香炉；文体用具有水滴、盂、珠、象棋子、围棋子；照明用具有灯盏；寝具有各式瓷枕；有供放药材、香料和妇女化妆用品的盒子；有为善男信女烧制的观音瓷塑像等；有各种动物瓷玩具，如狗、羊、马、牛等。其中碗、盘类日用器为大宗，以刻画生动、品类多样的枕、瓷塑小动物以及制作精细的炉见长，可见湖田窑当年制瓷规模之大，深入生活面之广。简报指出，湖田窑既生产商业用的民用瓷，又生产贡于朝廷的高档瓷。

简报最后强调，此次湖田窑抢救性考古发掘，加深了人们对湖田窑的认识，为研究湖田窑和景德镇制瓷工艺史提供了一批珍贵的实物资料。

今有徐长青先生《景德镇湖田窑作品集》（湖北美术出版社 2005 年版）一书，可参阅。

萍乡市

429.江西萍乡南坑古窑调查

作　者：江西省文物工作队　陈定荣

出　处：《考古》1984 年第 3 期

萍乡市在文物普查中，发现南坑有古瓷窑址，考古队立即进行了实地考察。古窑位于萍乡市南端 18 公里南坑公社境内，自公社所在地沿南坪公路（南坑至坪村水库）东去 2 公里，即有瓷片、窑具罗列其地。多处的堆积均为古代制瓷烧窑的遗存，分布在横江两岸的山坳坡地里。东西、南北的间隔各约 2 公里。

据介绍，南坑窑主要由凤凰坡、东冲、山下、瓦子坳等七八处堆积构成，这些堆积大都依山傍水，大小不一，盛产芒口复烧青白瓷器皿。凤凰坡与山下两地还发现有青瓷，其时代均相去不远。这些堆积中以凤凰坡堆积较出名，当地称老窑下。该窑所产瓷器主要为民间日用器皿，可分青白瓷和青釉瓷。

简报推断，南坑窑应是一处始烧于南宋，兴盛于元代的瓷窑遗址。明代亦有短期烧造，但规模远不如前代。

简报称，南坑窑是一处采用复烧、叠烧及套烧等装烧工艺提高产量并用多种装饰手段来增强外观质量，以适应社会需要的民间窑场。它为我们考察赣西地区制瓷工艺与窑场概况提供了可靠的例证。

九江市

430.江西修水出土战国青铜乐器和汉代铁器

作　者：江西省文物管理委员会　薛　尧、程应麟
出　处：《考古》1965 年第 6 期

1964 年夏季，修水县上杉公社和古市公社先后发现了两件青铜乐器和一批铁生产工具。考古人员到出土地点进行调查和探掘，并将收集到的出土遗物运回南昌，现藏江西省博物馆。

简报分为：一、战国青铜乐器，二、汉代铁器，共两个部分以予以介绍，有照片、手绘图。

据介绍，青铜乐器，一为錞于，一为钟，是上杉公社樊孝义 5 月间在曾家山发现的。曾家山位于公社四联大队塘莲湾，钟套在錞于腹腔内。经探掘，未发现其他遗迹，故这两件铜器似为特意埋藏的。简报认为，青铜錞于可能造于战国初期。同出的钟也可能为同期之物。

简报称，修水为古艾侯国地，青铜乐器的出土地点曾家山，距渣津龙冈坪古艾城遗址西10 公里。春秋战国时南方诸国战争频繁。錞于和钟这两件青铜乐器的出土，既不属于墓葬，又无任何遗迹，可能为当时争战的一方军旅作为军乐使用所留下的遗物。

汉代铁器 27 件，有农具、工具、车器和其他日用器皿等四类。与铁器一起出土的还有青铜釜一件和“大布黄千”24 枚，均为 6 月中旬古市公社村民在横山发现的。横山位于公社樟段大队垅上村的南边，为一高出地面约 5 米许的条形山岗。这批器皿出土时，先发现大铁釜，其他器物均放在釜内，铜布币在釜内底部，上置小铜釜，其他铁生产工具，均安放整齐。经发掘，再未发现其他遗物。铁农具 19 件，可分为铲、锄、臿、䦆等四种。铁工具 2 件，铁兵器 5 件，釜、锅各 1 件。与莽币“大布黄千”同出，故这批铁生产工具当为新莽时期淮平郡所铸造的。

简报推测说，江西在西汉时为豫章郡，新莽时曾复名九江郡，距淮平郡置铁官的堂邑（今江苏六合县北）较近，修水位于江西北部，这批铁器或许是当时从江北运来的。

431.江西瑞昌范镇、高丰发现窖藏铜币

作　者：瑞昌县文化馆　刘礼纯

出　处：《考古》1985 年第 11 期

1982 年 8 月，瑞昌县范镇公社村民在建房取土时，发现窖藏铜币一处，共 34 枚，分别装在两只高 13 厘米、口径 5 厘米的陶罐内。其中有东汉“五铢”钱一枚、唐代“开元通宝”3 枚、北宋“至道元宝”3 枚、“咸平元宝”1 枚、“景德元宝”4 枚、“祥符元宝”3 枚、“天禧通宝”5 枚、“天圣元宝”1 枚、“景祐元宝”2 枚、“元祐通宝”6 枚、南宋“皇宋通宝”5 枚。

1983 年4 月，范镇公社长春大队一百姓在山坡放牛，发现一小洞口前暴露出几枚铜钱，尔后用锄头去掘，共出土唐代铜币130 枚。这批铜钱装在一只高8.5 厘米、口径10 厘米的白银碗中，包括“开元通宝”110 枚、“乾元重宝”20 枚。

1981 年 3 月，高丰公社双丰大队一百姓在打猪栏基时，发现一处窖藏钱币。这批钱币，分别装在两只红陶坛内（坛已打破），陶坛埋在距地表 1.2 米深处，两坛钱币共重 115 公斤。铜币大小厚薄不一，包括北宋、南宋两个朝代，以北宋为多。其中有北宋时期的“至道元宝”“天禧通宝”“天圣元宝”“景福元宝”“元丰通宝”“元祐通宝”“圣宋元宝”“崇宁通宝”，以及南宋时期背面铸一“八”字的“淳祐元宝”等。

简报称，以上这两地出土的窖藏铜钱，为研究我国古代货币的流动及历代制钱状况提供了实物资料，简报配有拓片。

432.江西九江神墩遗址发掘简报

作　者：江西省文物工作队、九江市博物馆　李家和、刘诗中、曹柯平

出　处：《江汉考古》1987 年第 4 期

神墩遗址，是 20 世纪 80 年代初在文物普查中发现的。遗址位于九江县城（沙河街）西北 16 公里的新合乡境内，大（湖北大冶）沙（江西沙河街）铁路自西向东穿过遗址的北部。遗址呈土墩状，顶面平整，高出周围 5 ～ 10 米，面积共 2.5 万余平方米。1984 年、1985 年，为配合铁路建设，考古人员进行了两次抢救性发掘。发掘面积 900 平方米，出土了新石器时代晚期墓葬、商代和西周水井等遗迹，以及各时期文化遗物，复原器物 400 余件。

简报分为：一、地层堆积和文化分期，二、遗迹，三、出土遗物，四、结语，共四个部分，有照片、拓片、手绘图。

据介绍，神墩遗址包含有周代、商代和新石器时代晚期等三个时期的文化，是

当时江西省仅有的一处。据出土遗物判定，楚文化之来江西，不是像过去所说的那样晚，而是始于商末周初之时。吴越文化与楚文化之接触点，大概是在赣江中下游和鄱阳湖地区。在商代，江西境内有两支同时并行发展的青铜文化。经过十多年来的调查和发掘，各种资料表明，前者是本地的土著文化，后者则是商文化的一支南来后与本地文化相融合的产物。此次发掘再次有力地证实了这一点。

新余市

433.江西新余市渝水区古文化遗址调查

作　者：江西新余市博物馆

出　处：《考古与文物》1989 年第 4 期

1982 ～1983 年，考古人员对新余市渝水区古文化遗址进行了调查。其中有新石器时代遗址3 处、商代遗址4 处、春秋战国遗址2 处等。简报均予以介绍，有表格。

434.江西新余市拾年山遗址

作　者：江西省文物考古研究所、厦门大学人类学系、新余市博物馆　刘诗中、李家和等

出　处：《考古学报》1991 年第 3 期

拾年山遗址位于新余市北郊约 20 公里的水北乡拾年村东。新余市在江西中部，东界清江、新干二县，南连峡江、吉安县，西接分宜县，北邻上高、高安县。遗址附近地表及断崖处可见古代石器、陶器等文化遗物。1985 年夏季，新余市文物普查队发现该遗址。同年秋季，确认此遗址以新石器时代遗存为主，上部还有少量商周文化遗存。1986 年进行了首次发掘，1987 年进行了第二次发掘。

简报分为：一、地层堆积，二、新石器时代文化遗存，三、商周文化遗存，四、结语，共四个部分予以介绍，有照片、手绘图。

简报指出，拾年山遗址是20 世纪80 年代江西省发掘的一处重要史前遗存，其丰富的文化内涵，揭示出分布在江西省鄱阳湖流域史前遗存的文化面貌。拾年山新石器时代文化在发展过程中，由早期至晚期，受到大溪文化、马家浜文化、薛家岗文化和石峡文化的影响。但这一遗存具有强烈的自身特点。石器较发达，多通体磨

光，对钻穿孔准确，穿孔的器形就有流星、钺、刀、铲及琮、环、坠等。农业生产中大量使用镬、有段锛、弓背锛等工具，这些器形颇具地方特色，适用于南方黏性红壤土开掘。渔猎工具也较发达，有穿孔器、流星、矛和多种形式的镞，亚腰形网坠也颇有地方特色。陶器中的施衣磨光陶最具代表性。埋葬习俗特点明显，有圹穴、无圹穴同时并存，发现的墓葬均为二次葬，大部分墓在黑色灰烬土中只见骨渣。从墓圹小、烧烤壁底、下部填有数十厘米厚的夹炭灰烬土等迹象看，这应是一种拾骨火葬习俗。房址平面为圆形，墙体为木骨泥墙，房屋营造方法与其他地方大致相同。不同的是房基垫有烧土层，柱洞壁经火烧烤，掘大柱洞，木柱周围充填烧土。

拾年山商周文化遗存不甚丰富，遗物包括有商、西周、春秋三个时代的器皿。

鹰潭市

赣州市

435.江西赣州通天岩石窟调查

作　者：张　总、夏金瑞

出　处：《文物》1993 年第 2 期

赣州市位于江西南部，其地当大庾岭南北交通干道，南抚百越，北望中州，据五岭之要，扼赣闽粤湘之要冲，地理位置十分重要。通天岩石窟位于赣州市西北约 12 公里处，是我国东南沿海一带仅有的一处佛教石窟。1988 年由国务院公布为第三批全国重点文物保护单位。通天岩风景秀丽，林木苍郁，不仅有佛教摩崖造像，而且有历代文人墨客题咏的摩崖石刻，皆具相当的历史与艺术价值。

简报分为：一、造像概况，二、题刻概况，三、结语，共三个部分，配以照片、拓片、手绘图，介绍了这次调查情况。

据介绍，关于通天岩的情况，邵启贤曾在《赣石录》中辑录了通天岩的题刻，20 世纪 50 年代和 60 年代亦有简要报道。通天岩的石刻造像分布在忘归岩、观心岩、龙虎岩、通天岩、翠微岩 5 处。现存造像龛窟共计 315 处，造像约 359 躯，历代题刻 128 品。造像始于晚唐五代，迄于宋，题刻起自北宋，延至民国。通天岩造像均为浅龛，多为圆拱形。题材有罗汉、菩萨、毗卢遮那佛、燃灯佛等。以北宋僧人明鉴劝募的一组罗汉造像水平最高，而以毗卢遮那佛为中心，众多罗汉拱卫的一组造像规模最大，气势宏伟。

简报介绍说，由于古今交通道路不同，古人游通天岩之路线与今人相反，先至阳孝本结庐处，历翠微、通天、龙虎、忘归诸岩而返。通天岩造像宋代后已无作品，但题刻却出现并保存了许多佳作，其中尤以名哲王阳明的讲学题诗及官宦文人的吟诵题唱为佳，成为通天岩石窟中一个显著特色。

436.江西赣州窑址调查

作　者：赣州市博物馆　张嗣介

出　处：《考古》1993年第8期

赣州窑位于赣州市东郊的七里镇，俗称“七里窑”，是唐宋时期江西的四大名窑之一，也是赣南最大的一处古瓷窑址。瓷片、匣钵俯首可拾。1984年考古人员曾对赣州窑址作了一次简单的调查，但调查报告仅介绍了该窑的青白釉瓷、白釉瓷、黑釉瓷和褐釉瓷产品，未提及该窑最早烧造的青釉瓷。20世纪90年代初，在对赣州窑的调查、清理中发现了大量青釉瓷，这些青釉瓷主要出土于杨屋岭堆积、梧桐崃堆积、赖家岭堆积、郭家岭堆积、湖头塘遗址5个地点。

简报分为“出土经过”“典型器物”“烧制工艺”“结语”等几个部分予以介绍，有照片。

据介绍，20世纪30年代末蒋经国在七里镇兴办麻袋厂时，将当地人称“郭家岭”的瓷片堆积堆平。此后20世纪七八十年代，在这一带发现不少标本。从遗存看，青釉瓷的烧造采用龙窑烧造，从赖家岭的废窑看来其规模似不大，砌筑也较简陋，有的窑壁甚至用废垫柱砌筑。装饰上多素面，重视对整个器形的艺术造型。少数局部性表面装饰也系简单刻划，风格非常古朴。

简报认为，赣州窑青釉瓷应始烧于唐代后期，但此时质量较差。五代时青釉瓷产品质量普遍提高，此时赣州窑已烧造出青白瓷。北宋始，赣州窑青白瓷、白瓷产量增多，青釉瓷退居次要地位。北宋中期青釉瓷便已经完全为青白釉瓷和白釉瓷所代替。

简报指出，唐代后期藩镇割据社会战乱，生产力遭到严重的破坏。赣州地处江西南部，战乱很少，偏安一隅，基本上处于和平状态。特别是五代，从梁贞明四年(918年）算起到北宋初曹彬平江南赣州归宋的57年时间里，除受到广东农民起义军短暂的一次侵扰外，基本处于和平环境。这种安定环境为赣州窑瓷器生产的发展创造了有利条件。

吉安市

437.江西吉州窑遗址发掘简报

作　者：江西省文物工作队、吉安县文物办公室　余家栋、陈定荣
出　处：《考古》1982 年第 5 期

吉州窑遗址位于江西省吉安东南 8 公里，在吉安县永和公社永和镇西侧，镇东濒临赣江，窑址沿江长达 2 公里。一个个窑址堆积犹如小山丘，瓷片、窑具俯拾皆是。各窑场之间和古镇上还残存着用匣钵和窑砖铺砌的一条条长街古道。宋代所建的“本觉寺塔”仍然屹立在群窑之中。这一切都反映出宋代吉州窑的繁荣景象。如今吉州窑址已成为省级重点文物保护单位。

考古人员于 1980 年 10 月至 1981 年 12 月对吉州窑进行了考古调查和首次发掘。调查了 24 处窑址堆积，发掘一条窑床和一处作坊遗址。发掘面积约 1290 平方米，得到历代各种遗物 4500 余件。简报分为五个部分予以介绍，有照片、拓片。

据介绍，吉州窑遗址东西长约 2 公里，南北宽 1.5 公里，这个范围即是古东昌县所在地。这个地区的对面为青原山鸡冈岭，上面有丰富的瓷土和燃料资源。古镇东侧濒临赣江，上溯赣州，下达南昌。这种优越的自然条件为发展吉州窑的烧瓷业和产品外销提供了有利条件。五代时这里已“民聚其地，耕且陶焉”，宋代景德年间（1004 ~ 1007 年）形成镇市。元代以后吉州窑逐渐衰退。此次调查统计吉州窑址共有 24 处堆积，窑址总面积为 8 万多平方米，其中最大窑岭堆积高达 21 米，面积 9000 多平方米。

简报称，吉州窑是江南地区 1 座有名的综合性瓷窑，具有浓厚的地方风格与民族艺术色彩。所烧瓷器种类繁多，釉色较全，纹饰更精美生动，丰富多彩，具有景德镇窑、磁州窑、耀州窑、建窑和定窑等窑系特点，在中国陶瓷史上诚可谓独树一帜，占有十分重要的地位。尹家山出土的各种玩具和印有“舒家记”款识枕底，说明文献记载中长期探寻的“舒翁窑”就是现今尹家山岭堆积一带地区。“舒家记”与“陈家造”和“元祖郭家大枕记号”似即是宋代昔日的“五窑”之一。

简报指出，吉州窑的首次发掘，为研究中国陶瓷史和瓷城永和镇的历史提供了一批丰富的新资料，初步弄清了吉州窑的一些悬而未决的问题。

今有文物出版社 2020 年版《吉简吉美——吉州窑遗址出土瓷器集萃》一书，可参阅。

438.江西省吉安县发现吉州窑瓷器

作　者：王吉允

出　处：《考古》1991 年第 10 期

吉州窑是座举世闻名的综合性瓷窑。它以精湛的技艺，烧造出品种繁多、丰富多彩又别具一格的瓷器而名扬四海，在我国陶瓷史上独树一帜，占有十分重要的地位。简报配以照片，介绍了几件有明确出土地点的吉州窑瓷器。包括 1983 年吉州窑遗址出土元代青花瓷罐 1 件，有铭文；元代彩绘梅瓶 1 件；1980 年吉州窑遗址出土南宋至元盏 1 件，以及瓷亭、熏蒸罐、土童俑、龟骑牛俑、猴俑等。

439.江西吉安地区唐至明代窑址调查

作　者：王吉允

出　处：《考古》1991 年第 11 期

吉安地区位于江西中部，地跨赣江两岸，境内以平原和丘陵为主。在全区文物普查工作中，先后发现和复查了一批唐、宋、元、明、清的古窑遗址。简报配以手绘图予以介绍。

据介绍，吉安地区的古窑址，多坐落在赣江及其支流的两岸。此次普查窑址共 32 处，包括唐至晚唐的新干县塔下窑址 1 处，晚唐至元代末期的吉安县吉州窑址 24 处，宋代的峡江县刘家窑址 1 处，南宋至元代的永丰县山口窑址 1 处，唐至宋代的万安县窑头陶窑址 5 处。其主要产品为民间日用器皿和窑具。除烧青釉瓷外，还烧乳白釉、青白釉、绿釉、黄釉、蓝釉、黑釉、彩绘、剪纸、剔花、木叶纹、雕塑瓷和陶器。器形有碗、盏、盅、碟、杯、瓶、壶、盆、罐、钵、盘、枕、炉、盒和玩具等。简报重点介绍了位于圹头乡塔下村西南约 0.5 公里的塔下窑。塔下窑出土的青瓷，从器形、胎质、釉色来看应是唐至五代的作品，它与江西省内外不少唐窑和唐墓出土的青瓷标本有相似之处。简报认为塔下窑是唐至五代时期一处规模较小的民间瓷窑。

440.江西吉安市临江窑遗址

作　者：江西省文物考古研究所、吉安地区文物研究所、吉安市博物馆　余家栋、王上海、张文江、杨　军、肖发标、余江安等

出　处：《考古学报》1995 年第 2 期

临江窑遗址位于吉安市天玉乡天玉山西麓，与吉水县交界处（1984 年以前为临江

乡）。临江窑与吉州永和窑一样，濒临赣江东岸，位于临江村的簸箕岭坡地上，与南麓著名的瓷土产地青原山鸡冈岭毗连，两地相距约15公里。由于早年开荒造田，有的窑床和作坊遗迹均被淹盖在水田里。窑址附近遍布大小水塘，瓷片和匣钵到处可见。1990年9月～1991年4月和1991年10月～1992年1月，为配合京九线向（圹）吉（安）段铁路基建工程，考古人员在铁路路基中心线内，对窑址进行了两次抢救性考古发掘，发现制瓷作坊1处，马蹄形窑2座，出土各种窑具、工具、瓷器1.6万余件。

简报分为：一、地层堆积，二、制瓷作坊与窑床遗迹，三、出土遗物和结语，共四个部分予以介绍，有照片、手绘图。

简报指出，出土的资料证明，临江窑是一处新发现的吉州窑系的大窑场，而吉州窑是江南地区有名的综合性瓷窑。它善于博采众长，从瓷器品种、釉色、纹饰到装烧，融南、北方名窑为一体，品种丰富，釉色齐全，纹饰精美，各种釉瓷可谓一应俱全，在中国陶瓷史上独树一帜，占有十分重要的地位。此次新发现的马蹄形窑炉，规模宏大且保存较好的作坊遗址，以及一大批仿龙泉瓷和青花瓷的出土，不仅大大丰富和充实了中国古代陶瓷烧造史，更填补了史书的阙遗。具体来说，有以下几点：

其一，临江窑在吉州窑系中，是迄今仅见的仿烧青花瓷的窑场。出土的青花瓷数量仅次于青灰釉瓷，可与景德镇民窑青花瓷相媲美。纹饰有人物、花鸟、虫鱼、缠枝莲荷、海水奔马、博古图、松竹梅、梵文等。画风朴实，运笔酣畅有力，不拘泥于形式，大胆挥洒，富有浓厚的民间生活气息。

其二，吉州窑是否仿烧过龙泉釉瓷，这一问题一直未能解决。这次临江窑出土的大批仿龙泉瓷，不仅将烧造的年代提前到元代，并印证文献“碎器仿于元”的记载，而且找到《陶录》记载的“吉州分窑”，似即新发现的临江窑。同时，解决了长期以来江西元、明古墓出土仿龙泉瓷的窑口问题。

其三，作坊布局严谨，砌造精细，各项设施能充分利用自然条件，由高到低连成一体。从瓷土釉料的臼碾、淘洗、陈腐、练泥、拉坯、成型到入窑装烧，各道工序布局合理，工艺流程规范。各种遗迹保存较好，可再现制瓷作业的全过程，它比现今发现的杭州官窑、耀州铜官窑作坊遗迹更胜一筹，比任何文献记载都更直观地展示了中国古代制瓷工艺。

第四，马蹄形窑床在吉州窑系中系首次发现，这类窑床是战国时期我国北方地区流行的一种窑式。火自火膛先升至窑顶，再转向窑底，使瓷坯烧熟，烟气经烟孔由竖烟道排出窑外。主要特点是火膛与窑室合为一个馒头形空间，平面呈马蹄形。此次发现的两座窑炉当建于北宋时期，一直沿用至明代。

至于临江窑各类瓷器的烧造年代，大致可分五个时期。五代时期，仅烧造乳白釉瓷。北宋时期，乳白釉瓷有新的发展；新研烧的黑釉瓷成为临江窑的代表性作品，其形制、釉色、胎质与纹饰与吉州永和窑几乎相同；青白釉瓷仿景德镇窑风格，纹样装饰相近，这几种釉瓷一直沿烧至元代。南宋时期，新烧制白地彩绘瓷和绿釉瓷，风格与吉州永和窑极相似，到元代更加提高。元代，临江窑处于兴盛发展阶段，新烧制的有仿龙泉豆青釉瓷、青灰釉瓷和酱釉瓷等，其中豆青瓷与青灰瓷一直到明代仍盛烧不衰，成为临江窑产量最大的品种。明初，成功地仿烧出青花瓷和难度较大的白釉瓷，其中青花瓷品种之多、纹饰之繁，证实它是临江窑晚期最具代表性的瓷器。从青花瓷的造型、纹饰、款识和烧造工艺特征推断，其烧造包括明宣德、景泰、天顺、弘治、正德、嘉靖、隆庆、万历、天启和崇祯等各时期，其中以明中、晚期为多。据此分析，临江窑的始烧时间当为五代至北宋，它的终烧时间为明代晚期。

宜春市

441.江西清江县马家寨遗址调查

作　者：陈柏泉

出　处：《考古》1959年第12期

1959年7月，考古人员在清江县经楼圩东南约1公里的马家寨，发现有高出地面4～5米的三座土城。

据介绍，最北边的一座土城保存最完整，有内外两层城墙，内外城墙之间有宽约7米的残沟，内城高于外城。外城东西宽约60米，南北长约100米。内城东西为30米，南北为60米。在此土城南约100米，为第二土城，再往南50多米，为第三土城。当地人传说，古时曾有一马姓寨主曾驻兵于此。从出土遗物看，应属新石器时代，但简报未提距今多少年，故土城的性质尚难确定。

442.江西清江营盘里遗址发掘报告

作　者：江西省文物管理委员会　杨厚礼、程应麟、贺子华、胡义慈、刘　玲

出　处：《考古》1962年第4期

营盘里遗址位于江西清江县（即樟树镇）南郊约4公里的岗上。营盘里遗址共有4处，每处上面都有土城墙和土埂，岗的东面内坡上为横山墈遗址。这五处遗址是1949年和1952年先后发现的。1965年10～11月间，考古人员在这里作过发掘，工作了约45天。

简报分为：一、发掘与文化堆积，二、遗址，三、文化遗物，四、结语，共四个部分予以介绍，有手绘图、照片、拓片。

据介绍，营盘里和横山嵧遗址的发掘，以第一、三土城揭露的面积较多，出土遗物也极为丰富。由于复原的器物不多，而地层也受到后期扰乱或只有堆积现象，就某些遗物的残部观察，下层粗砂陶中伴出鼎足较多，而某些器形如镂孔豆柄、多弦纹豆柄，以及某些把手等，都为长江流域新石器时代晚期遗址常见的，故下层应为新石器时代末期遗存。就已经复原的某些陶器观察，有与中原商殷遗物的形制近似的地方。而早期的鬲足，又多属实心鬲足鬲。这些都表明遗址的文化，有的已相当于中原商殷时期或稍晚。另一部分遗物，也表现了晚期的特征，如矮足低裆鬲和大量的印纹硬陶等，这些都是属于战国时期的器物特点。出土的小件铜器，多属表层附近，而铜镞又表现为战国时期的，因而遗址的下限年代，简报推断可到战国前后。

简报称，营盘里出土的扁管状足，为其他遗址所少见，而扁平和丁字形鼎足，营盘里则很少或不见。陶网坠比较集中于第一土城出土。这些情况表明清江遗址群的文化特点是颇为复杂的。

443.清江筑卫城遗址发掘简报

作　者：江西省博物馆、北京大学历史系考古专业、清江县博物馆　李仰松、余家栋

出　处：《考古》1975 年第 6 期

考古人员于 1974 年 9 月下旬至 10 月底，对筑卫城遗址进行了发掘。简报分为四个部分予以介绍，有拓片、照片。

据介绍，筑卫城遗址发现于 1947 年。遗址位于清江县大桥公社东南约 3 公里的土岗上，距赣江约 9 公里，因遗址上筑有一座拱卫土城而得名。遗址东西宽 410 米，南北长 360 米。由于雨水冲刷，遗址东北面已成低凹地。现今土城墙有六个缺口可以进出。土城墙现存有二：西面高约 17 米，基宽 14 米左右；东面高约 8 米，基宽 16 米左右。遗址中部偏西南有一条沟宽 38 米，深约 13 米，把遗址分为东西两部分。遗址下层应属新石器时代晚期良渚文化。上层有商周时代遗物。

简报称，对“印纹陶文化”的概念，似乎可以这样认识：印纹软陶，最早出现于新石器时代晚期；而印纹硬陶，据目前资料，在新石器时代晚期未曾发现。而根据吴城商代遗址的发掘资料，印纹硬陶至少在商代中期即已开始出现。这对于印纹陶文化的断代研究，是值得珍视的新资料。

444.江西宜丰县太平岗遗址调查

作　者：宜春地区文化局　黄颐寿
出　处：《考古》1983 年第 12 期

1981 年冬，文物普查中发现宜丰太平岗遗址面积较大、保存较好、堆积较厚、遗物较多。

简报分为：一、遗址位置与地层，二、文化遗物，三、初步认识，共三个部分予以介绍，有手绘图、拓片。

据介绍，太平岗遗址位于宜丰县城东北 40.5 公里的同安公社同安大队，是一丘陵高地，其东西两侧稻田中有北河、田坟溪水至同安合流，注入棠浦河。遗址高出稻田约 10 ~ 20 米，东西宽 500 米，南北长 800 米，总面积约 40 万平方米。地表散见有石器、陶片，还发现了 11 片原始青瓷。简报认为该遗址遗存可分早、晚两期。早期属新石器时期遗存，晚期属商周文化。简报称，太平岗遗址的发现，填补了赣西北新石器时代至商周时代考古的空白，同时为探讨宜春地区与长江中游、广东北部古文化之间的关系提供了线索。

445.江西靖安、奉新的古瓷窑

作　者：陈定荣
出　处：《考古》1986 年第 4 期

江西是我国的产瓷名省，古瓷窑遍布赣东北、赣中和赣南等广大地区。随着文物普查工作的进展，在赣西北地区也发现了古瓷窑。考古人员对靖安与奉新两县毗邻地区的两处古瓷窑作了实地考察。简报分为三个部分予以介绍，有手绘图等。

简报称，靖安丫髻山与奉新窑场里相距只三四公里，应属一个地区，器物的形制质量多有相似之处，生产瓷器的时代也不相上下，均为元代兴盛、明代衰落的窑口，主要产品为民间日用瓷。

简报称，作为瓷业基地，当地有得天独厚的瓷土和柴薪资源。但是这里地处山区，道途坎坷，交通极为不便。虽有较大的溪流过境，却因坡陡、流急，巉岩突兀，不宜行舟，瓷器的运输都凭人担畜驮，在古代极为困难，这也是瓷窑停业的重要原因之一。

446.清江樊城堆遗址发掘简报

作　者：江西省文物工作队、清江县博物馆、中山大学考古专业
出　处：《考古与文物》1989 年第 2 期

该遗址 1977 年发现，1977 ~ 1978 年进行了三次发掘。简报主要介绍了二、三

次发掘的情况，发现有灰坑、陶窑、墓葬，出土石器、陶器、铜器等遗物。简报认为，此处应为从新石器时代晚期至商周时期当地一支土著的遗存。同刊同期有《樊城堆文化初论——谈江西新石器时代晚期文化》一文，可参阅。

447.樟树吴城遗址第七次发掘简报

作　者：江西省文物考古研究所、中山大学人类学系、樟树市博物馆　周广明、曾　骐、刘　林等

出　处：《文物》1993 年第 7 期

江西省樟树市山前乡吴城遗址自1973 年以来，已进行过6 次较大规模的发掘，获取了大量实物资料，揭露了较为丰富的遗迹现象，尤其是吴城三期文化的确立，为江西青铜文化的分期提供了断代依据。1992 年9 ～11 月，考古人员对吴城遗址进行第7 次发掘。

简报分为：一、地层堆积，二、商代文化遗存，三、宋代文化遗存，四、结语，共四个部分予以介绍，有照片、拓片、手绘图。

据介绍，此次发掘的商代遗存中最重要的发现是衔接通道的大路、红土台地南缘的阶梯踏步、红土台座、建筑基址、柱洞等遗迹所组成的宗教祭祀场所。红土台地的位置处于遗址的中轴线上，应属于城内祭礼，即“内祀”，包括宗庙、社稷等。长达百米的道路被分为两种规格，祭祀区域的划分，反映了严密的等级制度，这一遗迹的初步揭露与确认，给南方商代考古增添了新的宝贵资料。吴城遗址现存面积近2.5 平方公里，附近还发现不少与吴城文化同一类型的商代遗址，而离此不远的新干大墓更加证实了吴城遗址的重要性。综合吴城遗址7 次发掘的材料，基本可以肯定吴城遗址是当时殷王朝的一个方国都城所在地。

简报称，此次发掘的宋代遗存的主要收获是：宋代作坊遗迹的发现，说明吴城遗址不仅是单纯的商代遗址，并证明《双井吴城黄氏四修族谱》中记载的关于北宋治平年间由南昌府分宁双井徙民于此，确属史实。

448.江西高安市华林造纸作坊遗址发掘简报

作　者：江西省文物考古研究所、高安市博物馆　王意乐、刘金成、肖发标等

出　处：《考古》2010 年第 8 期

华林造纸作坊遗址位于江西高安市华林风景名胜区管委会东溪行政村的周岭自然村，东南距高安市城区70 公里，东北距奉新县城50 公里。华林山位于九岭山脉东

南，为高安与奉新的界山，主峰海拔816.2米，面积约10平方公里。周岭村位于华林山东南面的半山腰，距主峰华林寨不到2公里，包括老居、新居、若坪3个自然村，地域约0.5平方公里。这里气候适宜毛竹的生长，漫山遍野都是竹林。周岭村周围有四条水溪环绕，溪水落差大，水力资源丰富，为周岭村发展以水碓为动力、以毛竹为原料的造纸手工业提供了良好自然条件。2005年江西省开展第三次全省文物普查时，在周岭村的山间田地里发现16座水碓遗址。2007年9～10月，考古人员对华林遗址开展了第一期考古发掘。2009年10～12月，又开展了第二期考古发掘工作。华林造纸作坊遗址的发掘工作共分两部分：一是对周岭村福纸庙作坊遗址进行发掘，二是对周岭村石脑头溪两岸的7座水碓遗址和西溪村西溪两岸的7座水碓遗址进行清理。

简报分为：一、福纸庙作坊遗址的发掘，二、水碓遗址的发掘，三、出土遗物，四、结语，共四个部分予以介绍，有彩照、手绘图。

据介绍，华林造纸作坊遗址是首次经过科学发掘的造纸遗存，也是目前我国发现的时代最早、延续生产时间最长的造纸遗址。据文献记载，用竹造纸虽始于晚唐，但真正的发展却在南宋。华林造纸作坊遗址的时代可以早到南宋，并发现了宋、元、明三个时代的造纸作坊遗迹。沤竹麻塘由南宋的长方形土坑发展到元代的石砌圆形水塘，再到明代的石砌上游漂水塘与下游腌竹塘，可看到技术的改进。这对研究我国造竹纸技术发展史具有重要价值。

简报指出，华林造纸作坊遗址是目前我国发现遗迹最多、最全的造纸遗址。发掘出土了各类与造纸相关的遗迹28个和水碓遗址14座。福纸庙作坊发掘区揭示出的沤竹麻塘、接水管、排水沟、储水坑、蒸煮竹麻留下的大片红烧土、堆石灰留下的粗砂土、烧灰碱的灰坑、拌灰与发酵的工作台、清塘形成的尾砂坑，以及抄纸房遗迹和附近的水碓遗迹，反映了从伐竹到沤料、煮料、腌料、舂料、配药制浆直至抄造成纸的一整套制纸流程，可完整再现明代宋应星所著《天工开物》中“造竹纸”的情况。

简报称，从造纸工艺来看，此次发掘资料完整地保留和记录了宋、元、明时期造纸的技术手段和各项技术资料，成为中国造纸技术史的一个组成部分。遗迹的选址布局和堤堰、引水渠等修建方式，反映了人们利用水力资源的意识和方法，水碓等代表了古代机械制造的水平。

另外，福纸庙明代造纸遗迹布局科学、规范，沤竹麻坑与晒料拌灰的工作台用砖石砌筑，与一般民间简陋的造纸作坊有所不同。据文献记载，当地应有生产“贡纸”的造纸官局。遗址年代与文献所记相符，这为建筑明代西山造纸官局的造纸作坊提供了重要线索。

449.江西铜鼓平顶垴遗址发掘简报

作　者：江西省文物考古、铜鼓县秋收起义纪念馆　饶华松、徐长青、张淑英

出　处：《文物》2012 年第 6 期

平顶垴遗址位于江西省铜鼓县温泉镇金星村刘庄南约 100 米的平顶垴上，是一处坡状台地类型遗址，面积约 8000 平方米。为配合昌铜（南昌—铜鼓）高速公路的建设，2010 年 8 ～ 10 月，考古人员对此遗址进行了考古发掘。

发掘情况简报分为：一、新石器时代文化遗存，二、商周时期文化遗存，三、结语，共三个部分予以介绍，有手绘图、拓片。

据介绍，此次发掘面积1350 平方米，发现房址7 座、灰坑51 个、灰沟1 条及窑址2 座，出土遗物200 余件。从有限的地层、遗迹关系以及出土遗物分析，平顶垴遗址主要包含新石器时代和商周时期堆积，是江西一处重要的先秦时期遗址。

简报称，此次发现，对研究江西先秦时期聚落形态和手工业制作技术具有较重要的意义。

抚州市

450.江西南丰白舍窑调查纪实

作　者：江西省文物工作队、南丰县文化馆　陈定荣

出　处：《考古》1985 年第 3 期

南丰白舍窑以出产青白瓷闻名于世，产品胎釉细腻，制作精巧，窑场广阔，堆积丰富，是江西的一处出色古瓷窑，因其地处南丰县，亦称“南丰窑”。

简报分为：一、概况，二、出土器物，三、制瓷年代，四、制瓷技术，五、结语，共五个部分予以介绍，有拓片、照片。

据介绍，白舍窑坐落在南丰县南 27 公里的白舍镇，白舍镇南侧江边有 1 处古桥基埠头，是古代瓷器的集散地。白舍窑现存堆积 30 处，其中完整的有 18 处。这些堆积中除 1 处青花瓷和 1 处缸钵器外，其余为青白瓷或白瓷。青白瓷是古代窑工为仿玉器的外观色泽而发明的，故称“假玉器”。白舍窑是主烧青白瓷的窑口，产品制作规整，胎釉细腻，在成形、装饰、施釉、装烧等方面都各具特色。简报推断，白舍古窑是 1 处始烧于北宋初年或稍早，兴盛于宋代中叶，衰落于南宋中晚期的窑场。晚清有过一度小型烧造。

简报指出，有些文献称，元代南丰窑“器多青花”。据实地调查结果，至今没有发现元代青花瓷片，也没有发现典型的元代烧瓷遗存。

451.江西乐安出土汉晋铜钱

作　者：黄爱宗、梁惠民

出　处：《四川文物》1992 年第 2 期

1988 年 9 月，万坊乡农民在搭坑烧窑，取土做砖坯时，在距地表约 1.4 米深处发现一个四系陶罐（陶罐原有盖子，出土时被砸破），罐里装满铜钱，保存良好，无一枚锈蚀，钱文清晰可辨。简报配以拓片予以介绍。

据介绍，这批铜钱有汉代半两钱 8 枚、五铢钱 672 枚、新莽钱 11 枚等。其中，磨郭、剪轮、私铸五铢钱占到 76.7%，而正规五铢钱仅占 20.2%。这批钱币的出土为研究汉、晋时期货币史，提供了新的实物资料。

乐安出土窖藏汉晋钱币，还可参见《江西乐安县池头村窖藏汉晋钱币》一文，载《考古》1996 年第 3 期。

上饶市

452.江西波阳王家咀遗址调查简报

作　者：江西省文物管理委员会　应　麟、义　慈、子　华

出　处：《考古》1962 年第 4 期

1961 年 4 月，考古人员在江西波阳双港公社的宜黄王家咀发现了一处古文化遗址。简报分为：地理环境、地面及地层情况、遗物、结语，共四个部分，有照片。

据介绍，宜黄（俗称坭坊）位于波阳县西北方，距县城约 25 公里，系一湖泽地带，紧靠波阳湖东岸，三面环水，东临西山，地属波阳县双港人民公社。此次采集的 172 件石器全部为磨制，分别采用火山岩、石灰岩、板岩和石英等不同石料加工成器。波阳宜黄王家咀遗址地面上所暴露的遗物异常丰富，也较集中。采集的石器以石锛最多，而以有段锛为主。就陶器而言，印纹陶是该遗址主要的遗存，灰陶多于红陶，夹砂多于泥质。表面纹饰以米字纹及方格纹居多。夹砂红陶鼎足占的比例最大，式样多种，大部分与清江营盘里遗址所出土器足式样相似，不同于其他遗址的是以鬼脸式器足为最多，同时有蹄形足出现。

就采集的陶片看来，这个遗址的文化遗存大体上可以早到新石器时代晚期，鼎足的多型是其特点。另外印纹硬陶又是晚到春秋战国时期的遗物。简报认为王家咀遗址有先后不同时代的堆积。

453.江西铅山县发现几处古瓷窑址

作　者：铅山县博物馆　王立斌

出　处：《考古》1986 年第 11 期

江西省铅山县河口镇位于江西省东北部，古时为闽、浙、赣三省经济贸易集散地，是江西四大古镇之一。近在文物普查中新发现几处古瓷窑址，简报配以手绘图予以介绍。

据介绍，这几处古瓷窑为：

一、苋鸡蓬窑。苋鸡蓬窑位于铅山县傍罗乡古埠徐姓村庄南面约 100 米处的台地上。台地傍靠信江，地势北高南低，窑址即分布在平缓的斜坡地带。窑址面积达 500 平方米，此处至今还有较丰富的瓷土。遗物具有两晋、南朝风格。

二、江村窑。该窑址位于鹅湖乡江村大队，分上窑和下窑两处。上窑简报推断为元代民窑。下窑简报认为是晚唐时期民窑。

三、新安盏窑。新安盏窑位于新安乡杨箭村西北 12 公里处昌饶公路左侧 500 米处及新安中学后面的山包上，面积约 2000 平方米。简报推测为宋代民窑。

四、华家窑。华家窑位于铅山县新安乡华家村昌饶公路左侧约 100 米处的山岗上。窑址面积约 1800 平方米，其中以小螺山堆积为最厚，深 8 米余。采集的瓷片标本中，黑釉器为主，但亦可见到青釉器。简报推测为明代中晚期民窑。

山东省

454.山东北部小清河下游2010年盐业考古调查简报

作　者：山东大学盐业考古队　马书波、王　青、李慧冬、于成龙、付永敢、徐倩倩

出　处：《华夏考古》2012年第3期

小清河下游是山东北部沿海盐业考古的重点区域。2010年2～4月，山东大学盐业考古队在该区域进行了一次较大规模的全覆盖式盐业遗址调查，调查面积约200平方千米，涵盖广饶县丁庄镇、寿光市羊口镇及东营市广北农场。新发现和复查单个遗址点340余个，采集各类遗物标本1600余件。

简报分为：一、龙山时期，二、晚商至西周时期，三、东周时期，四、汉代以后时期，五、初步认识，共五个部分予以介绍，有手绘图。

据介绍，此次考古计发现龙山文化遗址1处、晚商至西周时期遗址100余处、东周遗址近250个、汉代及汉以后遗址近70个。简报指出，近年的工作表明小清河下游是山东盐业考古的重中之重，此次调查在这方面取得了很大收获。

济南市

455.山东长清出土的青铜器

作　者：山东省博物馆　唐士和

出　处：《文物》1964年第4期

1957年，考古人员在山东省长清县南15公里兴复河北岸，王玉庄同小屯村之间，发现了一批青铜器，其中多数完整，部分已残破。计有容器16件、兵器58件、生产工具11件、车马器14件，共计99件。此外，还收集到陶罐、石器等多件。简报配以拓片、照片予以介绍。

据介绍，容器有的有铭文，兵器为戈、镞。生产工具为斧等。简报未提及年代。

456.济南大辛庄龙山、商遗址调查

作　者：任相宏

出　处：《考古》1985 年第 8 期

大辛庄遗址位于济南市东郊大辛庄村东南，面积约30 万平方米。遗址地面稍隆起，蝎子沟南北向通过遗址中心。遗址于1949 年前发现，1949 年以后曾多次调查，1955 年和1959 年山东省文物管理处曾两次试掘，除发现少量东周、汉代遗物外多为商代的陶器、石器、铜器等遗存，是山东境内一处重要的古代遗址。1982年4 月，考古人员对遗址进行了测绘与调查，清理了两个龙山文化灰坑（H1、H2）和一座商代小型墓葬。另外，还采集到几件完整的商代陶器，简报配以手绘图予以介绍。

据介绍，大辛庄遗址是山东西部重要文化遗址之一，虽然1949 年前后曾多次调查和试掘，但是发现的遗存均是商代及其以后的。这次新发现的龙山文化遗址对于了解这一地区的文化性质提供了新资料。简报称，大辛庄的龙山文化在鲁西来说是偏早的，与之相近的材料目前在鲁西还少见。所以它的发现是很有意义的，对探索整个山东龙山文化的时空关系，也具有一定的价值。

457.山东济阳县邝塚遗址调查

作　者：熊建平

出　处：《考古》1990 年第 6 期

邝塚遗址位于山东省济阳县城西 12 公里，是近年来通过文物普查发现的一处内涵比较丰富的古代文化遗址。东西宽 122 米，南北长 138 米，呈台状，最高处高于地面 4.5 米。在遗址地表暴露有龙山、商周、战国、秦汉之遗物，是一处延续时间较长的古代人类生活居住遗址。

1973 年夏，考古人员曾在遗址上试掘，出土有龙山、商、西周、春秋战国之遗物。所得资料简报配以手绘图予以介绍。

据介绍，遗址在文化层之上有 40 ~ 60 厘米厚的耕土层与扰乱层，其下分别为东周、西周、商、龙山文化层。共发现陶、石、骨器等共 80 余件（包括采集），其中陶器 40 件，石器 10 件，骨器 27 件，蚌器 5 件，青铜器 1 件，此外，还发现蚌钩 1 件，骨铲 1 件，以及骨笄、骨锥、骨镞等。其中，东周青铜斨 1 件与江苏六合桥 2 号东周墓所出同类器相似（见北京大学历史系考古教研室商周组编：《商周考古》第 237 页。又见《江苏六合桥二号东周墓》，《考古》1974 年第 2 期）。

458.1984 年秋济南大辛庄遗址试掘述要

作　者：山东大学历史系考古专业、山东省文物考古研究所、济南市博物馆　徐　基等

出　处：《文物》1995 年第 6 期

大辛庄遗址位于济南市东郊大辛庄村东南百余米的缓坡上，是山东省境内一处重要的商周遗址。1949 年后，有关部门曾先后5 次组织发掘，山东大学历史系也曾多次到此遗址调查，取得了一批重要资料。1984 年秋，考古人员对此遗址进行了较大规模的试掘。田野工作历时89 天，实际发掘面积约880 平方米，获陶器标本100 余件，甲骨约400 片，及其他遗物。

简报分为：一、地层堆积与分期，二、商代文化遗存，三、西周及战国汉初的遗存，四、几点认识，共四个部分，有照片、手绘图。

据介绍，遗址总面积超过 30 万平方米。商代文化遗存有房址、灰坑、水井，出土有陶器、青铜器、卜骨等。西周、战国、汉初的遗存有 80 座墓葬。

简报称，大辛庄遗址内涵复杂，包含了商代、西周、战国和汉代遗存，同时，龙山文化和岳石文化遗存也有零星发现。但发掘证实是以商文化为主体，同时又包含有较多的地方文化因素。

459.山东历城黄石崖摩崖龛窟调查

作　者：张　总

出　处：《文物》1996 年第 4 期

黄石崖在山东历城西南螺丝顶山主峰西侧，西北与济南市南郊千佛山相邻。黄石崖龛窟造像是山东最早的北朝摩崖造像，现存大窟 1 个，小龛 28 个，造像约 79 躯。龛窟间有北魏正光至东魏兴和年间的造像题记 8 则。山东省北朝摩崖石窟造像仅有黄石崖和济南以东 15 公里处的龙洞造像，龙洞造像为东魏至隋所雕. 黄石崖石窟与中原北方龙门、巩县等石窟有密切关系，在山东以至中国石窟中也有一定地位。简报配以彩照、手绘图予以介绍。

据介绍，黄石崖造像所在位于螺丝顶主峰近于峰顶的断崖上，东西延伸达 36 米。东侧天然岩洞中的造像形成一大窟，其余小龛与题记多在窟西的崖面分布。黄石崖造像之规模以及龛窟特点等，反映的仍是下层官吏、民众邑社造像的面貌和特征。如造像多利用天然溶洞、岩缝以节省开支，书法也具有民间书法特点。

460.山东济南市神通寺殿堂遗址的清理

作　者：王建浩
出　处：《考古》1996年第1期

神通寺遗址位于济南市南34公里处。1984年8月因农耕植树，发现该寺多处建筑遗址。为确保文物安全，考古人员对重点暴露地区作了抢救处理。寺址内现存有四门塔、龙虎塔、千佛崖石窟、墓塔林、碑碣、石柱等，以及两座1971年从济南市区迁入寺内的明代寺内的木构建筑已全部被毁，现将这次清理殿堂遗址的情况简报分为：一、地层关系，二、殿堂遗址平面，三、出土遗物，共三个部分予以介绍，有照片、拓片。

据介绍，清理的殿堂遗址位于址寺中部，发现的砖、石、瓦片等物，原堆积于殿址周围，高出地面1～5米，形成周边隆起的长方形台状堆积。出土遗物有柱础、滴水、瓦当等。神通寺古称朗公寺，简报推断创建于前秦时代。隋开皇三年（583年）改名“神通寺”，自北朝至隋唐、北宋、金、元、明各朝，神通寺均为山东佛教的重要寺院。神通寺大殿被焚毁，可能是在清乾隆以后。

简报称，在同一座建筑遗址中，能集中出土这样多的不同时代的精美遗物，是极为罕见的。

461.山东章丘市王推官庄遗址发掘报告

作　者：山东省文物考古研究所
出　处：《华夏考古》1996年第4期

王推官庄遗址位于章丘市宁家埠乡王推官庄村南。据了解，遗址东西原有两个土岭，后因整地、用土而遭到破坏。遗址总面积约157500平方米，遗址东部保存较好。1988年下半年，考古人员对该遗址进行了调查、钻探；1989年春、秋两季进行了两次发掘；1990年11月至12月进行了第三次发掘。通过三次发掘，可知王推官庄遗址包括岳石文化、商周时期文化和汉代文化遗存，尤以岳石文化和西周时期的文化遗存为重要。

简报分为：一、地层堆积，二、岳石文化遗存，三、商和西周时期文化遗存，四、东周的文化遗存，五、结语，共五个部分，有手绘图。

据介绍，该遗址岳石文化遗迹有房基、灰坑。遗物有石、骨、角、蚌器。商和西周有2处房基及灰坑，出土有石、骨、蚌、角器。东周文化遗迹有少量灰坑。

简报称，此遗址岳石文化有一定地方特色。商、周文化则应处于同一混合区。

462.山东章丘市焦家遗址调查

作　者：章丘市博物馆　宁荫棠、曲世广

出　处：《考古》1998 年第 6 期

焦家遗址位于章丘市西北约 20 公里、焦家村西北近 800 米处。遗址南北长约 600 米、东西宽约 400 米，总面积达 24 万平方米。遗址中心部位较高，四周略平，1992 年被山东省政府公布为省级重点文物保护单位。近年来，考古人员对该遗址进行了调查和清理，并收集到大批文化遗物。

简报分为：一、地层堆积。二、文化遗物。三、结语，共三个部分予以介绍。

据介绍，该遗址大汶口文化遗物丰富，虽大部分为收集或采集品，但可以看出其中不少应出自墓葬。在鲁北地区，大量发现大汶口文化玉器的遗址还不多见。综合分析，该遗址大汶口文化遗存的年代简报推断应在大汶口文化中期偏晚至晚期阶段。

简报称，焦家遗址作为一个从大汶口文化至商周文化延续了 2000 多年的古文化遗址，对研究鲁北地区古文化的演变具有重要作用。

463.济南市五区古遗址调查报告

作　者：济南市博物馆、济南市历城区文化局　房道国、杜文赞、王穗明　李　铭

出　处：《华夏考古》2000 年第 2 期

济南市位于山东省西部，地处泰山北麓，黄河南岸，鲁中南低山丘陵与鲁西北冲积平原的交接带上。1998 年春，考古人员对济南市五区的地下文物进行了调查，在河流两岸和平原高地上发现了一批古文化遗址，包括北辛文化到汉代的遗存。简报就原始文化和商周时期的文化遗存进行了介绍，有附表。

464.山东章丘县董东村遗址试掘简报

作　者：山东省文物考古研究所　李学训、郭公仁、曹元启

出　处：《考古》2002 年第 7 期

董东村遗址位于章丘县党家乡董东村周围，南距城子崖遗址约 5 公里。董东村坐落在遗址之上。考古人员对该遗址进行过多次调查，并作过报道。为进一步了解遗址的文化内涵，解决以城子崖为中心的文化小区的分布范围等问题，1990 年 10 月，考古人员对遗址进行了调查、钻探和试掘。试掘工作从 10 月下旬开始，至 12 月上旬结束，发掘面积共 45 平方米。

钻探、试掘情况简报分为：一、遗址概况和地层堆积，二、大汶口文化遗存，三、

商周时期文化遗存，四、结语，共四个部分予以介绍，有手绘图。

据介绍，这次钻探和试掘基本搞清了董东村遗址的文化内涵和分布状况，大致弄清了各个时代文化堆积的重点分布范围。董东村遗址包含大汶口文化、龙山文化、商周和汉代等几个时期的文化遗存。

465.山东平阴县古文化遗存调查简报

作　者：济南市文化局文物处、平阴县博物馆筹建处　刘伯勤、孙　亮

出　处：《考古与文物》2001 年第 5 期

平阴县位于山东省西部，东北与长清县相接，东部与肥城市毗邻，南、西南与东平县为邻，西北隔黄河与东阿县相望，面积 900 平方公里。20 世纪五六十年代，县内曾进行过文物调查。1981 年，县文化馆在文物普查时，发现了一批古文化遗址。1987 年 3 月，考古人员在全县范围内进行文物普查的补查和复查工作。两次调查共发现古文化遗址 42 处，包含上起北辛文化，中经大汶口文化、龙山文化、岳石文化、商周、汉唐各时代，下迄宋元时期的遗存。其中多数遗址包含着两个或两个以上时期的遗存。在遗址类型及空间分布上，平阴县的遗址有其自身特点。在平原或河谷地带，主要为沿河高地、台地遗址及土丘式遗址。在丘陵地带和低山区，则多为山坡遗址或山头遗址，后者一般面积都不大，由于现代人类活动频繁及自然的原因，遗址破坏较严重。在沿黄滩区和纯山区，没有发现遗址。

简报将汉代以前的遗址，按时代顺序分为：一、北辛文化遗存，二、大汶口文化遗存，三、龙山文化遗存，四、岳石文化遗存，五、商代文化遗存，六、周代文化遗存，七、结语，共七个部分予以介绍，有附表和手绘图。

据介绍，平阴县的古文化遗址数量较多，文化发展序列亦较完整，这在鲁西北地区是不多见的，因而具有一定的代表性。

平阴遗存中属北辛文化阶段的遗物数量较少，且多是一些残器、残片，尚难据以讨论，所见器物均属北辛文化晚期。由于鲁西北一带迄今未见其他同时期的遗存，故相关这两处遗址对了解北辛文化的分布范围具有重要意义。大汶口文化遗物多属早期遗存，中、晚期遗物较为少见。岳石文化的遗物兼有鲁中南尹家城、鲁西南安邱堌堆和鲁北郝家庄类型的特征，但又不是完全地、简单地等同于某一类型。这一现象对探讨岳石文化诸类型间的相互关系是有一定意义的。这里发现商时期陶器的形制、特征显示，这一带的商文化与河南安阳一带发现商人的物质文化是一致的。对认识和研究有商前期商人或商文化向东方推进以及夷商关系一类问题是颇有价值的。

简报称，值得注意的是各遗址中均未发现周代山东地区极富特色的器形——盂，

豆类器皿形态也较简单。这些现象，简报认为有可能是因平阴地处齐鲁两国交界特殊地位造成的。

据介绍，北辛文化的遗址，只有田家庄一处；采集的大汶口文化遗物，包括大汶口上、中、晚期；龙山文化遗存分布范围较广，采集到的典型陶器却不多；岳石文化的陶器烧制火候高，磨光陶占一定比例；商周时期文化遗址有大辛庄和杨台，遗物有早晚之别。

466.济南市历城区宋元壁画墓

作　者：济南市文化局文物处、济南市历城区文化局　刘善沂、王惠明
出　处：《文物》2005 年第 11 期

1988 年至 2001 年，山东省济南市历城区先后发现 4 座宋、元时期石结构的壁画墓，包括洪家楼砖雕壁画墓、郑家庄砖雕墓、邢村砖雕壁画墓和埠东村石雕壁画墓，考古人员分别进行了清理。

简报分为：一、洪家楼砖雕壁画墓，二、郑家庄砖雕墓，三、邢村砖雕壁画墓，四、埠东村石雕壁画墓，五、结语，共五个部分予以介绍，有照片、手绘图。

据介绍，洪家楼砖雕壁画墓位于历城区洪家楼镇，1988 年 7 月拓宽道路时发现。该墓出有瓷器、铜镜及砖质墓志等。宋代非品官不得用墓志（《政和五礼新仪》），估计墓主应是职位较低的官吏。郑家庄砖雕墓仅出土一陶罐，年代简报推断为金、元。邢村砖雕壁画画面潦草、技法粗疏，当出自民间画师之手，简报认为墓主为元代一般蒙古族地主。埠东村石雕壁画墓随葬器物已全部散失，但从墓葬规模看，墓主应为元代有一定地位的官吏。

467.山东章丘市孙家东南遗址的发掘

作　者：山东省文物考古研究所　党　浩
出　处：《华夏考古》2005 年第 4 期

孙家东南遗址位于章丘市龙山镇孙家村东南约 1 千米处，西距龙山镇 1 千米，西南距城子崖遗址 0.5 千米，济青公路东西向穿过遗址南部。20 世纪 80 年代发现，1996 年 9 ～ 11 月，为配合高速公路建设进行了发掘。清理的遗迹主要有灰坑和水井等。出土一批周代陶、石、铜、骨器等遗物。

简报分为：一、地层堆积，二、遗迹，三、遗物，四、结语，共四个部分予以介绍，有手绘图。

据介绍，遗址共发现灰坑105个、水井6眼，出土各类遗物379件，其中陶器308件。遗址周代文化遗存自西周晚期开始，至战国中期结束，延续时间较长。虽发掘面积有限，但其间没有缺环，说明该遗址是连续使用的。从西周晚期到春秋早、中期，当地保留了较多的土著文化因素，而随着时间的推移，土著文化因素逐渐减少，到战国时期已很少见。简报还提到，此遗址与城子崖城址应有密切关系。

青岛市

468.山东平度东岳石村新石器时代遗址与战国墓

作　者：中国科学院考古研究所山东发掘队　吴汝祚、李文杰

出　处：《考古》1962年第10期

东岳石新石器时代遗址位于平度东岳石村的东南、淄阳河北岸的台地上，东西长约245米，南北宽约200米。发掘工作自1960年4月12日开始，至5月24日结束，在遗址的西部还发掘了战国墓葬20座。

简报分为：一、新石器时代遗址，二、战国墓，共两个部分予以介绍，有彩照、手绘图等。

据介绍，共发现新石器时代灰坑2个，出土60余块陶片和少量兽骨。20座战国墓葬或多或少都有随葬器物，其中除M6和M10两座只出土铜剑、带钩和石璧等器物外，其余的十余座墓葬都有陶制容器随葬。战国墓葬的时代可分为战国早期和战国晚期。

469.山东即墨市北阡遗址2007年发掘简报

作　者：山东大学历史文化学院考古学系、青岛市文物保护考古研究所、即墨市博物馆　王　芬、栾丰实、宋艳波等

出　处：《考古》2011年第11期

北阡遗址位于胶东半岛南岸西部，地处即墨市金口镇北阡村北50米处的台地之上。现地表散布大量的陶片、红烧土块及牡蛎壳屑等。该遗址于1980年文物普查时发现，2007年3～7月，考古人员对遗址进行第一次发掘。发现围沟、房址、墓葬、灰坑等遗迹，出土大量石器、陶器、骨器以及少量铜器、蚌器等。

简报分为：一、概况，二、地层堆积，三、北辛文化遗存，四、大汶口文化遗存，五、周代文化遗存，六、结语，共六个部分予以介绍，有彩照、手绘图。

据介绍，北阡遗址新石器时代遗存主要属于北辛文化晚期和大汶口文化早期阶段，有房址和二次墓葬。遗址中集中出现的极具时代特色的特殊埋葬方式，对研究胶东半岛地区当时的聚落结构、人群组合方式、社会发展阶段及性质等，都具有较高的学术价值。另外遗址中还有周代中期遗存，以墓葬、灰坑和围沟为主，还出土大量贝壳遗存和陶片等。

淄博市

470.山东淄博市淄川区磁村古窑址试掘简报

作　者：《山东淄博陶瓷史》编写组

出　处：《文物》1978 年第 6 期

《山东淄博陶瓷史》编写组在淄博市文化部门普查的基础上，于 1976 年对淄博地区部分古窑址进行了复查，并选择了重点窑址——磁村进行了试掘。发掘工作从 10 月 8 日开始至 12 月 1 日结束。

简报分为：一、地理概况与分区，二、地层与分期，三、遗迹，四、遗物，五、结语，共五个部分予以介绍，有照片。

据介绍，磁村位于淄博市淄川区西南 10 公里。周围山峦起伏，东有三台山，北有冲山，西为胡山。附近蕴藏有丰富的瓷土、耐火料和煤等矿物资源。村东和村西各有一条范阳河支流流过，交通比较便利。

简报称：这里具有烧造瓷器所必需的条件。遗址面积比较大，从村东、村内至村南 2 公里的范围内窑址分为南北窑洼区、村内区、华严寺区、苹果园区，分布有残窑、瓷片、窑具、窑炉、烘烤炉、釉浆池、井、房基、墓葬（2 座）等遗迹。两座墓的时代简报推断为元代，墓中遗物简报文后有附表。

简报推断，磁村窑的烧造年代，第一期似应属唐代中期，第二期应属唐代晚期或稍晚，第三期简报暂定为五代至北宋早期，第四期以定为北宋中期至晚期为宜，第五期应定为金代。由于第五期的窑炉被元代墓葬所打破，故第五代的下限不会晚于元代。也就是说磁村窑的废弃年代应在元代。

简报称，过去关于山东的古瓷窑，不仅文献记载极少，而且调查工作做得不多，更没有做过发掘工作。日人小山富士夫谈到过博山在宋代烧造过瓷器，其风格接近磁州窑，但未发现过标本。磁村窑的调查与试掘弥补了陶瓷史上的这一空白，为分期断代、产品风格、窑炉形制等方面的研究都提供了一定资料。

471.山东临淄后李遗址第一、二次发掘简报

作　者：济青公路文物考古队　王和波、王守功、李振光、倪国圣
出　处：《考古》1992 年第 11 期

后李遗址位于淄博市临淄区齐陵镇后李官庄村西北 500 米的台地上。20 世纪 60 年代初，即进行一次试掘，1987 年，为配合公路建设，又进行了一次试掘。1988 年 10 ～ 12 月，1989 年 2 ～ 6 月，又进行了两次发掘，简报分为四个部分予以介绍，有手绘图。

据介绍，两次正式发掘共发现从新石器时代早期到清代各个历史时期的遗存。有灰坑、窖穴近 1000 个、墓葬 35 座、灰沟 17 条、围壕一座、水井 15 口，房址 3 座，烧坑、陶窖各一座等。这种大规模、延续时间如此长的遗址，为山东地区提供了不可多得的实物资料。

472.山东临淄后李遗址第三、四次发掘简报

作　者：济青公路文物工作队　王永波、王守功、李振光
出　处：《考古》1994 年第 2 期

后李遗址位于山东省淄博市临淄区齐陵镇后李官庄村西北约 500 米处的淄河东岸二级台地上。1965 年北京大学历史系考古专业师生曾进行过一次试掘。1987 年为配合济（南）青（岛）高级公路的建设，山东省文物考古研究所又派员对后李遗址重新进行了钻探和试掘。1988 年起，对后李遗址连续进行了 4 次较大规模的考古发掘。发掘工作自 1983 年 10 月开始，至 1990 年 6 月 20 日结束，历时近 2 年。清理大、中型春秋墓和大型春秋车马坑各 1 座，不同时期的灰坑 3800 余个，灰沟 35 条，小型墓葬 189 座，水井 28 口，陶窑 6 座，房基 6 座，获得一批珍贵的实物资料。一二次发掘的情况和遗址概况已作过简要报道，三四次发掘的情况简报分为：一、地层堆积，二、新石器时代文化遗存，三、西周时期文化遗存，四、晚期文化遗存，五、结语，共五个部分予以介绍，有手绘图、照片。

根据初步的整理，简报指出，可以确认后李一期文化与二期文化在文化面貌上存在着质的区别，故应视为两种性质不同的考古学文化。

后李二期文化与北辛文化有一定的共性，同时又有较为明显的差别。简报推断，后李二期文化应属于北辛文化的一种地方类，时代和文化特征更接近于大汶口遗址五、六、七层。

后李一期文化的陶器均为夹砂陶，以深腹圜底器为主，器类单调，不见三足器，是一种以深腹圜底釜为主要器类的考古学文化遗存。这与山东及其周边地区已知的

其他考古学文化的区别是十分明显的。在后李遗址确认这类文化遗存以后的两年中，鲁北和鲁西北地区又相继发现了十余处同类遗址，其中章丘龙山镇龙山三村窑厂遗址和刁镇小荆山遗址还进行了相当规模的试掘，获得一批珍贵的资料，进一步印证了后李遗址发掘所取得的成果。据此，简报认为后李一期文化为代表的遗存已具备了考古学文化命名的基本条件，建议称之为“后李文化”，以区别于其他考古学文化。

西周时期的文化遗存仅见小型墓。据出土器物观察，简报推断其相对年代约为商末周初，但结合周人践东土的历史事件来分析，定为周初更恰当些。

东周时期的遗存主要是居住遗址，大约自春秋中期延续到战国末或汉初。简报公布的两座灰坑，简报推断 H3487 为战国早、中期；H3773 时代较晚，似属战国晚期。

473.山东淄博市临淄徐家村战国西汉墓的发掘

作　者：山东淄博市临淄区文化旅游局　王会田、崔建军等

出　处：《考古》2006 年第 1 期

1998 年 10 月，山东省淄博市临淄区路山建筑公司在徐家村西南施工时发现古墓葬，考古人员对施工工地进行勘探，发现一批古墓群，并进行了抢救性发掘。墓地位于淄博市临淄区永流乡徐家村西南约 300 米，309 国道南侧，北距齐国故城约 5.5 公里。共探明墓葬 67 座，发掘 46 座，3 座因塌方未发掘至底，实际发掘 43 座。其中 M1 是带斜坡墓道的战国墓，另外 41 座是竖穴土坑汉墓。

据介绍，战国墓早年被盗，发掘时发现 3 处盗洞，分别在墓室北部、中部及东南角，墓室遭到严重破坏，随葬品所剩无几。但规模较大，椁室内有一椁一棺。盗洞内还发现铜戈、铜带钩残片等，推测墓主应为贵族。

至于发掘的 41 座汉墓，均属小型土坑竖穴墓，其中竖穴砖椁墓较少。简报推断这些墓葬的时代应属西汉早中时期。这批墓葬形制简单，随葬品比较缺乏，多数墓葬仅出一二件器物，其中约 40% 的墓无随葬品，简报推测这批墓葬应属一般贫民墓。

474.山东淄博市临淄区国家村战国及汉代墓葬

作　者：山东淄博市临淄区文物局　王会田、武晓颜等

出　处：《考古》2010 年第 11 期

国家村墓地地处临淄辛店城区的中部北边缘，位于齐都镇国家村西南，中轩大道东侧，东北距齐国故城约 3 公里。2003 年、2004 ～ 2005 年已发掘两次。因淄博齐润房地产开发公司在学府花园小区建设施工中发现了古墓葬，考古人员分别于

2007年5月、12月分两次对墓葬进行了抢救性发掘，清理出49座墓葬（编号简称M1～M49）。其中有19座墓葬没有随葬品，时代不便确定，其他30座墓葬，依据墓葬形制和随葬品的特征，可以断定22座墓属于战国时期、8座墓属于汉代。

简报分为：一、战国墓，二、汉代墓，三、结语，共三个部分予以介绍，有彩照、手绘图等。

据介绍，战国墓的墓葬形制有“甲”字形土坑积石木椁墓和长方形竖穴土坑墓，出土有陶器、铜器、玉器、水晶、玛瑙器、石器、骨器等。“甲”字大墓有殉人，墓主应属齐国贵族。其他墓墓主或为较为富有的地主，无随葬品或较少葬品的，墓主当为平民或士兵。汉代墓有长方形竖穴砖室墓和长方形竖穴土坑墓两种，随葬品有铜器、石器、骨器、铁器等。

475.山东淄博磁村窑址调查

作　者：故宫博物院　董健丽

出　处：《中原文物》2010年第3期

山东磁村窑窑址位于淄博市淄川区西南10公里，窑址面积较大，村东、村内至村南2公里的范围内均有分布，为山东古代重要的一处民窑。窑址分为四区：南北窑洼区、村内区、华严寺区和苹果园区。据文献记载，磁村窑始烧于唐代，一直延续到金元，制瓷历史悠久，产品种类丰富。北宋时期，官府在磁村窑设官收税，说明当时烧制瓷器有相当的规模，产业兴隆。金代磁村瓷器生产较北宋时期有较大发展。磁村窑明以前称“磁窑务”，1976年10月考古人员对此窑址进行试掘，同年12月及2006年故宫博物院古陶瓷工作者又进行了调查。

简报分为：一、磁村窑生产的主要器类，二、磁村窑的釉色品种，三、调查的新发现，四、磁村窑的装饰特征，五、磁村窑瓷烧制时间，六、磁村窑瓷器产品特点，七、结语，共七个部分，介绍了调查的情况。

据介绍，两次调查共采集标本约300件，器类分为碗、盘、盆、缸、钵、壶、瓶、罐、炉和铃等。碗类是该窑生产最多的品种，占该窑采集产品总数的70%以上。根据采集的标本，磁村窑釉色可分为青釉、茶叶沫釉、酱釉、白釉、黑釉、棕黄釉、翠蓝釉和白地黑花等9个品种。其中以白釉、黑釉和褐釉为主，青釉和白釉黑花其次，而白釉划花、白釉剔花和翠蓝釉等很少。此次还采集到一些新的釉色品种瓷片：所谓“新”指两层含义，第一指与邻省窑口的品种相似，但装饰手法和纹饰题材有“新意”；第二是指传统观念认为只有河北、河南等省有白地黑花和白釉剔花，通过对山东淄博磁村窑的发掘和调查，发现该窑也有生产。磁村窑瓷器属于民用粗瓷，从采集的标本分析，有胎装饰、釉装饰和白釉黑彩绘3种装饰方法。简报称，磁村窑釉色品种产量大、质量好，受毗邻的河北、河南等北方著名窑口影响，在吸收其他瓷窑制瓷技术的基础上，逐渐形成了自己的特色产品，对同处鲁西南的本地窑口也产生了很大的影响。

476.山东临淄齐故城秦汉铸镜作坊遗址的发掘

作　者：中国社会科学院考古研究所、山东省文物考古研究所、临淄区文物局　杨　勇、白云翔、魏成敏、郑同修、韩伟东等

出　处：《考古》2014年第6期

2012年秋和2013年春，考古人员在齐都镇阚家寨村南发掘清理一处秦汉时期铜镜铸造作坊遗址。

简报分为：一、遗址位置和地层堆积，二、遗迹，三、遗物，四、结语，共四个部分予以介绍，有彩照、手绘图。

据介绍，根据出土镜范的特征分析，此次发掘的铸镜作坊遗址的主体年代应当在西汉前期，上限或可至秦代乃至战国末，考虑到有一件草叶纹镜范出土，下限有可能到西汉中期。

简报称，作为国内外关于古代铜镜铸造作坊遗址的首次科学发掘，此次临淄齐故城秦汉铜镜铸造作坊遗址的发掘具有重要的学术意义。

枣庄市

477.山东滕县古遗址调查简报

作　者：中国社会科学院考古研究所山东队、滕县博物馆　吴汝祚、万树瀛、高　平

出　处：《考古》1980年第1期

1957年考古人员在滕县进行了普查，1959年又作了重点调查，在此基础上，1964年4月对该县再进行了比较全面的考古调查，其后于1972年、1973年、1976年、1977年、1978年又进行了调查、复查，发现遗址共计86处。它们多数包含了两个时代以上的遗存。按时代计：北辛类型2处、大汶口文化25处、龙山文化32处，殷代11处、西周65处、东周37处，汉代遗存分布较密。

据介绍，发现的遗址计有丁楼、夏家楼、后黄庄、前大官庄、吕楼、前掌大、后掌大、官桥、太平庄、西康留、大康留、轩辗庄、东王庄、坝上、北辛、望河、东王公、东于村等。简报附有“滕县遗址调查表”，列举了各遗址地址、位置、文化性质与时代等基本信息。

478.枣庄市南部地区考古调查纪要

作　者：枣庄市文物管理站　李锦山、文　光

出　处：《考古》1984 年第 4 期

枣庄市地处鲁南，西北和南部为平原地带，北部为山区，中部是起伏的丘陵。主要河流有峄城沙河、涛沟河等。遗址多分布在上述河及支流的两岸，部分分布于山间盆地近水流的地方。现全市已查明的商周以前的古遗址达 142 处。关于滕县的古遗址已有调查简报（《山东滕县古遗址调查简报》，《考古》1980 年 1 期），本简报专门介绍南部地区调查情况。

1949 年后，枣庄南部地区先后进行过 5 次田野考古调查（即 1956 年、1973 年、1978 年、1979 年和 1980 年），共发现商周以前的遗址 57 处（见调查登记表和图）。这些遗址大都包含两个遗存。遗址多呈台形或类似苏北地区的墩子形状，当地群众称之为“台子”“墩子”“城子”“埠子”“古堆”等。

简报分为：一、大汶口文化遗址，二、龙山文化遗址，三、岳石文化遗址，四、商代遗址，五、西周遗址，六、东周遗址，共六个部分予以介绍，有手绘图。

据介绍，大汶口文化遗址 11 处，均为 1978 年以后发现。简报推断这些大汶口文化遗址的年代上限相当于兖州王因遗址，下限相当于曲阜西夏侯遗址的晚期。接近大汶口类型，而与三里河类型有较大差异。

18 处龙山文化遗址，除 4 处是 1978 年前发现，其余均为 20 世纪 80 年代后陆续发现的。已发现的龙山文化遗址，与市北部滕县的龙山文化遗址及泗水尹家城同时代的遗物较接近。

岳石文化遗址已发现的遗址仅 3 处，遗物也不多，只有甗和器盖两种，与泗水尹家城第二期文化和平度岳石遗址出土的同类器物相似，属于同一性质的文化遗存。

商代遗址在市南部地区分布较多。陶器分泥质陶和夹砂陶两种，泥质陶以灰陶居多，夹砂陶有黑、黑灰、红陶等。纹饰主要有绳纹、弦纹、三角划纹、附加堆纹、圆圈纹。不少器物颈部饰绳纹，然后抹平。火候一般较高，陶质较硬。

西周遗址 3 处，采集的西周陶器有夹砂和泥质陶两种。

东周遗址 18 处，市南部分布有偪阳、倪、尝、奚等春秋、战国时期故城址。

1980 年夏，在沙沟 I 遗址复查时清理了两座残东周墓，墓为土坑竖穴，南北向，葬式不明，出土完整陶器 10 件。

简报称，通过这几次田野调查，对枣庄南部地区各类遗址分布、文化性质增加了新的认识。

479.山东枣庄出土犁镜铜范

作　者：山东省枣庄市文物管理站　李锦山

出　处：《农业考古》1984 年第 1 期

1981 年春季，枣庄市薛城区邹坞公社出土 1 件犁镜铜范。简报配有照片予以介绍。

据介绍，此件唐宋时遗物呈略长半圆形，一面微鼓，一面略凹。通高 34 厘米，宽 33 厘米，厚 6 厘米。铜范分为上下两合，上合表面饰 4 个乳钉，两大两小，正中铸一阳文“王”字，内面光洁。下合表面饰 7 个大小不同的乳钉，内面左侧有一三角形槽窝，右侧有一圆形槽窝。二槽窝之间有“十”字形槽窝。槽窝两侧铸有正体阳文“水”“火”二字。上下合铜范有榫卯可以扣合，浇铸口留在圆形一端。

480.山东枣庄中陈郝瓷窑址

作　者：山东大学历史系考古专业、枣庄市博物馆　刘凤君、宋百川、徐龙国、郑　岩、冷艳燕等

出　处：《考古学报》1989 年第 3 期

中陈郝村属于枣庄市薛城区邹坞镇，位于枣庄市西北 10 公里处，北距枣庄至滕县的公路约 1 公里，西邻枣庄矿务局甘霖煤矿黄贝矿井，蟠龙河自北向南从村中流过。中陈郝古代瓷窑遗址是枣庄市文物管理站 1978 年调查时发现的。1987 年 9 月 1 日至 10 月 25 日，考古人员对该遗址进行了发掘。由于遗址面积较大，发掘分南、北两个区进行。

简报分为：一、地层堆积，二、遗迹，三、遗物，四、结语，共四个部分予以介绍，有照片、手绘图。

据介绍，简报将遗存分为六期：第一期为北朝晚期；第二期为隋代；第三期为唐代；第四期为北宋；第五期为金代；第六期为元代。

简报称，北朝窑址北方发现不多，值得重视。隋代遗存的烧装方法，唐代的青釉，北宋时的白釉，金代的白釉黑花均值得注意。元代遗存最为丰富，瓷器中有生活用具碗、罐、盆、盘、钵、瓶、鸡腿瓶、缸、器盖、灯和玩具小瓶、人物、动物、棋子等。

胎体多轻薄，胎质细密，呈白色或肉红色。器物造型规整，富于变化，同一种器物不但有大小的差别，而且也有造型上的不同。瓷玩具较多，皆小巧玲珑，动物、人物生动可爱。釉色以白釉为主，黑釉次之，褐釉和青釉为少量。釉质较纯正，光泽度较好。白釉器上流行墨绘和题诗，绘画内容主要有弦纹、波浪纹、牡丹、荷花、兰草等，运笔洒脱明快，显得生动而富有生活情趣。这一时期仍流行托烧法和匣钵装烧法。

以上种种表明，此次发掘为中国瓷器史研究提供了丰富的实物资料。

481.山东滕州市东小宫周代、两汉墓地

作　者：山东省文物考古研究所、滕州市博物馆　李振光、崔圣宽、李鲁滕

出　处：《考古》2000 年第 10 期

东小宫墓地位于山东省滕州市东沙河镇东小宫村南约 600 米的丘岭上，南距滕州至山亭公路约 200 米，西、北濒澥河，东临澥河的一条季节性支流。墓地南北长约 700 米、东西宽约 400 米。1998 年 10 ~ 12 月，为配合（北）京福（建）高速公路建设，考古人员对该墓地进行了考古勘探与发掘。探明墓葬 1000 余座，此次发掘了其中的 340 余座。从出土随葬品看，这批墓葬分属周代和汉代两个时期，其中周代墓 21 座，汉代墓 320 余座。出土大量的随葬品及内容丰富的汉代画像石。

本次发掘情况简报分为：一、周代墓葬，二、汉代墓葬，三、结语，共三个部分予以介绍，有手绘图、拓片。

据介绍，东小宫墓地周代墓葬皆为小型墓，器物组合为鬲、盂、豆、罐。简报推断时代当属西周晚期到春秋早中期，器物坑（腰坑）可能是晚商习俗的遗留。简报推断 M281、M331 属西汉中、晚期，M324 属东汉初年。

简报称，东小宫汉代墓葬成批发掘，并出有丰富的文化遗物，为鲁南地区汉代墓葬的研究提供了一批宝贵的物质资料。

482.山东枣庄市博物馆收藏的战国汉代铜镜

作　者：枣庄市博物馆　石敬东、苏昭秀

出　处：《考古》2001 年第 7 期

新中国成立以来，枣庄市在文物普查中，征集到铜镜百余面。这些铜镜的时代上自战国，下至明清。简报选取其中一些具有较高的历史和艺术价值，部分有明显时代特征的战国和汉代铜镜简报配以拓片予以介绍。

据介绍，战国铜镜 1 件，汉代铜镜 19 件，其中有 3 件有具体出土地点。

简报介绍的20面铜镜为战国、汉代具有代表性的佳品，特别是汉代铜镜，无论质地还是纹饰，都反映出当时的铸造特点和艺术风格。简报称，这批铜镜为研究战国、汉代铜镜的铸造工艺和发展史提供了重要资料。

东营市

483.山东广饶西杜疃遗址调查

作　者：广饶县博物馆　王建国

出　处：《考古与文物》1995年第1期

西杜疃遗址位于广饶县城北约7.5公里处，东去500米为西杜疃村，西去300米为张庄村，北距小清河约4公里。东营至辛店公路从遗址中部偏西处南北穿过。总面积为120000平方米。1988年春全县文物普查时发现，1990年8月被广饶县人民政府公布为县级重点文物保护单位。

1991年春，胜利油田在此处建排污池，埋设石油管线和安装油罐等设施，使遗址受到较大程度的破坏。获悉后，考古人员现场去调查，从取土后的坑壁上看到文化层堆积有3米多厚。从耕土层向下依次分别为灰褐土、黑褐土、黄褐土和灰黑土。层次清晰。从采集到的标本来看，遗址含有山东龙山文化、岳石文化以及商周和汉代文化遗存。

采集的标本简报分为：一、龙山文化遗物，二、岳石文化遗物，三、商周文化遗物，四、战国秦汉文化遗物，共四个部分予以介绍，有手绘图。

据介绍，调查采集的标本虽然不多，但对于山东龙山文化、岳石文化的研究具有促进作用。商周文化遗存的多样化，对于揭示其历史背景具有重要的意义。广饶地处渤海之滨，相传这里是退海之地，上古时期无人居住。通过对西杜疃以及草桥遗址的调查，说明这里自大汶口文化开始就不间断地有人类活动，并留下了丰富的物质文化遗存。这些调查工作，对于该地古地貌和海岸线的变迁研究也有重要意义。

484.山东广饶佛教石造像

作　者：东营市历史博物馆　赵正强

出　处：《文物》1996年第12期

山东广饶县属东营市辖区，位于山东中部偏北，其南部的青州和西部的博兴都是南北朝至隋唐以来佛教文化十分繁盛发达之地，保存和出土过大量佛教造像。广饶县城以南亦有多处古代佛教寺院遗址，出土存留有一批形体较大的佛教石造像，原散置野外，1991 年全部调运至东营市历史博物馆收藏。简报配以彩照予以介绍。

据介绍，这批造像共7 件，均为单体碑形，碑身与底座多联为一体；内容组合有一佛、一佛二菩萨、一佛二菩萨二弟子等，主像为高浮雕，后均有大背光，背光雕饰繁富。所用石料基本为石灰岩。简报推断其中5 件为北朝作品，2 件为隋唐作品。

简报称，这批造像有明显的时代和地域特征，为大型碑形，除唐代 1 件外，早期的 6 件高均在 2 米以上，且都装饰丰富华美，雕刻洗练细腻，表明当地古代佛教文化高度发达。其题材组合、装饰手法及雕刻技术都对研究佛教发展史、艺术史有重要价值。

造像碑多有断裂，后又加榫接合，简报称应与佛教史上的灭法事件有关。

烟台市

485.山东蓬莱县柳格庄墓群发掘简报

作　者：烟台市文物管理委员会　李步青、林仙庭

出　处：《考古》1990 年第 9 期

柳格庄位于山东省蓬莱县南 45 公里，艾山北麓，黄水河西岸。这里处于河谷黄土台地，墓群在村西北。20 世纪 60 年代以来，因农田水利建设，连续发现古墓葬，考古人员曾于 1976 年、1977 年、1984 年进行过清理。《文物资料丛刊》第 3 期曾报道过墓一座（M11）。其他八座墓（M1 ~ M9，M3 缺号）按时代早晚分为三类。

简报分为：一、西周墓，二、春秋墓，三、战国墓，四、小结，共四个部分予以介绍，有手绘图。

据介绍，柳格庄墓群除被村址叠压部分以外，所余墓区已大部为生产破坏。葬都为土坑竖穴，除个别大墓（M6、M9、M11）之外，都无二层台。墓向普遍向东，唯有战国时期一墓（M5）为南北向。墓中随葬的器物，铜器和大部分陶器，其风格都与中原地区基本一致，但M4、M6 中的陶鼎等器则又明显属于胶东地方特征，简报认为，这是西部地区外来文化与胶东土著文化相融合的表现。墓群的时代，自西周晚期始，延至战国，其中以春秋早、中期的墓数最多，墓葬规格也最高。

486.山东黄县归城遗址的调查与发掘

作　者：李步青、林仙庭

出　处：《考古》1991 年第 10 期

黄县位于胶东半岛北部，西北濒临渤海。归城在黄县县城东南 6.5 公里处，坐落于县境最高山峰——莱山之阴，莱阴河自南向北穿过城区，汇黄水河向西北入渤海。城址范围内包括姜家、和平、北山、大于家、董家、东迟家、南埠、曹家（含小刘家）八个自然村。

简报分为：一、城址，二、墓葬，三、车马坑，四、其他出土铜器，五、结语，共五个部分予以介绍，有照片、拓片。

1973 年，考古人员对归城城址进行了调查探测，发现的城址分为内外二城。内城略呈刀把形，南北长 780 米，东西宽约 450 米。地面可见夯土墙，仅存姜家村北和平村西两处。外城沿山岭筑建，环周长约 10 公里。归城古城址的年代，简报推断为西周至春秋时期。

简报称，归城是胶东地区迄今发现的最重要的一处先秦古城址。内城建于富庶的河旁台地上，便于生活、生产，外城则依山就势，利于防守。内城居于外城之中的布局，略似临淄齐国故城，但又不似临淄城的内城偏踞外城一角。在胶东，这是目前所知唯一的一处具有两重城郭的先秦城址。归城内的出土文物，也反映出归城统治者的较高地位。M1 出土的大批铜器和南埠出土的众多簋器以及其他出土的礼器、乐器等，在王畿所在的关中、中原地区也许只是寻常规格，但在胶东地区，却代表着葬制的最高规格。归城出土的有铭铜器已知的有 12 件，在胶东是最多的一处，这也反映出归城统治者的非比寻常。简报认为归城是莱国国都，当然这一点还有待进一步证实。

487.山东半岛出土的几件古盐业用器

作　者：林仙庭、崔天勇

出　处：《考古》1992 年第 12 期

1990 年前后在山东半岛内的掖县、蓬莱等地相继出土几件古代盐业用器。现已收藏的计有煮盐用的铁釜 1 件、铜盘 2 件、封包检验用的铜印 1 件、汉瓦当等，简报配以手绘图、照片予以介绍。

一、铁釜，1972 年在掖县路旺乡当利古城遗址出土。现藏烟台市博物馆。简报推断时代可能在东汉或更晚一些。

二、铜印，1891 年 3 月出土于掖县西由镇待西头村，系农民在村西北挖排水沟时出土，现藏掖县博物馆。综合铜印文书及纹样风格，简报推断铜印的年代应在东汉以后，约为魏晋或稍晚。

三、铜盘，2 件，藏烟台市博物馆。一件（YB 铜 371）于 1982 年 5 月蓬莱县城关镇西庄农民建房挖地基时出土。另一件（YB 铜 221）于 1971 年 4 月于掖县朱由镇路宿村农民挖土时出土。简报推断这 2 件铜盘约为宋元时期的煎盐之器。

488.山东牟平县北头墓群清理与调查

作　者：林仙庭、侯建业

出　处：《考古》1997 年第 3 期

北头村位于牟平城东 30 公里，以北 1.5 公里为黄海，村北紧傍东西绵亘的海岸沙岭。因大量取沙，致使墓群得以发现。很多墓葬在挖沙过程中已遭破坏，1992 年 4 月，考古人员对该墓群进行了调查，清理了其中 4 座（M1、M2、M16、M17），并对倒塌的部分塔式墓葬（M11 ~ M15、M18）进行了整修。

清理结果简报分为：一、宋代石圹墓，二、元明时期石圹墓，三、关于塔式墓的调查，共三个部分予以介绍，有手绘图、照片、拓片。

据介绍，根据调查，可以确指的这类墓葬在胶东地区还有相当多的数量，但胶东以外的其他地区现在尚未见到线索，不知这类塔式石墓是否为胶东地区所独有。塔式石墓除北头墓群之外，余均未经发掘。除了墓中出土瓷器之外，还有多座墓塔上嵌有题记刻石。从已知的这些明确的墓葬纪年看，从元代皇庆年间到明代成化年间，跨越了大约 200 年的时间。据已知的石墓碣石内容，皆载有墓主姓氏名讳和子孙及其配偶，另有匠人题名，与后代的墓碑内容略似。

简报称，塔式石墓的地下墓室部分均为大石板（块）砌成的斗形，简报认为这是唐宋以来的通常墓葬形制，墓内所出瓷碗、瓷瓶与塔式墓的随葬瓷器一致，可见是同一时代的墓葬，其墓主身份当较有塔者为低。

489.山东龙口市阎家店遗址发掘简报

作　者：山东省文物考古研究所、龙口市博物馆

出　处：《华夏考古》2004 年第 3 期

1999 年，考古人员对龙口市海岱镇阎家店遗址进行考古发掘，清理出灰坑、墓葬、窑址及房基等遗迹，出土了陶器、石器、铜器和瓷器等遗物，年代分属周代、汉代及宋金。

简报分为：一、周代文化遗存，二、东汉时期文化遗存，三、宋金时代文化遗存，四、结语，共四个部分予以介绍。有手绘图。

据介绍，发现有春秋至战国时房址。这批房址有着自身的特点，南北成排分布，皆为半地穴式的房址，面积小，每座房址都有于生土中掏挖的烧灶，基本未见柱洞，有的三两成组分布。有的房址距离较近，相隔0.5米左右，烧灶烟囱由墙体的根部斜伸出墙外。房内皆有烧灶，说明房址主人以房址为单位独立生活。这里离海较近，现在距海岸线1500米，周代这里距海可能仅100米左右。遗址的北侧原有古河道入海，因此生活在这里的人们可能乘船入海捕捞，同时在附近进行适当的种植以方便生活。房内堆积单纯，少见遗物，人们可能在捕捞活动结束后集体离开这里。

东汉时期遗迹为陶窑。宋金时期遗存为墓葬22座，大多被盗过，少见遗物。

490.山东栖霞市寨里镇泊子村东周和唐代水井清理简报

作　者：烟台市文物管理委员会、栖霞市文物管理处　闰　勇、高大美、肖　靖、孙双岩等

出　处：《考古》2006年第5期

山东省栖霞市寨里镇泊子村位于栖霞市北25公里处。1999年春，村民发现古井4口，考古人员前往清理。

简报分为：一、井的结构和井内堆积，二、井内出土遗物，三、结语，共三个部分予以介绍。

根据井中出土陶器推断，有3口井（J1 ~ J3）为东周时期水井，一口井（J4）为唐代水井。

简报称，井口出土的陶器，以罐、壶为主，还有少量的瓮、盆等。由此可知，当时主要以罐、壶作为汲水工具。用壶作为汲水器时，都打掉了其圈足；瓮、盆等器物，应是井废弃后抛入的。

另外，在东周水井东北约100米处有一台地，当地称之为“北宅口”。在此台地上采集了不少陶罐的残片，与这3口井内出土的陶罐类似。由此可以推断，水井应属于当地居民的生活用井。

唐代井是一口砖井，其用砖中的素面砖年代应与井的年代相同。而花纹砖是东汉以后的墓葬用砖，这种花纹砖在烟台地区的东汉墓葬中常见。

简报指出，栖霞镇泊子村古井的清理，为研究古代的社会经济等提供了实物资料。

491.山东莱州市朱郎埠墓群发掘报告

作　者：烟台市博物馆　林仙庭、闫　勇、王金定、林光旭、张英军、林国玺
出　处：《华夏考古》2009 年第 1 期

朱郎埠墓群位于山东省莱州市大原镇东朱果村东北约 1.5 公里处。1999 年 10 月至 11 月，为配合大莱龙铁路建设，考古人员对此墓群进行了抢救性的发掘，共发现战国、汉代墓葬 35 座，墓葬形制各异。随葬品主要是陶器，还有少量的铜镜、铜剑、铜印章等。

简报分为：一、墓葬形制，二、随葬器物，三、几点认识，共三个部分予以介绍，有照片、手绘图。

据介绍，发掘的所有墓葬皆为长方形土圹竖穴墓。在一些大墓有大量的经夯打的封土残留，证明原来不仅有封土，而且其范围还比较大。大部分墓葬原来有封土，只是随着地貌的变迁，封土已不存。有陶器、漆器、铜器、铁器、玛瑙器、石器等，总计 151 件。各墓基本上都有陶器随葬。仅有一座积贝墓为西汉前期墓，其余 34 座墓，4 座为战国早期墓，4 座为西汉前期墓，26 座为西汉后期墓。从葬俗看，与山东中西部地区趋于一致。

简报称，与同时期其他地区相比，此地是半岛地区经济最发达的地方，其发展水平显然高于胶东其他地方。但与山东地区和中原等地区相比较，朱郎埠墓群所显示的经济水平还是要相对落后一些，随葬品中铜钱少，也未见山东西部已广泛出现的砖椁墓、砖室墓，而仍为原始的土圹墓。

潍坊市

492.山东诸城县前寨遗址调查

作　者：诸城县文化馆　任日新
出　处：《文物》1974 年第 1 期

1973 年 3 月，诸城县对全县文物保护单位进行了一次复查，特别是对程子、都吉台（原名斗鸡台）、凉台、前寨、尚庄五处古代文化遗址做了重点调查。简报将前寨遗址情况配以照片予以介绍。

简报介绍，前寨遗址位于诸城县城西四十华里的无忌公社前寨村西头，南临潍河，西靠小河，北近小岭。遗址在一高阜上。今春，该村生产队挖窖时，出土了一批文物。生产工具有石斧、石刀、石铲。陶器多为碎片，从器形上观察有鼎、鬲、甗、盆、鬶等。装饰品有石器、石珠等。特别值得重视的是在一块大陶缸残片上出现了一个文字，可惜上部已经残缺。从遗物上观察简报推断前寨遗址包括的时代，包括大汶口文化、龙山文化和西周，这块陶缸片属于大汶口文化晚期。

493.潍坊市古文化遗址调查

作　者：潍坊市博物馆

出　处：《考古》1989 年第 9 期

近年来，潍坊市博物馆在潍坊地区白浪河和大虞河两岸进行了多次考古调查，发现了不少古文化遗存，简报配以手绘图、拓片予以介绍。

据介绍，较典型的古代遗址有：一、徐家遗址，这处遗址是大汶口文化王因类型的文化遗址，有墓葬一座（M1），采集陶器 9 件，代表大汶口早期文化阶段；二、范家庄遗址，位于潍坊市坊子区埠头乡范家村东南，为龙山文化遗址；三、张家村遗址，位于寿光县留吕乡张家村，为龙山文化遗址；四、鞠家庄遗址，位于坊子区埠头乡鞠家庄西，为周代遗址；五、郭家成章遗址，位于潍坊市潍城区符山乡郭家成章村西，为西周晚期到春秋初期遗址；六、市场村遗址，位于潍城区望留乡市场村东南，为西汉遗址；七、高家朱马遗址，位于寒亭区高里镇高家朱马附近，为西汉遗址；八、山后王遗址，位于潍城区梨园乡山后王村，为东汉遗址；九、马少野遗址，位于潍城区二十里堡镇马少野村，主要遗存年代也为汉代。

494.山东昌乐岳家河周墓

作　者：山东省潍坊市博物馆、山东省吕乐县文管所　李学训、曹元启等

出　处：《考古学报》1990 年第 1 期

岳家河村位于昌乐县城南 10 公里，东面不远是方山，西临小丹河，隔河再向西是逶迤而上的丘陵。墓葬分布于村西北角小丹河东岸的一级台地上。墓地地表平坦，未发现封土遗迹。1976 年冬，当地村民在修建拦河坝的取土过程中，发现部分陶器和青铜器，后经实地调查，确认这里是一处周代墓地，考古人员进行了抢救性清理发掘。发掘工作从 1977 年 3 月开始，到 5 月结束，共发掘清理墓葬 57 座。

简报分为：一、墓葬概述，二、随葬器物，三、年代与分期，四、结语，共四个部分介绍了此次发掘的情况，有照片、拓片、手绘图。

据介绍，57 座墓葬，集中分布于长约 120 米、宽约 90 米的范围内。这批墓葬，除少量墓有积石外，多数为长方形土坑竖穴墓。出土随葬器物铜器 45 件、陶器 367 件、骨器 110 件等。年代可分为 5 期：西周晚期至西周末年；春秋早期；春秋晚期；

战国早期；战国晚期。简报指出，当地齐文化考古材料匮乏。这次发掘，对齐文化的研究尤有价值。

495.山东青州市戴家楼战国西汉墓

作　者：山东省文物考古研究所　郑同修、魏成敏

出　处：《考古》1995 年第 12 期

戴家楼墓地位于山东省青州市戴家楼村西北约0.5 公里，西靠近益羊铁路，北邻寿光县界。为配合济青公路建设，1990 年4 月，考古人员对该墓地进行了发掘清理，共发掘墓葬109 座，其中14 座为宋元墓葬。

这次发掘的95 座战国西汉墓资料简报分为：一、墓葬概述，二、随葬器物，三、小结，共三个部分予以介绍，有手绘图、照片。

据介绍，墓地所在系一隆起的阜岭。地表为黄沙土。大部分墓葬开口于耕土层下，有的墓口已经暴露于地表。墓列排列密集，但极少有相互打破的现象，个别有两两成组或并行排列者。墓地被盗严重，许多墓葬已成为空穴。这95 座墓，均属小型墓葬。绝大部分墓葬不见木质葬具，少数有木质葬具者据板灰痕迹判断均只有一棺。墓主头向明确的有51 座墓，东向者居多，北向者次之，个别南向。葬式明确的全部为仰身直肢葬，上肢多贴放于躯干两侧，下肢一般并拢伸直。随葬品贫乏，仅20 座墓葬出土有随葬品，另外在3 座墓的填土中出土铜带钩、铁锸等物。随葬品以陶器为主，一般置于足端二层台上或壁龛内，个别墓葬在随葬陶器旁发现有兽骨。此外，还出土有铜镜、铜带钩、铁锸、铁环首刀、铜钱及铜璜形器等。这些墓葬的时代简报推断应属西汉中晚期。

496.山东临朐明道寺舍利塔地宫佛教造像清理简报

作　者：临朐县博物馆　孙　博、宫德杰等

出　处：《文物》2002 年第 9 期

明道寺遗址位于临朐县城南45 公里的大关镇上寺院村，1982 年文物普查时发现，面积约5000 平方米。1984 年秋，村民建房时于遗址内原明道寺舍利塔塔基下的地宫中清理出了大量石造像残块，考古人员进行了抢救清理。

简报分为：一、舍利塔与地宫形制，二、出土文物，三、结语，共三个部分予以介绍，有照片、拓片、手绘图。

据介绍，此塔在20 世纪30 年代尚存一层，40 年代被彻底毁坏。1965 年该塔地宫曾被打开，百姓从地宫中取出部分佛像碎块后又自行封堵，1984 年已是第二次

被打开。清理出一大批北朝至隋的佛教石造像及残件。据纪年铭，造像时代最早为北魏时期，最晚为隋大业年间，大多属东魏至北齐时期。题材主要为背屏式一佛二菩萨三尊像、圆雕立佛、立菩萨及思维菩萨，与紧邻的青州龙兴寺窖藏造像极为相似，亦与诸城造像类同，具有明显的时代和地域特征。与造像同出的“明道寺新创舍利塔壁记”石碑，记述了这批造像于北宋初年入藏的经过，简报附有全文。

497.山东昌乐县谢家埠遗址的发掘

作　者：潍坊市文物管理委员会办公室、昌乐县文物管理所　曹元启、李学训等
出　处：《考古》2005 年第 5 期

山东省昌乐县谢家埠遗址位于昌乐县城东北约 10 公里处，东靠谢家埠村，西距桂河 1 公里左右，隶属朱留镇谢家埠村。遗址为南北向的长方形土台状堆积，南北约 400 米，东西约 200 米，总面积约 8 万平方米。遗址的西部、北部、东部因近年来平整土地和农业用土挖去一部分，现存面积约 1 万平方米。遗址顶部被削去 1.5 米左右，破坏严重。遗址现高出周围地面约 1 ～3.5 米。1989 年，山东省修筑济南至青岛的一级公路，考古人员到沿线进行了详细的复查，确认谢家埠为一处古文化遗址。后又曾多次进行调查。1989 年春，为配合济青公路建设，对该遗址进行了细致的钻探。此后，对该遗址进行了抢救性发掘。经过近两个月的时间，共清理出龙山、商周、汉、唐等不同时期的墓葬 68 座、灰坑 27 个、房址 2 座、陶窑 1 座、井 1 座。发掘区集中在遗址的北部和南部，尤以北部遗迹最为密集，中部也有稀疏的遗迹存在。

简报分为：一、遗址概况，二、龙山文化遗存，三、商周时期文化遗存，四、汉代文化遗存，五、唐代文化遗存，六、结语，共六个部分予以介绍，有拓片、手绘图。

简报指出，谢家埠遗址是一处延续时间较长的古文化遗址，从龙山文化开始，历经商周，一直到汉唐，提供了从新石器时代晚期到商周时期的实物资料。

498.山东寿光龙兴寺遗址出土北朝至隋佛教石造像

作　者：临朐县博物馆、寿光市博物馆　宫德杰、袁庆华
出　处：《文物》2008 年第 9 期

山东寿光龙兴寺遗址位于寿光县城东南约 15 公里的纪台镇东方村。1992 年秋，该村村民在遗址上建蔬菜大棚时，发现一批残碎的佛教石造像。考古人员赶到出土地，将部分造像残块征集入县博物馆。造像计有百余件之多，据发现者称，造像分批埋藏在地表以下 1 米左右的多个土坑内。简报配以照片予以介绍。

据介绍，出土造像除个别为黄白色砂石质地外，均为石灰石质地，大都破损严重。

头像鼻子多被砸损。简报认为是在北周毁佛时人为所致。

简报称，在地方志记载中，古青州地区几乎每个县市都有1处寺观以“龙兴寺”为名。在这一地区出土了较大批量造像的遗址，包括寿光在内的3处都为“龙兴寺”。另两处为青州龙兴寺遗址和诸城体育场龙兴寺遗址。由文献可知，唐宗李显、武则天曾相继在各州置统一名号的寺院，名为“龙兴”的寺院一般规模较大。此次发掘，也佐证了文献的这一记载。

499.山东青州兴国寺故址出土石造像

作　者：夏名采、庄明军

出　处：《文物》1996年第5期

兴国寺故址，位于山东省青州市城东12.5公里黄楼镇迟家庄村北，1981年底发现。在调查过程中，采集到一批残石造像。

简报分为：一、故址情况，二、出土遗物，三、结语，共三个部分予以介绍，有彩照、拓片。

据介绍，故址位于迟家庄村北100米处，发现时为场院及饲养棚。东、北部为平原，南为丘陵，西临弥河。长、宽各150米，总面积达2万余平方米。故址为弥河边一高埠，与其他地片相比，高出1米左右。西部因长期用土，地片略低。该处地面暴露出大批灰坑，出土成批陶片，也有北朝瓷碗等。陶质器有西汉的陶盆、瓦等，并有西汉、唐朝的瓦当。从遗物分析，该故址为西汉至唐的一处古文化遗址。遗址东部地势略高，呈北高南低状，这里即为兴国寺故址。1979年冬，在整平农田地面时，将寺院故址东部近四分之一的地片整平，出土了一批残石造像。此次调查时将残石造像运回博物馆保存。采集的这批残石造像，大、小近40件，同时还有石羊、莲花佛基座等文物。这批残石造像，分属于北魏、东魏、北齐、隋唐等不同时期，其中北朝的遗物最为丰富。

简报称，兴国寺故址出土的这批石造像，虽残缺较重，但仍不失为南北朝至隋唐时期青州地区佛教、雕刻艺术的重要资料。造像出土地的原兴国寺，文献记载不详，据这批造像资料，其最早创建历史或可从东汉石羊所改之题铭中窥知，即建于北魏正始五年（508年）之前，经北魏而至东魏、北齐、隋唐，一直兴盛不衰。唐末因某种原因被废弃，佛像被砸毁，同时被毁的也有兴国寺西之村庄。

威海市

济宁市

500.山东梁山青堌堆发掘简报

作　者：中国科学院考古研究所山东发掘队　何裔震

出　处：《考古》1962 年第 1 期

青堌堆遗址在梁山县城北约 12 公里，位于东平湖的西南，南依郭庄，东临运河。梁山境内地势较为低洼，经常受到河、济二水的影响，不少地方被水淹没。1958 年夏考古人员前往调查；1959 年 3 月至 5 月 25 日又到青堌堆进行发掘，清理了房屋 1 座、灰坑 15 个和墓葬 6 座。

简报分为：一、遗址堆积概况，二、龙山文化遗存，三、殷代文化遗存，四、汉代文化遗存，五、结语，共五个部分予以介绍，有手绘图、照片。

据介绍，共发现龙山文化房屋 1 处，灰坑 5 个，商代灰坑 9 个，土坑竖穴墓 2 座，东汉券顶砖墓 2 座。从发现的生产工具上观察，龙山文化是以农业生产为主的，由于地理环境的关系，渔猎和采集经济仍占相当的比重。但到了殷代，农业经济则较龙山文化更为发达。

501.山东泗水、兖州考古调查简报

作　者：中国科学院考古研究所山东工作队　薛金度、胡秉华

出　处：《考古》1965 年第 1 期

泗水县和兖州县位于山东省西南部。泗水县境内多丘陵地，间有河谷平地；兖州县则是平原地区。泗河由泗水县东发源，西流经曲阜入兖州县，折向东南流，是两县的主要河流。1957 年以来，省、县在进行文物普查时曾发现了不少古文化遗址。1963 年 4 月至 5 月间又进行了一次调查，新发现的和以前省、县在普查中发现的古文化遗址共 31 处，其中泗水县有 10 处，兖州县有 21 处。

简报分为：一、新石器时代遗址，二、殷周遗址，共两个部分予以介绍，有手绘图。

据介绍，出土有陶器、石器等，似有细微区别，简报分为三类介绍。殷代遗址 1 处，位于兖州城南 7.5 公里的桲欏树村。西周遗址仅有东吴寺、苗堂两处较单纯，至于见有西周遗物的地点则有尹家城、寺台、钓鱼台、下芦城、西吴寺、傅家村等处。出土春秋至战国遗物的有尹家城、寺台、故县、下芦城、尧王坟、卞桥、辛庄、趑庄、张庄、

堌城、后街、郭家村、马家桥、红庙、蒿家庙、东顿村、安家庙、小孟等处，其中东吴寺、西吴寺、尹家城、寺台等处出土物较多。各遗址出土物主要为陶器，但完整的很少。

502.山东济宁县古遗址

作　者：济宁地区行署文化局文物普查队　朱承山、苏延标

出　处：《考古》1983年第6期

济宁县地处鲁西平原东部，京杭大运河由北向南穿过县境。济宁县南部有南阳湖与微山湖，地势低洼，常年淤积，发现遗址较少；北部地势较高，主要是黄褐沙土地，遗址分布较密。1956年和1973年，济宁县曾进行过考古调查。1980年6月至12月，又进行了详细的调查、复查，仅这次调查又新发现遗址16处，共计23处。这些遗址多数包含两个时代以上的遗存，包含大汶口文化的遗址7处，龙山文化6处，殷商11处，西周15处，汉代及汉以后的遗址分布较密集。简报依照大汶口文化、龙山文化、殷商、西周、东周等时代顺序，介绍了这次调查情况及采集的遗物，有手绘图。

据介绍，遗址地点有李营公社的贾庄、大桥、老窑沟、栗乡，二十里铺公社的义和村、潘王营、郑堌堆，长沟公社的城子崖、党堌堆，唐口公社的郭堌堆、刘林，喻屯公社的亢父城、瓦屋张、小堌堆，南田公社的李堌堆、东邵、范李庄、赵庙、凤凰台、吴家、潘庙、砖瓦窑，安居公社的玉皇顶，大都含两种或两种以上文化遗存。

503.淄博元末明初玻璃作坊遗址

作　者：淄博市博物馆　于加方

出　处：《考古》1985年第6期

淄博元末明初玻璃作坊遗址是考古人员在博山第一百货商店大楼基建工地发现的，随即进行了清理。自1982年11月28日至12月15日陆续清理完毕，实际工作10天。

简报分为：一、地理位置，二、地层堆积，三、遗物，四、结语，共四个部分予以介绍，有手绘图、照片。

据介绍，该遗址位于山东省淄博市博山大街北首路西，西距现在孝妇河约70米。所清理的只是博山第一百货商店大楼地槽范围以内约403平方米的遗迹。限于周围的环境，这次清理的面积有限，但已能看出当时的生产规模很庞大，炉址密集、排列整齐，是一处工匠集中、分工较细的大型手工工场。工场内各炉的生产分工也较明确，基本上是一座炉主要生产一种或一类产品。就产品种类来说，主要是簪、珠、

环等。这些产品社会消费量大，使用范围广，制作工艺较简单，适合于大批量生产。出土的玻璃器有半透明和不透明两种。有的实心，有的空心。半透明的玻璃器莹润透亮，虽然还有一些很小的气泡，这在当时的技术条件下是难免的。不透明的玻璃器质如凝脂，器表光亮。玻璃器多为单色，有蓝、红、绿、黄、白、黑、琥珀、影青等。白色分乳白和牙白两种；红色分鲜红和豇豆红两种。各种颜色鲜亮纯正，说明当时已经较准确地掌握了各种呈色剂的比例、配方和火候，可以根据需要制作各色玻璃。这些成就反映了当时玻璃生产技术水平的高度发展，以及手工业领域较大的商品生产规模。简报认为，这也似乎表明博山玻璃生产的历史不止于元、明。

504.兖州西吴寺遗址第一、二次发掘简报

作　者：文化部文物局田野考古领队培训班　李　季、何德虎等

出　处：《文物》1986 年第 8 期

西吴寺遗址位于山东省兖州县小孟区西吴寺村东，东南距县城 25 公里。这里是鲁西平原的东南缘，地势平坦开阔。遗址在一片高出周围地面 1.5 至 2 米的台地上，现存面积近 10 万平方米。遗址南面 500 米处有一古河道。遗址发现于 1957 年。其后，各级文物部门作过多次调查。山东省文物考古研究所在 1983 年进行了小规模试掘。1984 年秋和 1985 年春，文化部文物局在此举办了第一、二期田野考古工作领队培训班，对该遗址进行了发掘，获得龙山文化和周代遗物 1000 余件。

简报分为：一、地层堆积，二、龙山文化遗存，三、周代文化遗存，四、结语，共四个部分，配以照片、手绘图，介绍了 1983 年、1984 ～ 1985 年这两次发掘的情况。

据介绍，此次发掘龙山文化遗存有灰坑，遗物有陶器。年代简报推断为龙山文化晚期。周代文化遗存有祭祀坑、陶器、铜器、石刀、骨器等。年代从西周晚期到春秋末期。简报指出，该遗址规模较大，东距鲁故城仅 35 公里，而且发现了一些埋有整牛、猪、马等的祭祀坑和隧道，其性质和与鲁故城的联系有待进一步研究。

505.山东嘉祥县出土古代铜镜

作　者：嘉祥县文物管理所　曹建国、聂　萍

出　处：《考古》1986 年第 10 期

简报配以照片、拓片介绍了一批铜镜，均为嘉祥县境内出土，大部分出土在山区。

据介绍，这批铜镜有：一、四虺纹镜，西汉前期到中期。二、星云纹镜，西汉中（后期）。三、昭明镜，有铭文，西汉晚期。四、方格规矩镜，王莽至东汉，3 件，有铭

文。五、兽带镜，东汉前期，2 件。六、盘龙镜，东汉晚期，有铭文。七、瑞兽葡萄镜，唐代。八、菱花飞鹊镜，唐代。九、飞鹊镜，宋代。十、八宝镜，明代。

506.山东济宁程子崖遗址发掘简报

作　者：国家文物局考古领队培训班　李　季、何德亮等

出　处：《文物》1991 年第 7 期

程子崖遗址位于山东省济宁市郊区（原济宁县）长沟镇南约 1 公里的程子崖村内，过去一些调查资料中把此村俗称为“城子崖”，正式地名应为程子崖。遗址东北 0.5 公里处为京杭大运河（济宁—梁山段），南 0.5 公里处为一石灰岩小山，名张山，海拔高度约 37 米。此遗址早年保存较好，考古人员曾多次进行过考古调查，在村西、村南都发现了较厚的龙山与周代文化堆积。但由于遗址与现代村落重叠，村南的遗存现已被取土坑彻底破坏，村西也仅剩一小块空地并已规划为宅基地，估计相当一部分文化堆积都被村落压在下面。1986 年 9 月至 11 月初，国家文物局第二期考古领队培训班组织学员进行了抢救性发掘。

简报分为：一、地层堆积，二、龙山文化遗存，二、周至汉代文化遗存，四、结语，共四个部分并配以照片和拓片予以介绍。

据介绍，文化堆积层主要属于龙山文化和周至汉代两大时期。发现龙山灰坑 45 个、灰沟 2 条、房屋 6 座；周至汉代的灰坑 66 个、水井 15 口；出土遗物主要是陶器，还有少量石器和骨器。

507.山东嘉祥县发现两方铜印

作　者：曹建国

出　处：《考古》1991 年第 12 期

山东嘉祥县文物管理所近年来从百姓手中征集到几方古代铜印，简报配以拓片，介绍了两方铜印。

据介绍，这两方铜印，一是“别部司马”印。印为正方形，铜质较好，铸工精细。印文篆书阴文“别部司马”四字。据印的形制、篆文风格及官职名称，可定为东汉时期官印。“别部司马”后汉置，为郡属驻防武官，位在军司马之下。二为“蒙古军百户印”。印近似方形，长方形柱状钮。印背无款，铜质精细。此印经中国社会科学院民族研究所照那斯图先生鉴定，印文为八思巴篆文，可译作汉文“蒙古军百户印”。“百户”为元代军制，隶属于“千户”，为世袭军职。此印为元代武官印。

508.山东微山县汉、宋墓葬清理简报

作　者：微山县文化馆
出　处：《考古与文物》1992 年第 3 期

山东微山县两城乡，汉代属山阳郡高平县，东、南、南皆山，山坡上暴露着密集的石室残墓，建造大寨田时被破坏，墓中的陪葬品被抢走，画像石被运去修桥造渠。1989 年 9 月，考古人员来此调查古墓葬时顺便清理了几座近期被农民破坏的残墓，计有汉墓 3 座，宋墓 1 座。简报分为四个部分予以介绍，有手绘图。

据介绍，计有石室墓（两城 M1）一座，出土陶罐 1 件、铜带钩 1 件、五铢钱 1 枚、铁刀 1 件，为东汉早期座。独山岛西村残墓一座（独山 M1），出土陶器 10 件，为西汉中期墓。独山 M2 为一石室墓，出土有铜带钩 1 件，其余陪葬品均已未见，为东汉早期墓。两城乡养殖场 M1 发现一石室墓，出土有双耳白釉瓷罐，钱币 56 枚，为北宋末年墓。

509.山东微山县古遗址调查

作　者：济宁市博物馆　苏延标
出　处：《考古》1995 年第 4 期

微山县地处鲁西平原东部，这里土地肥沃，河流纵横，水源充足，古代人们在这块美丽的土地上生活、繁衍，留下许多遗迹遗物。1981 年和 1983 年考古人员曾对该地区进行过两次调查，发现遗址 15 处。1984 年在此基础上又进行了详细的复查与调查，结果又新发现遗址 17 处，这样在该地区共有遗址 32 处。它们分别包括了从大汶口文化至汉代，乃至汉以后各个时期的文化内涵。

简报分为：一、新石器时代，二、西周时代，三、春秋时代，四、战国时代，五、小结，共五个部分予以介绍，有手绘图等。

据介绍，32 处遗址多集中在县境的北部和南部，而中部却甚少，这是由于京杭大运河从微山四湖穿过经常积水，成为洼地，遗址或遭破坏，或不易发现。总的来说，调查所见的遗址，大体可分为三类：

一是高台式。这类遗址比周围地面高出 2 米，甚至 6 米，如李堌堆、王庄、昭庆寺、王楼等遗址。

二是高地式。远看呈缓坡状隆起，如宅顶、房庄堌堆、驩城、部城、岗子、马店子、姬家林、两城、留庄、苏庄、葛墟店、堂台、独山等遗址。

三是平地式。远看与周围无区别，如尹洼、广戚城、栾堌堆、仲浅、城址庙、东单、

傅楼、鲍楼、洛房、周家林、严庄、袁庄、陈庄等遗址。

这些遗址，新石器时代的较少，仅3处。西周时期的数量较多，采集的遗物也比较丰富。周代存在着两种不同的文化因素。一种与鲁城文物相同或相似的因素，如西周的钵、战国的洗釜；另一种与薛故城文物有着密切关系，如春秋的鬲、战国的鼎足。这可能正反映出当时周族与夷族文化在这一地区还尚未完全融合。

510.山东微山县发现汉、宋墓葬

作　者：微山县文管所　杨建东

出　处：《考古》1995年第8期

1989年9月至11月，考古人员在微山县两城乡普查文物时发现7座石室墓，有的暴露在外，有的被村民破坏。考古人员对7座墓葬作了清理，简报分为四个部分予以介绍，有手绘图。

据介绍，两城乡三面为山，一面为水，是微山县古墓葬最为密集之处。此次清理7墓，虽多为残墓或已遭破坏，但仍有一定价值。7墓均为小型墓，M1的时代约在西汉晚期，M2的时代为西汉晚期或东汉初期。M3、M5、M6为西汉早期墓。M4为西汉早期偏晚。宋墓一座，是两城乡少见的汉以后墓。简报推断此墓的下葬时间当在北宋末年或金兵占领山东初期。

511.山东济宁市玉皇顶遗址发掘简报

作　者：济宁市文物考古研究室、济宁市任城区文物管理所　王政玉、李德渠、张　骥、夏义勇等

出　处：《考古》2005年第3期

玉皇顶遗址位于济宁市任城区安居镇史海村南，东北距济宁市区约10公里，北距京杭大运河（老运河）约0.5公里，济荷铁路从遗址穿过。该遗址是1980年文物普查中发现的，现在高出周围农田约2米。除南部外其余保存尚好。遗址东西约400米、南北约500米，总面积约20万平方米。1995年11月，在修建粮仓时发现了新石器时代、商周文化遗存和汉墓。1996年1月，考古人员对工程范围内的文化遗存进行了抢救性发掘。共清理新石器时代灰坑3个，房址1座；商代灰坑3个，水井1口；汉代墓葬12座，沟1条，灰坑1个。

简报分为：一、地层堆积，二、新石器时代文化遗存，三、商代文化遗存，四、结语，共四个部分予以介绍，有照片、手绘图。

据介绍，此处遗址发现有北辛文化晚期、大汶口文化早期、殷墟文化第一期等不同历史时期的遗存。

泰安市

512.泰安市发现古代文物

作　者：翟所淦

出　处：《文物》1959 年第 1 期

泰安市道朗人民公社于 1958 年 3 月，出土了一批有价值的文物。简报配以照片予以介绍。

简报介绍，文物出土地点——龙门口位于泰安市城西 45 里的道朗村西，南北是山，中间有约 5 里宽的丘陵，康王河依南山贯穿东西，文物即在康王河北高坡上，面积约为 600 平方米。根据了解首先曾发现烧土和灰坑，后又发现很多人骨架。初步推断，系古代人们的居住遗址和墓葬区。经过整理共有完整器物 50 余件，主要为铜器、陶器。此外尚发现石斧 1 件，骨饰 1 件，鹿角斧 1 件，鹿角锥 1 件，人形玉雕 1 件，玲珑剔透，非常精致。

简报称，这些文物的发现都是在 1 ～ 15 米的灰土层中。根据器物形状看，简报推断应当是属于新石器、商、周时代的文物。

513.山东泰安县中淳于古代瓷窑遗址调查

作　者：山东大学历史系考古专业　李发林

出　处：《考古》1986 年第 4 期

1977 年 11 月，考古人员在满庄乡中淳于村西南，调查发现了一处古代瓷窑遗址。简报分为三个部分予以介绍，有手绘图。

据介绍，满庄在泰安城西南约 16 公里，中淳于村位于满庄西南约 2 公里处。遗址在村南偏西一些。东西步测约 480 米，南北步测约 250 米，面积约 12 万平方米。遗址北沿紧靠中淳于村庄，估计有部分遗址压在村庄下面，东沿止于村东一条小河沟，西沿距村西淳于河大约还有 60 米，遗址正南面和一片低洼地相连，东南是南淳于河。在这个范围内的地面上散布着陶片。采集到的遗物，主要有陶、瓷两类。除素烧外，釉色有青、白、黑、青花，器形有碗、盆、罐、盘等。此外，还有一枚“嘉祐通宝”

铜钱。简报称，中淳于古代窑址烧造瓷器的年代，基本上可以说是从北朝、隋唐直到元明，前后约达千年之久。时间延续长，实是此遗址一个突出的优点。这样的窑址，在北方是不得多见的。

514.山东东平白佛山石窟造像调查

作　者：泰安市文物考古研究室　郑甦民、刘　慧、吴绪纲

出　处：《考古》1989 年第 3 期

白佛山（又名危山、金螺山），位于山东省东平县须城乡焦村北 1 公里。石窟雕造在山之阳海拔 200 米处。现有四窟，简报配以照片予以介绍。

据介绍，关于白佛山石窟造像时期，简报推断就其题记及造像特点，可以分为以下几个时期：第一窟，窟旁刻文，当开凿于隋开皇七年（587 年）。第三窟，据窟内题记，为唐代造像。第四窟，题记中虽未提及年代，然题记中有“郓州须城县汶阳乡”字样。据光绪刻本的《东平州志》所载：“郓州须城县”之称，唯五代至宋初设置，再观其造像特点，较之第一窟和第三窟雕刻较粗，比例失调，身体裸露部分减少，也与五代至宋初这一时期的造像特点相近。据此造像可能在五代至宋初间。第二窟，仅存有 3 处较晚的重修题记，不能作为推断年代的依据。然其造像面部颀长丰满，面容庄严典雅，体形匀称和谐，衣饰简练流畅，其造像时间当不会晚于唐代。

515.山东宁阳西太平村古代瓷窑遗址试掘简报

作　者：山东大学考古专业、宁阳县文化馆

出　处：《考古与文物》1989 年第 4 期

1985 年发掘，共发现房基 1 处、窑炉 3 座、墓葬 2 座、灰坑 4 个。应为唐至北宋时期 1 处古代瓷窑遗址。

516.泰安岱庙出土的汉唐瓦当

作　者：高晓燕、秦　彧

出　处：《江汉考古》2000 年第 3 期

1995 年 11 月，岱庙仁安门安装避雷设施开挖地槽时，在距地表 1.5 米处发现 9 件瓦当。简报配以拓片等予以介绍。

据介绍，瓦当均为泥质灰陶，当面呈圆形。根据当面纹饰可分三类。计有云纹

瓦当2件、文字瓦当4件、莲花纹瓦当3件。时代有西汉中期到东汉时期，东魏、北齐时期、隋唐时期不等。现存岱庙系宋代建成。这些建筑瓦当的出土，为建于汉、唐时期的祠庙遗址提供了一定线索。

517.山东泰安市龙门口遗址调查

作　者：泰安市博物馆　刘卫东、张爱菊等

出　处：《文物》2004年第12期

龙门口遗址位于泰安市道朗乡大马庄村南100米。1960年初，在此曾发现青铜器、陶器、石器，近几年来又有文物陆续出土。1993年10～12月，考古人员对龙门口遗址进行调查，初步摸清了龙门口遗址的范围。

简报分为：一、遗址概况，二、新石器时代遗物，三、商周时期遗物，四、结语，共四个部分，配以照片、手绘图，介绍了此次调查情况及历年收集到的文物。

据介绍，龙门口遗址位于龙门口水库北岸的高台地上，东距泰安18公里，西距肥城15公里。康王河从遗址南侧东西向流过，南北为低矮的丘陵，遗址便坐落在二岭之间的冲积台地上。遗址的西南边缘压在水库大坝之下，东到康王河北支流西岸，北侧靠近大马庄村，南部在水库内尚保留一部分。遗址中心位于高台地的西南部，现存遗址南北宽90米、东西长140米，总面积126000平方米，文化层厚1.6～2米。遗址内到处可见大汶口文化至战国时期的残陶片，据了解，水库内出土的残陶片更多。龙门口遗址出土器物较多，其中属于大汶口文化中晚期的遗存有石斧、灰陶鼎、高柄杯、黑陶瓶、壶、白陶鬶等。遗址内出土1件滑石勺形器，勺柄刻有几何图案。这种器物在大汶口文化类型的遗址中尚未发现，但其纹饰与大汶口遗址出土的砺石上的纹饰相似。该滑石勺质地松软，恐非实用器，简报认为可能与原始祭祀有关。遗址内出土的商周青铜器多为商代晚期的常见器形。

简报指出，龙门口遗址分布范围广，器物种类丰富，延续时间长（上起大汶口文化晚期，下至春秋早期）。该遗址出土的这批器物虽然缺乏科学的地层关系，但数量多，器形完整，为揭示龙门口遗址内涵提供了实物资料。

518.山东泰山经石峪摩崖刻经及周边题刻的考察

作　者：山东省石刻艺术博物馆、德国海德堡学术院

出　处：《考古》2009年第1期

自2004年起，山东省石刻艺术博物馆和德国海德堡学术院对山东省境内佛教刻

经进行了全面系统的调查。2006 年 9 月的考察重点为泰山经石峪《金刚经》及其周边的题刻。

由 6 世纪中叶的《金刚经》刻文，至“郭沫若访泰山”题诗，经石峪记载了千余年的历史轨迹与刻石风貌。本文依照经石峪的石刻发展过程，将其分为五个时期。第一时期形成于北齐、北周年间《金刚经》刻成之时，这是经石峪第一次宗教艺术活动的高潮。第二时期是在经过百余年的沉寂后，形成于北宋徽宗政和年间。第三时期为明朝中叶以后，出现许多长篇题刻与短语题刻，这是经石峪石刻活动的第二个高潮。第四时期为清代咸丰年间。第五时期则为近现代，一共有 5 处题刻。2006 年度的田野调查共在经石峪周边发现并整理出 37 处题刻，其中有 7 处古代题刻，未见于金石著录，加上仅见于金石著录的 6 处题刻，以及《金刚经》刻文本身，总共为 44 处，分别编为 1 ～ 44。

简报分为：一、经石峪《金刚经》，二、《金刚经》周边题刻，三、相关问题探讨，共三个部分予以介绍，有彩照、拓片及折页“《金刚经》复原示意图”。

简报指出，泰山经石峪《金刚经》久负盛名，晚清以来，多有论著。但截至目前，学者研究的重点主要在《金刚经》本身，着重在经文版本与书法美学的研究。《金刚经》与周边题刻，以及题刻之间在内容上和历史、地理上的关系，则未被关注。就题刻内容的演化而言，明代最早期的几处题刻，有些是儒家经典（如 4 号《诗经 • 般》、8 号《大学》），有些涉及儒家学说（如 5 号“二典三谟之文”、14 号《经正》题刻）。正因这些与儒家有关的题刻，使《金刚经》与周边题刻呈现出复杂的关系。尊儒辟佛是其中一层意义，如《经正》阐述以《大学》圣经反对石上之佛经，“故曰经正”。但这些题刻中所论及“二典三谟”“文王周公孔子之文”及“民兴”等儒学的概念，似乎已偏离了儒佛之间关系。如何理解这些题刻中的主旨与更深一层的意义，有待研究。

简报称，按《明史》及各地方志记载，题刻的书者是一批履任山东、政绩显著的循吏，其中多有被弹劾、罢归者。在经石峪题刻中，多数官员仅留其姓名、籍贯，而略过其官职、头衔。这种现象令人推测，题刻的书者以私人行踪游历经石峪，籍贯代表个人的出身来处，题刻抒发其在公务生活中不能轻易表露的感触。简报讨论了两个问题：其一，王阳明与汪玉之间的师友情谊与上下属僚关系；其二，汪坦草书（6 号题诗）所传递的明朝中晚期士人的归隐思想。

简报还提到，20 世纪 60 年代对经石峪所实施的保护措施，修路、筑堤、迁亭、更改河道，大大地改变了经石峪的外貌。修路、筑堤改变了明代迂回的山道，截短的路径不再给人一种类似朝圣的敬虔之情与朝圣者的感受，其地貌不要说与古代，就是与民国时比，已是大为改观。

日照市

519.莒县马鬐山出土南宋、金、元之际有关“红袄忠义军”的文物

作　者：山东莒县博物馆

出　处：《文物》1961 年第 7 期

1960 年5 月在莒州古城东南70 华里的马鬐山北山脚下，莒县中楼人民公社刘家峪生产队在锄地时发现了5 件铁制文物。简报配以照片予以介绍。

据介绍，计有：（1）六耳生铁锅 1 件。通高 34.5 厘米、口径 51 厘米、厚 2.5 厘米，最大腹径 53.5 厘米，重 63 斤。底部呈黑色，是当时使用时经火烧过的痕迹。（2）双耳三足平底生铁炉 1 件。（3）生铁把壶 1 件。重 5 斤半（可能缺壶盖），素面。（4）长柄双股钢叉头 1 件。体重 2 斤 6 两，完整无缺。（5）长柄钢剥刀枪头 1 件。这组文物出土的地点，在四关埠村以南古“皇城”以北约百米。

简报称，马鬐山高549 米，山势险峻，是南宋、金、元之际以杨妙真（号称杨四娘子）、李全（号称李铁枪）为首的“红袄忠义军”根据地遗址。文物出土的地址“皇城”，是南宋、金、元之际农民起义军“红袄忠义军”为据守此山抵抗金兵所筑的城垣。根据文物的时代、出土的地点，以及大多是军用品等来推断，可能即是“红袄忠义军”的遗物。

520.山东莒县杭头遗址

作　者：山东省文物考古研究所、莒县博物馆　常兴照、苏兆庆

出　处：《考古》1988 年第 12 期

1983 年3 月下旬，莒县杭头村村民在村东地里挖土时发现古代墓葬，考古人员进行了调查和清理并作了调查性试掘，发现大汶口文化墓葬3 座，周代墓葬2 座，战国墓葬1 座及部分龙山文化灰坑、汉代灰坑、灰沟、陶井等遗迹。1984 年春至1987 年春，该村村民又破坏了1 座春秋墓葬和1 座大汶口文化墓葬，前者已残缺，后者因及时进行了抢救性清理，资料尚可复原。

简报分为：一、遗址概况与地层堆积，二、大汶口文化遗存，三、龙山文化遗存，四、周代文化遗存，五、战国文化遗存，六、汉代文化遗存，七、结语，共七个部分予以介绍，有手绘图。

据介绍，杭头村位于莒县县城东南 7.5 公里处。主要收获是大汶口文化遗存，其他各时代遗存很少。大汶口文化年代据测定为距今 4600 年左右。用残鬶足、鬶片随葬，仅在莒县一带大汶口文化遗存中出现。这次清理的四座墓中有三座有这种现象。这可能是一种地方性的与宗教信仰有关的葬俗。此地周代、战国甚至直至 1949 年前，还有用残砖、残瓦放置棺顶的习俗。方形“石璧”系首次发现，用途似不是装饰品，尚待研究。带有刻画图像的大口陶尊也较重要。简报推测当时的莒县一带，可能存在有一个强大的部落联盟。

521.山东日照市周代文化遗存

作　者：杨深富、胡　膺、徐淑彬

出　处：《文物》1996 年第 6 期

日照市地处鲁东南沿海，古属东夷之地。境内史前文化遗存丰富，已作过一些调查和研究。但对这一地区商周时期东夷民族活动的情况及其国属、疆域诸问题了解不多。近年来考古人员注意有关文物的收集，结合田野考古调查和资料整理工作，发现日照市周代文化遗存分布面较广，见于全市各乡镇。但除崮河崖等个别地点新发现的铜器资料已报道外，其余资料均未发表。

简报分为：一、遗迹，二、遗物，三、小结，共三个部分，配以照片、拓片、手绘图，将新中国成立以来在日照市境内发现的周代文化遗迹、遗物作一综述。

据介绍，日照市境内的周代文化遗物主要出自墓葬，部分为征集所得。通过部分墓葬的调查与清理，得知周代墓葬的形制多为竖穴土坑墓，有熟土二层台。小型墓均为单人墓，葬式多为仰身直肢，葬具仅有棺，随葬器物较少。中型墓有墓道和椁室，椁室四周填有白灰色膏泥，随葬的器物较多。简报称，从出土遗物看，西周至春秋战国时期，日照市境内周代先民与周围地区在文化方面有着广泛的接触和交流。

522.山东日照市两城地区的考古调查

作　者：中美两城地区联合考古队　蔡凤书、于海广、栾丰实、方　辉、孙成甫等

出　处：《考古》1997 年第 4 期

日照市位于山东省东南部，东面濒临黄海，属低山丘陵地区。本次所调查的两城地区即位于日照市北部，两城河及其支流金银河、北河构成境内的主要水系，著名的两城镇遗址便处在两城河与北河的交汇处。

两城镇遗址是20世纪30年代初期被发现的。1936年，我国著名考古学家梁思永先生等对该遗址进行了首次的科学发掘，但是由于战争的原因，发掘成果未能公布于世。中华人民共和国成立后考古人员对这一遗址进行了多次的调查和勘察，采集到了大量的文物标本，并且进一步确定了遗址的保护范围。

为了进一步研究两城镇遗址的文化分布范围和文化内涵，经国家文物局批准，中美联合考察队于1995年12月28日至1996年1月12日，连续16天在两城镇地区进行了全面的野外调查，主要收获简报分为：一、调查方法，二、遗址的时代和分类，三、采集遗物，四、主要收获，共四个部分予以介绍，有手绘图。

据介绍，调查表明，周代是继龙山文化之后发展相对充分的时期之一，而且在居址的选择上，与龙山文化时期多有重合，但在遗址的数量和规模上要远逊于后者。从两城镇遗址的规模上看，此时虽具备本地中心的性质，但充其量是从属于地方政府之下的管理中心，同龙山时代已不可同日而语。另外，简报指出，有一点值得注意，周代的居址有向海滨伸延的趋势，这表明对海洋开发的能力有所加强。历次调查中，均未见到岳石文化的踪迹，商文化的遗物也是寥寥无几，这可能与当地的龙山文化突然衰退有关。采集的遗物主要有龙山文化遗物、商周文化遗物。

简报称，龙山文化遗址呈等级状分布这一现象的揭示，是这次调查的主要收获之一。这对于在更高层次上研究龙山时代地区集团的重组和文明中心的形成等问题，提供了极为珍贵的资料。

523.山东日照地区系统区域调查的新收获

作　者：中美两城地区联合考古队　方　辉、栾丰实、于海广、蔡凤书等

出　处：《考古》2002年第5期

自1995年以来，山东大学与耶鲁大学和美国芝加哥自然历史博物馆等单位合作，在以日照两城镇遗址为中心的山东东部地区开展了6个季度的系统区域调查。前两个季度的调查已发表了阶段性成果。同前两次调查结果相比，现在所掌握的资料，无论是调查所覆盖的面积，还是遗址发现的总数量，都有了明显的增加，获得的信息也更具学术价值。目前调查工作仍在继续进行当中，本文报道的是1995～2000年前五个季度调查的主要收获。

简报分为：一、调查区域、目的与方法，二、调查收获，三、结语，共三个部分予以介绍，有手绘图。

据介绍，龙山时代，以两城镇遗址为中心所形成的高度核心化，显示出该中心同其周围存在着的较小的聚落群之间有着一定程度的经济和社会交往，而两城镇同

那些次一级中心聚落之间有规律的空间分布这一现象，更加增强了这样一种可能，即两城镇中心无论是在政治上还是在经济上，都对这一相对广大的地区发挥着一定程度的支配和影响作用。

调查显示，在周代和汉代，两城镇仍然是本地区举足轻重的聚落遗址，就总体上来说，简报认为与山东西部地区相比，这一时期的聚落形态显示出日照地区的重要性呈明显的弱势。

莱芜市

524.山东省莱芜市古铁矿冶遗址调查

作　者：泰安市文物考古研究室、莱芜市图书馆

出　处：《考古》1989 年第 2 期

1986 年 3 至 5 月，考古人员对莱芜古代铁矿开采、冶炼情况进行了专题调查，共发现采矿、冶炼遗址 34 处。

简报分为：一、遗址，二、出土遗物，三、结语，共三个部分予以介绍。

据介绍，莱芜位于山东中部、泰山东麓。是汉代以来开矿、冶铁的重要地区之一。所发现的34处遗址，分布于莱芜西部。重要者有城子县遗址、铁牛岭遗址、官厂遗址等。简报指出，莱芜古代铁矿开采、冶炼的历史有以下几个特点是值得注意的：

一是延续时间长。莱芜铁冶在西汉、东汉、唐代、宋代、元代、明代一直设有铁务之官，冶铁业长久不衰，在已发现的遗址中，有着明显的历史继承关系。如唐代的冶铁遗址汶南、宜山等，同样又是宋代的重要冶炼基地；小北冶遗址从唐代一直延续到明代。这种长期延续的历史，是与莱芜地区得天独厚的矿产资源以及冶炼水平分不开的。

二是遗址分布密集。目前已发现的 34 处矿冶遗址，按其面积计算，平均不到 25 平方公里就有一处遗址。其遗址之密集就山东省来说是罕见的。

三是遗址规模大。所发现的冶铁遗址，面积范围多在 2 万平方米以上。有 6 处遗址超过 10 万平方米。城子县遗址达 42 万平方米。

临沂市

525.山东临沭县北沟头和寨子遗址调查

作　者：王　亮

出　处：《考古》1990年第6期

临沭县位于山东省东南部。境内东部多山，中部丘陵，西部为平原地带，地势呈东高西低状。西有沭河纵贯南北，中有沧源河由北向南注入沭河。近年来在考古调查中发现古遗址30多处，大多数分布在河流两岸的平原或台地上。

内涵较为丰富的北沟头和寨子两处遗址简报分为：一、北沟头遗址，二、寨子沟遗址，三、小结，共三个部分予以介绍，有手绘图。

据介绍，北沟头遗址位于县城西北郑山乡北沟头村北50米处的一土台上，东临沧源河。地面或断崖上暴露有大量红烧土块、石器、陶器、蚌壳、鹿角、兽骨，从断崖上可看到灰坑墓葬等遗迹。简报从遗物特征看，遗址包含大汶口晚期、龙山、岳石以及周汉等时代。

寨子遗址位于县城东南周庄乡寨子村西50米处，距县城1公里。遗址地处近河平原地带，西500米有巷源河南北流经，面积3万平方米。遗物包括大汶口、龙山、岳石、周汉等时代，简报认为主要为龙山文化。

526.山东沂水县发现古井

作　者：马玺伦

出　处：《考古》1991年第6期

1986年9月，沂水镇东关街建筑队在县城中心十字路口西边南侧邮电大楼建筑施工中，至2.5米深处，发现南北并排，中间相距3米的两座古井。考古人员对两座古井做了清理。北边井编号为井1，南边井编号为井2。

据介绍，井1，从井口至井的中部用石灰岩石砌成，下半部即自然裂隙，泉水从裂隙中流出。裂隙石缝经过人工开凿扩大，自然裂隙石面上有金属工具穿凿痕迹。井口径80厘米、底径90厘米、口至底深650厘米。井内填满了土、石、陶片，底部黑色淤泥内伴有灰陶、白瓷片。井2，形状与井1基本相同，较浅，水很少。井内除填满土、石和陶瓷片外，没有别的器物。井深450厘米、上口径80厘米、底径

120 厘米。还出土有白瓷盘、木梳，以及西汉五铢、开元通宝、唐国通宝、淳化元宝和时代属明初的宋元通宝。此古井的使用时间应很长。

527.山东郯城县古文化遗址调查简报

作　者：临沂地区文物管理委员会、郯城县文物管理所　冯　沂、刘一俊、赵敬民、黄新忠

出　处：《考古》1995 年第 8 期

郯城县位于山东省东南部，境内东部有主峰海拔高 184 米的马陵山脉绵延南北。沂河、沭河自北部山区穿过县境流入江苏境内后注入黄海。全县总面积 1307 平方公里。近几年来通过多次考古调查，已发现古遗址 81 处，其中旧石器地点 4 处（已做过报道），新石器时代遗址 14 处，商周遗址 16 处，汉代遗址 47 处。从发现的新石器时代遗址中，大多数遗址都包含有两个时代以上的文化遗存。简报分为六个部分，先行介绍新石器时代遗址，有手绘图。

简报重点介绍了风渡口、停庙、南沟崖等 5 处新石器时代遗址。其他遗址的基本信息可参阅所附表格。

从考古情况看，大汶口文化遗存，以风渡口遗址出土的遗物最具特色，如红顶钵、圆柱形鼎足等，均具有大汶口文化早期的特征。龙山文化遗存，资料较丰富，有 11 处遗址中含有龙山文化遗物，较为典型的有大尚庄、南沟崖等。岳石文化遗物发现甚少，仅在小麦城遗址中采集到一件甗腰。商周时期的遗址较多，采集遗物多为夹砂褐陶，外饰绳纹。

528.山东临沂朱陈古瓷窑址调查

作　者：临沂市博物馆　冯　沂

出　处：《考古》1995 年第 8 期

简报配以手绘图等，介绍了于临沂朱陈发现的一处古瓷窑址。

据介绍，发现的遗物有碗、罐、碟等。窑具有柱形支具、覆碗形垫具、三角形支钉等。简报推断该窑始烧于北朝晚期，直至唐宋时期。简报称，山东地区的古瓷窑址已发现达数十处之多，但早期窑址并不多见，朱陈北朝至唐代瓷窑址的发现，虽为民窑，但却为山东地区乃至全国北方地区增添了一处窑址点，同时它对研究北方瓷窑址的分布以及山东地区的陶瓷史，也有着较为重要的意义。

529.山东临沂市大范庄遗址调查

作　者：山东省临沂市博物馆　冯　沂

出　处：《华夏考古》2004 年第 1 期

大范庄位于临沂市河东区相公镇，遗址位于村西 200 米当地人称为“西岭”的一片高地上。1973 年发现，以后进行过多次发掘。简报分为：一、概况，二、文化遗物，三、结语，共三个部分，介绍了历次发掘的情况，有手绘图。

据介绍，发现有大汶口文化、龙山文化、岳石文化等不同历史时期的遗物，其中一件牙璋十分精美，是同类遗物中年代最早的 1 件。此处应是鲁东南一处重要的古代遗址。

530.山东费县防故城遗址的试掘

作　者：防城考古工作队

出　处：《考古》2005 年第 10 期

防故城遗址位于费县方城镇古城里村，1995 年发掘。简报分为：一、遗址概况，二、遗迹，三、出土遗物，四、结语，共四个部分，有照片、手绘图。

据介绍，该城呈不规划椭圆形，周长 1400 米，面积约 14 万平方米。发现有龙山文化、春秋战国、秦汉时期夯土城垣，以及墓葬、沟等遗迹。该城应是始建于龙山文化时的古城，东周时为鲁国东部边境重镇，汉代时为华县县治所在。

德州市

聊城市

531.山东聊城地区出土的铜镜

作　者：山东聊城地区博物馆　刘善沂、孙怀生

出　处：《文物》1986 年第 6 期

从 1973 年以来，聊城地区各县在文物普查中，征集到铜镜几十面，上自汉代，下到明清，历代皆有。除圆形者外，还有方亚形、葵花形和菱花形，多种多样。分

别收藏在地区博物馆和各县图书馆。简报配以照片予以介绍。

据介绍，具有明显时代特征和有年款的铜镜有：1，汉代镜；2，唐代镜；3，宋、金代镜；4，元代镜；5，明代镜。

简报称，元、明时期的铜镜纹样都很简单，比如明代双鱼纹镜与金代同类铜镜相比，前者呆板，后者生动即是明显的例证。

532.山东聊城地区出土的磁州窑瓷器

作　者：刘善沂、郭争鸣

出　处：《考古》1989 年第 8 期

从1973 年以来，聊城地区博物馆在文物普查中，征集到一批古代瓷器，其中宋元时期磁州窑系的瓷器数量最多，而且较有特色，简报配以照片予以介绍。

据介绍，计白釉黑花瓷器共20 件，器类有盂、灯、瓶、盆、坛、罐等。珍珠地划花瓷器4 件。从时代看，跨宋、金、元三个时期。这批磁州窑系的瓷器，皆属民窑产品，胎质、釉色皆不甚纯正，不如官办窑场出产的瓷器制作精细。其纹饰特点粗犷流畅，构图简练，写实性强，生活气息浓厚，因而形成磁州窑独特的艺术风格。

简报指出，聊城地区地处山东西部，分别与河南、河北两省接壤，征集和出土了不少的磁州窑系的瓷器，但是一直没有发现任何古瓷窑遗址，这可能与聊城地区地处黄河冲积平原，缺乏烧造瓷器必要的燃料和瓷土一事有关，因此推测这些磁州窑系瓷器不无来自豫北、冀南的可能。

533.聊城地区出土部分古代铜镜

作　者：聊城地区文化局文化研究室　怀　生、宗　涛、崑　麟等

出　处：《文物》1993 年第 4 期

从 1973 年以来，聊城地区在文物普查中，征集到一批古代铜镜，部分铜镜简报配以照片予以介绍。

据介绍，汉代镜有莘县出土昭明镜 1 件，高唐县出土素镜 1 件。唐代镜有莘县黄庙出土瑞兽葡萄镜 1 件，冠县店子出土雀绕花枝镜、宝相花镜各 1 件。金代镜有吴牛喘月镜、四瓣花镜各 1 件，出土地点不详，冠县出土鱼龙变化镜 1 件。元代镜有至元四年双龙镜 1 件，出土地点不详。1986 年聊城市孙丰村出土人物镜 1 件。缠枝牡丹镜、花卉宝珠镜各 1 件，出土地点不详。

534.山东阳谷、东阿县古文化遗址调查

作　者：孙淮生、吴明新

出　处：《华夏考古》1996 年第 4 期

阳谷、东阿两县地处山东省西部黄河冲积平原的黄河北岸，面积合计 1835 平方公里，下辖 35 个乡镇。1988 年，在全省的文物普查中于两县范围内发现了汉代以前的古文化遗址计 16 处，采集到一批遗物标本。

简报分为：一、大汶口文化遗存，二、龙山文化遗存，三、岳石文化遗存，四、商周时期文化遗存，五、结语，共五个部分予以介绍，有手绘图。

据介绍，这次调查发现的先秦时期的古文化遗址 16 处，包含有大汶口文化、龙山文化、岳石文化、商代及周朝不同时期的遗存。从这次调查情况来看，这一地区古文化遗址的类型多属堌堆式遗址，一般高出周围地面 1.5 ～ 5 米，保护较好，多数遗址含有两个以上时期的文化堆积。遗址的分布也有一定的规律，由西南向东北呈条带状分布，这一分布规律可能与古济水有关。

简报称，这次调查发现了较为丰富的新石器时代文化遗存，其中红堌堆、香山、皇姑冢等 5 处大汶口文化遗址的发现为这次调查的重要收获之一，应为大汶口文化早期遗存。这次调查也发现了丰富的龙山文化遗存，从其文化内涵看，这一地区的龙山文化与典型龙山文化的城子崖类型较为接近，同时受到河南龙山文化的影响。多处岳石文化遗址的发现，不仅进一步扩大了岳石文化的分布范围，也为我们探讨这一时期本地区与周边地区的关系提供了实物资料。商周时期的遗存也较为丰富，综观这一时期的陶器特征，如鬲、盆、簋、豆等都与中原地区发现的同类器较为接近，就其时代而言，周代遗物较少，大部分为商代晚期的遗物，个别的如 A 型鬲，有可能早到商代早期。

535.山东茌平县李孝堂遗址的调查

作　者：陈昆麟、马允华、孙淮生

出　处：《华夏考古》1997 年第 4 期

李孝堂遗址位于山东省茌平县茌平镇李孝堂村东南约 50 米，西北距县城 2 公里。遗址原为一高台地，俗称“东庵”。现高出周围地面 0.5 米，总面积约 12000 平方米，遗址保存基本完好。1974 年首次发现此遗址，后经多次调查，1978 年定为县级文物保护单位。采集的村本有石、骨、蚌、陶器，数量较多，年代上从龙山文化到汉代各个时期的都有。

简报分为：一、龙山文化遗物，二、岳石文化遗物，三、商代文化遗物，四、周代文化遗物，五、结语，共五个部分予以介绍，有手绘图。

据介绍，龙山文化遗物十分丰富，包括石、骨、蚌、陶器。岳石文化的遗物较少，全是陶器，以泥质灰陶为主，夹砂陶数量较少，绝大多数是灰陶，少量褐陶，器表多为素面，有少量的绳纹和戳印纹，可识别的器形有盆、罐、豆等。商代的遗物均为陶器，绝大多数是夹砂陶，少数泥质陶，以灰陶为主，有一定数量的褐陶和红褐陶，纹饰以绳纹为主，有少量的凹弦纹、圆圈纹、附加堆纹等。可辨器形有鬲、盆、簋、甗、罐、豆。周代陶器较少，仅有鬲、盆和豆，共 4 件。

简报称，此遗址遗存以龙山时期和商代最为丰富。龙山遗存应属龙山文化晚期，而遗址中的商代文化遗存时间上可以从二里岗上层延续到殷墟晚期，说明从二里岗上层时开始，商王朝的势力已达茌平一带。周代文化遗存较少，反映的文化特征也不明显。

536.聊城、茌平古文化遗址调查简报

作　者：陈昆麟、孙怀生、吴明新、孙恒生

出　处：《考古与文物》1998 年第 1 期

聊城、茌平二县市位于山东省西北部黄河冲积平原，徒垓河流经两县市。这里地势平坦，气候温暖，水流充足，植被繁茂，为人类的繁衍生息提供了良好的自然条件。考古人员进行了多次文物普查。特别是 1988 年至 1990 年的文物补查，在这一古文化区内发现秦以前的古文化遗址 35 处。有的遗址，包含五六个时代的文化遗存。遗址多发现在已干涸的古河道两侧。两县相较，茌平县境内的古遗址分布比较密集。以县城为中点，在一条西南—东北方向的故河道两侧，每隔三五公里就有一处古遗址，而徒垓河以西的古遗址却很少。这里似乎有一条规律可循，那就是这一文化小区的古文化遗址大都分布在这条西南—东北走向的古河道两侧的高台地上，向东北一直延伸到德州地区的禹城县境内。

简报分为：一、大汶口文化遗存，二、龙山文化遗存，三、岳石文化遗存，四、商周文化遗存，五、汉文化遗存及“结语”，共六个部分予以介绍，有手绘图。

据介绍，从遗址分布来看，以茌平县的南部最为密集，徒垓河以西仅见大碾李（编号 LC18，大汶口、龙山等）、五菜瓜（编号 LC30，春秋）两处。聊城市除在距县城 10 公里的西北方向发现一处聊古庙遗址（编号 LL44）外，其他遗址都在县城的东南和东部。这些遗址大都分布在古济水流域的高坡地带，呈东北、西南条带状分布，有一定规律可循。这次调查发现龙山文化及商周时期的文化遗存较为丰富，而介于其间的岳石文化遗存发现较少，说明这一文化已到了边缘。各遗址延续时间一般较长，大

都包含有 2 ～ 3 个以上不同时期的文化遗存。分析各不同时期的文化内涵，这次发现的大汶口文化遗物都与尚庄遗址的发掘资料一致。龙山文化遗存则明显不同于鲁东及沿海地区的两城类型，而与鲁中地区的城子崖类型较为近似，同时，又与河南地区的龙山文化有着共同的文化因素，这为进一步探讨本地区龙山文化与周边地区同期文化的关系，提供了又一批实物资料。商周时期的文化遗存除与中原地区大约相同时期文化具有一致性外，也有着明显的地方特点，这对研究商文化对本地区的影响和在本地区的进一步发展以及与这一地区土著文化的关系，具有重要价值。

537.山东省阳谷县马庙元明墓地发掘简报

作　者：山东省文物考古研究所
出　处：《华夏考古》1998 年第 3 期

马庙元明墓地位于阳谷县城南 12 公里的寿张镇马庙村东约 150 米处的高地上。墓地南 300 米为金堤河大坝，东南约 2 公里是河南省台前县县城，新建的京九铁路从墓地经过。为配合京九铁路建设，考古人员在调查钻探中发现该墓地。1993 年 5 ～ 7 月进行了清理，这次发掘共清理墓葬 9 座。从墓葬分布及墓葬形制看，这一墓地应为元明时期的家族墓地。简报分为：一、大型墓，二、中型墓，三、小型墓，共三个部分予以介绍，有手绘图。

据介绍，该墓地计有大型墓 4 座（M3、M4、M7、M8），中型墓 4 座（M2、M5、M6、M9），小型墓 1 座（M1）。时代为晚元至明初。随葬品不多，部分木制结构及砖雕有其特色。

滨州市

538.山东博兴出土百余件北魏至隋代铜造像

作　者：山东省博兴县图书馆　李少南
出　处：《文物》1984 年第 5 期

1983 年 9 月，山东省博兴县崇德村农民贾效国在村北 200 米处取土时，在距地表 40 厘米深处，发现一批铜佛像和 1 件老子铜像。造像原盛在一红陶瓮中，出土时陶瓮已破碎。共清理出造像 101 件，其中能辨识形体的 96 件，较完好的 77 件，有铭文的 44 件，有确切纪年的 39 件。造像中最大的高 28 厘米，最小的高 7 厘米。纪年有北魏太和二年（478年）、太和二十一年（497年）、北齐天保元年（550年）、隋文帝仁寿三年（603年）等。这批造像的铸造工艺，都是浇铸成形以后，又经锉、凿、刻、抛光、鎏金等多种工序加工。北齐河清三年（564年）孔昭俤造弥勒像铸造时需数个模子翻砂，再精雕细刻，最后将各部装配在一起而成。这批有大量确切纪年的铜造像的出土，为我国铜造佛像的分期研究提供了新的重要资料，对我国佛教及其与道教关系的研究而言，增添了新的内容。

539.山东博兴龙华寺遗址调查简报

作　者：山东省博兴县文物管理所　李少南

出　处：《考古》1986年第9期

山东省博兴县龙华寺遗址位于县城东北10公里，总面积约56万平方米。1976年出土了一批石造像，1983年出土了一批铜造像，同时还出土了大批青瓷和北齐、北周、隋代货币等。1981年和1984年4月，考古人员进行了初次调查后，再次对该寺院遗址进行了较全面的调查。调查情况和收获简报分为：一、发现的文化遗迹，二、采集的出土文物，三、结语，共三个部分予以介绍，有手绘图。

据介绍，隋代之前不仅建寺，而且在东西相距不到500米的范围内，就有两处寺院。西边的是“龙华寺”，东边的是“乡义寺”。隋代所建寺院是因袭“龙华寺”之名，在以前寺院基础上重建的，因此简报推断龙华寺的始建应在隋代之前。遗址中出土的铭文碑刻、造像等文物中自北魏太和二年（478年）至隋大业四年（608年）都留有确切纪年的作品，而没有唐代作品。在遗址断崖发现的地层关系中，也未见唐代文化层。可见龙华寺没有保存到唐代，大概在隋末被毁掉。

简报指出，龙华寺所出土的青瓷碗、罐与淄博市寨里古瓷窑的产品，在釉色、胎质、造型特点及烧造技术等方面完全一样，可以说在龙华寺遗址中出土的青瓷器的大部分是淄博市寨里一带古瓷窑所生产的。简报认为淄博古瓷窑的青瓷器烧造时间至迟不晚于北魏后期。

540.山东邹平丁公遗址第二、三次发掘简报

作　者：山东大学历史系考古专业　栾丰实、许　宏、方　辉、杨爱国

出　处：《考古》1992年第6期

丁公遗址位于山东省邹平县苑城乡丁公村东，西南距邹平县城约13公里，处于鲁北平原南部的山前平原上，其西0.8公里有孝妇河自南向北流入小清河。遗址总

面积约 16 万平方米，文化层一般厚约 2 ～ 4 米。文化遗存延续时间较长，除少量大汶口文化和岳石文化之外，主要堆积为龙山文化和商周时期的遗存。为配合山东大学 1984 级、1986 级考古专业学生的毕业实习，继 1985 年首次试掘后，考古人员又于 1987 年、1989 年秋对该遗址进行了第二、三次发掘。这两次发掘主要在遗址西北部的Ⅱ区和东南部的Ⅳ区内进行。两次发掘实际发掘面积近 1000 平方米。共清理不同时期的房址 20 余座、水井 3 眼、陶窑 4 座、灰坑近 900 个、墓葬 20 余座，获陶器、石器、骨角器、蚌器、铜器等近 3000 件，其中可复原陶器 700 余件。

两次发掘的情况简报分为：一、地层堆积，二、龙山文化遗存，三、岳石文化遗存，四、商代文化遗存，五、结语，共五个部分予以介绍，有手绘图、照片。

据介绍，丁公遗址的龙山文化遗存年代跨度较大，在已发掘的同类遗址中比较少见。纵观丁公遗址的龙山文化遗存，早段尚未与大汶口文化晚期直接衔接，相当于联系两者过渡环节的遗存在这里有少量发现。早、中段之间联系密切，主要器类的递嬗关系十分清楚，而中、晚段面貌差别较大，其间当有一定的缺环。此外，还发现为数不多的晚于前述晚段的龙山遗存。依据文化面貌的差异，考古人员曾将海岱地区的龙山文化划分为六个区域类型。丁公遗址位于鲁西北地区的东部，总体文化面貌与章丘城子崖、茌平尚庄等遗址的龙山遗存相同，均属于龙山文化城子崖类型。

岳石文化遗存保存较差，遗迹与遗物发现不多。较之鲁南和胶东地区，这里的岳石文化遗存自身特色比较明显。不同点的存在，究竟是时代的差异，还是地域的不同，抑或二者兼而有之，则需要进一步探究。

商周时代遗存在发掘区内亦较为丰富。在总体文化因素接近中原地区商周文化——如殉狗和典型商式器物的大量存在——的同时，其地方特色亦较为显著，而以后段为甚。

541.山东省邹平县古文化遗址调查简报

作　者：山东省文物考古研究所、邹平县文管所　郑同修、王　臻

出　处：《华夏考古》1994 年第 3 期

邹平县位于黄河下游，鲁中山区北部边缘，下辖 17 个乡镇。邹平县的文物普查工作始于 20 世纪 80 年代初期。在 1987 ～ 1988 年全省文物普查工作中，又对全县范围内进行了普查。对邹平、礼参、长山等 8 个乡镇进行了普查，发现古文化遗址 60 余处。其余的临池、西董、九户、明集、孙镇、魏桥、码头、台子、里八田等 9 个乡镇的普查工作，发现新石器时代至汉代文化遗址、墓地 19 处，并复查了西南村、鲍家等遗址。1993 年春，又对其中 3 处重点遗址进行了复查。

简报分为：一、北辛文化遗存，二、龙山文化遗存，三、岳石文化遗存，四、商代文化遗存，五、周代文化遗存和“结语”，共六个部分予以介绍，有手绘图。

据介绍，遗址有的位于高台上，有的位于山坡上，有的位于土丘上，有的位于平地。新石器时代文化遗址较少，商代遗址较多。另外，还发现有汉代遗存，简报暂未报道。

542.山东滨州市滨城区五处古遗址的调查

作　者：滨城文物管理所、北京大学中国考古学研究中心　叶　红、燕生东、赵　岭

出　处：《华夏考古》2009 年第 1 期

简报分为：一、主要遗址概况，二、大汶口文化陶器，三、龙山文化陶器，四、商周文化陶器，四、石器、骨器、牙器，五、年代及相关问题，共五个部分简要介绍了滨城区发现的 5 处史前、商周时期遗址的调查资料，并初步探讨了殷商、西周初期聚落的性质以及与周围同时期遗址的关系，有手绘图。

据介绍，这 5 处古遗址均位于滨城区北部，分别是滨城镇卧佛台、单寺乡小赵家、堡集镇兰家、高家和后尹遗址。大汶口文化、龙山文化陶器仅见于卧佛台遗址，商周时期陶器最多，石器、骨器、牙器出自卧佛台、兰家遗址。

简报指出，随着考古工作的开展，还会发现这个时期的聚落。但是，这还是给人一种殷商时期突然繁荣的感觉。另外，这里发现的物质遗存如陶器、青铜礼器（如兰家）、卜骨、卜甲（如李屋遗址）以及墓葬等与殷商文化的一致性，说明是外来势力的进入和特殊经济活动的结果。这些遗址中，还有一个特点，即发现的陶器除生活用具如鬲、甗、簋、豆、罐、盆、瓮等外，还出土了大量盔形器，其数量占陶器总数的 60% 左右。简报称，殷商时期，西部内陆地区的突然繁荣与东部地区大规模盐场群的出现应存在着必然的联系。

菏泽市

543.山东成武县古遗址调查简报

作　者：山东大学考古系、成武县文物管理所　陈雪香

出　处：《华夏考古》2014 年第 3 期

成武县隶属菏泽市，地处苏鲁豫皖四省交界处，东连齐鲁，西接中原，距省会

济南市 215 公里，至菏泽市 51 公里。据前两次全国文物普查资料，成武县发现了 60 余处古遗址，其中新石器时代至秦汉时期的遗址 40 余处，多数为堌堆遗址。现复查的 8 处古遗址情况简报分为：一、遗址概况，二、采集遗物，三、结语，共三个部分予以介绍，有手绘图。

据介绍，成武县 8 处古遗址的复查资料，采集标本包括龙山文化、岳石文化、商周和汉代遗物。调查资料表明，这些堌堆遗址多为龙山至汉代长期沿用，未曾中断。简报认为，此次调查为研究菏泽地区考古补充了新的资料。